*Chiara Santangelo*

# Der urheberrechtliche Schutz digitaler Werke

Schriftenreihe des Max-Planck-Instituts für ausländisches und internationales Strafrecht

# Strafrechtliche Forschungsberichte

Herausgegeben von Ulrich Sieber

in Fortführung der Reihe
„Beiträge und Materialien aus dem Max-Planck-Institut für ausländisches und internationales Strafrecht Freiburg"
begründet von Albin Eser

Band S 125

Max-Planck-Institut für ausländisches
und internationales Strafrecht

# Der urheberrechtliche Schutz digitaler Werke

## Eine vergleichende Untersuchung der Schutz- und Sanktionsmaßnahmen im deutschen, italienischen und englischen Recht

Chiara Santangelo

Duncker & Humblot · Berlin

Bibliografische Information der Deutschen Nationalbibliothek

Die Deutsche Nationalbibliothek verzeichnet diese Publikation in der Deutschen Nationalbibliografie; detaillierte bibliografische Daten sind im Internet über <http://dnb.ddb.de> abrufbar.


c/o Max-Planck-Institut für ausländisches und internationales Strafrecht
Günterstalstraße 73, 79100 Freiburg i.Br.
http://www.mpicc.de
Vertrieb in Gemeinschaft mit Duncker & Humblot GmbH, Berlin
http://www.duncker-humblot.de

Umschlagbild: © Fineas – Fotolia.com
Foto der Autorin: © Katy Otto
Druck: Stückle Druck und Verlag, Stückle-Straße 1, 77955 Ettenheim
Printed in Germany

ISSN 1860-0093
ISBN 978-3-86113-837-2 (Max-Planck-Institut)
ISBN 978-3-428-13709-1 (Duncker & Humblot)
Gedruckt auf alterungsbeständigem (säurefreiem) Papier
entsprechend ISO 9706 ♾

Meinen Eltern

# Vorwort

Die vorliegende Arbeit wurde im Wintersemester 2010/11 von der Rechtswissenschaftlichen Fakultät der Albert-Ludwigs-Universität Freiburg als Dissertation angenommen. Sie berücksichtigt die einschlägige Gesetzgebung, Rechtsprechung und Literatur bis zum September 2010.

Die Dissertation entstand im Rahmen der International Max Planck Research School for Comparative Criminal Law (IMPRS-CC), die mir durch ihr fachübergreifendes Forschungsprogramm zur Strafrechtsvergleichung ein inspirierendes Umfeld bot. Wichtige Impulse bekam die Arbeit außerdem während meiner Referendarstation in der Abteilung Durchsetzung der Rechte des geistigen Eigentums in der Europäischen Kommission.

An dieser Stelle möchte ich mich herzlich bei meinem Doktorvater Herrn Professor Dr. Dr. h.c. mult. *Ulrich Sieber* für die Betreuung der Dissertation bedanken. Er hat mein Vorhaben konstruktiv unterstützt und mir wertvolle Hinweise und Anregungen gegeben. Herrn Professor Dr. *Maximilian Haedicke*, LL.M., danke ich für die äußerst zügige Erstellung des Zweitgutachtens.

Schließlich möchte ich allen Weggefährten und Freunden danken, die mir mit Rat und Tat zur Seite standen und die mich in den letzten Jahren während meiner Promotionsphase und meines Studiums in Brügge begleitet haben, insbesondere Dr. *Susanne Forster*, LL.M., für ihre fachlichen Tipps und ihre freundschaftliche Unterstützung. Ganz besonders danke ich auch *Julian Pfäfflin*, M.A., für die Geduld und Mühe beim Korrekturlesen und Formatieren der Arbeit.

Gewidmet ist die Arbeit meinen Eltern, die mir meine Ausbildung ermöglicht haben und auf deren Unterstützung ich immer vertrauen kann.

Frankfurt am Main, im September 2011 *Chiara Santangelo*

# Inhaltsübersicht

# Inhaltsverzeichnis

*Vierter Teil*
**Schutz digitaler Werke in Italien**

*Fünfter Teil*
**Schutz digitaler Werke in England**

*Sechster Teil*
## Vergleich

# Abkürzungsverzeichnis

| | |
|---|---|
| a.A. | anderer Auffasssung |
| ABl. | Amtsblatt |
| Abs. | Absatz |
| AC | Law Reports: Appeal Cases |
| ACTA | Anti-Counterfeiting Trade Agreement |
| a.E. | am Ende |
| AEUV | Vertrag über die Arbeitsweise der Europäischen Union |
| a.F. | alte Fassung |
| All ER | All England Law Reports |
| Alt. | Alternative |
| App No | Application number |
| Az. | Aktenzeichen |
| BayVBl | Bayerische Verwaltungsblätter |
| BB | Betriebsberater |
| BGB | Bürgerliches Gesetzbuch |
| BGBl. | Bundesgesetzblatt |
| BGH | Bundesgerichtshof |
| BGHZ | Entscheidungen des Bundesgerichtshofs in Zivilsachen |
| BPI | British Phonographic Industry |
| BT-Drucks. | Bundestagsdrucksache |
| BVerfG | Bundesverfassungsgericht |
| bzw. | beziehungsweise |
| C.C. | Codice Civile (ital. Zivilgesetzbuch) |
| CDPA | Copyright, Designs and Patents Act |
| CERN | Conseil Européen pour la Recherche Nucléaire |
| Ch | Law Reports: Chancery Division |
| COM | Document of the European Commission |
| C.P. | Codice Penale |
| C.P.C. | Codice di Procedura Civile |
| CR | Computer und Recht |
| Cr App R (S) | Criminal Appeal Reports (Sentencing) |

| | |
|---|---|
| DEA | Digital Economy Act |
| Dir. Aut. | Diritto di Autore (Il) |
| Dir. Inf. | Diritto dell'informazione e dell'informatica |
| Dir. Pen. e Proc. | Diritto penale e processo |
| D.L. | Decreto Legge |
| DR | European Commission of Human Rights Decisions & Reports |
| DRM | Digital Rights Management |
| ed(s). | edition/edizione/editor(s) |
| ECDR | European Copyright and Design Reports |
| EG | Europäische Gemeinschaft bzw. Vertrag zur Gründung der Europäischen Gemeinschaft |
| EGMR | Europäischer Gerichtshof für Menschenrechte |
| EHRR | European Human Rights Reports |
| EHRLR | European Human Rights Law Review |
| EIPR | European Intellectual Property Review |
| engl. | englisch |
| et al. | et alii |
| EU | Europäische Union |
| EuGH | Gerichtshof der Europäischen Union |
| EWCA Civ | Court of Appeal, Civil Division |
| EWG | Europäische Wirtschaftsgemeinschaft |
| EWHC | High Court |
| EWS | Europäisches Wirtschafts- und Steuerrecht |
| f., ff. | folgende, fortfolgende |
| Fn. | Fußnote |
| FS | Festschrift |
| FSR | Fleet Street Reports |
| FuR | Familie und Recht |
| GA | Goltdammer's Archiv für Strafrecht |
| GeschmMG | Gesetz über den rechtlichen Schutz von Mustern und Modellen |
| ggf. | gegebenenfalls |
| ggü. | gegenüber |
| Giur. merito | Giurisprudenza di merito (Zeitschrift) |
| Giust. pen. | Giustizia penale |

| | |
|---|---|
| GRUR | Zeitschrift für Gewerblichen Rechtsschutz und Urheberrecht |
| GRUR Int. | ~, Internationaler Teil |
| GRUR-RR | ~, Rechtsprechungs-Report |
| HL | House of Lords |
| ICC | International Chamber of Commerce |
| i.d.R. | in der Regel |
| IIC | International Review of Industrial Property and Copyright Law |
| insb. | insbesondere |
| IPQ | Intellectual property quarterly |
| IPR | Intellectual property reports |
| IPRax | Praxis des Internationalen Privat- und Verfahrensrechts |
| ISP | Internet Service Provider |
| i.S.d. | im Sinne des |
| i.S.v. | im Sinne von |
| ital. | italienisch |
| IZPR | Internationales Zivilprozessrecht |
| JZ | Juristen Zeitung |
| K & J | Kay & Johnson's Vice Chancellor's Reports |
| KOM | Dokumente der Europäischen Kommission |
| LDA | Legge sul diritto d'autore (ital. Urheberrechtsgesetz) |
| lit. | litera |
| LJPC | Law Journal Reports, Privy Council |
| LR eq | Law Reports, Equity Cases |
| LT | Law Times Reports |
| MacCC | MacGillivray's Copyright Cases |
| MarkG | Gesetz über den Schutz von Marken und sonstigen Kennzeichen |
| MDR | Monatsschrift für Deutsches Recht |
| MMR | Multimedia und Recht |
| MoU | Memorandum of Understanding |
| m.w.N. | mit weiteren Nachweisen |
| NJ | Neue Justiz |
| NJW | Neue Juristische Wochenschrift |
| NJWE-WettbR | NJW-Entscheidungsdienst Wettbewerbsrecht |

| | |
|---|---|
| NStZ | Neue Zeitschrift für Strafrecht |
| NZLR | New Zealand Law Reports |
| OECD | Organisation für wirtschaftliche Zusammenarbeit und Entwicklung |
| OJ L | Official Journal of the European Union – Legislation |
| p.m.a. | post mortem auctoris |
| POCA | Proceeds of Crime Act 2002 |
| Rom-Abkommen | Abkommen über den Schutz der ausübenden Künstler, der Hersteller von Tonträgern und Sendeunternehmen |
| RGZ | Entscheidungen des Reichsgerichts in Zivilsachen |
| RBÜ | Revidierte Berner Übereinkunft |
| RPC | Reports of Patent, Design and Trade Mark Cases |
| RiStBV | Richtlinien für das Strafverfahren und das Bußgeldverfahren |
| Riv. it. dir. proc. pen. | Rivista italiana di diritto e procedura penale |
| Riv. pen. | Rivista penale |
| Riv. trim. dir. pen. econ. | Rivista trimestrale di diritto penale dell'economia |
| RIW | Recht der Internationalen Wirtschaft |
| RL | Richtlinie |
| Rn. | Randnummer |
| rw. | rechtswidrig |
| S. | Seite |
| SA | South African Law Reports |
| SIAE | Società italiana degli Autori ed Editori |
| Slg. | Sammlung |
| s.o. | siehe oben |
| sog. | sogenannt |
| st. Rspr. | ständige Rechtsprechung |
| TFEU | Treaty on the Functioning of the European Union |
| TK-Änderungsgesetz | Telekommunikations-Änderungsgesetz |
| TKG | Telekommunikationsgesetz |
| TMG | Telemediengesetz |
| TRIPS | Trade Related Aspects of Intellectual Property |
| TULPS | Testo unico della pubblica sicurezza |
| u.a. | unter anderem / und andere |
| UKHL | United Kingdom House of Lords Decisions |

| | |
|---|---|
| UrhG | Urheberrechtsgesetz |
| UFITA | Archiv für Urheber- und Medienrecht (früher: Archiv für Urheber-, Film- und Theaterrecht) |
| u.U. | unter Umständen |
| UWG | Gesetz gegen den unlauteren Wettbewerb |
| v. | von |
| vgl. | vergleiche |
| VO | Verordnung |
| vol. | volume |
| WCT | World Copyright Treaty |
| WIPO | World Intellectual Property Organisation |
| WLR | Weekly Law Reports |
| WPPT | Performances and Phonograms Treaty |
| WTO | World Trade Organisation |
| WUA | Welturheberrechtsabkommen |
| z.T. | zum Teil |
| ZKDSG | Zugangskontrolldiensteschutz-Gesetz |
| ZPO | Zivilprozessordnung |
| ZUM | Zeitschrift für Urheber- und Medienrecht |

# Einführung

## A. Problemstellung

Die moderne Informationstechnik und die damit einhergehende Digitalisierung haben der Produkt- und Dienstleistungspiraterie ein ganzes Spektrum neuer Möglichkeiten eröffnet. Dazu hat zuallererst das sämtlichen digitalen Speicherungen gemeinsame Merkmal beigetragen, dass Vervielfältigungen ohne jede Veränderung des Originalwerks und vor allem ohne jeden Qualitätsverlust angefertigt werden können. Zudem hat die technische Entwicklung zu einer massenhaften Verbreitung von PCs und Kopiervorrichtungen in Privathaushalten geführt, die das mühelose Anfertigen von Vervielfältigungsstücken gestatten. Die kontinuierliche Steigerung der Aufnahmekapazitäten gängiger Speichermedien erlaubt heute die Speicherung immer umfangreicherer Werke auch durch Privatpersonen. Eine weitere technische Errungenschaft, die Entwicklung des Internets in den 1990er Jahren,[1] hat neue Weichen für die Produkt- und Dienstleistungspiraterie gestellt. Digitale Werke konnten fortan vervielfältigt, veröffentlicht und binnen kürzester Zeit auf andere Rechner an jedem beliebigen Ort der Welt versendet werden. So ist heute nicht nur ein weltweiter Zugriff auf geistige Werke möglich: Auch die Bedeutung von Raum und Zeit hat sich geändert, da der Durchlauf früher erforderlicher Transportwege mit Aufkommen des digitalen Netzes überflüssig wurde. Erneut, wie schon nach der Erfindung des Buchdrucks und der Verbreitung analoger Vervielfältigungsgeräte, ist der urheberrechtliche Schutz von Immaterialgütern durch die neuen technischen Möglichkeiten gefährdet. Um die Investitionen der Medienindustrie und vielleicht sogar den Fortbestand dieses Wirtschaftszweigs zu schützen, wurden von den Rechtsinhabern neue gesetzliche Regelungen gefordert, die den Schutzstandard digitaler Werke an das neue Technologieniveau anpassen sollen.

Das enge Band zwischen technischer Innovation und gesetzlicher Entwicklung ist seit jeher kennzeichnend für den Bereich des Urheberrechts. Um geistige Werke nicht einer ungewollten Nutzung preiszugeben, ist seit der Anerkennung von Immaterialgüterrechten eine Anpassung des gesetzlichen Schutzes an technische Neuerungen erforderlich. Als Reaktion auf die Digitalisierung und die weltweite Verbreitung des Internets wurden nicht nur die nationalen Gesetzgeber tätig. Auf-

---

[1] Auf der Grundlage des vom US-amerikanischen Verteidigungsministerium aufgebauten Kommunikationsnetzwerks entwickelte *Tim Berners-Lee* im Jahre 1990 am CERN bei Genf (CH) das hypertext-basierte World Wide Web, welches leichter zu handhaben war als das zu militärischen Zwecken entwickelte Vorgänger-Netzwerk; *Theiselmann*, Geistiges Eigentum in der Informationsgesellschaft, S. 2.

grund der globalen Dimension der Produktpiraterie erkannte man die Notwendigkeit der Errichtung eines internationalen Mindestschutzes, der in verschiedenen internationalen Abkommen[2] und auf europäischer Ebene in mehreren Richtlinien[3] seinen Niederschlag fand. In den letzten Jahren bewirkten diese Kodifikationsentwicklungen eine Ausweitung der in den nationalen Rechtsordnungen vorhandenen rechtlichen Maßnahmen in allen Rechtsgebieten. Es wurden nicht nur bestehende Urheberrechtstatbestände zur Pönalisierung unerlaubter Verwertungshandlungen geschützter digitaler Werke ausgeweitet und im Strafmaß verschärft, auch das traditionell gut ausgestattete zivilrechtliche Instrumentarium wurde bezüglich der Maßnahmen zur Erleichterung der Rechtsdurchsetzung ausgedehnt, um dem Informationsdefizit bei der Ermittlung der Rechtsverletzer beizukommen.

Es stellt sich daher die Frage, ob und inwieweit angesichts der neuen und komplexen Problemstellungen neue rechtliche Instrumente und eine veränderte juristische Betrachtungsweise erforderlich sind, um den Schutz digitaler Güter vor dem globalen Phänomen der Produkt- und Dienstleistungspiraterie weiterhin gewährleisten zu können und ein Abdriften des Urheberrechts in die Bedeutungslosigkeit wegen praktischer Schwierigkeiten bei seiner Durchsetzung und eines Akzeptanzverlustes in der Öffentlichkeit zu verhindern.

## B. Ziel der Arbeit

Vor diesem Hintergrund ist es Ziel dieser Dissertation, das aktuell verfügbare rechtliche und außerrechtliche Instrumentarium zum Schutz digitaler Werke in Deutschland, England und Italien einer umfassenden Untersuchung zu unterziehen.

Dabei wird wie folgt vorgegangen: Zunächst soll mit Blick auf die neuen Schutzbedürfnisse digitaler Werke erforscht werden, mit welchen Maßnahmen das Recht auf die illegalen Verwertungshandlungen reagiert und wie dieser neue Schutz ausgestaltet ist. Darauf aufbauend soll im Rechtsvergleich analysiert werden, welche Gemeinsamkeiten es zwischen den Schutz- und Sanktionsmaßnahmen der nationalen Urheberrechtsgesetze Deutschlands, Italiens und Englands gibt und welche Unterschiede trotz internationaler und europarechtlicher Harmonisierungsvorgaben

---

2 Vgl. unten (Zweiter Teil, I.B.) Teil 3 des TRIPS-Abkommens, der teilweise auch als Vorlage für EG-Richtlinien genutzt wurde. Darin werden die Vertragsparteien zur Schaffung zivilrechtlicher Maßnahmen und auch zur Gewährleistung abschreckender strafrechtlicher Sanktionen angehalten. Auch der WIPO-Urheberrechtsvertrag (WIPO Copyright Treaty – WCT) und der WIPO-Vertrag über Darbietungen und Tonträger (WIPO Performances and Phonograms Treaty – WPPT) sollten bestehende Übereinkommen an das neue digitale Zeitalter anpassen.

3 Siehe insbesondere Richtlinie 2001/29/EG vom 22.5.2001 zur Harmonisierung des Urheberrechts und der verwandten Schutzrechte in der Informationsgesellschaft (sog. Harmonisierungs-RL); Richtlinie 2004/48/EG vom 29.4.2004 zur Durchsetzung der Rechte des geistigen Eigentums (sog. Enforcement-RL).

weiterhin bestehen. Hiernach wird in einer rechtsgebietsübergreifenden und rechtsvergleichenden Untersuchung der Frage nachgegangen, welche Gewichtung den einzelnen Rechtsgebieten und außerrechtlichen Maßnahmen innerhalb der nationalen Rechtsordnungen zukommt sowie in welchem Verhältnis die verschiedenen Rechtsregime zueinander stehen.

Mit Hilfe der rechtsvergleichenden Forschungsmethode werden verschiedene nationale Lösungsmodelle und verschiedene Urheberrechtssysteme analysiert und bewertet. Als Referenzrechtsordnungen wurden Vertreter verschiedener Immaterialgüterrechts-Systeme gewählt: Dies sind Deutschland und Italien als Vertreter des kontinentaleuropäischen *Droit d'auteur*-Systems sowie England als Vertreter des angelsächsischen *Copyright*-Systems. Im Mittelpunkt der Untersuchung stehen Schutz- und Sanktionsmaßnahmen für digitale Werke, die der Durchsetzung des Urheberrechts dienen. Im Hinblick auf den Schutzgegenstand liegt der Schwerpunkt der Arbeit auf den urheberrechtlichen Vermögensrechten und dem Urheberpersönlichkeitsrecht. Ergänzend werden zu manchen Aspekten leistungsschutzrechtliche Fragen hinzugezogen, wenn damit interessante Ergänzungen erzielt werden können.

Der Rechtsvergleich beschränkt sich nicht auf entsprechende Lösungen innerhalb eines Rechtsregimes. Rechtsgebietsübergreifend wird die Analyse auf zivil-, straf-, verwaltungs- und zollrechtliche Regelungen sowie außerrechtliche Maßnahmen ausgedehnt, die eine geeignete Handhabe zum Schutz der urheberrechtlichen Werke bieten. Die einzelnen urheberrechtlichen Verwertungs- und Nutzungsrechte, die die Verletzungstatbestände der Rechtsverletzungen ausfüllen, sind demgegenüber für die in der Arbeit behandelten Fragestellungen nicht von vorrangiger Bedeutung und werden daher nur am Rande behandelt.

## C. Gang der Untersuchung

Nach der Einführung folgen in einem ersten Teil Erläuterungen zur Bedeutung des Urheberrechts und zum Gegensatz zwischen *Copyright*- und *Droit d'auteur*-System. Außerdem werden die verschiedenen Regulierungsebenen bezüglich des Schutzes digitaler Werke aufgezeigt. Dabei wird insbesondere auf technische Schutzmaßnahmen als individuelle Kontroll-, Lizensierungs- und Abrechnungssysteme der Rechtsinhaber eingegangen. Im zweiten Teil werden sodann internationale Vorgaben und der gemeinschaftsrechtliche Rechtsrahmen untersucht. Mit Blick auf die Grenzenlosigkeit des Wirkungsbereichs der Raubkopierer erscheint es wichtig, den Schutz digitaler Werke und technischer Schutzvorrichtungen auch auf internationaler Ebene zu beleuchten.

Im dritten bis fünften Teil folgen die Landesberichte für Deutschland, Italien und England, die die gegenwärtige rechtliche und außerrechtliche Situation in den jeweiligen nationalen Rechtsordnungen abbilden.

Im sechsten Teil erfolgt schließlich die Rechtsvergleichung der verschiedenen nationalen Schutz- und Sanktionssysteme unter besonderer Berücksichtigung internationaler und gemeinschaftsrechtlicher Einflüsse. Im Wege einer rechtsvergleichenden Bewertung werden die Gemeinsamkeiten und Unterschiede der verschiedenen Rechtsordnungen herausgearbeitet. Abschließend werden im siebten Teil der Arbeit die gefundenen Ergebnisse zusammengefasst.

*Erster Teil*

# Neue Schutzbedürfnisse und Schutzmaßnahmen im Bereich digitaler Werke

## I. Digitale Piraterie

Produktpiraterie[1] gab es bereits vor dem digitalen Zeitalter: Technischer Fortschritt und massive Verbreitung analoger Vervielfältigungsgeräte ermöglichten schon in der analogen Zeit der 1960er Jahre einen rasanten Anstieg von Urheberrechtsverletzungen durch Tonträger- und Videopiraterie. Die Digitalisierung urheberrechtlich geschützter Werke stellte das Urheberrecht allerdings vor eine neue technische Herausforderung, die es bis an die Grenzen seiner Evolutionsfähigkeit brachte. Denn durch die Umwandlung von Sprach-, Musik- und Bildwerken in Bits und ihrer Speicherung als Binärcode lässt sich das Informationsmaterial mit geringem technischem Aufwand und ohne Qualitätsverlust wiedergeben, weiterverarbeiten und über das Internet verbreiten. Angesichts der hohen Kapazität gängiger Speichermedien können selbst im privaten Umfeld speicherintensive Werkarten mühelos gesammelt werden. So hat die Produktpiraterie allein in der Musikindustrie durch den illegalen Download von rund 317 Million Musiktiteln und das illegale Brennen von Raubkopien im Jahr 2008 zu einem geschätzten Schaden zwischen 500 Millionen und einer Milliarde Euro geführt.[2] Eine Studie der OECD[3] schätzt den Warenwert der im Jahr 2005 gefälschten Produkte[4] gar auf 600 Milliarden Dollar. Eine Studie der Internationalen Handelskammer[5] kommt sogar auf einen weltweiten Umsatz von 600 Milliarden US-Dollar durch den Handel mit gefälschten

---

[1] Nach der Definition auf der Homepage des deutschen Zolls ist Produktpiraterie das verbotene Nachahmen und Vervielfältigen von Waren, für die die rechtmäßigen Hersteller Erfindungsrechte, Designrechte und Verfahrensrechte besitzen. Vgl. http://www.zoll.de/b0_zoll_undsteuern/d0_verbote_und_beschraenkungen/f0_gew_rechtsschutz/a0_marken_piraterie/index.html [7.8.2009].

[2] http://www.musikindustrie.de/internetpiraterie/ [7.8.2009]; http://www.focus.de/digital/internet/internetpiraterie-1-9-millionen-dollar-strafe-fuer-24-downloads_aid_409519.html [7.8.2009].

[3] OECD, Economic Impact of Counterfeiting and Piracy, http://www.oecd.org/dataoecd/13/12/38707619.pdf [7.8.2009].

[4] Wobei in dieser Zahl alle Produktgruppen Niederschlag finden, von hochwertigen Luxusartikel über gebrannte CDs/DVDs bis hin zu Produkten des täglichen Bedarfs.

[5] ICC Commercial Crime Services (2008), Counterfeiting Intelligence Bureau, http://www.icc-ccs.org/index.php?option=com_content&view=article&id=29&Itemid=39 [6.9.2010].

Produkten. Die Unterschiede in den Zahlen kommen durch die Aussparung bestimmter Märkte durch die OECD-Studie zustande.[6] Allgemein ist hervorzuheben, dass das wahre Ausmaß der Produktpiraterie nur geschätzt werden kann. Dies hängt einerseits damit zusammen, dass Raubkopierer über ihre illegalen Verwertungshandlungen nicht buchführen. Zudem kann aus der Zahl illegaler Downloads kein genauer Schadensbetrag berechnet werden, denn es ist nicht feststellbar, welche der illegal heruntergeladenen Produkte alternativ auf legalem Wege erworben worden wären. Die betroffenen Unternehmen halten sich außerdem mit der Weitergabe und der genauen Bezifferung des ihnen entstandenen Schadens zurück. Auch fehlt es in Europa an einer zentralen Stelle zur statistischen Erfassung urheberrechtlicher Verletzungshandlungen.

Die Auswirkungen der Produkt- und Internetpiraterie ziehen sich durch verschiedene Bereiche und Interessengruppen: Zunächst sind die Rechtsinhaber, also Urheber und Industrie, durch Rückgang der Verkaufs- und Besucherzahlen, Beschädigung des Firmenansehens und Kostenzuwächse betroffen. Aber auch allgemeine sozioökonomische Folgen sind auf Piraterie zurückzuführen. So werden Innovation und Wachstum und insbesondere die Entwicklung des E-Commerce behindert. Der Rückgang des Handels in diesem Wirtschaftssektor geht mit einem Abbau von Arbeitsplätzen einher. Zudem ist eine Steigerung krimineller Aktivitäten im Internet feststellbar. Darüber hinaus leiden auch die Verbraucher unter der Verbreitung illegaler Ware, denn durch die Unterbrechung der Wertschöpfungskette und die Unterfinanzierung der kreativen Industrie ist das vielfältige und hochwertige Angebot nicht zu halten. Letztlich ist die Produktpiraterie für die Nationalstaaten selbst eine Last, denn durch Rückläufe in der Wirtschaft gehen auch die Steuereinnahmen zurück.

## II. Technische Schutzmaßnahmen und Digital-Rights-Management-Systeme

### A. Überblick

Mit der digitalen Speicherung von Videos, CDs und Büchern sowie der Zunahme ihres digitalen Vertriebs über das Internet nahm auch die Produktpiraterie zu. Durch die Digitalisierung wurde die unerlaubte Vervielfältigung urheberrechtlich geschützter Werke einfach, und auch die Qualität der Raubkopien ist nicht von der des Originals zu unterscheiden. Indes begünstigt der technische Fortschritt nicht nur die Erstellung und Verbreitung illegaler Raubkopien. Seit einiger Zeit wird

---

6 Diese Schätzung berücksichtigt nur den grenzüberschreitenden Handel und damit keine Produkte, die innerhalb eines Landes hergestellt und verbreitet wurden. Außerdem wird von dieser Studie auch der Internethandel mit illegalen Produkten nicht erfasst.

gezielt versucht, durch die Entwicklung und den Einsatz technischer Schutzmaßnahmen gegen Produktpiraterie vorzugehen und diese somit einzudämmen. Angesichts der hohen Zahl von Vervielfältigungen in Originalqualität sind technische Schutzmaßnahmen gegen Raubkopien von großer Bedeutung, insbesondere da die Kontrolle und Durchsetzung urheberrechtlicher Ansprüche in diesem Bereich schwer zu gewährleisten ist. Allerdings bringen diese technischen Schutzmechanismen, die von einzelnen Schutzmaßnahmen bis zu komplexen digitalen Vertriebssystemen reichen, auch neue Probleme in Bezug auf einen gerechten Interessenausgleich zwischen Urheber und Nutzer mit sich.[7] Einerseits ermöglichen sie eine sehr weitgehende Kontrolle über die digital gespeicherten Werke, die auch eine durch die urheberrechtlichen Schranken legitimierte Nutzung verhindern kann. Andererseits muss der Gesetzgeber die technischen Schutzinstrumente selbst rechtlich schützen, da sie andernfalls ungeahndet umgangen werden könnten.

## B. Technische Schutzmaßnahmen

### 1. Zugangs- und Nutzungskontrolle

Durch technische Schutzmaßnahmen kann der Rechtsinhaber sowohl den Zugang zu einem digitalen Werk als auch dessen Nutzung kontrollieren. Der Schutzumfang ist dabei nicht auf die dem Urheberrechtsschutz unterstehenden Bereiche beschränkt, sondern kann auch weitergehende Informationen erfassen.[8]

Unter die Zugangskontrolle sind solche Technologien zu fassen, die den Zugang zum digitalen Werk von einer vorherigen individuellen Zustimmung des Rechtsinhabers abhängig machen.[9] Dabei kann die Kontrolle sofort an der Quelle erfolgen, indem die Zugangsberechtigung über *Accounts* (Konten) erlangt wird. In der Regel ist für den Zugang die Eingabe von Benutzernamen und Passwörtern erforderlich. Daneben kann die Zugangskontrolle auch erst auf Empfängerseite einsetzen, wenn die Informationen in verschlüsselter Form übertragen werden und erst durch den Empfänger mit Hilfe des passenden Schlüssels decodiert werden.[10] Diese sogenannte Kryptografie transformiert unter Einsatz eines mathematischen Algorithmus vertrauliche Informationen, um sie für Nichtberechtigte unlesbar zu machen. Bei den Verschlüsselungsverfahren wird grundsätzlich zwischen symmetrischen und asymmetrischen unterschieden, aber auch ein hybrides Verfahren als Kombination von beiden ist möglich. Bei einem symmetrischen Kontrollverfahren codiert der

---

[7] Vgl. *Stieper*, Rechtfertigung, Rechtsnatur und Disponibilität der Schranken des Urheberrechts, S. 93 ff.

[8] Sieber/Hoeren-*Bechtold*, Teil 7.11 B Rn. 4.

[9] *Enders*, ZUM 2004, 596; *Wand*, Technische Schutzmaßnahmen und Urheberrecht, 2001, S. 10.

[10] Sieber/Hoeren-*Bechtold*, Teil 7.11 B Rn. 5; *Schulz*, GRUR 2006, 471.

Anbieter das Werk und übersendet das digitale Werk und den passenden Schlüssel an den Nutzer.[11] Eine Schwachstelle dieses Verfahrens, das hauptsächlich bei Pay-TV-Systemen genutzt wird, liegt in der erforderlichen Mitteilung des Schlüssels an den Nutzer. Diese kann von einem Angreifer abgehört werden, womit dieser Zugriff auf das Werk erhält.[12] Diesem Problem kommen asymmetrische Verfahren zuvor, indem sie zur Ver- und Entschlüsselung zwei komplementäre, mathematisch miteinander in Bezug stehende Schlüssel verwenden. Ein (privater) Schlüssel ist nur dem Nutzer bekannt, der andere ist öffentlich und wird beispielsweise in einer Datenbank abgelegt. Ist der digitale Inhalt einmal entschlüsselt, endet jedoch auch der durch die Kryptografie gewährte Schutz, denn nun können die entschlüsselten Werke kopiert und auch an Dritte weitergegeben werden. Dies kann verhindert werden, wenn die Werke auch im Endgerät des Nutzers in verschlüsselter Form vorliegen und lediglich bei einer berechtigten Nutzung von einer speziellen Soft- oder Hardware entschlüsselt werden.[13] Dies wird durch die Einrichtung eines „digitalen Containers" erreicht, in dem die digitalen Inhalte verschlüsselt übertragen werden und auch beim Nutzer bleiben. Dadurch ist eine Weitergabe an Dritte nur in verschlüsselter Form möglich und die Vervielfältigungsmöglichkeiten werden eingegrenzt.

Die Nutzungskontrolle macht die Nutzung urheberrechtlich geschützter Inhalte von einer vorherigen Erlaubnis des Rechtsinhabers abhängig. Dazu werden häufig Kopierkontrollsysteme eingesetzt, die die unbegrenzte Anfertigung von Kopien digitaler Inhalte verhindern können. Dies wird durch die Speicherung von Zusatzinformationen erreicht, die festlegen, ob und ggf. wie oft die Inhalte kopiert werden dürfen.[14] Eine Technologie, die die Anfertigung einer digitalen Kopie eines digitalen Werks unterbindet, aber analoge Kopien zulässt, ist das *Serial Copy Management System* aus dem Jahr 1992, das bei *Digital Audio Tape* (DAT)-Recordern und Minidisc-Geräten eingesetzt wurde. Wegen der leichten Umgehungsmöglichkeit über die analoge Schutzlücke hat sich dieser Standard nicht bewährt, und die Musikindustrie ist auf der Suche nach anderen Wegen.

Als weiterer Schutzmechanismus, der das Kopieren von CDs durch CD-Brenner verhindern soll, kann außerdem auf die CD „Datenmüll" mitgepresst werden, der die Brennersoftware verwirren soll.[15] Daneben kann auch das auf einer CD gespeicherte Inhaltsverzeichnis derart verändert werden, dass es nur noch von einem Abspielgerät gelesen werden kann, nicht aber von einem CD-Brenner oder von dem CD-Rom-Gerät eines Computers.[16]

---

[11] *Schulz*, GRUR 2006, 471; *Raepple*, Sicherheitskonzepte für das Internet, S. 138.

[12] *Bechtold*, Vom Urheber- zum Informationsrecht, 2002, S. 24.

[13] *Bechtold*, Vom Urheber- zum Informationsrecht, S. 26; Sieber/Hoeren-*Bechtold*, Teil 7.11 B Rn. 5; *Schulz*, GRUR 2006, 471 f.

[14] Sieber/Hoeren-*Bechtold*, Teil 7.11 B Rn. 6.

[15] *Schulz*, GRUR 2006, 473.

[16] Sieber/Hoeren-*Bechtold*, Teil 7.11 B Rn. 23.

## 2. Schutz der Integrität und der Authentizität

Mit Hilfe von technischen Schutzmaßnahmen können außerdem Integrität und Authentizität eines digitalen Werks vor Angriffen von außen geschützt werden. Die Integrität eines digitalen Werks ist dann betroffen, wenn ein Angreifer unerlaubt den Inhalt beeinträchtigt oder verändert. Um dem vorzubeugen, werden Prüfsummen (sog. *Hash*-Funktionen)[17] und *Challenge Response*-Verfahren[18] eingesetzt. Dadurch lässt sich auch die Authentizität eines digitalen Werks schützen, was insbesondere den Interessen des Urhebers dient. Um sicherzustellen, dass ein Inhalt tatsächlich von demjenigen stammt, der als Absender der Inhalte ausgewiesen ist, kommen vor allem „digitale Signaturen" zum Einsatz. Bei diesen handelt es sich um eine Art asymmetrisches Verschlüsselungsverfahren, das zum einen Zertifikate für Schlüssel erteilt und zum anderen eine Informationsstelle für den Empfänger des signierten Inhalts darstellt, bei der dieser sich über den zu seinem Schlüssel gehörigen Absender vergewissern kann.[19] Zudem werden „fragile Wasserzeichen" eingesetzt, die im Gegensatz zu herkömmlichen Wasserzeichen schon bei kleinen Veränderungen des digitalen Inhalts zerstört werden.[20]

## 3. Hard- und Softwarekomponenten

Auch Hard- und Softwarekomponenten können manipulationssicher ausgestaltet werden und damit einer unberechtigten Nutzung der Inhalte entgegenwirken. Als Hardwarekomponenten werden technische Schutzmaßnahmen, die zumeist im Verborgenen wirken, gegenständlich greifbar. Dazu zählen beispielsweise die in den 1980er Jahren zum Schutz von Computersoftware eingesetzten *Dongles*[21] sowie die heute beim Pay-TV und im Mobilfunk weit verbreiteten *Smartcards*,[22] auf denen Daten gespeichert, übertragen und verarbeitet werden können. Sodann gibt es auch sogenannte *Trusted Computing*-Architekturen, also Sicherheitssysteme im Chipkartenformat, die durch ihren Einbau sicherstellen sollen, dass die jeweiligen Endgeräte nur noch entsprechend ihren mitgegebenen elektronischen Lizenzschlüsseln genutzt werden können.[23]

Ebenso müssen Softwarekomponenten vor Manipulationen geschützt werden. So können manche digitale Inhalte beispielsweise nur mit bestimmter Software geöffnet werden, die aber typischerweise nur einzelne sichere Funktionen wie das

---

17 Ausführlich *Wätjen*, Kryptografie, 2004, S. 87 ff.

18 *Bechtold*, Vom Urheber- zum Informationsrecht, S. 75 ff.

19 Genauer *Langenbach/Ulrich*, Elektronische Signaturen, 2002, S. 93.

20 Zu den technischen Details *Bechtold*, Vom Urheber- zum Informationsrecht, S. 78 ff.

21 *Bechtold*, Vom Urheber- zum Informationsrecht, S. 81; *Koch*, CR 2002, 629.

22 *Raepple*, Sicherheitskonzepte für das Internet, S. 242 ff.; *Bechtold*, Vom Urheber- zum Informationsrecht, S. 82 ff.

23 Sieber/Hoeren-*Bechtold*, Teil 7.11 B Rn. 8.

Abspielen von Musiktiteln oder Filmen zulässt, nicht aber die Abspeicherung und das Kopieren.[24] Mit Hilfe von *Code Obfuscation*-Verfahren kann eine Systemsoftware so stark verändert werden, dass der Angreifer deren Funktionsweise nicht analysieren kann und somit ein Angriff auf die Systemsoftware durch sogenanntes *Reverse Engineering* erschwert ist.[25] Außerdem kann durch den Einsatz von *Hash-Funktionen* und auch sogenannte *Result Checking*-Verfahren ein Computerprogramm selbstständig überprüfen, ob es vom Angreifer verändert wurde.[26]

### 4. Informationen über die Rechtewahrnehmung

Für den vollautomatisierten digitalen Vertrieb urheberrechtlich geschützter Werke ist die Verfügbarkeit von Informationen in digitaler Form über die zu vertreibenden Inhalte grundlegend. Mittels sogenannter „Metadaten" wird die Identifizierung und Beschreibung digitaler Inhalte erreicht.[27] Sie können Informationen über den Inhalt eines Werks, wie beispielsweise dessen Titel, Werkart oder Dateiformat, enthalten sowie auch den Rechtsinhaber oder die jeweiligen Nutzungsbedingungen maschinenlesbar ausdrücken.[28] Obgleich eine Vielzahl verschiedener Metadaten-Standards geschaffen wurden,[29] ist die größte Schwierigkeit für die reibungslose Durchsetzung der Metadaten die internationale Standardisierung der Systeme. Andernfalls wäre der Informationsfluss dort unterbrochen, wo ein neues, unbekanntes System beginnt. Natürlich können auch Beispiele für erfolgreich etablierte Identifizierungssysteme angeführt werden, wie die *International Standard Book Number* (ISBN) oder der *International Standard Recording Code* (ISRC) für Tonträger.

Die den digitalen Inhalten in maschinenlesbarer Form beigefügten Nutzungsbedingungen bilden oft die Grundlage für Nutzungsverträge, die der DRM-Betreiber[30] oder der Inhalteanbieter mit dem Nutzer vereinbaren kann. Außerdem können die über den Werknutzer gespeicherten Informationen zu verschiedenen Zwecken verwandt werden. Zum einen kann ein Werk auf die individuellen Nutzungsgewohnheiten des Empfängers zugeschnitten werden. Zum anderen kann durch die Speicherung personalisierter Daten (eines sog. „digitalen Fingerabdrucks") eine illegale Kopie zu dem Nutzer, der die Urheberrechtsverletzung begangen hat, zurückverfolgt werden. Letztlich können durch Metadaten, die

---

24 Sieber/Hoeren-*Bechtold*, Teil 7.11 B Rn. 9; *Bechtold*, Vom Urheber- zum Informationsrecht, S. 228.

25 *Bechtold*, Vom Urheber- zum Informationsrecht, S. 88 f.

26 *Bechtold*, Vom Urheber- zum Informationsrecht, S. 87; Sieber/Hoeren-*Bechtold*, Teil 7.11 B Rn. 9.

27 Dazu ausführlich *Bechtold*, Vom Urheber- zum Informationsrecht, S. 34 ff.

28 *Schulz*, GRUR 2006, 472; Sieber/Hoeren-*Bechtold*, Teil 7.11 B Rn. 12.

29 Überblick bei *Bechtold*, Vom Urheber- zum Informationsrecht, S. 36 ff.

30 Zum Begriff der Digital-Rights-Management-Systeme vgl. im Folgenden C.

beispielsweise Informationen über den Rechtsinhaber enthalten, auch Wasserzeichen auf das Datenmaterial gespeichert werden. Ein Vorteil der digitalen Wasserzeichen gegenüber den offenen Verschlüsselungstechniken ist die hohe Resistenz gegen Veränderungs- oder Entfernungsversuche. Zur Vermeidung von Kopierhandlungen allerdings sind sie völlig ungeeignet. Lediglich nach einer Verletzungshandlung wird eine Rückverfolgung möglich.[31] Um nicht nur die Identität des Urhebers, sondern auch die Vornahme von Manipulationen am Werk beweisen zu können, werden in der Praxis gerne robuste Wasserzeichen, die selbst nach mehrmaliger Übertragung, Kopie oder wiederholten Ausdrucken vollständig sind, mit fragilen Wasserzeichen kombiniert,[32] die nach der Vervielfältigung oder Gefährdung der Integrität des zu schützenden Materials zerstört werden.[33]

## C. Digital-Rights-Management-Systeme

### 1. Begriffsbestimmung

Keine der oben dargestellten technischen Schutzmaßnahmen ist unüberwindbar. Aufgrund der beim Einzelgebrauch auftretenden Schwachstellen ist erst durch die Kombination verschiedener Schutzmechanismen ein hinreichendes Schutzniveau zu gewährleisten. Daher vereinigen DRM-Systeme als umfassende Schutzsysteme jeweils ein Bündel der oben erläuterten technischen Schutzmaßnahmen in sich. Allerdings sind auch DRM-Systeme trotz ihres hohen Schutzstandards gegenüber Angriffen bisher nicht undurchlässig. So erklärt es sich, dass sie nicht nur auf technische, sondern auch auf rechtliche Schutzmechanismen angewiesen sind, wie sie in vielen Ländern bereits geschaffen wurden. Andernfalls könnten sie von illegalen Nutzern beliebig umgangen werden, ohne dass daran sonstige rechtliche Konsequenzen geknüpft wären. Außerdem können DRM-Systeme auch die Einhaltung von in speziellen Verträgen mit Nutzern ausgehandelten Nutzungsbedingungen auf technischem Wege sicherstellen, wenn diese wie oben dargestellt als sogenannte Metadaten in maschinenlesbarer Form auf das jeweilige Datenmaterial gespeichert werden.

Der Begriff der DRM-Systeme lässt sich bisher noch nicht anhand von festen Parametern definieren. So existiert ein weiter Begriff, der darunter die wirtschaftliche Verwertung von Rechten an immateriellen Werken in ihrer digitalen Gestalt und deren Sicherung versteht. Zu diesem Zwecke soll gleichermaßen der Einsatz von rechtlichen oder tatsächlichen Mitteln durch die jeweiligen Rechtsinhaber umfasst

---

31 *Enders*, ZUM 2004, 597.

32 Zu den Unterschieden zwischen robusten und fragilen Wasserzeichen *Bechtold*, Vom Urheber- zum Informationsrecht, S. 70 ff.

33 *Schulz*, GRUR 2006, 472.

sein.[34] Legt man hingegen dem Begriff ein engeres Verständnis zugrunde, so fällt darunter lediglich der Einsatz technischer Schutzmaßnahmen zur faktischen Sicherung eines der materiellen Urheberrechtslage entsprechenden Verwertungsrechts.[35]

Letztlich können unter dem Begriff der DRM-Systeme Technologien verstanden werden, die die Möglichkeiten einer individuellen Nutzungskontrolle und Abrechenbarkeit wie auch den Schutz vor unbefugter Umgehung sowohl im Online- wie im Offline-Bereich bieten.[36] Ein im technischen Sinn einheitliches DRM-System existiert jedoch zurzeit nicht. Vielmehr setzen sich die Systeme aus verschiedenen Komponenten zusammen, die je nach Geschäftsmodell des Anbieters die gewünschten Funktionen erfüllen.

## 2. Bewertung

Mit der Entwicklung und dem Einsatz von DRM-Systemen wurde die Privatisierung des Rechtsschutzes im Bereich des Immaterialgüterrechts vorangetrieben. Der Rechtsinhaber muss bei Schutzrechtsverletzungen nicht mehr auf eine nachträgliche Verfolgung des Verletzers warten, sondern kann nun schon präventiv, beispielsweise durch den Einsatz von Kopierschutzmechanismen, rechtswidrige Vervielfältigungen faktisch verhindern. Außerdem eröffnen DRM-Systeme dem Rechtsinhaber neue Vertriebswege im Online-Bereich. Hier kann er seine Werke nicht nur durch den Einsatz von technischen Schutzmechanismen vermarkten, er kann auch viel flexibler auf individuelle Nutzerbedingungen eingehen. Dabei lassen sich auch seine eigenen, in die Nutzungsverträge eingebrachten Interessen durch den Einsatz von DRM-Systemen faktisch schützen. Ein weiterer Vorteil liegt darin, dass technische Schutzmaßnahmen, die selbst einer steten Entwicklung unterliegen, am besten auf neue technische Herausforderungen reagieren können. Bei der Rechtsverfolgung und -durchsetzung erleichtern DRM-Systeme das Auffinden des Angreifers. Wasserzeichen ermöglichen nicht nur das Aufspüren unberechtigt vervielfältigter oder manipulierter Werke im Internet, sondern sind auch dazu geeignet, ein bestehendes Urheberrecht an Werken aufzuzeigen und dadurch möglicherweise weitere Verletzungshandlungen zu verhindern und das Unrechtsbewusstsein bezüglich der Produktpiraterie zu schärfen. Letztlich könnte sich auch mit Blick auf die Vergütung ein Wandel vollziehen, wenn nicht mehr das gesetzliche Abgabensystem dominierend wäre, sondern Angebot und Nachfrage auf dem Markt durch Einzellizenzierungen zwischen Lizenzinhaber und Nutzer den Preis bestimmen würden.

---

[34] *Schulz*, GRUR 2006, 471; *Rump*, in: Becker et al. (eds.), Digital Rights Mangement, S. 3; *Arlt*, GRUR 2004, 548.

[35] *Schulz*, GRUR 2006, 471; *Arlt*, GRUR 2004, 548.

[36] *Schulz*, GRUR 2006, 471; *Pfennig*, ZUM 2004, 198.

Allerdings hat mit dem Vormarsch der DRM-Systeme auch ein Bedeutungswandel des Urheberrechts eingesetzt. Nunmehr stehen den Rechtsinhabern neben dem rechtlichen Instrumentarium auch Maßnahmen zur Selbsthilfe zur Verfügung. Überflüssig geworden sind urheberrechtliche Normen bisher jedoch nicht, denn mangels eines lückenlosen Funktionierens und Ineinandergreifens der Schutzmaßnahmen bedarf der von DRM-Systemen gewährte faktische Schutz einer urheberrechtlichen Absicherung. Zudem sind die in ihrer Entwicklung sehr kostenintensiven technischen Schutzinstrumente heute noch keineswegs Standard. So könnten vor allem finanziell schwächer ausgestattete Produzenten und noch unbekannte Urheber an einer schnellen und von technischen Schutzmaßnahmen ungehinderten Verbreitung über das Internet interessiert sein. Die Verwendung technischer Schutzsysteme wird außerdem bisher grundsätzlich nicht gesetzlich vorgeschrieben,[37] was ebenso für den Fortbestand urheberrechtlichen Schutzes spricht.

Wie bereits oben angesprochen, können jedoch der durch technische Schutzmechanismen gewährte Schutz und die daraus folgenden Nutzungsbeschränkungen viel weiter reichen als der Urheberrechtsschutz, was einen Interessenkonflikt zwischen Urhebern und Nutzern hervorruft. Beispielsweise können auch Werke, die nicht mehr oder nicht in vollem Umfang urheberrechtlichen Schutz genießen, faktisch von DRM-Systemen erfasst werden. Dabei ergeben sich besondere Schwierigkeiten gerade mit Blick auf die in Deutschland in den §§ 44a ff. UrhG erfassten Schrankenregelungen, die einem Interessenausgleich zwischen Urhebern und Nutzern dienen sollen. Mühelos können DRM-Systeme die durch die Schrankenregelungen erlaubten Handlungen unterbinden. Um dieser Gefahr entgegenzuwirken und die Nutzerinteressen zu schützen, wurde vom deutschen Gesetzgeber die Regelung des § 95b UrhG eingeführt, die den Rechtsinhaber dazu verpflichtet, den in Abs. 1 Nr. 1–7 privilegierten Personengruppen die Mittel zur Ausübung ihrer Schrankenbefugnisse zur Verfügung zu stellen. Allerdings werden in § 95b UrhG weder Angaben über die Art und Weise oder die Form gemacht, in der die Nutzung der jeweiligen Schranken gewährt werden soll, noch ist der Rechtsschutz der technischen Maßnahmen auf die Verhinderung von Rechtsverletzungen begrenzt.[38] Vielmehr kann dieser auch dann greifen, wenn die maßgebliche Nutzung, wie beispielsweise die Anfertigung einer Privatkopie nach § 53 Abs. 1 UrhG, grundsätzlich zulässig ist.[39] Eine Verschiebung der Interessenlage zwischen Urhebern und Nutzern zeigt sich also nicht nur an dem vermehrten Einsatz technischer Schutzmaßnahmen, sondern auch an der Ausgestaltung ihres rechtlichen Schutzes gerade in Bezug auf die Regelungen über die Durchsetzung gesetzlicher Schranken-

---

37 Eine Ausnahme ist in Deutschland § 5 Abs. 3 Fernsehsignal-Übertragungsgesetz, Sieber/Hoeren-*Bechtold*, Teil 7.11 B Rn. 27.

38 Anders in den WIPO-Verträgen, in denen der Schutz technischer Maßnahmen nur insoweit vorgesehen ist, als Handlungen eingeschränkt werden, die von den Berechtigten nicht gestattet oder nicht gesetzlich erlaubt sind.

39 *Enders*, ZUM 2004, 601.

bestimmungen. Trotz dieses durch den Einzug der DRM-Systeme feststellbaren Bedeutungswandels ist am Fortbestand des Urheberrechts festzuhalten, denn zur Gewährleistung eines umfassenden Schutzes ist es bisher unverzichtbar.

## III. Rechtliche Regelungen

### A. Bedeutung des Urheberrechts

Auch bei einer digitalen Werkverwertung sind die grundlegenden Aspekte des Urheberrechts anwendbar und werden daher im Folgenden kurz erläutert.

Das Urheberrecht kann sowohl in objektivem wie auch in subjektivem Sinn erfasst werden. Während mit „objektiver Bedeutung" die Summe der Rechtsnormen gemeint ist, die das Verhältnis des Urhebers und seiner Rechtsnachfolger zu seinem Werk regeln,[40] gewährt das Urheberrecht dem Urheber in subjektiver Hinsicht ein besonderes Herrschaftsrecht. Er kann seine Interessen an dem Werk gegen die unbefugte Nutzung anderer durchsetzen; ihm wird also ein Monopol an seinem geistigen Werk eingeräumt.[41] Die Bedeutung des Urheberrechts beschränkt sich allerdings nicht auf die ideellen und wirtschaftlichen Interessen des Urhebers selbst. Die Kreativität des (Kultur-)Schaffenden ist auch von wirtschaftlicher und sozialer Bedeutung für die Allgemeinheit. Die Vermittlung und Verwertung der urheberrechtlichen Werke hat das Entstehen eines ganzen Wirtschaftszweigs ermöglicht, von dem Arbeitsplätze und hohe Einnahmen abhängen. Zudem dient das Werk der Kulturschaffenden auch der Befriedigung der Nachfrage der Verbraucher. Diese nutzen das breit gefächerte Angebot in verschiedenster Form, sei es als Zeitungs- oder Buchleser, Rundfunk- und Fernsehnutzer oder Theater-, Konzert- und Kinobesucher. Sollen sich aber die straffe Organisation der Kulturwirtschaft und der finanzielle Aufwand für ihre Aufrechterhaltung lohnen, so bedarf es gerade im digitalen Zeitalter eines verstärkten Schutzes der Urheber und der kreativen Vielfalt. Daher ist dem juristischen Laien nicht nur eine *Dankesschuld* für die gebotene Unterhaltung zu vermitteln.[42] Vielmehr sollte er auch von einer legalen und entgeltlichen Nutzung der Werke überzeugt werden.

---

40 *Schack*, Urheber- und Urhebervertragsrecht, S. 2 Rn. 2.

41 *Rehbinder*, S. 2 Rn. 3.

42 Der Begriff der *Dankesschuld*, die sich aus der Befriedigung des Kunstverlangens des Einzelnen ergibt, wurde vom BGH in seiner *Grundig*-Entscheidung, BGHZ 17, 278, verwendet.

## B. Gegensatz zwischen Copyright- und Droit-d'auteur-System

Das kontinentaleuropäische Urheberrecht (auch: *Droit d'auteur, Diritto d'autore*) und das im angelsächsischen Rechtsraum vertretene *Copyright* unterscheiden sich nicht nur terminologisch, sondern vor allem durch einen grundlegend divergierenden inhaltlichen Ansatz. Steht im Urheberrecht die Person des Urhebers als individueller Werkschöpfer im Vordergrund, so betont das Copyright in erster Linie wirtschaftliche Aspekte und schützt schwerpunktmäßig das Werk als Produkt getätigter finanzieller Investitionen, was gleichzeitig einen Anreiz für Innovation geben soll.[43] Das der geistigen Tradition des Naturrechts und der Aufklärung verbundene Urheberrecht schützt hingegen vorrangig den Urheber in der geistigen Beziehung zu seinem Werk und in der Nutzung seines Werks.[44] Aufgrund des Schöpferprinzips ist die Urheberschaft nur bei der natürlichen Person anzuerkennen, die das Werk geschaffen hat.[45] Der Urheber soll durch den Schutz seiner Immaterialgüterrechte Anerkennung und Belohnung für seine schöpferische Leistung erhalten.[46] Unvereinbar ist damit die regelrecht gleichgültige Haltung des Copyrights gegenüber Urhebern. Diese äußert sich etwa im hohen Schutz von Produzenten und Unternehmern: So wird der Arbeitgeber unmittelbar selbst Inhaber des Copyrights an einem durch einen Angestellten geschaffenen Werk.[47] Daneben misst das Copyright auch Urheberpersönlichkeitsrechten eine nur eingeschränkte Bedeutung bei.[48] Zwar wurden die *Moral Rights* mittlerweile zum Teil gesetzlich normiert, jedoch wurden sie gleichzeitig aufgrund der Einführung großzügiger Vorschriften bezüglich ihrer Einschränkbarkeit und Übertragbarkeit geschwächt.[49] Der ökonomische Ansatz des Copyrights, der einen möglichst umfassenden Schutz getätigter Investitionen verfolgt, wirkt sich zudem auf den urheberrechtlichen Werkbegriff aus: So ist die Schutzschwelle einerseits wesentlich niedriger als in den *Droit d'auteur*-Rechtsordnungen, da lediglich eine eigenständige Leistung, nicht aber eine individuelle Gestaltung gefordert wird.[50] Andererseits können selbst computererzeugte Werke den urheberrechtlichen Schutzanforderungen genügen.[51]

---

43 *Bently/Sherman*, Intellectual Property Law, S. 32, 37.

44 Dies äußert sich etwa in § 11 UrhG.

45 *Wandtke/Bullinger*, Einleitung UrhG, Rn. 5.

46 *Schack*, Urheber- und Urhebervertragsrecht, S. 12 Rn. 24.

47 *Bently/Sherman*, Intellectual Property Law, S. 127 ff.; vgl. auch Sec. 11 (2) CDPA.

48 Auf internationaler Ebene vernachlässigt auch das TRIPS-Abkommen Urheberpersönlichkeitsrechte, insofern es diesbezüglich keine Regelungen aufgenommen hat.

49 Nähere Ausführungen zu der Stellung der *Moral Rights* im englischen Copyright, siehe unten, Fünfter Teil, III.A.1.b)ff).

50 Vgl. dazu den Werkbegriff im Landesbericht zu England, Fünfter Teil, II.

51 Vgl. Sec. 9 (3) CDPA.

## C. Regulierungsebenen des Schutzes digitaler Werke

Die moderne Informationstechnik, die die Entwicklung von Speichermedien mit hoher Kapazität und die weitflächige Verbreitung von PCs und breitbandigen Internetzugängen ermöglicht hat, stellt die Kulturnationen vor neue Herausforderungen. Einerseits sollen die mit der Entwicklung des Internets geschaffenen neuen Möglichkeiten wirtschaftlich nutzbar gemacht und den Bürgern eine umfassende Nutzung des neuen Mediums ermöglicht werden. Andererseits muss darauf geachtet werden, dass das kulturelle Erbe nicht einem unkontrollierten Ausverkauf preisgegeben wird. Leidtragende wären nicht nur Urheber und Kulturindustrie, sondern letztlich auch der Bürger selbst: Er wäre nicht nur mit einem eingeschränkten kulturellen Angebot konfrontiert, sondern würde auch einer ungefilterten Informationsflut ausgesetzt. So stehen die nationalen Gesetzgeber vor dem Balanceakt, einen gerechten Ausgleich zwischen der Gewährleistung einer freien Verfügbarkeit der Inhalte im Internet und dem Schutz der Rechtsstellung der Urheber in ihrer finanziellen und persönlichkeitsrechtlichen Dimension zu finden. Obgleich sich der Urheberrechtsschutz aufgrund des Territorialitätsprinzips auf das nationale Staatsgebiet beschränkt, hat die transnational auftretende Internet- und Produktpiraterie zu einer teilweisen Verantwortungsverlagerung auf internationale Organisationen und innerhalb Europas auf die Europäische Gemeinschaft geführt.[52]

In den nationalen Rechtsordnungen werden verschiedene Regulierungsebenen genutzt, um einen möglichst hohen Schutzstandard digitaler Werke sicherzustellen und gleichzeitig eine möglichst ungestörte Informationserlangung über das Internet zu ermöglichen. Das Urheberrecht als privates Recht wird zunächst mit zivilrechtlichen Maßnahmen geschützt. In den nationalen Rechtsordnungen steht ein umfangreiches Instrumentarium an privatrechtlichen Schadensersatz-, Unterlassungs-, und Informationsansprüchen zur Verfügung, das im Zuge der Umsetzung supranationaler Vorgaben in jüngster Zeit zahlreiche Modifikationen durchlaufen hat.[53] Daneben erfolgte eine Anpassung der nationalen Gesetzgebung auch im Bereich der klassischen hoheitsrechtlichen Handlungsbefugnisse: Nachdem das Strafrecht in der zweiten Hälfte des 20. Jahrhunderts in Deutschland und Italien nahezu bedeutungslos war, setzte mit der Verbreitung analoger Vervielfältigungsgeräte eine Trendwende ein. Die Verschärfung und Ausweitung strafrechtlicher Rechtsbehelfe wurde in den letzten Jahren vor allem durch das Aufkommen der Internetpiraterie angetrieben.[54] Dieser Entwicklungsprozess der urheberstrafrechtlichen Normen zeigt exemplarisch das enge Band zwischen technologischem Fortschritt und recht-

---

[52] Vgl. unten Zweiter Teil: *Internationale Vorgaben.*

[53] Vgl. etwa Art. 42 TRIPS und neben der Harmonisierungs-RL insbesondere die Vorgaben der Enforcement-RL.

[54] Auch hier sind die Kodifikationshandlungen der nationalen Gesetzgeber teilweise auf internationale Verpflichtungen zurückzuführen, vgl. Art. 61 TRIPS oder Art. 6 und 7 Harmonisierungs-RL. Allerdings hat die RL keine genauen Angaben über das Rechtsgebiet gemacht, in welchem Maßnahmen umzusetzen sind.

lichen Schutzmaßnahmen. Daneben werden auch verwaltungs- bzw. ordnungswidrigkeitenrechtliche Schutzmechanismen genutzt, die als Auffangtatbestände neben oder subsidiär zu strafrechtlichen Sanktionen in minder schweren Fällen oder zum Schutz vor Umgehung technischer Maßnahmen eingesetzt werden.

Angesichts der internationalen Dimension der Produktpiraterie und der erschwerten gerichtlichen und strafrechtsbehördlichen Rechtsdurchsetzung aufgrund von Schwierigkeiten bei der Lokalisierung der Rechtsverletzer und der illegalen Ware in den nationalen Vertriebssystemen ist gerade auch die Eindämmung des Zustroms schutzrechtsverletzender Produkte aus dem Ausland mit Hilfe der sogenannten zollrechtlichen Grenzbeschlagnahme wichtig. Die nationalen Vorschriften werden durch die Regelung einer Grenzbeschlagnahme auf europäischer Ebene nach VO (EG) Nr. 1383/2003 vom 22. Juli 2003 ergänzt.[55] Diese geht zwar als gemeinschaftsrechtliche Regelung dem mitgliedsstaatlichen Recht vor,[56] dennoch verbleibt den nationalen Regelungen ein eigener Anwendungsbereich.[57]

Neben einer staatlichen Regulierung durch rechtliche Schutz- und Sanktionsmechanismen hat auch eine Übertragung bzw. faktische Übernahme der Verantwortung durch Private, insbesondere die Industrie, stattgefunden. Hier werden vor allem außerrechtliche Schutzmaßnahmen eingesetzt, deren wichtigstes Instrument bisher der Einsatz von technischen Schutzmaßnahmen wie etwa von DRM-Systemen[58] war. Da es bisher keine unüberwindbaren technischen Maßnahmen gibt, ist für die Gewährleistung der Effektivität dieser Selbsthilfemaßnahmen ein gesetzlicher Umgehungsschutz erforderlich.[59] Dabei können die Regelungen auf dem Gebiet des Strafrechts, Zivilrechts und Ordnungswidrigkeitenrechts liegen. Als außerrechtliche Schutzinstrumente kommen daneben auch neue Geschäftspraktiken und Aufklärungskampagnen zur Schärfung des Unrechtsbewusstseins der Allgemeinheit als mögliche Alternative in Betracht. Solche Kampagnen können sowohl von staatlicher wie privater Seite initiiert werden, wobei auch zunehmend der Weg des Zusammenwirkens von Staat und Industrie gewählt wird, indem gemeinsame Aktionspläne aufgestellt und durchgeführt werden.

---

55 Vgl. ABl. L 196 vom 2.8.2003, S. 7 ff. Die Kodifizierung eines Grenzbeschlagnahmeverfahrens ist auch eine Verpflichtung, die sich aus den Art. 51 ff. TRIPS-Abkommen ergibt, welche jedoch für den Schutzrechtsinhaber kein unmittelbar geltendes Recht darstellen, da lediglich die Abkommensmitglieder verpflichtet werden, ggf. ihr nationales Recht entsprechend zu gestalten.

56 Grundlegend zum Vorrang des Gemeinschaftsrechts EuGH, 15.7.1964 – Rs. C-6/64, *Costa/Enel*, Slg. 1964, 1251.

57 Vgl. dazu die Landesberichte zu Deutschland und England, Dritter und Fünfter Teil.

58 Z.B. Verschlüsselungstechniken bei Zugang oder Nutzung, Kopiersperren, Erkennungsmerkmale auf Werkträgern, Speicherung von Herkunftsmerkmalen der Werkträger durch eine Codierung oder digitale Wasserzeichen, die Informationen über den Benutzer enthalten.

59 Die nationalen Regelungen setzen die Verpflichtungen aus Art. 6 und 7 der Harmonisierungs-RL um, die ihrerseits auf den allgemeiner gehaltenen Verpflichtungen der WIPO-Abkommen, also Art. 11 WCT und 18 WPPT, beruhen.

*Zweiter Teil*

# Internationale Vorgaben

## I. Schutz von digitalen Werken und DRM-Systemen auf internationaler Ebene

Nach dem Grundsatz der territorialen Begrenzung endet ein national gewährtes Schutzrecht an der Staatsgrenze. Nicht erst mit Aufkommen der Informationsgesellschaft und der darin genutzten digitalen Kommunikations- und Übermittlungsmechanismen wurde die Notwendigkeit der Gewährung eines internationalen Mindeststandards für den Schutz geistigen Eigentums erkannt. So fielen bei transnational zirkulierenden Urheberrechtswerken schon früh Schutzlücken auf, die aufgrund nationaler Unterschiede bei der Gewährleistung urheberrechtlichen Schutzes entstanden. Daraus ergab sich die Notwendigkeit, dass Staaten völkerrechtliche Verträge zum Urheberrechtsschutz vereinbarten: Bis heute wurde eine Vielzahl multi- und bilateraler Staatsverträge geschlossen, die auch auf das nationale Recht Einfluss nehmen. Die vorliegende Arbeit beschränkt sich auf die wichtigsten multilateralen Abkommen: Revidierte Berner Übereinkunft, Welturheberrechtsabkommen, Rom-Abkommen, TRIPS, WIPO-Urheberrechtsvertrag und WIPO-Vertrag über Darbietungen und Tonträger sowie einen Ausblick auf das geplante ACTA.[1]

### A. Revidierte Berner Übereinkunft, Welturheberrechtsabkommen und Rom-Abkommen

Das erste multilaterale internationale Abkommen, das bis heute für Werke der Literatur und Kunst gilt, ist die Berner Übereinkunft von 1886.[2] Zu den acht Gründungsmitgliedern dieses Staatenverbandes zählen auch Deutschland, Italien, das Vereinigte Königreich und Frankreich.[3] Die Verbandsstaaten verpflichteten sich,

---

1 Anti Counterfeiting Trade Agreement, siehe unten Zweiter Teil, D.

2 Berner Übereinkunft zum Schutz von Werken der Literatur und Kunst vom 9.9.1886, in Kraft seit dem 5.12.1887. In der Folgezeit kam es zu vielen Revisionen; seit der zweiten Revisionskonferenz im Jahre 1908 in Berlin wird daher von der *Revidierten Berner Übereinkunft* (RBÜ) gesprochen. Die letzte Revisionskonferenz fand 1971 in Paris statt.

3 Heute gehören der RBÜ 164 Vertragsstaaten an, dazu gehören auch die USA, die VR China (seit 1992) und Russland (seit 1995). Das Verwaltungsorgan des Berner Verbandes ist das internationale Büro in Genf, das zugleich Sekretariat der Weltorganisation für geistiges Eigentum (WIPO) ist.

den Angehörigen anderer Vertragsstaaten denselben Schutz wie auch nationalen Urhebern zukommen zu lassen[4] und bestimmte Mindestrechte[5] zu garantieren. Die Konvention legt zudem eine einheitliche Schutzdauer[6] für Urheberrechtswerke fest und erkennt Urheberpersönlichkeitsrechte an.[7] Um Staaten, die das hohe Schutzniveau der Revidierten Berner Übereinkunft (RBÜ) nicht erreichen, in ein internationales Schutzsystem einbinden zu können, wurde das Welturheberrechtsabkommen (WUA)[8] als multilateraler Vertrag geschaffen, der aber nicht nur wegen seines niedrigeren Schutzstandards, sondern auch wegen seiner Subsidiarität zur RBÜ hinter dieser zurücktritt.[9]

Mehrere Versuche, den begrenzten Anwendungsbereich der RBÜ auf Leistungsschutzrechte auszudehnen, scheiterten. Schließlich wurde die Notwendigkeit einer separaten Übereinkunft erkannt: Langjährige Vorarbeiten mündeten in das Abkommen über den Schutz der ausübenden Künstler, der Hersteller von Tonträgern und Sendeunternehmen (Rom-Abkommen), das am 26. Oktober 1961 in Rom unterzeichnet wurde.[10] Art. 1 Rom-Abkommen stellt klar, dass dem Schutz der Urheberrechte absoluter Vorrang zukommt und tritt damit hinter RBÜ und WUA zurück. Wie auch die RBÜ folgt das Rom-Abkommen dem Grundsatz der Inländerbehandlung[11] und legt Mindeststandards fest: So werden den Herstellern von Tonträgern und den Sendeunternehmen in den Art. 10 und 13 ausschließliche Rechte gesichert, während Art. 7 für ausübende Künstler nur das Rechtsschutzziel vorgibt. Zudem gibt das Rom-Abkommen in Art. 14 eine Mindestschutzdauer von 20 Jahren vor und gestattet in Art. 15 den Vertragsstaaten eine Beschränkung der Mindestrechte.

---

4 Inländerbehandlung gemäß Art. 5 (1) RBÜ. Dieser Schutz ist nicht an die Einhaltung von Formalitäten geknüpft, sondern wurde *automatisch* erlangt, Art. 5 (2) RBÜ. Zudem ist der im Zielstaat gewährte Schutz unabhängig vom Schutzumfang im Herkunftsstaat des Urheberrechtswerks zu bewerten.

5 Z.B. bezüglich Vervielfältigungsrechten gemäß Art. 9 RBÜ, Aufführungsrechten gemäß Art. 11 RBÜ, Übersetzungsrechten gemäß Art. 8, 11 (2) RBÜ.

6 Die Schutzdauer umfasst grundsätzlich zumindest das Leben des Urhebers und fünfzig Jahre über dessen Tod hinaus, Art. 7 RBÜ.

7 So gewährleistet Art. 6*bis* RBÜ die Anerkennung der Urheberschaft und den Integritätsschutz.

8 Welturheberrechtsabkommen, geschlossen in Genf am 6.9.1952.

9 Im Verhältnis der RBÜ-Verbandsstaaten untereinander hat die RBÜ Vorrang, Art. XVII WUA. Inzwischen sind sowohl USA, Russland und die VR China Verbandsmitglieder der RBÜ, was die Bedeutung des WUA stark geschwächt hat, *Schack*, Urheber- und Urhebervertragsrecht, S. 455 Rn. 967.

10 In Kraft getreten am 21.10.1966.

11 Inländerbehandlung wird in Art. 2 Rom-Abkommen definiert. Diese gilt für ausübende Künstler nach Art. 4 Rom-Abkommen, für Sendungen nach Art. 6 Rom-Abkommen und für Tonaufnahmen nach Art. 5 Rom-Abkommen.

## B. TRIPS-Übereinkommen

Die enorme wirtschaftliche Bedeutung urheberrechtlicher Werke und Leistungen wurde durch das Abkommen über handelsbezogene Aspekte des geistigen Eigentums (TRIPS) betont,[12] das anlässlich der Errichtung der World Trade Organisation (WTO) geschlossen wurde und Teil des WTO-Übereinkommens vom 15. April 1994 ist.[13] Wichtiger Bestandteil des TRIPS-Abkommens ist die Meistbegünstigungsklausel[14] in Art. 4 TRIPS.[15] Allerdings nimmt Art. 4 Satz 2 lit. b TRIPS die von der RBÜ und vom Rom-Abkommen gewährten Rechte ausdrücklich von der Verpflichtung aus, auch allen anderen WTO-Vertragsstaaten gewährt werden zu müssen.[16]

Dem Urheberrecht sind die Art. 9–13 TRIPS gewidmet, deren wichtigste Vorschrift die Implementierung der Art. 1–21 RBÜ vorschreibt.[17] Daraus folgt unter anderem, dass die WTO auch die Erfüllung der Pflichten aus der Berner Übereinkunft überwachen kann.[18] Nicht aber schreibt das TRIPS-Abkommen die Überführung des Rom-Abkommens in nationales Recht vor.[19] Zudem geht es in einigen Regelungen über die RBÜ hinaus: Um auf die technologischen Entwicklungen reagieren zu können, die neue Werkarten und Verbreitungswege geschaffen haben, wird z.B. unter Art. 10 Abs. 1 TRIPS Computerprogrammen als Werken der Literatur i.S.d. RBÜ Schutz gewährt.[20] Daneben sind auch allgemeine urheberrechtsspezifische Regelungen normiert.[21]

---

12 *Agreement on Trade-Related Aspects of Intellectual Property Rights, Including Trade in Counterfeit Goods,* geschlossen am 15.4.1994, in Kraft getreten am 1.1.1995.

13 Eine Mitgliedschaft in der WTO ist damit nicht möglich ohne nationalstaatliche Ratifikation der Vorgaben des TRIPS-Abkommens. Das hat den räumlichen Anwendungsbereich des Immaterialgüterschutzes im Vergleich zu den vorhergehenden internationalen Abkommen in besonderem Maße vergrößert und auch Staaten, die zuvor der Ratifizierung bestehender Abkommen zum Schutze geistigen Eigentums zögerlich gegenüberstanden, zur Einführung und Verschärfung bestehender Gesetze auf diesem Gebiet bewogen; *Rehbinder*, Urheberrecht, S. 377 Rn. 992.

14 Art. 4 TRIPS.

15 Das in Art. 4 TRIPS verankerte Prinzip der Meistbegünstigung gewährt Vertragsstaaten den Anspruch auf die gleichen Vergünstigungen wie die am meisten begünstigten Mitglieder anderer Vertragsstaaten = Ausländerparität, vgl. *Rehbinder*, Urheberrecht, S. 377 Rn. 993.

16 Dasselbe gilt für die Pflicht zur Inländerbehandlung, Art. 3 Abs. 1 TRIPS.

17 Vgl. Art. 9 Abs. 1 RBÜ. Allerdings klammert Art. 9 Abs. 1 Satz 2 TRIPS das Urheberpersönlichkeitsrecht in Art. 6*bis* RBÜ von seinem Anwendungsbereich aus.

18 *Bently/Sherman*, Intellectual Property Law, S. 43.

19 Art. 14 TRIPS enthält aber bzgl. verwandter Rechte dem Rom-Abkommen ähnliche Vorschriften.

20 Ebenso werden Datengruppen oder anderes Material erfasst, die aufgrund ihrer Zusammenstellungen und Inhalte geistige Schöpfungen darstellen, Art. 10 (2) TRIPS. Außerdem muss als Reaktion auf die neuen Verbreitungsformen den Rechtsinhabern das Recht eingeräumt werden, allen Vermietungen von Computerprogrammen, Kinowerken und Tonaufzeichnungen zustimmen zu dürfen, Art. 11 und 14 Abs. 4 TRIPS.

21 Etwa Regelungen bezüglich des urheberrechtlichen Werkbegriffs oder der Schrankenbestimmungen, Art. 9 Abs. 2 und 13 TRIPS.

Wichtig für diese Arbeit sind die in Teil III des Abkommens aufgeführten Vorschriften zur Durchsetzung von Immaterialgüterrechten.[22] In Art. 41 TRIPS wird zunächst die allgemeine Verpflichtung aufgestellt, faire Verfahren zur wirksamen Bekämpfung jeder Art von Rechtsverletzungen an geistigem Eigentum zu schaffen. Außerdem wird darin die Einführung von Maßnahmen gefordert, die solche Verletzungshandlungen verhindern und auch davor abschrecken. Die folgenden Abschnitte stellen, unterteilt in verschiedene Rechtsgebiete, einen Mindeststandard des verfügbaren Instrumentariums zum Schutz gegen Urheberrechtsverletzungen auf, der z.T. auch von der EG als Vorlage für ihre Richtlinien genutzt wurde.[23] Darin werden die Vertragsparteien zur Schaffung zivilrechtlicher Maßnahmen[24] und auch zur Gewährleistung abschreckender strafrechtlicher Sanktionen zumindest bei vorsätzlicher unerlaubter *Herstellung* urheberrechtlich geschützter Waren in *gewerbsmäßigem Umfang* angehalten.[25] Auch Zollbehörden können danach eingeschaltet werden, um die Einfuhr rechtsverletzender Ware zu verhindern.[26]

## C. WIPO-Verträge

Am 20. Dezember 1996 wurden in Genf nach langwierigen Verhandlungen zwei Übereinkommen angenommen:[27] Der WIPO-Urheberrechtsvertrag (*WIPO Copyright*

---

22 Auf die einzelnen Vorschriften wird im Rahmen des jeweilig verfügbaren nationalen Instrumentariums eingegangen. Zu beachten ist, dass nach herrschender Ansicht die Vorschriften des TRIPS-Übereinkommens nicht unmittelbar anwendbar sind, sondern lediglich Verpflichtungen für die Vertragsstaaten enthalten, bestimmte Regelungen einzuführen oder vorzusehen, vgl. BT-Drucksache 12/7655, 347; *Rehbinder*, Urheberrecht, S. 377 Rn. 992.

23 Vgl. hierzu den Auskunftsanspruch in Art. 8 Enforcement-RL, der in Art. 47 TRIPS wurzelt, aber über diesen durch die Normierung eines Drittauskunftsanspruchs hinausgeht. Daneben ist Art. 6 Enforcement-RL über die Vorlage und Besichtigung von Beweisen auf Art. 43 (1) TRIPS rückführbar.

24 Vgl. Art. 42–48 TRIPS; danach werden etwa Schadensersatz- (Art. 45), Auskunfts- (Art. 47) und Beweisvorlageansprüche (Art. 43) gewährt; Piraterieware ist zu vernichten (Art. 46) und vorsorgliche Maßnahmen sind zur Verfügung zu stellen (Art. 50). Sofern nationales Recht verwaltungsrechtliche Maßnahmen zur Erreichung der aufgeführten zivilrechtlichen Standards erfordert, sollen diese anwendbar sein, vgl. Art. 49 TRIPS.

25 Vgl. Art. 61 TRIPS; auffallend ist, dass dieser nur die Herstellung von Waren erfasst. Eine Verpflichtung zu einer strafrechtlichen Sanktionierung anderer Verwertungshandlungen besteht nicht.

26 So geht die nationale Kodifizierung des Grenzbeschlagnahmeverfahrens auch auf eine Verpflichtung aus den Art. 51–60 TRIPS ergibt.

27 Neben den EG-Mitgliedstaaten ist auch die EG als solche den WIPO-Verträgen beigetreten. Am 16.3.2001 hat der Ministerrat den Beitritt der EG zu den WIPO-Verträgen beschlossen, vgl. 2000/278/EG: Beschluss des Rates vom 16.3.2000 über die Zustimmung, im Namen der Europäischen Gemeinschaft, zum WIPO-Urheberrechtsvertrag und zum WIPO-Vertrag über Darbietungen und Tonträger, ABl. EG Nr. L 89/6 vom 11.4.2000. Mit dem Ziel der gemeinsamen EG-weiten Ratifizierung der WIPO-Verträge haben das Europäische Parlament und der Europäische Rat die Richtlinie 2001/29/EG vom 22.5.2001 zur Harmonisierung bestimmter Aspekte des Urheberrechts und der verwandten Schutzrechte

*Treaty* – WCT) und der WIPO-Vertrag über Darbietungen und Tonträger (*WIPO Performances and Phonograms Treaty* – WPPT).[28] Wohl auch, weil die notwendige Einstimmigkeit zur Revision der Berner Übereinkunft nicht erreichbar schien, wurde der Entschluss zur Ausarbeitung von zwei selbstständigen Übereinkommen getroffen. Beide Verträge sollen bestehende Übereinkommen ergänzen und insbesondere den Immaterialgüterschutz an die Verbreitung des Internets und die Digitalisierung anpassen.[29] Der WCT wiederholt an vielen Stellen die im TRIPS-Abkommen verabschiedeten Ergänzungen[30] und bringt diese Vorschriften damit in die Überwachungszuständigkeit der WIPO. Art. 4 und 5 WCT legen fest, dass sich der Schutzbereich auch auf Computerprogramme und Datenbankwerke erstreckt. Der Sorge der Rechtsinhaber gegenüber den neuen Informations- und Kommunikationstechnologien trägt der Vertrag ebenfalls Rechnung: So haben Urheber von Werken der Literatur und Kunst das ausschließliche Recht, die öffentliche Wiedergabe ihrer Werke zu erlauben sowie über Ort und Zeit der Zugänglichmachung zu entscheiden, Art. 8 WCT. Neu sind auch Schutzpflichten in Bezug auf technische Maßnahmen (Art. 11) und Informationen über die Rechtewahrnehmung (Art. 12).

Als Ergänzung des Rom-Abkommens, allerdings beschränkt auf Rechte der ausübenden Künstler und der Tonträgerhersteller, wurde der WPPT entworfen, um die Rechte dieser Leistungsschutzberechtigten den technischen Entwicklungen anzupassen. Er ähnelt im Aufbau dem WCT und enthält ebenso wie dieser Vorschriften zur Anpassung der Schutzrechte ausübender Künstler und Hersteller von Tonträgern an das digitale Zeitalter; dies sind das Recht auf Zugänglichmachung gemäß Art. 8 WPPT sowie die Erfordernisse in Bezug auf technische Schutzmaßnahmen und Informationen zur Rechtewahrnehmung in Art. 11 und 12 WPPT. Die Normierung eines Künstlerpersönlichkeitsrechts in Art. 5 WPPT und die Gewährung unmittelbar anwendbarer konventionseigener Ausschließlichkeitsrechte für ausübende Künstler in den Art. 5–10 WPPT[31] sind ebenfalls neu.

---

in der Informationsgesellschaft erlassen. Mit dieser Richtlinie wurde der Inhalt der WIPO-Verträge weitgehend umgesetzt.

28 Text des WCT und des WPPT in BGBl. 2003 II 755 und 770. Diese sind am 6.3.2002 (WCT) bzw. am 20.5.2002 (WPPT) in Kraft getreten.

29 Art. 1 WCT definiert den Vertrag als ein Sonderabkommen i.S.v. Art. 20 RBÜ.

30 So entsprechen: Art. 2 WCT dem Art. 9(2) TRIPS; Art. 4 WCT dem Art. 10(1) TRIPS; Art. 5 WCT dem Art. 10(2) TRIPS; Art. 10 WCT dem Art. 13 TRIPS; Art. 14 WCT dem Art. 41 TRIPS.

31 Die Rechte der Hersteller von Tonträgern wurden in den Art. 11–14 WPPT gestärkt.

### D. Anti-Counterfeiting Trade Agreement (ACTA)

Das Anti-Counterfeiting Trade Agreement (ACTA)[32] ist ein geplantes Handelsabkommen auf internationaler Ebene, über das seit 2007 verhandelt wird. Nach Angaben der beteiligten Staaten stellt es eine weitere Maßnahme im Kampf gegen Produktpiraterie und Urheberrechtsverletzungen dar. Die derzeitig verhandelnden Vertragsparteien des Abkommens setzen sich aus entwickelten und aufstrebenden Volkswirtschaften zusammen. Dazu zählen Australien, Kanada, Europäische Union, Japan, Korea, Mexiko, Marokko, Neuseeland, Singapur, Schweiz und die USA. Mit dem ACTA sollen internationale Standards bezüglich der Durchsetzung der Rechte des geistigen Eigentums geschaffen und ausgeweitet werden, um wirksamer gegen das stetig anwachsende Problem der Marken- und Produktpiraterie vorgehen zu können. Es wird angestrebt, als Mindestsockel die Vorgaben des TRIPS-Abkommens einzuführen. Das ACTA wird jedoch nicht weiter reichen als der derzeitige *EU-Acquis* bezüglich des durch Gemeinschaftsrecht eingeführten Instrumentariums zum Schutze und zur Verbesserung der Durchsetzung der Rechte des geistigen Eigentums. Insbesondere sollen die Vertragsstaaten dazu verpflichtet werden, die internationale Zusammenarbeit zu verstärken, die Rahmenbedingungen für Aktivitäten, die zu einer wirksamen Durchsetzung geistigen Eigentums beitragen, zu verbessern und auch die einzelnen Maßnahmen zur Durchsetzung geistigen Eigentums auf ein gemeinsames Niveau anzuheben. Dabei soll der Schwerpunkt auf Marken- und Produktpiraterie liegen, die in beträchtlicher Weise wirtschaftliche Interessen beeinträchtigt, und weniger auf der Erfassung privaten Nutzerverhaltens. Das ACTA darf zudem nicht mit den von den Vertragsstaaten gewährleisteten Grundrechten kollidieren und wird auch in Einklang mit den Regelungen des TRIPS-Abkommens stehen. Im Einzelnen sind Regelungen bezüglich zivilrechtlicher, zollrechtlicher und strafrechtlicher Maßnahmen sowie ein Abschnitt über den Schutz technischer Maßnahmen im digitalen Umfeld geplant.

## II. Harmonisierungsmaßnahmen innerhalb der Europäischen Union

### A. Rechtssetzungskompetenz der EG vor Inkrafttreten des Vertrags von Lissabon

Das europäische Gemeinschaftsrecht hat auf den Urheberrechtsschutz der Mitgliedstaaten in vielfältiger Weise eingewirkt und ist vor allem für die gegenwärtige Fortentwicklung der Urheberrechtsgesetze ein wichtiger Faktor. Allerdings bildeten in den Anfängen die Schaffung eines gemeinsamen Binnenmarktes, die

[32] Veröffentlichung eines aktuellen Vertragsentwurfs für die Öffentlichkeit im April 2010 unter: http://trade.ec.europa.eu/doclib/docs/2010/april/tradoc_146029.pdf 15.7.2010].

Gewährleistung der Grundfreiheiten und eines freien Wettbewerbs den Kernbereich der Verträge der EG. Dagegen wurde der Schutz geistigen Eigentums geradezu als eine Behinderung für die Erreichung dieser Ziele angesehen und schien daher nicht in die wirtschaftlich orientierte Politik der EG zu passen.[33] Der systematische Aufbau des EG-Vertrags bestätigte diese Beobachtung. Es ist auffällig, dass innerhalb der wettbewerbsrechtlichen Vorschriften der Art. 81 ff. EG a.F. (neue Fassung Art. 101 ff. des Vertrags über die Arbeitsweise der Europäischen Union – AEUV) Immaterialgüterrechte keine Erwähnung fanden. Demnach blieb auch das Verhältnis zwischen den beiden Rechtsgebieten ungeklärt, was in Anbetracht des Konfliktpotentials zwischen den ausschließlich gewährten Schutzrechten und den Wettbewerbsregeln des EG-Vertrags überrascht. Nicht nur im Wettbewerbsrecht fehlte ein Bezug zum Urheberrecht, der EG-Vertrag schwieg insgesamt zu diesem Rechtsgebiet[34] und enthielt damit weder eine explizite Kompetenzgrundlage noch eine Kompetenzausübungsschranke, die der EG eine Betätigung auf diesem Gebiet ermöglichen konnten.[35] Die Einführung des Art. 151 EG a.F. (Art. 167 AEUV)[36] durch den *Maastrichter Vertrag*[37] bezweckte, die Entfaltung und Wahrung der Kultur in den Mitgliedstaaten zu fördern, brachte aber bezüglich der Schaffung einer Kompetenzgrundlage für das Urheberrecht keine Änderung. Obgleich die kulturelle Bedeutung des Urheberrechts insbesondere in den Kulturnationen Kontinentaleuropas außer Frage steht, stellte der Art. 151 Abs. 5 EG a.F. (neu Art. 167 Abs. 5 AEUV) klar, dass jegliche Harmonisierung der Rechts- und Verwaltungsvorschriften der Mitgliedstaaten ausdrücklich ausgeschlossen werde und dass der Gemeinschaft vielmehr eine unterstützende und ergänzende Tätigkeit zukomme.[38] Auch der durch den Amsterdamer Vertrag[39] geschaffene Art. 133 Abs. 5 EG a.F. (Art. 207 AEUV) bezüglich der gemeinsamen Handelspolitik stellte keine Rechtsgrundlage für die Harmonisierung des Urheberrechts in Europa dar. Vielmehr war

---

33 *Reinbothe*, FS für Schricker, S. 236.

34 Schon der EWG-Vertrag enthielt keine ausdrückliche Erwähnung des Urheberrechts. Nur in Anhang III des Vertrags, auf den Art. 106 Abs. 3 EWGV verwies, fand man den Verweis auf Erträgnisse von Urheberrechten sowie von gewissen urheberrechtlich geschützten Werken. Art. 106 Abs. 3 EWGV wurde durch den Vertrag von Maastricht mit gleichem Wortlaut in Art. 73 lit. h EG a.F. übernommen, seit 1.1.1994 ist sie gegenstandslos.

35 *Würfel,* Gesamtharmonisierung des Urheberrechts, S. 3; *Schippan,* Die Harmonisierung des Urheberrechts in Europa im Zeitalter von Internet und digitaler Technologie, S. 16.

36 Seit dem Vertrag von Amsterdam wird diese Vorschrift unter Art. 151 EG a.F. geführt.

37 Vertrag über die Europäische Union (EUV), in Kraft getreten am 1.1.1993.

38 *Schippan,* Harmonisierung des Urheberrechts, S. 17; *Hochbaum*, Der Begriff der Kultur im Maastrichter und Amsterdamer Vertrag, BayVBl 1997, 641.

39 Vertrag von Amsterdam zur Änderung des Vertrags über die Europäische Union, der Verträge zur Gründung der europäischen Gemeinschaften sowie einiger damit zusammenhängender Rechtsakte vom 2.10.1997.

darin eine Regelung für die Erleichterung des Abschlusses internationaler Handelsabkommen zu sehen.[40] So fand man lediglich innerhalb der Rechtfertigungsgründe des Art. 30 EG a.F. (Art. 36 AEUV) im Teil über Vorschriften zum Binnenmarkt den Ausdruck *Schutz von gewerblichem und kommerziellem Eigentum.*[41] Der EuGH hat die Frage, ob das Urheberrecht von diesem Wortlaut umfasst sei, in seinen frühen Entscheidungen zu Rechtsstreitigkeiten über Immaterialgüterrechte bejaht.[42] Allerdings sah der EuGH darin keine Kompetenznorm zur Regelung der Immaterialgüterrechte auf europäischer Ebene. Vielmehr sollte der Schutz geistigen Eigentums das störungsfreie Funktionieren des Binnenmarkts nicht behindern und in Einklang mit den Grundsätzen des europäischen Gemeinschaftsrechts stehen.[43]

Aufgrund des Fehlens einer gesetzlichen Handlungsermächtigung im EG-Vertrag zur Gesetzgebungstätigkeit im Urheberrecht wurden die bestehenden Rechtsakte und Initiativen auf die allgemeinen Kompetenzgrundlagen, insbesondere Art. 47 Abs. 2, Art. 55 und 95 EG a.F. (Art. 53 Abs. 2, Art. 62, Art. 114 AEUV), gestützt.[44] Dennoch musste die Europäische Kommission bei jedem Vorschlag eine Zuständigkeit der EG für diesen Bereich belegen und zudem das Subsidiaritätsprinzip aus Art. 5 Abs. 2 EG a.F. (Art. 5 AEUV) beachten.[45] Nach Art. 295 EG a.F. (Art. 345 AEUV)[46] war die Anwendbarkeit des EG-Vertrags auf nationale Urheberrechtsregeln nicht ausgeschlossen, wie auch der EuGH mehrfach bestätigt hat.[47]

## B. Änderungen der Rechtssetzungskompetenz im Lissaboner Vertrag

Der am 13. Dezember 2007 durch die Staats- und Regierungschefs der 27 EU-Mitgliedstaaten unterzeichnete Vertrag von Lissabon hat mit seinem Inkrafttreten am 1. Dezember 2009 die Gesetzgebungs- und Handlungskompetenz der EU auf

---

40 Vgl. *Schippan,* Harmonisierung des Urheberrechts, S. 17.

41 Im englischen Text: *protection of industrial and commercial property.*

42 Rs. 78/70, *Deutsche Grammophon GmbH gegen Metro-SB-Großmärkte GmbH & Co KG* EuGH, Slg. 1971, S. 487; und wurde später ständige Rechtsprechung: Rs. 15/74, *Centrafarm BV and Adriaan de Peijper v Sterling Drug Inc*, EuGH, Slg. 1974, S. 1147; Rs. 16/74, *Centrafarm BV and Adriaan De Peijper v Winthrop BV,* EuGH, Slg. 1974, S. 1183; Rs. 187/80, *Merck & Co Inc v Stephar BV*, EuGH, Slg. 1981, S. 2063.

43 *Reinbothe*, FS für Schricker, S. 237.

44 *Würfel*, Gesamtharmonisierung des Urheberrechts, S. 4.

45 *Barnard*, The Substantive Law of the EU, S. 568.

46 Nach Art. 295 EG a.F. (Art. 345 AEUV) lässt der EG-Vertrag die Eigentumsordnung der Mitgliedstaaten unberührt.

47 Rs. 56/64 und 58/64, *Consten and Grundig gegen Commission*, EuGH, Slg. 1966, S. 321, 394; Rs. 24/67, *Parke, Davis gegen Probel u.a.*, EuGH, Slg. 1968, S. 55; Rs. 78/70, *Deutsche Grammophon GmbH gegen Metro-SB-Großmärkte GmbH & Co KG,* EuGH, Slg. 1971, S. 487.

dem Gebiet des geistigen Eigentums in beträchtlichem Maße erweitert. Der Ausdruck *geistiges Eigentum* ist darin in drei Vorschriften ausdrücklich genannt: In den Artikeln 118, 207 und 262 AEUV.[48]

So beabsichtigt Art. 118 AEUV eine unabhängige Gesetzesgrundlage für den Erlass von einheitlichen Schutzmaßnahmen für Immaterialgüterrechte. Der Anwendungsbereich dieser Vorschrift ist auf Handlungen beschränkt, die im Zusammenhang mit der Errichtung und dem Funktionieren des Binnenmarkts stehen. Trotz dieser Einschränkung stellt die Norm eine wichtige Neuerung dar, denn bisher gab es keine Ermächtigungsgrundlage für ein Tätigwerden auf diesem Gebiet.[49] Hinzu kommt, dass das gewöhnliche Gesetzgebungsverfahren für den Erlass eines Rechtsakts zu durchlaufen sein wird, und nicht wie bisher das Erfordernis der Einstimmigkeit für eine Ratsentscheidung nach Art. 308 EG zu erfüllen ist. Die anderen Artikel legen fest, dass im Rahmen der Handelspolitik der EU Rücksicht auf die wirtschaftlichen Aspekte des geistigen Eigentums genommen werden muss (Art. 207 AEUV) und ermächtigen den Rat, dem EuGH Rechtsprechungskompetenz bezüglich neu geschaffener europäischer Immaterialgüterrechte zu übertragen (Art. 262 AEUV).

## C. Rechtsprechung des EuGH

Solange das Territorialitätsprinzip[50] gilt, also jeder Staat die Rechtssetzungsbefugnis innerhalb seines Territoriums ausübt und daraus ein Bündel unterschiedlicher nationaler Urheberrechtsgesetze resultiert, wird es zu Konflikten zwischen unterschiedlichen nationalen Rechtsnormen kommen. Diese werden zudem durch die unterschiedlichen Schutzrichtungen des wirtschaftlich orientierten angelsächsischen *Copyright*-Systems und des kontinentaleuropäischen *Droit d'auteur*-Systems, das sich eher auf die Person und Interessen des Urhebers bezieht, verstärkt. Es war lediglich eine Frage der Zeit, bis die ersten Rechtstreitigkeiten aufgrund unterschiedlicher nationaler Rechtsordnungen und ihrer Abstimmung mit der Schaffung eines gemeinsamen Binnenmarkts aufkamen und dem EuGH zur Entscheidung vorgelegt wurden.[51] Die ersten Fälle vor dem EuGH behandelten nicht die Eigenheiten des Urheberrechts und seinen Schutzzweck. Es ging vielmehr um eine Abwägung zwischen den Vorschriften des EG-Vertrags über Binnenmarkt und Wettbewerbsrecht einerseits und dem Bestand national gewährter Immaterialgüterrechte andererseits. Der EuGH unterschied zwischen Existenz und Ausübung eines Urhe-

---

48 Bezüglich der Einführung einer Zuständigkeitsregelung für den Bereich strafrechtlicher Harmonisierung siehe unten Sechster Teil, V.A.1.

49 *Hilty*, IIC 2004, S. 770.

50 Vgl. *Schack*, Urheber- und Urhebervertragsrecht, S. 432 Rn. 911 ff.

51 *Schippan,* Harmonisierung des Urheberrechts, S. 18.

berrechts und stellte schon 1971 den Grundsatz der EG-weiten Erschöpfung des Verbreitungsrechts auf.[52] Zusätzlich legte der EuGH mit der *Phil-Collins*-Entscheidung[53] fest, dass sich Urheber und ausübende Künstler vor nationalen Gerichten unmittelbar auf das Diskriminierungsverbot aus Art. 12 EG berufen und die Gewährung des Schutzes verlangen können, der nationalen Künstlern und Urhebern vorbehalten ist.

## D. Harmonisierung durch Sekundärrecht

Nicht zuletzt wegen der extensiven Auslegung der Kompetenznormen durch den EuGH begann die Europäische Kommission ihre aktiven Harmonisierungsbemühungen[54] mit zwei Grünbüchern in den Jahren 1984[55] und 1988.[56] Ihr industriepolitischer Ansatz, der hauptsächlich auf die Errichtung eines gemeinsamen Binnenmarkts abzielte und das Spannungsverhältnis zwischen EG-Vertrag und Urheberrecht eindeutig zugunsten des Gemeinschaftsrechts löste, wurde stark kritisiert.[57] Erst mit dem Grundsatzpapier Rundfunk und Urheberrechte im Binnenmarkt[58] ist eine veränderte Haltung festzustellen; die vorgeschlagenen Maßnahmen zeigen erstmals ihr Bemühen, Urheberrecht und Schaffung eines freien Binnenmarkts in einen gerechten Ausgleich zu bringen. Endgültig von ihrem anfänglich urheber-

---

52 Das Gericht legte fest, dass in den Bereichen, in denen die Existenz oder der spezifische Gegenstand eines Rechts betroffen ist, der EG-Vertrag unanwendbar bleibt, wohingegen bei Fragen bezüglich der Rechtsausübung, das Gemeinschaftsrecht einzuhalten ist. Vgl. Rs. 78/70, *Deutsche Grammophon GmbH gegen Metro-SB-Großmärkte GmbH & Co KG, EuGH,* Slg. 1971, S. 487; verb. Rs. 55 und 57/80, *Musik-Vertrieb Membran und K-tel International gegen GEMA*, EuGH, Slg. 1981, S. 147; Rs. 262/81 *Coditel SA gegen Ciné Vog Films SA*, EuGH, Slg. 1982, S. 3381; Rs. 402/85, *Basset gegen SACEM*, EuGH, Slg. 1987, S. 1747; Rs. 158/86, *Warner Brothers Inc gegen Christiansen*, Slg. 1988, S. 2605.

53 Verbundene Rs. C-92/92 und C-326/92, *Phil Collins gegen Imtrat Handelsgesellschaft mbH und Patricia Im- und Export Verwaltungsgesellschaft mbH und Leif Emanuel Kraul gegen Emi Electrola GmbH*, EuGH, Slg. 1993, S. 5145.

54 Im Jahre 1971 äußerte sich die Kommission erstmals zu einem urheberrechtlichen Thema. In ihrer vielbeachteten *GEMA*-Entscheidung vom 2. Juni 1971 bemängelt sie die Tätigkeit der deutschen Verwertungsgesellschaft GEMA und sieht den Missbrauchstatbestand des Art. 82 EG (Missbrauch einer marktbeherrschenden Stellung) als erfüllt an.

55 Grünbuch über die Errichtung des Gemeinsamen Marktes für Rundfunk, insbesondere über Satellit und Kabel (Fernsehen ohne Grenzen), Mitteilung der Kommission an den Rat vom 14. Juni 1984, KOM(84) 300 endg.

56 Grünbuch über Urheberrecht und die technologische Herausforderung – Urheberrechtsfragen, die sofortiges Handeln erfordern, vom 23.8.1988, KOM(88) 172 endgültig.

57 *Schippan*, Harmonisierung des Urheberrechts, S. 52; *Möller*, ZUM 1990, 65 ff.

58 Grundsatzpapier der Kommission der Europäischen Gemeinschaften zu den urheberrechtlichen Fragen im Bereich der Satellitensendung und Kabelweiterverbreitung; EG-Kommission 111/F/5263/90-DE vom November 1990; in Auszügen abgedruckt in UFITA 117 (1991), S. 249 ff.; GRUR Int. 1991, 31 f.

rechtsfeindlichen Ansatz Abstand genommen hat die Kommission mit dem Arbeitsprogramm auf dem Gebiet des Urheberrechts und der verwandten Schutzrechte.[59] Darin wurden die dem Grünbuch von 1988 entgegenbrachte Kritik und Anregungen aufgegriffen und dafür Lösungsvorschläge formuliert. Zudem wird in diesem Kommissionspapier die Bedeutung eines hohen Schutzniveaus für geistiges Eigentum in der Europäischen Gemeinschaft betont und die Grundlage für den von der Kommission gesteuerten Harmonisierungsprozess in den darauffolgenden Jahren geschaffen.

Die Europäische Gemeinschaft hat insgesamt acht Richtlinien[60] zur Harmonisierung des Urheberrechts in Europa erlassen, die in den Jahren 1991 bis 2004 verabschiedet wurden. Diese behandeln jeweils Einzelgegenstände,[61] was auch auf das Fehlen einer Ermächtigungsgrundlage für horizontale Harmonisierungsmaßnahmen und das zu beachtende Subsidiaritätsprinzip zurückzuführen ist.[62] Daraus ergibt sich außerdem, dass der erreichte Harmonisierungsstandard aus einzelnen normativen Fragmenten besteht und es keine zusammenhängende umfassende Regulierung des Urheberrechts auf gemeinschaftsrechtlicher Ebene gibt.[63]

### 1. RL 2001/29/EG – Die Harmonisierungs-Richtlinie

In chronologischer Reihenfolge ist die Richtlinie 2001/29/EG zur Harmonisierung des Urheberrechts und der verwandten Schutzrechte in der Informationsgesellschaft (sog. Harmonisierungs-RL) die sechste verabschiedete Urheberrechtsrichtlinie, hat aber dennoch nur wenige Gemeinsamkeiten mit ihren Vorgängern. Ursächlich dafür ist nicht nur die fünfjährige Pause zwischen ihrer Verabschiedung und der vorangehenden Datenbankschutz-RL. Mit der Harmonisierungs-RL begann ein neues Kapitel im europäischen Urheberrecht, ebenso wie es zuvor auf internationaler Ebene durch die WIPO-Verträge geschehen war, die teilweise durch die

---

59 Mitteilung der Kommission vom 17.1.1991, KOM(90) 584 endg.

60 Richtlinie 91/250/EWG vom 14.5.1991 über den Rechtsschutz von Computerprogrammen, ABl. Nr. L 122 S. 42; Richtlinie 92/100/EWG vom 19.11.1992 zum Vermiet- und Verleihrecht, ABl. Nr. L 346 S. 61; Richtlinie 93/83/EWG vom 27.9.1993 betreffend Satellitenrundfunk und Kabelweiterverbreitung, ABl. NR. L 248 S. 15; Richtlinie 93/98/EWG vom 29.10.1993 über die Schutzdauer, ABl. Nr. L 290 S. 9; Richtlinie 96/9/EG vom 11.3.1996 über den rechtlichen Schutz von Datenbanken, ABl. Nr. L 77 S. 20; Richtlinie 2001/84/EG vom 27.9.2001 zur Harmonisierung des Folgerechts des Urhebers des Originals eines Kunstwerks, ABl. Nr. C 178 S. 16; Richtlinie 2001/29/EG vom 22.5.2001 zur Harmonisierung des Urheberrechts und der verwandten Schutzrechte in der Informationsgesellschaft (Harmonisierungs-RL); Richtlinie 2004/48/EG vom 29.4.2004 zur Durchsetzung der Rechte des geistigen Eigentums (Enforcement-RL).

61 Nicht die Kernbereiche des Urheberrechtsschutzes wurden reglementiert, vielmehr Randgebiete und Spezialfragen, vgl. *Schippan*, Harmonisierung des Urheberrechts, S. 75.

62 *Reinbothe*, FS für Schricker, S. 238.

63 *Hilty*, IIC 2004, S.761.

Harmonisierungs-RL umgesetzt wurden.[64] Sie ist das Ergebnis eines getrennten Beratungsprozesses, in dessen Verlauf die Kommission sogar ein Grünbuch[65] zu einem neuen Themenbereich vorlegte: Urheberrecht in der Informationsgesellschaft.[66] Im Unterschied zu den anderen Urheberrechts-Richtlinien sind Harmonisierungsgegenstand nicht Randfragen des Urheberrechts, Schwerpunkt bilden nunmehr die Vereinheitlichung der zentralen Verwertungsrechte, des Vervielfältigungs- und Verbreitungsrechts sowie des Rechts der öffentlichen Wiedergabe und die Neuordnung der Schrankenregelungen. Ein Novum sind zudem die Vorschriften zum Schutz technischer Maßnahmen und der zur Rechtewahrnehmung erforderlichen Informationen.[67] Von besonderer Relevanz für diese Arbeit sind daher die Art. 6 und 8 Harmonisierungs-RL, die sich mit der Harmonisierung des rechtlichen Schutzes vor Umgehung technischer Maßnahmen[68] und der Einführung von Sanktionen und Rechtsbehelfen bei Verletzungen der in der Richtlinie festgelegten Rechte und Pflichten befassen.[69]

---

64 Siehe oben Zweiter Teil, I.C.

65 Green Paper on Copyright and Related Rights in the Information Society, COM(95) 382, 27 July 1995.

66 Die Harmonisierungs-RL steht am Ende eines langen Verhandlungsprozesses, in dem über Kernfragen des Urheberrechtsschutzes beraten wurde. Schwierigkeiten bei der Ausbalancierung der verschiedenen Interessenpositionen erkennt man auch aufgrund der hohen Anzahl an Erwägungsgründen, die der Richtlinie vorangestellt sind; waren es ursprünglich 38, so enthält die endgültige Fassung 61 Erwägungsgründe.

67 Ein wichtiges Ziel der Richtlinie war die Umsetzung des Schutzes technischer Maßnahmen wie es auch Art. 11 WCT und Art. 18 WPPT fordern. Vgl. Erwägungsgründe 1 und 47.

68 Art. 6 Harmonisierungs-RL trägt den Mitgliedstaaten auf, einen wirksamen Rechtsschutz vorzusehen gegen die Umgehung wirksamer technischer Maßnahmen (Abs.1) sowie auch gegen Vorrichtungen, Erzeugnissen oder Bestandteile und die Erbringung von Dienstleistungen, die mit dem Ziel der Umgehung wirksamer technischer Maßnahmen eingesetzt werden oder die, abgesehen von der Umgehung wirksamer technischer Maßnahmen, nur einen begrenzten wirtschaftlichen Zweck oder Nutzen haben (Abs. 2). Zudem werden auch Vorbereitungshandlungen wie Herstellung, Einfuhr, Verbreitung, Verkauf, Vermietung, Werbung im Hinblick auf Verkauf oder Vermietung und der Besitz von Vorrichtungen, Erzeugnissen und Bestandteilen zu kommerziellen Zwecken erfasst (Abs. 2).

69 So sollen nach Art. 8 Abs. 1 Harmonisierungs-RL bei Rechtsverletzungen angemessene Sanktionen und Rechtsbehelfe vorgesehen und deren Durchsetzbarkeit sichergestellt werden. Dabei müssen die *betreffenden Sanktionen wirksam, verhältnismäßig und abschreckend* sein. Bezüglich des Rechtsgebiets, in dem die Maßnahmen zu ergreifen sind, schweigt die Richtlinie und trägt damit den unterschiedlichen Sanktionssystemen der Mitgliedstaaten Rechnung. Es liegt in der Rechtsnatur der Richtlinie als Harmonisierungsinstrument, dass solange die Zielsetzung erreicht wird, es unwichtig ist, ob ein Mitgliedstaat straf-, zivil-, verwaltungs-, steuer- oder zollrechtliche Maßnahmen ergreift. Genauere Vorgaben gibt Abs. 2, wonach erforderliche Maßnahmen getroffen werden müssen, um dem beeinträchtigten Rechtsinhaber Schadensersatz zu gewähren und ggf. einstweilige Anordnungen zu treffen und Beschlagnahmen vorzunehmen. Abs. 3 schafft die Möglichkeit, gegen Dritte vorzugehen, deren Dienste zur Rechtsverletzung genutzt werden.

## 2. RL 2004/48/EG – Die Enforcement-Richtlinie

Der Verbesserung der Rechtsdurchsetzung wandte sich die Kommission erstmals mit der Richtlinie 2004/48/EG vom 29. April 2004 zur Durchsetzung der Rechte des geistigen Eigentums zu. Die Unterschiede im prozessualen Recht der Mitgliedstaaten bezüglich der nationalen Instrumente zur Durchsetzung der Rechte des geistigen Eigentums sollten aufgehoben und ihre Angleichung im Interesse eines funktionierenden Binnenmarktes vorgenommen werden.[70] Der Entstehungsprozess der Richtlinie war ungewöhnlich kurz:[71] Zwischen Kommissionsvorschlag und Veröffentlichung im Amtsblatt lagen nur 15 Monate. Dies erstaunt nicht nur, weil es sich dabei um einen Rechtsakt der Gemeinschaft zur Harmonisierung der Rechtsbehelfe, Maßnahmen und Verfahren zur Durchsetzung aller Immaterialgüterrechte handelt, sondern auch, weil sich die Richtlinie trotz der weitverbreiteten Kritik durchsetzen konnte.[72] Ziel der Richtlinie ist es, wichtige Instrumente zur Bekämpfung der Produkt- und Internetpiraterie bereitzustellen und dadurch Immaterialgüterrechte zu schützen, Innovationen und Investitionen zu fördern und Beschränkungen des freien Warenverkehrs und Wettbewerbsverzerrungen zu beseitigen.[73] Ihr Anwendungsbereich erstreckt sich gemäß Art. 2 auf alle Rechte des geistigen Eigentums, die im Gemeinschaftsrecht und/oder im innerstaatlichen Recht eines Mitgliedstaats vorgesehen sind. Im Gegensatz zum Kommissionsvorschlag enthält die Richtlinie aufgrund kompetenzrechtlicher Bedenken letztlich keine Bestimmungen zu strafrechtlichen Sanktionen.[74] Der einzige Bezug zum Strafrecht wird nunmehr in Erwägungsgrund 28 hergestellt. Danach stellen in geeigneten Fällen zusätzlich zu den zivil- und verwaltungsrechtlichen Maßnahmen auch strafrechtliche Sanktionen ein Mittel zur Durchsetzung der Rechte des geistigen Eigentums dar.

Gegenstand der Richtlinie sind nach Art. 1 Maßnahmen, Verfahren und Rechtsbehelfe, die erforderlich sind, um die Durchsetzung der Rechte des geistigen Eigentums sicherzustellen. Diese Maßnahmen sollen gemäß Art. 2 Abs. 1 auf jede Verletzung von Rechten des geistigen Eigentums Anwendung finden, die im Gemeinschaftsrecht und/oder im innerstaatlichen Recht des betreffenden Mitgliedstaats vorgesehen sind. In der Richtlinie sind u.a. gerichtliche Unterlassungsanord-

---

70 Erwägungsgründe 7–9 Enforcement-RL; *Bermond*, International Business Law Journal 2005, 202; *Frey/Rudolph*, ZUM 2004, 522; *McGuire*, GRUR Int. 2005, S. 15.

71 Ausgangspunkt war das Grünbuch der Kommission vom 15.10.1998 über die Bekämpfung von Nachahmungen und Produkt- und Dienstleistungspiraterie im Binnenmarkt (KOM(98) 569 endg.); vgl. zur Entstehungsgeschichte *Harte-Bavendamm*, FS für Tilmann, S. 793 ff.; *Frey/Rudolph,* ZUM 2004, 522.

72 *Kur,* IIC 2004, S. 822.

73 Vgl. Erwägungsgründe 1, 3, 9 Enforcement-RL.

74 Davon unberührt bleibt allerdings die Verpflichtung gemäß Art. 61 TRIPS zur Gewährung hinreichend wirksamer und abschreckender Strafsanktionen.

nungen (Art. 11), Abhilfemaßnahmen wie die Vernichtung oder der Rückruf rechtsverletzender Waren (Art. 10) und die Veröffentlichung der Gerichtsentscheidung (Art. 15) vorgesehen. Hervorzuheben ist, dass die Gewährung von Schadensersatz für den durch die Rechtsverletzung erlittenen Schaden (Art. 13) kein verdeckter Versuch ist, das Modell der angelsächsischen *punitive damages* über das Gemeinschaftsrecht in die kontinentaleuropäischen Rechtsordnungen einzuführen. Wegen der Fremdheit und der rechtsstrukturellen Widersprüche, die ein solches Vorhaben in vielen Rechtsordnungen bewirkt hätte,[75] führte dieses Problem zu lebhaften Diskussionen, nicht zuletzt, weil der Kommissionsvorschlag und auch der Gesetzestext des Rechtsausschusses des Europäischen Parlaments noch die Möglichkeit für die Gewährung einer doppelten Lizenzgebühr als Schadensersatz bereithielten.[76] Wichtig für die Rechtsdurchsetzung im Internet ist zudem Art. 8, der einen Auskunftsanspruch gegen den Rechtsverletzer selbst und auch gegen unbeteiligte Dritte einführt, was für die meisten EG-Mitgliedstaaten ein Novum ist.[77] Danach ist es in einem gerichtlichen Verfahren beispielsweise möglich, von Access Providern die nötigen Informationen zu erhalten, um die Identität eines urheberrechtsverletzenden Internetnutzers offenzulegen.

Der zentralen Bedeutung von Beweismitteln für den Erfolg eines Gerichtsverfahrens trägt die Richtlinie durch Art. 6 und 7 Rechnung, die Vorschriften über die Beschaffung und den Schutz von Beweisen enthalten.[78] Einstweilige Maßnahmen und Sicherungsmaßnahmen sind in Art. 9 geregelt. Danach können einstweilige Anordnungen nicht nur gegen den Rechtsverletzer selbst, sondern auch gegen Dritte,[79] deren Dienste für die Rechtsverletzung in Anspruch genommen werden, durchgesetzt werden. Zudem sind Beschlagnahme- und Herausgabeanordnungen möglich, die sich bei Rechtsverletzungen in gewerblichem Ausmaß auch auf die Beschlagnahme beweglichen und unbeweglichen Vermögens einschließlich der Sperrung von Bankkonten und der Beschlagnahme sonstiger Vermögenswerte erstrecken. Letztlich ist hervorzuheben, dass von Mittelspersonen außer der nach

---

75 Italien: *Trabucchi*, Istituzioni di Diritto civile, S. 220; Deutschland: *Hildebrandt*, Die Strafvorschriften des Urheberrechts, S. 504; *Weber,* Der strafrechtliche Schutz, S. 399.

76 *Kur,* IIC 2004, S. 827.

77 *Kur,* IIC 2004, S. 826; diese Vorschrift geht über das in Art. 47 TRIPS-Übereinkommen gewährte Auskunftsrecht hinaus, der Auskunftsansprüche lediglich gegen den Verletzer selbst gewährt.

78 Dies wird auch in Erwägungsgrund 20 der Enforcement-RL betont. Darin wird u.a. gefordert, dass wirksame Mittel zur Vorlage, zur Erlangung und zur Sicherung von Beweismitteln zur Verfügung stehen.

79 Einstweilige Maßnahmen gegen Mittelspersonen wegen Urheberrechtsverletzungen Dritter sollen gemäß Art. 9 Abs. 1 lit. a Enforcement-RL unter die Harmonisierungs-RL fallen. Dies entzieht die Durchsetzung des Urheberrechts gegen Mittelspersonen im Rahmen des einstweiligen Rechtsschutzes dem Anwendungsbereich der Richtlinie.

Art. 8 zu gewährenden Auskunft auch die Unterbindung von Urheberrechtsverletzungen Dritter durch gerichtliche Anordnungen verlangt werden kann (Art. 11 a.E.)[80] Weitere Abhilfemaßnahmen sind allerdings gegen Mittelspersonen nicht vorgesehen.

[80] Zwar müssen gerichtliche Anordnungen gegen Vermittler grundsätzlich gemäß Art. 8 Abs. 3 Harmonisierungs-RL ergehen, jedoch nimmt Art. 11 Enforcement-RL ausdrücklich auf die Harmonisierungs-RL Bezug und schreibt vor, dass Anordnungen unbeschadet der dortigen Bestimmungen auch gegen Mittelspersonen ergehen können. Bezüglich der Rechtsdurchsetzung im Internet ist zudem zu beachten, dass Diensteanbietern die Haftungsprivilegierungen der Art. 12–15 Richtlinie 2000/31/EG *über bestimmte rechtliche Aspekte der Dienste der Informationsgesellschaft, insb. des elektronischen Geschäftsverkehrs*, zugute kommen, die gemäß Art. 3 lit. a Richtlinie 2000/31/EG ausdrücklich nicht berührt werden sollen.

*Dritter Teil*

# Schutz digitaler Werke in Deutschland

## I. Rechtlicher Rahmen

### A. Verfassungsrechtlicher Hintergrund

#### 1. Einführung

Während der staatliche Schutz des Urheberrechts in der Weimarer Reichsverfassung von 1919 in Art. 151 Abs. 1 noch festgeschrieben war, erwähnt das deutsche Grundgesetz das Urheberrecht lediglich im Zuständigkeitskatalog des Art. 73 in Abs. 1 Nr. 9 GG als Gegenstand ausschließlicher Gesetzgebung. Der Schutz des Urheberrechts wurde nach dem zweiten Weltkrieg nur in den Verfassungen einiger westdeutscher Bundesländer ausdrücklich normiert.[1] Ungeachtet der fehlenden ausdrücklichen Festschreibung ist eine indirekte Verbürgung des Urheberrechts in der Eigentumsgarantie des Art. 14 GG zu finden. Dies hat das Bundesverfassungsgericht durch eine Reihe von Entscheidungen bestätigt.[2]

Auf verfassungsrechtlicher Ebene stehen sich in Bezug auf das Urheberrecht verschiedene Interessenpositionen gegenüber, die durch eine Vielzahl von Grundrechten verbürgt sind. Grundsätzlich ist zwischen zwei kollidierenden Interessenpolen zu unterscheiden. Ausgehend von der Person des Urhebers als Werkschöpfer sind dies zum einen dessen materielle und ideelle Interessen an seinem Werk und seinem Schaffen. Das größte Gewicht kommt dabei dem bereits erwähnten Eigentumsschutz durch Art. 14 GG zu. Daneben werden seine ideellen Interessen durch die Meinungsäußerungsfreiheit, die Kunst- und Wissenschaftsfreiheit sowie das (Urheber-)Persönlichkeitsrecht geschützt.

Auf der anderen Seite stehen Interessen Dritter und der Allgemeinheit an einer möglichst umfangreichen und ungehinderten Nutzung des Werks, denen in der heutigen Informationsgesellschaft große Bedeutung zukommt. Diese werden ebenfalls verfassungsrechtlich geschützt, nämlich durch die Meinungs-, Informations-, Presse-, Rundfunk-, Film-, Kunst- und Wissenschaftsfreiheit sowie auch durch das Sozial- und Kulturstaatsprinzip.

---

1 So beispielsweise in Art. 162 der bayerischen Landesverfassung: *Schack*, Urheber- und Urhebervertragsrecht, S. 42 Rn. 85; *Weber*, UrhR und Verfassung, S. 8.

2 *Schack*, Urheber- und Urhebervertragsrecht, S. 45 Rn. 91; *Fechner*, Geistiges Eigentum und Verfassung, S. 61 ff.; BVerfGE 31, 229, 239; BVerfGE 49, 382, 392.

Der Gesetzgeber steht daher vor der Aufgabe, bei der Ausgestaltung von Privatrechtsverhältnissen verschiedene divergierende Grundrechtspositionen zu berücksichtigen, denn die Beteiligten an der urheberrechtlichen Verwertung sind allesamt Grundrechtsträger, deren Grundrechten bei einer Kollision zu einem bestmöglichen Ausgleich verholfen werden muss.[3] Im Folgenden soll jedoch allein der Schutz des geistig Schaffenden dargestellt werden.

### 2. Der verfassungsrechtliche Schutz des Urhebers

#### *a) Eigentumsgarantie*

Wie bereits erwähnt, stellt die Eigentumsgarantie aus Art. 14 GG einen Schwerpunkt für den verfassungsrechtlichen Schutz des Urheberrechts dar. Der Vermögenswert eines urheberrechtlich geschützten Werks fällt unter den Eigentumsbegriff des Art. 14 Abs. 1 GG.[4] Grundsätzlich ist jedes vermögenswerte Recht, das vom Gesetzgeber gewährt wird und durch die Entfaltung von Leistungswillen entstanden ist, eine eigentumsfähige Position.[5] In der Folge sind die vermögenswerten Befugnisse des Urhebers an seinem Werk, speziell die Verwertungsrechte der §§ 15 ff. UrhG, vom Eigentumsbegriff des Art. 14 Abs. 1 Satz 1 GG erfasst. Mehrfach wurde das Urheberrecht in diesem Zusammenhang in Literatur und Rechtsprechung als geistiges Eigentum bezeichnet.[6] Diese aus dem Naturrecht entlehnte Bezeichnung ist zwar nicht unumstritten,[7] hat aber dem Immaterialgüterrecht zu einer verbesserten Akzeptanz in der Gesellschaft verholfen.[8]

#### *b) Persönlichkeitsrecht*

Die Persönlichkeit des Urhebers wird im Grundgesetz von dem allgemeinen Persönlichkeitsschutz durch Art. 1 Abs. 1, Art. 2 Abs. 1 GG umfasst. Beide, das Urheber- und das allgemeine Persönlichkeitsrecht wurzeln in der Menschenwürde und ergänzen einander. Das allgemeine Persönlichkeitsrecht geht weiter als das Urheberpersönlichkeitsrecht und vermag daher Schutzlücken zu schließen. Es

---

[3] Mit den Schrankenbestimmungen der §§ 44a ff. UrhG hat der Gesetzgeber diese Güterabwägung grundsätzlich abschließend vorgenommen, vgl. *Stieper*, Rechtfertigung, Rechtsnatur und Disponibilität der Schranken des Urheberrechts, S. 96.

[4] *Schack*, Urheber- und Urhebervertragsrecht, S. 45 Rn. 91; *Poeppel*, Die Neuordnung der urheberrechtlichen Schranken im digitalen Umfeld, S. 134; *Rehbinder,* Urheberrecht, S. 62 Rn. 139; BVerfGE 31, 229, 239; BVerfGE 49, 382, 392.

[5] BVerfGE 51, 193, 218; Jarass/Pieroth-*Jarass*, GG, Art. 14 Rn. 7.

[6] BVerfGE 49, 382, 392; 79, 29, 40; BGHZ 17, 266/278; 141, 13, 35; Fromm/Nordemann-*Axel Nordemann*, § 1 UrhG Rn. 3; *Schack*, Urheber- und Urhebervertragsrecht, S. 45 Rn. 91.

[7] *Rehbinder,* Urheberrecht, S. 45 Rn. 97; *Rigamonti*, Geistiges Eigentum als Begriff und Theorie des Urheberrechts, S. 157; *Roeber*, UFITA 21 (1956) 186.

[8] *Schack*, Urheber- und Urhebervertragsrecht, S. 11 Rn. 23, S. 45 Rn. 91.

schützt im Gegensatz zum Urheberpersönlichkeitsrecht die persönlichen Interessen des Urhebers unabhängig von einem bestimmten Werk. Aus dem allgemeinen Persönlichkeitsrecht lässt sich insbesondere die Schaffensfreiheit ableiten sowie der Schutz der Urheberehre, die unabhängig von einem bestimmten Werk besteht. Teilweise wird darin auch ein Recht auf Entdeckerehre sowie der Schutz origineller Ideen verortet.[9] Hingegen betrifft das Urheberpersönlichkeitsrecht schwerpunktmäßig den sozialen Geltungsanspruch des Urhebers, der das Recht auf Anerkennung seiner Urheberschaft sowie das Recht, Entstellungen und andere Beeinträchtigungen seines Werks zu verbieten, umfasst (§ 13 Satz 1, § 14 UrhG).[10]

#### *c) Kunst-, Meinungsäußerungs- und Wissenschaftsfreiheit*

Die Kunstfreiheit aus Art. 5 Abs. 3 Satz 1 GG schützt den gesamten Lebensbereich „Kunst“. Sowohl der Werkbereich des künstlerischen Schaffens als auch der Wirkbereich sind vom Schutz umfasst.[11] Nicht nur derjenige, der das Kunstwerk herstellt, sondern auch die Person, die das Kunstwerk der Öffentlichkeit zugänglich macht, kann sich auf die Kunstfreiheit berufen.[12] Damit ist neben dem künstlerisch tätigen Urheber auch der Verwerter von Art. 5 Abs. 3 Satz 1, 1. Alt. GG geschützt. Auch wenn der verfassungsrechtliche Kunstbegriff und der urheberrechtliche Werkbegriff nicht ganz deckungsgleich sind,[13] kann sich ein Urheber in vielen Fällen auf den weiteren Kunstbegriff und damit auf den Schutz durch die Kunstfreiheit stützen.

Daneben kann sich der Urheber auf die Meinungsäußerungsfreiheit gemäß Art. 5 Abs. 1 Satz 1 GG berufen und hat somit das Recht, seine Meinung in Wort, Schrift und Bild frei zu äußern und zu verbreiten. Außerdem sind von der Wissenschaftsfreiheit nach Art. 5 Abs. 3 Satz 1, 2. Alt. GG neben der wissenschaftlichen Tätigkeit des Urhebers auch die Weitergabe wissenschaftlicher Erkenntnisse umfasst.[14]

## B. Nationale Rechtsquellen des Urheberrechts

Außer in den vorgenannten internationalen Abkommen ist das deutsche Urheberrecht in Gesetzen und Verordnungen verankert. Das Gesetz über Urheberrecht und verwandte Schutzrechte (Urheberrechtsgesetz), das am 16. September 1965 ver-

---

9 *Hubmann*, UFITA 24 (1957) 1 f.; *Rehbinder,* Urheberrecht, S. 61 Rn. 137.

10 *Schack*, Urheber- und Urhebervertragsrecht, S. 44 Rn. 90.

11 BVerfGE 30, 173, 189; 67, 213, 224; 81, 278, 292.

12 BVerfGE 30, 173, 191; 36, 321, 331.

13 *Fechner*, Geistiges Eigentum und Verfassung, S. 289 ff; *Schack*, Kunst und Recht, Rn. 2 ff.

14 BVerfGE 47, 327, 367; *Seith*, Wie kommt der Urheber zu seinem Recht?, S. 101.

kündet wurde und größtenteils am 1. Januar 1966 in Kraft getreten ist, stellt das geltende Regelwerk für den Bereich der Urheber- und Leistungsschutzrechte dar. Das Urheberrechtsgesetz von 1965 löste die beiden Gesetze ab, die bis dahin diesen Bereich regelten.[15] In den §§ 105 und 138 UrhG finden sich außerdem Ermächtigungsgrundlagen der Landesregierungen zur Regelung der sachlichen Zuständigkeit von Urheberrechtsstreitigkeiten, der Führung der Urheberrolle, der Form des Eintragungsantrags und der Kosten. Daneben gibt es das Gesetz über das Verlagsrecht vom 19. Juni 1901, das einen wichtigen Teilbereich des Urhebervertragsgesetzes regelt, sowie das Gesetz über die Wahrnehmung von Urheberrechten und verwandten Schutzrechten (Urheberrechtswahrnehmungsgesetz), in welchem die Wahrnehmung von Rechten der Verwertungsgesellschaften geregelt ist. Ferner ist auch das BGB mit seinen Rechtsgeschäftslehren für das Urhebervertragsrecht heranzuziehen, daneben sind auch in manchen Bereichen Tarifverträge zu beachten.

In jüngster Zeit wurden vom nationalen Gesetzgeber wesentliche Änderungen des Urheberrechtsgesetzes vorgenommen, um den Schutz des geistigen Eigentums an die neuen technischen Entwicklungen in der Informationsgesellschaft anzupassen und auch auf das internationale Urheberrecht zu reagieren.[16] Die EG-Richtlinie 2001/29/EG schrieb die Umsetzung zwingender Vorgaben innerhalb einer relativ kurzen Frist vor. Dabei wurden weite Bereiche nicht von der EG harmonisiert und ließen damit den nationalen Gesetzgebern Spielräume.[17] Um dem Umsetzungsdruck besser zu entsprechen und weil sich die Umsetzung schwieriger als erwartet gestaltete, wurde die deutsche Gesetzgebung zweigeteilt. Im sogenannten *Ersten Korb*[18] wurden zwingende Vorgaben der EG und der WIPO implementiert, während rechtspolitisch umstrittene Regelungen im sogenannten *Zweiten Korb*[19] umgesetzt wurden. Änderungen des Urheberrechtsgesetzes durch den Ersten Korb bestanden beispielsweise in der Einführung des Schutzes technischer Schutzmaßnahmen (§ 95a, § 108b UrhG) und in der Anpassung von Schranken an die Bedingungen des digitalen Zeitalters, insbesondere mit Blick auf die Befugnis zur Her-

---

[15] Das war zum einen das Gesetz betreffend das Urheberrecht an Werken der Literatur und Tonkunst vom 19.6.1901 (LUG) und zum anderen das Gesetz betreffend das Urheberrecht an Werken der bildenden Künste und der Photographie vom 9.1.1907 (KUG); das aber bezüglich des Schutzes von Bildnissen gemäß § 141 Ziff. 5 UrhG weiter gilt.

[16] Der WIPO-Urheberrechtsvertrag und der WIPO-Vertrg über Darbietungen und Tonträger von 1996 sowie die Richtlinie 2001/29/EG vom 22.5.2001 zur Harmonisierung bestimmter Aspekte des Urheberrechts in der Informationsgesellschaft (ABl. I. 167 vom 22.6.2001), mit der die Vorgaben der WIPO ins Gemeinschaftsrecht übernommen und weitere harmonisierte Regelungen getroffen wurden.

[17] *Hucko*, Zweiter Korb, S. 3.

[18] Gesetz zur Regelung des Urheberrechts in der Informationsgesellschaft vom 10.9.2003 (BGBl. I S. 1774).

[19] Zweites Gesetz zur Regelung des Urheberrechts in der Informationsgesellschaft vom 26.10.2007 (BGBl. I S. 2513).

stellung digitaler Kopien (§§ 52a ff., § 95b UrhG). Für die im Zweiten Korb formulierten Regelungen blieb somit mehr Zeit, wodurch sie in intensiven Beratungen mit den Vertretern der beteiligten Kreise – Urhebern, Verbrauchern, Verwertern, Geräteindustrie, Verwertungsgesellschaften, Wissenschaft und Ländern – vorbereitet werden konnten.[20]

Mit der Novellierung wurden u.a. die Voraussetzungen für das erlaubnisfreie Anfertigen von Privatkopien klargestellt, deren Vergütungsregelungen flexibler gestaltet und das Verbot der Verfügung über noch unbekannte Nutzungsarten eines Werks gelockert.[21] Von rechtspolitischem Interesse sind auch Forderungen, die sich im Gesetzentwurf letztlich nicht durchgesetzt haben. Dazu zählen etwa Regelungen zur Einschränkung der Privatkopie,[22] aber auch Auskunftsansprüche gegen an der Urheberrechtsverletzung unbeteiligte Dritte. Letztere wurden im Gesetz zur Verbesserung der Durchsetzung von Rechten des geistigen Eigentums[23] geregelt, welches vor allem der Umsetzung der Enforcement-RL (2004/48/EG) durch Novellierung von mehreren Gesetzen zum Schutz des geistigen Eigentums diente.[24] Darüber hinaus sollte das deutsche Recht an die Grenzbeschlagnahmeverordnung Nr. 1383/2003 des Rates vom 22. Juli 2003 angepasst werden. Obgleich die Zielsetzung des Umsetzungsgesetzes[25] der der Richtlinie[26] ähnlich ist, entbindet dies den Gesetzgeber nicht, eine eigenständige Bewertung der Vorgaben vorzunehmen und diese am Grundgesetz zu messen.[27] Dieser verfassungsrechtliche Rahmen garantiert daher nicht nur den Schutz des geistigen Eigentums und dessen Durchsetzung, sondern ist auch Maßstab bei der Auflösung des Spannungsverhältnisses zwischen den kollidierenden Rechten der Beteiligten, nämlich Eigentumsschutz, Informationsfreiheit und Datenschutz.

---

20 Am Zweiten Korb wird kritisiert, dass die Interessen von Bildung, Wissenschaft und Forschung nicht zeitgemäß berücksichtigt worden seien, was auf die Lösung solcher Fragen in einem Dritten Korb hindeutet, *Hucko*, Zweiter Korb, S. VIII.

21 Nach § 31a UrhG.

22 So etwa eine Beschränkung auf eine bestimmte Kopienanzahl, eine generelle Beschränkung auf legale Vorlagen sowie ein Verbot der Kopie durch Dritte.

23 Urheberrechtsreformgesetz vom 7.7.2008 (BGBl. I S. 1191).

24 Neben dem Urheberrechtsgesetz sind dies: Patentgesetz, Gebrauchsmustergesetz, Markengesetz, Halbleiterschutzgesetz, Geschmacksmustergesetz, Sortenschutzgesetz, die weitgehend wortgleich geändert werden.

25 Referentenentwurf eines Gesetzes zur Verbesserung der Durchsetzung von Rechten des geistigen Eigentums des Bundesministeriums der Justiz, S. 45, abrufbar unter: http://www.urheberrecht.org/topic/enforce, [30.5.2010].

26 Erwägungsgründe 1–3, 10, 32 Enforcement-RL.

27 Die grundrechtsschonende Umsetzung europäischer Rechtsakte hat das Bundesverfassungsgericht zuletzt im Urteil vom 18.7.2005 zur Verfassungswidrigkeit des europäischen Haftbefehlsgesetzes ausdrücklich normiert, BVerfG, NJW 2005, 2289 ff.; *Peukert/ Kur*, GRUR Int. 2006, 292 f.

## II. Der urheberrechtliche Werkbegriff in Deutschland

Grundbedingung für die Gewährung urheberrechtlichen Schutzes ist die Anerkennung eines Gegenstands als Werk im urheberrechtlichen Sinn.[28] Dementsprechend stellt § 2 UrhG, der den urheberrechtlichen Werkbegriff regelt, eine Zentralnorm des Urheberrechts dar.[29] Um den Anwendungsbereich des Urheberrechtsgesetzes zu eröffnen und damit vollen urheberrechtlichen Schutz zu genießen, müssen daher auch digitale Werke am Maßstab des § 2 UrhG gemessen werden und dessen im Folgenden dargestellte Voraussetzungen aufweisen.

### A. Abgrenzung der verschiedenen digitalen Werkarten

Zunächst ist jedoch eine Unterscheidung zwischen den einzelnen digitalen Werkarten vorzunehmen, deren Werkeigenschaft i.S.v. § 2 UrhG jeweils separat bestimmt werden muss. So gibt es zum einen Computersoftware, die mit der 1985 erfolgten Novellierung des Urheberrechtsgesetzes in den Werkkatalog des § 2 Abs. 1 UrhG aufgenommen und den Sprachwerken gleichgestellt wurde. Internetbezogene Werke wie Websites und Webseiten stellen eine weitere Kategorie dar.[30] Außerdem sind multimediale und zuletzt auch vormals analoge Werke in digital gespeicherter Form zu nennen. Multimediale Werke sind nicht mit den Letztgenannten zu verwechseln. Die Technik der Multimediawerke zeichnet sich durch drei Merkmale aus: Digitalisierung, Kombination früher getrennter Werkkategorien zu einem neuen Medium und Interaktivität durch die Einwirkungsmöglichkeit des Nutzers.[31] Hingegen ist eine Kombination verschiedener Werkarten innerhalb von analogen Werken wie Fotos, Filmen, Texten und Musik, die in digital gespeicherter Form vorliegen, relativ selten. Auch ist eine Einwirkungsmöglichkeit des Nutzers außer durch Veränderung oder Bearbeitung üblicherweise nicht gegeben.

### B. Der urheberrechtliche Werkbegriff nach § 2 UrhG

Die gesetzliche Bestimmung des Werkbegriffs in § 2 Abs. 2 UrhG ermöglicht unterschiedliche Interpretationen bezüglich der einzelnen Schutzvoraussetzungen. Auch wenn im Einzelnen Uneinigkeit über die verschiedenen Elemente des Werkbegriffs besteht, soll hier der höchstrichterlichen Rechtsprechung sowie der herrschenden Meinung in der Literatur gefolgt werden, die vier Schutzvoraussetzungen

---

[28] *Schricker*, Festskrift Strömholm, S. 760.

[29] Schricker-*Loewenheim*, § 2 Rn.1; Dreier/Schulze-*Schulze*, § 2 Rn. 1.

[30] *Theiselmann*, Geistiges Eigentum in der Informationsgesellschaft, S. 7 ff.

[31] *Rehbinder,* Urheberrecht, S. 101 Rn. 240 f.; *Schricker*, Festskrift Strömholm, S. 756 f.

festgelegt hat.[32] Danach setzt das Werk eine persönliche (1.) und geistige (2.) Schöpfung mit einer wahrnehmbaren Formgestaltung (3.) voraus, die außerdem Ausdruck der Individualität (4.) des Urhebers ist.[33] Außerdem muss das Werk einem der in § 1 UrhG genannten Bereiche Literatur, Wissenschaft und Kunst entstammen. Hervorzuheben ist auch die Offenheit des § 2 UrhG, die den vom Urheberrechtsgesetz bezweckten möglichst umfangreichen Schutz aller Werke der Literatur, Wissenschaft und Kunst unterstützt. Daran ändert auch die Aufzählung schutzfähiger Werkarten in § 2 Abs. 1 UrhG nichts, denn anders als vor Verkündung des geltenden Urheberrechtsgesetzes von 1965 ist sie nicht mehr abschließend, sondern nur beispielhaft. Die Abschaffung des vormals bestehenden *numerus clausus* der Werkarten soll Schutzlücken vermeiden und die Aufnahme von neuen, durch den technischen Fortschritt entwickelten Werkarten in den Schutzbereich des Gesetzes ermöglichen.[34]

## C. Vorliegen der Schutzvoraussetzungen des § 2 Abs. 2 UrhG bei digitalen Werken

Der Anwendungsbereich des urheberrechtlichen Instrumentariums ist eröffnet, wenn das digitale Werk die Voraussetzungen des § 2 Abs. 2 UrhG erfüllt. Entsprechend dem traditionellen Werkbegriff muss es sich bei digitalen Werken um eine persönliche Schöpfung des Urhebers mit geistigem Inhalt und wahrnehmbarer Formgestaltung handeln, in der die Individualität des Urhebers zum Ausdruck kommt.

### 1. Persönlich Geschaffenes

Das Merkmal „persönlich geschaffen" grenzt das urheberrechtliche Werk von der maschinellen Produktion und von reinen Naturprodukten ab. Entscheidend ist dabei, dass der Urheber selbst gestalterisch tätig ist.[35] Problematisch kann bei der Erstellung eines digital gespeicherten Werks der Einsatz von Maschinen sein. Der Gebrauch technischer Hilfsmittel ist allerdings solange möglich, wie der Mensch im gestalterisch-schöpferischen Prozess als Zentralgestalt erscheint.[36] Bedient sich

---

32 *Erdmann*, FS für von Gamm, S. 389–396; Schricker-*Loewenheim*, § 2 Rn. 9; jeweils mit Nachweisen zur Rechtsprechung.

33 Dreier/Schulze-*Schulze*, § 2 Rn. 2; Schricker-*Loewenheim*, § 2 Rn. 9; *Erdmann*, FS für von Gamm, S. 389, 396 ff.

34 Ensthaler/Busch/Völker-*Ensthaler*, Kapitel 2, II, S. 62; Wandtke/Bullinger-*Bullinger*, § 2 Rn. 2.

35 Schricker-*Loewenheim*, § 2 Rn. 11; Wandtke/Bullinger-*Bullinger*; § 2 Rn. 15.

36 Schricker-*Loewenheim*, § 2 Rn. 13; *Rehbinder*, Urheberrecht, S. 66 Rn. 146; *Schack*, Urheber- und Urhebervertragsrecht, S. 97 Rn. 181; *Schricker*, Informationsgesellschaft, S. 45 f.

eine Person beispielsweise zum Fotografieren einer digitalen Kamera, so stellt die Maschine ein Werkzeug dar, das bei der Umsetzung der Vorstellungen Zeit und handwerklichen Aufwand erspart. Auch der Einsatz von Computern schließt nicht von vornherein ein menschliches Schaffen aus, solange sich der Mensch zur Umsetzung seiner Ideen steuernd des Computers bedient und nicht ein automatisch erstelltes Zufallsprodukt entsteht.[37]

### 2. Geistig Geschaffenes

Das Werk muss einen geistigen Inhalt aufweisen.[38] Es muss eine Aussage oder Botschaft des Urhebers enthalten. Dieser geistige Gehalt liegt bei den verschiedenen Werkarten in unterschiedlicher Form vor. Maßgebend bleibt aber der Gesamteindruck des Werks, wie er vom Leser, Hörer oder Zuschauer wahrgenommen wird.[39] Die Speicherung eines Werks in digitaler Form lässt den geistigen Gehalt desselben unberührt.

### 3. Wahrnehmbare Formgestaltung

Bei digitalen Werken ist das Merkmal der wahrnehmbaren Formgestaltung problematisch, insofern die persönliche geistige Schöpfung nur unter Zuhilfenahme von technischen Hilfsmitteln wahrnehmbar wird. Denn das menschlich geschaffene und geistig anregende Werk muss in irgendeiner Form zum Ausdruck kommen, um so von der bloßen Idee abgrenzbar[40] und für die Wahrnehmung durch die menschlichen Sinne zugänglich zu sein.[41] Allerdings ist es unerheblich, ob der Mensch ein Werk unmittelbar wahrnehmen kann oder ob ihm dies nur mittelbar durch Einsatz technischer Hilfsmittel möglich ist.[42] Daher ist dieses Kriterium auch bei digitalen Werken erfüllt, die nur unter Zuhilfenahme technischer Hilfsmittel wie Monitoren, Lautsprechern oder Druckern eine menschlich wahrnehmbare Formgestaltung annehmen.

---

37 Schricker-*Loewenheim*, § 2 Rn. 13; Fromm/Nordemann-*Axel Nordemann*, § 2 Rn. 21.

38 Schricker-*Loewenheim*, § 2 Rn. 18; Dreier/Schulze-*Schulze*, § 2 Rn. 11.

39 Dreier/Schulze-*Schulze*, § 2 Rn. 11; Schricker-*Loewenheim*, § 2 Rn. 19; *Fröhlich*, Zentrale Institutionen des deutschen und des französischen Droit d'auteur auf dem Prüfstand der elektronischen Netzwerke, S. 28.

40 *Rehbinder*, Urheberrecht, S. 66 Rn. 149; Dreier/Schulze-*Schulze*, § 2 Rn. 13; Wandtke/Bullinger-*Bullinger*, § 2 Rn. 20.

41 Schricker-*Loewenheim*, § 2 Rn. 20; BGH GRUR 1985, 1041, 1046; *Erdmann*, FS für von Gamm, S. 389, 398 ff.

42 Schricker-*Loewenheim*, § 2 Rn. 21.

### 4. Schöpfung als Ausdruck der Individualität

Schließlich muss das Werk den individuellen Geist des Urhebers ausdrücken. Es muss sich als Ergebnis seines individuellen geistigen Schaffens darstellen[43] und von individueller Ausdruckskraft sein.[44] Trotz terminologischer Abweichungen bei der Benennung dieser Voraussetzung herrscht darüber Einigkeit, dass das Werk eine eigenständige Schöpfung sein muss und nicht nach vorgegebenen Regeln entstanden sein darf. Das Maß an Individualität kann bei verschiedenen Werken verschieden hoch ausfallen. Es muss aber eine gewisse Gestaltungshöhe,[45] das heißt, ein Mindestmaß an Individualität, erreichen. Die digitale Speicherung etwa von Musik- oder Filmwerken lässt die ihnen durch den Urheber verliehene individuelle Ausdruckskraft unberührt. Damit liegen alle Voraussetzungen des § 2 Abs. 2 UrhG vor und die urheberrechtliche Werkeigenschaft kann für digitale Werke grundsätzlich bejaht werden.[46]

## D. Werkeigenschaft trotz Digitalisierung

Werke aus fast jeder Werkart können in Kommunikationsnetzen digitalisiert und in elektronischen Speichern fixiert werden. Es stellt sich nun die Frage, wie sich die Digitalisierung auf urheberrechtlich geschützte Werke auswirkt. „Digitalisierung" beschreibt einen Vorgang, bei dem Informationen in Bits umgewandelt werden, also in Zahlenreihen, bestehend nur aus den Digits 0 und 1.[47] Es erfolgt die Übersetzung in einen binären Code, der die Verwertung und Nutzung eines Werks mit Computern oder anderen technischen Hilfsmitteln ermöglicht und vereinfacht. Der Prozess der Digitalisierung wirkt sich nur auf die äußere Erscheinung eines Werks aus, der geistige Gehalt und die Originalität des Werks bleiben unberührt.[48] Deshalb behält ein literarisches, wissenschaftliches oder künstlerisches Werk, das die Voraussetzungen des § 2 Abs. 2 UrhG erfüllt, seine Werkeigenschaft und den daran geknüpften Urheberrechtsschutz nach der Digitalisierung.[49] Ein anderes

---

43 BGHZ 9, 262, 268 – *Lied der Wildbahn I.*

44 BGH GRUR 1995, 673, 675 – *Mauer-Bilder*.

45 BGH GRUR 1991, 449, 451; *Rehbinder*, Urheberrecht, S. 68 Rn. 152.

46 Im Einzelfall kann eine Prüfung anhand der allgemeinen Kriterien des § 2 UrhG erforderlich sein. So erfüllen beispielsweise Webseiten nicht zwingend diese Voraussetzungen, vgl. BGHZ 94, 279, 287 – *Inkassoprogramm*; BGH GRUR 1993, 34, 36 – *Bedienungsanweisung*.

47 *Lehmann* (Hrsg.), Internet- und Multimediarecht (Cyberlaw), S. 26.

48 *Schricker*, Informationsgesellschaft, S. 28; *Fröhlich*, Zentrale Institutionen des deutschen und des französischen Droit d'auteur auf dem Prüfstand der elektronischen Netzwerke, S. 31; *Bröcker/Czychowski/Schäfer*, Geistiges Eigentum im Internet, § 8 Rn. 52.

49 *Schricker*, Informationsgesellschaft, S. 20 f.; *Dreier/Würfel*, in: Moritz/Dreier (Hrsg.), Rechts-Handbuch zum E-Commerce , Teil B, Rn. 695.

Ergebnis wäre zur Vermeidung eines urheberrechtsfreien Raumes bei elektronischen Formen der Werkpräsentation widersinnig. Durch die Digitalisierung eines bestehenden Werks werden seine Schutzfähigkeit sowie seine Schutzbedürftigkeit weder eingeschränkt noch aufgehoben.[50] Der urheberrechtliche Schutz ist folglich auch bei digitalen Werken am traditionellen Werkbegriff des § 2 Abs. 2 UrhG zu messen.

Kurz erwähnt seien auch Bearbeitungen eines Werks in digitaler Form, die wie selbstständige Werke nach § 3 Abs. 1 UrhG geschützt werden. Die Bearbeitung zeichnet sich dadurch aus, dass sie das Original zwar noch erkennen lässt, sich davon aber durch eine eigene schöpferische Ausdrucksweise abhebt.[51] Soweit die Bearbeitung also nicht selbst eine persönliche geistige Schöpfung des Bearbeiters ist, liegt lediglich eine Vervielfältigung vor, die nicht zu eigenen Rechten des Vervielfältigenden führt. Aus diesem Grund ist die bloße Digitalisierung eines analogen Werks keine urheberrechtlich geschützte Bearbeitung.[52]

# III. Sanktions- und Schutzmaßnahmen im Einzelnen

## A. Zivilrechtliche Maßnahmen

### 1. Schutz des digitalen Werks durch das Urheberrecht

#### *a) Bedeutung des zivilrechtlichen Werkschutzes*

Die zivilrechtlichen Ansprüche zum Schutz und zur Durchsetzung der Urheberrechte und der verwandten Schutzrechte sind in den §§ 97–105 UrhG geregelt. Auch digitale Werke werden durch diese Normen geschützt. Das heute verfügbare umfangreiche rechtliche Instrumentarium hat sich im Wesentlichen aus der Rechtsprechung entwickelt.[53] In den beiden Urheberrechtsgesetzen von 1901 (LUG) und 1907 (KUG) waren lediglich Schadensersatzansprüche ausdrücklich normiert, daher schlossen die Gerichte durch die Anerkennung von Unterlassungs- und Beseitigungsansprüchen sowie von Schadensersatz für immaterielle Schäden bei Verletzung des Urheberpersönlichkeitsrechts eine Schutzlücke,[54] die sich durch die früher geltende Rechtslage ergab. Das geltende Urheberrechtsgesetz von 1965 hat diese

---

[50] *Dreier/Würfel*, in: Moritz/Dreier (Hrsg.), Rechts-Handbuch zum E-Commerce, Teil B, Rn. 695.

[51] *Dreier/Würfel*, in: Moritz/Dreier (Hrsg.), Rechts-Handbuch zum E-Commerce, Teil B, Rn. 728 f.; vgl. auch BGH GRUR 1972, 143 f.

[52] *Hoeren/Sieber*, Multimedia-Recht, Teil 7.1 Rn. 30.

[53] Schricker-*Wild*, § 97 Rn. 1.

[54] Schricker-*Wild*, § 97 Rn. 1.

Entwicklungen in der Rechtsprechung nachvollzogen und gewährt damit heute einen sehr weitreichenden Schutz.[55] An der Entstehungsgeschichte der heutigen zivilrechtlichen Schutzinstrumente, die im Wesentlichen durch zivilgerichtliche Entscheidungen in der ersten Hälfte des 20. Jahrhunderts geprägt wurden, zeigt sich die Bedeutung des zivilrechtlichen Schutzes auf dem Gebiet des Urheberrechts. Dies war nicht immer so: Im 19. Jahrhundert wurden Urheberrechtsverletzungen in erster Linie als Straftat aufgefasst und noch im letzten Viertel des 19. Jahrhunderts ergingen zu urheberrechtlichen Streitigkeiten durch das Reichsgericht in etwa genauso viele straf- wie zivilrechtliche Entscheidungen.[56] Die Schwerpunktverlagerung des Urheberrechtsschutzes auf den Zivilprozess kann als eine Folge der Verweisung der Strafverfolgung in Fällen ohne öffentliches Interesse auf den Weg der Privatklage gesehen werden, die durch Gesetz vom 21. März 1924 erfolgt ist.[57]

Für Urheberrechtsstreitsachen, also zivilrechtliche Streitigkeiten, durch die ein Anspruch aus einem der im Urheberrechtsgesetz geregelten Rechtsverhältnisse geltend gemacht wird,[58] ist heute gemäß § 104 UrhG grundsätzlich der ordentliche Rechtsweg zu den Zivilgerichten eröffnet. Ein Vorteil zivilrechtlichen Schutzes ist, dass der Verletzte zur Geltendmachung eines Anspruchs keinen Vorsatz nachweisen muss und im Gegensatz zum Strafrecht bei der Beurteilung neuartiger Sachverhalte die Bildung von Analogien möglich ist.[59] Auch die Weite des Schutzgutes stärkt die Bedeutung des zivilrechtlichen Instrumentariums; geschützt ist nämlich das Urheberrecht schlechthin.[60] Außerdem ist nach § 97 Abs. 3 UrhG, wonach Vorschriften aus anderen gesetzlichen Vorschriften ausdrücklich unberührt bleiben, neben der Anwendung des urheberrechtlichen Instrumentariums auch ein Rückgriff auf andere zivilrechtliche Normen nicht ausgeschlossen.

#### *b) Materieller Schutz*

##### aa) Schutzgegenstand

Die Ansprüche aus den §§ 97 ff. UrhG betreffen Fälle der Verletzung eines fremden Urheberrechts oder eines anderen nach dem Urheberrechtsgesetz geschützten Rechts.[61] Umfasst sind lediglich absolute Rechte, die gegen jeden nicht berechtig-

---

55 *Rehbinder*, Urherberrecht, S. 358 Rn. 938; *Sternberg-Lieben*, Musikdiebstahl, S. 58; *Weber*, Der strafrechtliche Schutz, S. 141 ff.

56 *Von Gravenreuth*, GRUR 1983, 349–357; *Weber*, Der strafrechtliche Schutz, S. 2.

57 *Ulmer*, Urheber- und Verlagsrecht, S. 564.

58 Wandtke/Bullinger-*Kefferpütz*, Vor §§ 97 ff. UrhG Rn. 1; LG Mannheim, NJW 1988, 1417.

59 *Ulmer*, Urheber- und Verlagsrecht, S. 565.

60 *Schack*, Urheber- und Urhebervertragsrecht, S. 405 Rn. 848.

61 Schricker-*Wild*, § 97 Rn. 3.

ten Dritten wirken. Diese stellen auch „sonstige Rechte“ i.S.d. § 823 Abs. 1 BGB dar. Die Verletzung eines bloß relativ zwischen den Parteien wirkenden schuldrechtlichen Anspruchs fällt demzufolge nicht in den Bereich der §§ 97 ff. UrhG. Hier finden vielmehr die Regeln des Schuldrechts Anwendung, die aber durchaus neben den Ansprüchen aus §§ 97 ff. UrhG bestehen können.[62] Auch die Verletzung mehrerer geschützter Rechte nebeneinander und die sich daraus ergebende gleichzeitige Geltendmachung mehrerer bestehender Ansprüche ist möglich. Die absoluten Rechte, deren Verletzung die Rechtsfolgen der §§ 97 ff. UrhG auslösen kann, beinhalten die aus dem Urheberpersönlichkeitsrecht fließenden Berechtigungen der Urheber und Schutzrechtsinhaber[63] sowie die Verwertungsrechte der Urheber und die verwertungsrechtlichen Berechtigungen der Schutzrechtsinhaber[64] einschließlich Verbotsrechten wie die der §§ 14, 75 oder 96 UrhG. Daneben wird auch der Inhaber ausschließlicher Nutzungsrechte gemäß § 31 Abs. 3 UrhG vom Schutzbereich des § 97 Abs. 1 UrhG erfasst. Eine Urheberrechtsverletzung liegt demnach vor, wenn sich jemand die Befugnisse des Urhebers oder des Schutzrechtsinhabers anmaßt, ohne die erforderliche Genehmigung des Rechtsinhabers zu besitzen oder sonst durch eine Schrankenregelung zur Vornahme der Handlung berechtigt zu sein.

(1) Vermögensrechte des Urhebers

Eine Urheberrechtsverletzung liegt insbesondere bei Verletzung der Verwertungsrechte der §§ 15 ff. UrhG vor. Die Generalklausel des § 15 Abs. 1 und 2 UrhG hat dabei keinen abschließenden Charakter, sodass neben den heute wichtigen Verwertungsrechten der §§ 16–22 UrhG das umfassende Ausschließlichkeitsrecht des Urhebers sich auch auf neue Verwertungsformen erstreckt. Die in den §§ 15 ff. UrhG genannten Verwertungsrechte sind selbstständig, sodass es möglich ist, durch eine einzige Nutzung in mehrere Verwertungsrechte gleichzeitig einzugreifen.[65]

(2) Urheberpersönlichkeitsrecht

Ein grundlegendes Merkmal des Urheberrechts ist, dass es auf die Person des Werkschöpfers bezogen ist, der in seinen ideellen Beziehungen zu seinem Werk

62 Wandtke/Bullinger-*v. Wolf*, § 97 Rn. 4.

63 Schricker-*Wild*, § 97 Rn. 5; Wandtke/Bullinger-*v. Wolf*, § 97 Rn. 6; Dreier/Schulze-*Dreier*, § 97 Rn. 4.

64 Zu den anderen nach dem UrhG geschützten Rechten gehören die verwandten Schutzrechte. Dazu zählen: § 70 Abs. 1, § 71 Abs. 1, § 72 Abs. 1, § 74, § 75, § 76 Abs. 1, § 81, § 83 Abs. 1, § 85 Abs. 1, § 87 Abs. 1, §§ 87a ff., § 93, § 94 Abs. 1 und § 95 UrhG. In dieser Arbeit soll der Schwerpunkt der Untersuchung auf der Verletzung von Urheberrechten liegen. Schutzrechtsverletzung werden miterörtert, wo ihre Berücksichtigung für die Untersuchung eine wichtige Ergänzung ist.

65 Dreier/Schulze-*Dreier*, § 97 Rn. 3, 5.

und in der Nutzung seines Werks geschützt wird. Diesen zentralen Grundsatz hat der Gesetzgeber in § 11 UrhG ausdrücklich normiert und damit festgelegt, dass das Urheberrecht ein einheitliches Recht ist, das persönlichkeits- und vermögensrechtliche Befugnisse untrennbar miteinander verbindet.[66] In den §§ 12–14 UrhG folgt eine nicht abschließende Aufzählung der wichtigsten urheberpersönlichkeitsrechtlichen Befugnisse: das Veröffentlichungsrecht, das Recht auf Anerkennung der Urheberschaft, das Recht auf Bestimmung der Urheberbezeichnung und der Integritätsschutz. Wie stark Urheberpersönlichkeitsrechte mit den Verwertungsrechten verwoben sind, zeigt sich etwa am Zugangsrecht des § 25 UrhG, wonach der Urheber Zugang zum Original oder zu Vervielfältigungsstücken seines Werks verlangen kann oder an den Rückrufsrechten von § 34 Abs. 3, § 41 und 42 UrhG.[67] Die Einschränkungen in § 39 Abs. 3 und § 93 UrhG[68] konkretisieren zusätzlich den Schutzbereich des Urheberpersönlichkeitsrechts. Ausdruck der monistischen Theorie ist auch die einheitliche Schutzdauer für Urheberpersönlichkeitsrechte und Verwertungsrechte des Urhebers. Nach Ablauf der 70-jährigen Schutzfrist p.m.a. tritt somit die umfängliche Gemeinfreiheit des Werkes ein.

#### bb) Die Privatkopie

Für die Bestimmung des Schutzumfangs des Urheberrechts ist neben der positiven Inhaltsbestimmung der §§ 11 ff. UrhG auch die Einschränkbarkeit der Rechte durch die Schrankenregelungen der §§ 44a ff. UrhG zu beachten. Vorrangige Funktion der Schrankenregelungen ist es, einen Interessenausgleich zwischen Rechtsinhabern und Allgemeinheit herzustellen. Der Ablauf der Schutzfrist als zeitliche Schranke ist hierfür ein prominentes Beispiel, allerdings können Schrankenregelungen auch während der Schutzdauer eingreifen, um schutzwürdige Belange der Allgemeinheit zu fördern.

---

[66] In Deutschland hat sich die monistische Theorie durchgesetzt, im Gegensatz zu Italien und Frankreich, die der dualistischen Theorie folgen und damit Vermögensrechte und Urheberpersönlichkeitsrecht systematisch trennen, vgl. *Schack*, Urheber- und Urhebervertragsrecht, S. 170 f. Rn. 343 f.

[67] Ein Rückruf des Nutzungsrechts nach § 34 Abs. 3 UrhG erfolgt, wenn für den Urheber die Ausübung des Nutzungsrechts durch den Erwerber nach Treu und Glauben unzumutbar wird. Nach § 41 UrhG kann der Urheber das Nutzungsrecht zurückrufen, wenn das ausschließliche Recht nicht oder nur unzureichend ausgeübt wird und dadurch berechtigte Interessen des Urhebers erheblich verletzt werden. In § 42 UrhG steht das Rückrufsrecht wegen gewandelter Überzeugung des Urhebers, wenn das Werk nicht mehr der Überzeugung des Urhebers entspricht und ihm die Verwertung des Werks nicht weiter zugemutet werden kann.

[68] Nach § 39 Abs. 2 UrhG sind Änderungen des Werkes und seines Titels, zu denen der Urheber seine Einwilligung nach Treu und Glauben nicht versagen kann, zulässig. In § 93 Abs. 1 UrhG sind nur gröbliche Entstellungen oder andere gröbliche Beeinträchtigungen der Werke oder Leistungen verboten. Nach § 93 Abs. 2 UrhG ist die Namensnennung eines jeden mitwirkenden Künstlers an einem Film nicht erforderlich, wenn sie einen unverhältnismäßigen Aufwand bedeutet.

Aus dem langen Schrankenkatalog des Urheberrechtsgesetzes wurde in dieser Arbeit lediglich die Schranke der Kopie zum privaten Gebrauch untersucht, da sie für die Bewertung der Produktpiraterie im privaten Bereich unverzichtbar ist.

(1) Erhalt der Privatkopie als Schrankenregelung

Auch nach Umsetzung des Zweiten Korbs sind in § 53 UrhG Vervielfältigungen zum privaten Gebrauch unter bestimmten Voraussetzungen erlaubt. Wie bereits vor der Reform ist zu beachten, dass § 53 UrhG keinen Anspruch des Nutzers gegen den Urheber begründet, ein kopierfähiges Exemplar zu erhalten. Soweit der Rechtsinhaber zur Verhinderung digitaler Vervielfältigungen DRM-Systeme einsetzt, hat es für den Nutzer damit sein Bewenden.[69] Denn das schon durch EG-Recht[70] vorgegebene Verbot, Kopierschutzmaßnahmen zu umgehen,[71] bleibt erhalten. So findet die legale Privatkopie ihre Grenze dort, wo die Rechtsinhaber ihre Werke durch technische Maßnahmen selbst schützen.[72] Auch unter Berufung auf die Informationsfreiheit ändert sich daran nichts; eine Privatkopie schafft keinen Zugang zu neuen Informationen, sondern nur zu bereits bekannten.

§ 53 Abs. 1 UrhG erlaubt Vervielfältigungen in der privaten Sphäre, also im engen Familien- oder Freundeskreis, wobei keinerlei Erwerbszwecke verfolgt werden dürfen. Eine Lockerung erfährt die Norm durch das Zugeständnis, dass nicht nur der zur Vervielfältigung Befugte, sondern auch Dritte Vervielfältigungsstücke herstellen können, sofern dies unentgeltlich geschieht.[73] Weiterhin gestattet § 53 UrhG nur die Herstellung einzelner Vervielfältigungsstücke; dies aber auf beliebigen Trägern, was auch digitale Kopien umfasst. Was genau „einzelne Vervielfältigungsstücke" bedeutet, lässt sich dem Gesetzestext nicht entnehmen. Nach der Rechtsprechung sind es jedenfalls nicht mehr als sieben Exemplare.[74] Mit dem

---

69 *Arlt*, CR 2005, 646; *Nolte*, CR 2006, 254; *Schack*, Urheber- und Urhebervertragsrecht, S. 267 Rn. 554.

70 Art. 6 der Richtlinie 2001/29/EG, sowie deren Erwägungsgründe 48 und 49.

71 Siehe Ausführungen zu Art. 95a UrhG.

72 Vgl. zur Zulässigkeit der Privatkopie auch BVerfG, 1 BvR 3479/08 vom 7.10.2009. Hier hat da BVerfG zwar die Verfassungsbeschwerde wegen Fristversäumnis nicht zur Entscheidung angenommen. Es stellte aber fest, dass die Musikindustrie es aufgrund der gesetzlichen Lizenz des § 53 Abs. 1 UrhG hinnehmen müsse, dass private Digitalkopien der auf den Markt gebrachten Tonträger grundsätzlich zulässig seien. Die Tonträgerhersteller werden über § 85 Abs. 4, § 54 UrhG an dem Aufkommen aus der urheberrechtlichen Geräte- und Speichermedienvergütung beteiligt.

73 So folgt die Neuregelung nicht der Forderung, Kopien durch Dritte zu verbieten; dazu stellt die Begründung des Gesetzentwurfes fest: „Es wäre nicht nachvollziehbar, warum ein Nutzer die CD eines Freundes ausleihen und für sich kopieren darf, jedoch die Vornahme der Kopie durch den Freund selbst unzulässig sein sollte.", *Hucko*, Zweiter Korb, S. 7.

74 BGH GRUR 1978, 474, 476 – *Vervielfältigungsstücke*; BGH GRUR Int. 1994, 857, 859; *Schack*, Urheber- und Urhebervertragsrecht, S. 269 Rn. 558; Fromm/Nordemann-*Wilhelm Nordemann*, § 53 Rn. 13.

Ersten Korb[75] wurde bereits die Einschränkung in § 53 Abs. 1 UrhG aufgenommen, nach der Vervielfältigungen für den privaten Gebrauch nur zulässig sind, soweit nicht zur Vervielfältigung eine offensichtlich rechtswidrig hergestellte Vorlage verwendet wird. Das novellierte Urheberrechtsgesetz in der Fassung des Zweiten Korbes weitet diesen Wortlaut aus, indem klargestellt wird, dass neben einer offensichtlich rechtswidrig hergestellten Vorlage auch keine öffentlich zugänglich gemachte Vorlage verwendet werden darf.[76] Damit fällt die Nutzung illegaler Tauschbörsen tatbestandlich unter § 53 Abs. 1 UrhG, sofern für den Nutzer offensichtlich ist, dass es sich bei dem angebotenen Film oder Musikstück um ein rechtswidriges Angebot im Internet handelt.[77]

Die Gestattung digitaler Privatkopien ist umstritten und die Diskussion darüber wurde durch die Neuregelung der Reichweite der privaten Kopierfreiheit durch den Zweiten Korb[78] weiter vorangetrieben. Von der betroffenen Musikwirtschaft ist ein generelles Verbot digitaler Privatkopien[79] oder eine Beschränkung auf eine bestimmte Stückzahl gefordert worden. Gestützt wurde dies einmal mit dem Hinweis auf die neuen Geräte, mit denen Werke ohne jeden Qualitätsverlust in nahezu jedem Haushalt unbegrenzt kopiert und weltweit über das Internet verbreitet werden können. Außerdem könne man heute durch den Einsatz von technischen Schutzmaßnahmen private Vervielfältigungen in vollem Umfang verhindern, was die Erforderlichkeit einer gesetzlichen Gestattung gemäß § 53 Abs. 1 UrhG wegfallen lasse. Diese sei nämlich ursprünglich vom Gesetzgeber eingeführt worden, um dem Rechtsinhaber in Anbetracht der unkontrollierbaren Vervielfältigungen im privaten Bereich und der Unwirtschaftlichkeit ihrer Verfolgung eine angemessene Vergütung seiner Werke gewährleisten zu können.[80] Zudem sei aufgrund des quantitativ hohen Ausmaßes der Privatkopie kein bestimmter Sonderfall mehr gegeben und auch die normale Auswertung des Werks beeinträchtigt, womit in Anlehnung an den Dreistufentest[81] die Voraussetzungen für die Einschränkung der Ausschließlichkeitsrechte der Urheber nicht mehr vorliegen.

---

75 Gesetz zur Regelung des Urheberrechts in der Informationsgesellschaft vom 10.9.2003 (BGBl. I S. 2513).

76 § 53 Abs. 1 Satz 1 a.E.; *Nolte*, CR 2006, 255.

77 Eine offensichtliche Rechtswidrigkeit ist beispielsweise gegeben, weil klar ist, dass ein privater Internetnutzer die Rechte zum Angebot eines aktuellen Kinofilmes im Internet nicht besitzt.

78 Das Zweite Gesetz zur Regelung des Urheberrechts in der Informationsgesellschaft vom 26. Oktober 2007 (BGBl. I S. 2513).

79 *Schaefer*, FS für Nordemann, S. 197 ff.; *Berger*, ZUM 2004, 265.

80 *Hucko*, Zweiter Korb, S. 5 ff.

81 Der sog. „Dreistufentest" ergibt sich aus Art. 5 der Harmonisierungs-RL. Er wirkt als eine Art „Schrankenschranke" zur Begrenzung der abschließend aufgezählten Schranken des Urheberrechts. Danach dürfen Ausschließlichkeitsrechte des Urhebers nur bei kumulativem Vorliegen folgender drei Voraussetzungen eingeschränkt werden: (1) Ein bestimmter Sonderfall liegt vor, (2) keine Beeinträchtigung der normalen Auswertung des Werks,

Solchen Forderungen ist der deutsche Gesetzgeber allerdings nicht gefolgt. Ein Verbot der Privatkopie erschien nicht sachgerecht. Zum einen habe sich die Problematik seit 1966 im Grunde nicht geändert, auch heute wäre ein gänzliches Verbot kaum durchsetzbar, da sich die verbotenen Handlungen weiterhin im Privatbereich vollziehen würden. Ein Verbot ginge daher zulasten der Urheber, die zwar bei Anfertigung illegaler Privatkopien – schwer durchsetzbare – Schadensersatzansprüche erhielten, von der Geräte- und Leerträgervergütung aber immer weniger zu erwarten hätten. Zum anderen bewirkten DRM-Systeme bisher auch keineswegs eine vollständige Unterbindung von Vervielfältigungen zum privaten Gebrauch. Dies ergebe sich schon aus der Vielzahl der bereits im Verkehr befindlichen digitalen Vervielfältigungsgeräte und digitalen Werkexemplare, mit denen neue technische Schutzmechanismen nicht kompatibel sind und die daher ungestört weitergenutzt werden könnten.[82] Außerdem sei der Einsatz technischer Schutzmechanismen, die zum Zweck einer hohen Effizienz auch mit hohen Kosten verbunden sind, nicht verpflichtend, sondern stehe den Urhebern frei. Daher sei zu erwarten, dass Werke, die nur auf einen kleinen Absatzmarkt zielen und die daher hohe Investitionen für den Einsatz von DRM-Systemen scheuen, künftig weiterhin ohne technische Schutzmaßnahmen vertrieben werden. Dies zeigt, dass aufgrund der Masse der Anspruchsgegner sowie der Darlegungs- und Beweislastprobleme die Geltendmachung der Ausschließlichkeitsrechte durch einzelne Rechtsinhaber sehr erschwert ist. Verbotsrechte aber, die keine Beachtung finden, sind nicht nur nutzlos, sondern gefährden auch die Autorität des Gesetzgebers und führen zu einer geringeren gesellschaftlichen Akzeptanz.

(2) Pauschalvergütung als gerechter Ausgleich für die Privatkopie

Eine grundlegende Neuordnung hat mit dem Zweiten Korb das System der Pauschalvergütungen für private Vervielfältigung erfahren.[83] Die Existenz dieser pauschalen Vergütung ist eng mit der Frage nach dem Umfang der Kopierfreiheit und der zunehmenden individuellen Rechtewahrnehmung mit Hilfe von DRM-Systemen verbunden. Die Vergütungspflichten aus den §§ 54 ff. UrhG, die bisher etwa digitale Vervielfältigungsgeräte und Speichermedien betreffen, ermöglichen es auch solchen Urhebern, ihren grundgesetzlich garantierten Beteiligungsanspruch durchzusetzen, die ihre Werke nicht mit Kopierschutzmaßnahmen versehen wollen oder können. Allerdings lassen sich die pauschalen Abgaben nur dann rechtfertigen, wenn die Anfertigung digitaler Privatkopien erlaubt ist.[84] Ein Verbot von Pri-

(3) keine unzumutbare Verletzung der berechtigten Interessen des Urhebers; siehe *Schack*, Urheber- und Urhebervertragsrecht, S. 256 Rn. 534.

[82] *Poeppel*, Urheberrechtliche Schranken, S. 274.

[83] *Nolte*, CR 2006, 257.

[84] *Poeppel*, Urheberrechtliche Schranken, S. 275; *Schack*, Urheber- und Urhebervertragsrecht, S. 267 Rn. 553.

vatkopien unter Beibehaltung der Vergütungspflicht würde aufgrund der untersagten Verwertungsmöglichkeit zu einem erhöhten Kaufpreis führen. Um diesen Widerspruch zu umgehen, sieht das neue Urheberrechtsgesetz vor, dass sowohl auf Erhebungs- wie auf Verteilungsseite der Vergütungen zu berücksichtigen ist, ob und inwieweit technische Schutzmaßnahmen eingesetzt werden.[85] Denn es ist genauso ungerechtfertigt, einerseits Pauschalabgaben von Nutzern zu verlangen, die aufgrund von DRM-Systemen an der Vervielfältigung gehindert sind, wie es andererseits ungerechtfertigt ist, Rechtsinhaber, die technische Schutzmaßnahmen einsetzen, von den Erlösen der Pauschalabgaben profitieren zu lassen. Diese Lösung lässt den Rechtsinhabern die Wahlfreiheit zwischen der Anwendung von DRM-Systemen und dem Profit von den Pauschalvergütungen und schützt die Konsumenten vor einer finanziellen Doppelbelastung.

Allerdings hat der Zweite Korb die Methode zur Bestimmung der Vergütung grundlegend geändert.[86] Waren die Vergütungssätze bisher in der Anlage zu § 54d Abs. 1 UrhG festgelegt,[87] so beschränkt sich der Gesetzgeber nunmehr auf die Vorgabe eines gesetzlichen Rahmens und überlässt es den Beteiligten, also Verwertungsgesellschaften und Verbänden der Geräte- und Speichermedienhersteller, die Vergütung miteinander auszuhandeln. Das bisher geltende Modell, nach welchem für eine abschließend aufgeführte Liste von Geräten ein entsprechender Vergütungssatz zu entrichten war, hat sich als rechtsunsicher, unflexibel und nicht mehr zeitgemäß erwiesen.[88] Fachspezifische Einzelregelungen waren nicht mehr in der Lage, neue Geräte zu erfassen und die Höhe der zu zahlende Beträge zu bestimmen, was zu langwierigen gerichtlichen Auseinandersetzungen zwischen Verwertungsgesellschaften und Geräteherstellern geführt hat. Mit der Umstellung von der staatlichen Regulierung auf ein System der Selbstregulierung durch Tarife und Gesamtverträge hoffte man, einen flexibleren Ansatz gefunden zu haben, der besser auf die rasanten technischen Neuerungen des digitalen Zeitalters abgestimmt ist. Um die Durchsetzung des neuen Vergütungssystems in der Praxis gewährleisten zu können, wurden zudem für den Streitfall neue Schlichtungs- und Entscheidungsmechanismen vorgesehen.[89]

Vergütungspflichtig sind nach § 54 Abs. 1 UrhG Geräte und Speichermedien, deren Typ allein oder in Verbindung mit anderen Geräten zur Vornahme von Vervielfältigungen genutzt wird. Die Vergütungspflicht entfällt nach § 54 Abs. 2 UrhG

---

85 Für die Erhebungsseite gegenüber dem Nutzer in § 54a Abs. 1 Satz 2 UrhG; für die Verteilungsseite gegenüber dem Urheber in § 54h Abs. 2 Satz 2 UrhG.

86 *Hucko*, Zweiter Korb, S. 9 ff.

87 Die Anlage ist durch Art. 1 Nr. 22 des Zweiten Gesetzes zur Regelung des Urheberrechts in der Informationsgesellschaft vom 26. Oktober 2007 (BGBl. I S. 2513) aufgehoben worden.

88 *Hucko*, Zweiter Korb, S. 11.

89 Zu den neuen Verfahrensregeln in §§ 13a, 14, 14a, 13e, 16, 17 UrhWG: *Hucko*, Zweiter Korb, S. 17 ff.

hingegen, soweit die Geräte oder Speichermedien nicht zu Vervielfältigungen benutzt werden. Dies könnte der Fall sein, wenn zwar ein theoretisch für Vervielfältigungen nutzbarer Speicherchip vorhanden ist, er aber anderen Funktionen dient. Maßgebend für die Berechnung der Vergütungshöhe ist, in welchem Maß die Geräte zur Vervielfältigung genutzt werden und inwieweit technische Schutzmaßnahmen zum Einsatz kommen.[90] Sie muss den Geräten und Speichermedien angemessen sein.[91] Zu achten ist auf die nutzungsrelevanten Eigenschaften, insbesondere die Leistungsfähigkeit von Geräten sowie die Speicherkapazität und Mehrfachbeschreibbarkeit von Speichergeräten.[92] Die wirtschaftlichen Belange der Geräte- und Speichermedienhersteller werden ebenfalls berücksichtigt; so gibt § 54a Abs. 4 UrhG vor, dass deren berechtigte Interessen nicht unzumutbar beeinträchtigt werden dürfen und die Vergütung in einem wirtschaftlich angemessenen Verhältnis zum Preisniveau des Geräts oder Speichermediums stehen muss.

#### cc) Zeitliche und territoriale Grenzen

Der zeitliche Schutzumfang umfasst die Zeitspanne von der Entstehung des urheberschutzfähigen Werks bis zum Ablauf der Schutzfrist. Die zeitliche Schutzfrist ist auf 70 Jahre nach dem Tod des Urhebers sowie bei Miturhebern nach dem Tod des am längsten überlebenden Urhebers begrenzt und wird nach den §§ 64 ff. UrhG berechnet.[93]

Entsprechend dem im gesamten Immaterialgüterrecht und damit auch im Urheberrecht geltenden Territorialitätsgrundsatz ist der urheberrechtliche Schutz auch in räumlicher Hinsicht beschränkt. Voraussetzung für die Auslösung der Rechtsfolgen der §§ 97 ff. ist daher, dass eine im Inland begangene Verletzungshandlung ein deutsches Urheberrecht oder ein verwandtes deutsches Schutzrecht verletzt.[94] Hier stellt sich mit Blick auf die durch das Internet eröffneten Möglichkeiten, über nationale Grenzen hinweg urheberrechtsverletzende Handlungen zu begehen, das Problem, dass insbesondere Verletzungshandlungen, die vollständig in Ländern ohne gesetzlichen Immaterialgüterschutz begangen werden, in Deutschland nicht verfolgbar sind. Dennoch schadet es in manchen Fällen nicht, wenn bestimmte Handlungen oder Teilakte im Ausland erfolgen, beispielsweise wenn im Ausland rechtswidrig hergestellte Vervielfältigungsstücke von dort aus in Deutschland zum Verkauf angeboten werden.[95] Grund für die territoriale Beschränkung ist, dass der

---

90 § 54a Abs. 1 UrhG.

91 § 54a Abs. 2 UrhG.

92 § 54a Abs. 3 UrhG.

93 Schricker-*Wild*, § 97 Rn. 25.

94 *Rehbinder*, Urheberrecht, S. 329 Rn. 976; Dreier/Schulze-*Dreier*, § 97 Rn. 10; Schricker-*Wild*, § 97 Rn. 27; BGH GRUR 1999, 49.

95 Dreier/Schulze-*Dreier*, Vor §§ 120 ff. Rn. 32 ff.

deutsche Gesetzgeber sich nicht an Personen im Ausland richten will und kann.[96] Im Gegenzug erkennt die deutsche Rechtsordnung auch ein von einem ausländischen Staat gewährtes Schutzrecht nicht an.[97]

### dd) Rechtswidrigkeit

#### (1) Eingriff

Der Anwendungsbereich der §§ 97 ff. UrhG ist eröffnet, wenn ein rechtswidriger Eingriff in geschützte Rechtspositionen vorliegt. Eine Urheberrechtsverletzung liegt vor, wenn das geschützte Werk ohne die erforderliche Zustimmung des Urhebers auf eine der in den Verwertungsrechten der § 15 ff. UrhG genannte Weise genutzt wird. So wird beispielsweise bei der digitalen Speicherung von Werken auf Datenträgern wie Magnetbänder oder CDs und auch bei der Speicherung auf der Festplatte des Computers das urheberrechtliche Vervielfältigungsrecht gemäß § 15 Abs. 1 und § 16 UrhG verletzt.[98] Zu den geschützten Rechten gehören daneben das Urheberpersönlichkeitsrecht, ausschließliche Nutzungsrechte sowie andere geschützte Rechtspositionen, wie beispielsweise der *sui generis*-Schutz von Datenbanken nach §§ 87a ff. UrhG und auch die Verletzung der §§ 95a, c und d UrhG.

Das Vorliegen eines Eingriffs indiziert wie bei § 823 Abs. 1 BGB grundsätzlich die Rechtswidrigkeit.[99] An einem Eingriff fehlt es, wenn der Rechtsinhaber ein entsprechendes Nutzungsrecht eingeräumt oder eine sonstige schuldrechtliche Gestattungserklärung abgegeben hat, sowie bei Nutzung innerhalb der gesetzlich vorgesehenen Schrankenregelungen nach §§ 44a ff. UrhG.[100] So ist bei Anfertigung digitaler Kopien insbesondere an § 53 Abs. 1 UrhG zu denken, der einzelne Vervielfältigungen zum privaten Gebrauch unter bestimmten Voraussetzungen gestattet.[101] Ferner muss dem Verletzer die Rechtswidrigkeit seines Verhaltens nicht bewusst sein, damit Ansprüche auf Beseitigung, Unterlassung oder Auskunft begründet sind. Lediglich für die Schadensersatzansprüche ist ein Verschulden erforderlich.[102]

#### (2) Rechtfertigung

Die Rechtswidrigkeit einer tatbestandsmäßigen Handlung kann bei Vorliegen eines Rechtfertigungsgrundes entfallen. Stützt sich der Eingreifende auf einen

---

96 *Rehbinder*, Urherberrecht, S. 372 Rn. 976; RGZ 118, 82.

97 *Rehbinder*, Urherberrecht, S. 372 Rn. 976.

98 *Schack*, Urheber- und Urhebervertragsrecht, S. 205 Rn. 417.

99 Dreier/Schulze-*Dreier*, § 97 Rn. 14; Wandtke/Bullinger-*v. Wolf*, § 97 Rn. 31; *Schack*, Urheber- und Urhebervertragsrecht, S. 362 Rn. 762.

100 Schricker-*Wild*, § 97 Rn. 28 f.; Dreier/Schulze-*Dreier*, § 97 Rn. 14.

101 Siehe oben Dritter Teil, III.A.1.b)bb).

102 Wandtke/Bullinger-*v. Wolf*, § 97 Rn. 31.

solchen, trägt er hierfür die Beweislast und muss diese für ihn günstige Tatsache beweisen.[103] Ein Rechtfertigungsgrund ist zunächst im Fall einer rechtfertigenden Einwilligung sowie einer Genehmigung gegeben. Ihr Vorliegen ist im Einzelfall zu ermitteln und einer strengen Prüfung zu unterziehen, um das Zustimmungsrecht des Urhebers nicht zu gefährden.[104] Daneben entfällt die Rechtswidrigkeit auch in den seltener gelagerten Fällen der Notwehr (§ 227 BGB), des rechtfertigenden Notstands (§ 228 BGB, § 34 StGB), des Schikaneverbots (§ 226 BGB) und der erlaubten Selbsthilfe (§§ 229 ff. BGB). Die Einräumung eines übergesetzlichen Notstands, um ein anderes höherrangiges Rechtsgut zu schützen,[105] ist heute noch umstritten,[106] sollte aber in Anbetracht der durch das Urheberrechtsgesetz von 1965 erfolgten detaillierten Schrankenaufzählung und deren verfassungskonformer Auslegung nicht weiter als Rechtfertigungsgrund herangezogen werden. Vielmehr ist die Lösung im Einzelfall grundsätzlich über eine Güter- und Interessenabwägung zu suchen, wobei den kollidierenden verfassungsrechtlichen Positionen unter Berücksichtigung ihrer verfassungsrechtlichen Bedeutung zur bestmöglichen Geltung zu verhelfen ist.[107]

#### ee) Aktivlegitimation

Die Geltendmachung der Ansprüche aus den §§ 97 ff. UrhG steht demjenigen zu, der in seinen durch das Urheberrechtsgesetz geschützten Rechten verletzt ist. Dabei ist zum einen danach zu unterscheiden, ob es sich um eine Verletzung des Urheberpersönlichkeitsrechts oder um eine Verletzung von Verwertungs- und Nutzungsrechten handelt. Zum anderen ist zu untersuchen, ob der Verletzte Inhaber eines einfachen oder eines ausschließlichen Nutzungsrechts ist.

##### (1) Verletzung des Urheberpersönlichkeitsrechts

Aktivlegitimiert ist bei Verletzung des Urheberpersönlichkeitsrechts zu Lebzeiten der Urheber.[108] Dieses Recht bleibt auch unberührt, wenn einzelne oder alle

---

103 Wandtke/Bullinger-*v. Wolf*, § 97 Rn. 31; *Schack*, Urheber- und Urhebervertragsrecht, S. 362 Rn. 762.

104 Wandtke/Bullinger-*v. Wolf*, § 97 Rn. 32; Schricker-*Wild*, § 97 Rn. 32.

105 LG Berlin, GRUR 1962, 207, 210.

106 Zustimmend: Fromm/Nordemann-*Jan Bernd Nordemann,* § 97 Rn. 23; dagegen: *Schack*, Urheber- und Urhebervertragsrecht, S. 362 Rn. 762; Schricker-*Wild*, § 97 Rn. 35.

107 *Schack*, Urheber- und Urhebervertragsrecht, S. 362 Rn. 762; Schricker-*Wild*, § 97 Rn. 35; Dreier/Schulze-*Dreier*, § 97 Rn. 15.

108 Persönlichkeitsrechte sind als höchstpersönliche Rechte unübertragbar. Verfügt der Urheber über sein Urheberrecht durch eine Übertragung von Nutzungsrechten gemäß §§ 31 ff. UrhG, so sind diese gewährten Rechte vorrangig verwertung- und nicht persönlichkeitsbezogen. Allerdings kann in manchen Fällen eine vertragsgemäße Nutzung des eingeräumten Rechts nur zusammen mit Persönlichkeitsrechten ausgeübt werden. Dann wird teilweise die Möglichkeit einer Übertragung der notwendigen Persönlichkeitsrechte befürwortet; *Schack*, Urheber- und Urhebervertragsrecht, S. 307 Rn. 637; BGHZ 15, 249, 258.

Nutzungsrechte einem Dritten übertragen wurden.[109] Die postmortale Geltendmachung der Ansprüche steht den Erben oder einem der Miterben gemäß § 29 Abs. 1 UrhG sowie den Vermächtnisnehmern zu. Bei ausübenden Künstlern sind hingegen nach ihrem Tod nicht die Erben, sondern ihre Angehörigen aktivlegitimiert (§ 76 Satz 4 UrhG).[110]

(2) Verletzung von Verwertungs- und Nutzungsrechten

Grundsätzlich ist bei Verletzung dieser Vermögensrechte der Urheber bzw. der Inhaber des verwandten Schutzrechts allein aktivlegitimiert. Wurden hingegen Rechte auf einen anderen Nutzungsberechtigten übertragen, ist je nach Umfang der eingeräumten Rechte zwischen ausschließlichen und einfachen Nutzungsrechten zu unterscheiden.[111] Der Inhaber ausschließlicher Nutzungsrechte ist selbst aktivlegitimiert und kann auch gegen den Urheber vorgehen, wenn dieser trotz Übertragung der entsprechenden Rechte diese weiternutzt, es sei denn, dem Urheber wurde die Nutzung gemäß § 31 Abs. 3 Satz 2 UrhG vorbehalten.[112] Allerdings bleibt der Urheber in bestimmten Fällen auch dann anspruchsberechtigt, wenn er eine ausschließliche Nutzungsberechtigung bezüglicher aller Nutzungsrechte vergeben hat. Dafür ist erforderlich, dass der Urheber ein eigenes schutzwürdiges Interesse hat, sei es ideeller Natur bei Verletzung seines Urheberpersönlichkeitsrechts oder materieller Natur, insbesondere, wenn er an den Verkaufserlösen des Lizenznehmers beteiligt ist.[113]

Hingegen kann der lediglich einfach Nutzungsberechtigte grundsätzlich nicht aus eigenem Recht vorgehen.[114] Hier bleibt der Urheber bzw. der ausschließliche Nutzungsberechtigte aktivlegitimiert. Allerdings kann der einfach Nutzungsberechtigte, sofern der Rechtsinhaber zustimmt, im Rahmen einer gewillkürten Prozessstandschaft fremde Rechte in eigenem Namen geltend machen, wenn die Rechtsverletzung berechtigte eigene Interessen, also die ihm eingeräumten Nutzungsbefugnisse berührt.[115]

---

109 Dreier/Schulze-*Dreier*, § 97 Rn. 17.

110 Wandtke/Bullinger-*v. Wolf*, § 97 Rn. 8; Dreier/Schulze-*Dreier*, § 97 Rn. 17.

111 Auch bei werkschaffenden Arbeitnehmern bleibt das Schöpferprinzip gemäß § 7 UrhG unangetastet. Dem Arbeitnehmer stehen nach § 43 UrhG die Nutzungsrechte an seinem Werk zu, sofern er sie nicht arbeits- oder dienstvertraglich auf seinen Arbeitgeber übertragen hat. Eine Ausnahme gilt insoweit lediglich für Computerprogramme, die ein Arbeitnehmer im Rahmen seines Arbeitsverhältnisses geschaffen hat. Nach der *cessio legis* in § 69b UrhG stehen die ausschließlichen Nutzungsrechte hierfür alleine dem Arbeitgeber zu, sofern sich aus dem konkreten Arbeits- oder Dienstvertrag nichts anderes ergibt.

112 Wandtke/Bullinger-*v. Wolf*, § 97 Rn. 9 f.; Dreier/Schulze-*Dreier*, § 97 Rn. 19.

113 BGHZ 118, 394, 399, Wandtke/Bullinger-*v. Wolf*, § 97 Rn. 10.

114 Wandtke/Bullinger-*v. Wolf*, § 97 Rn. 8, 11; Dreier/Schulze-*Dreier*, § 97 Rn. 20.

115 Wandtke/Bullinger-*v. Wolf*, § 97 Rn. 11, 12.

#### (3) Erweiterung der Inhabervermutung (§ 10 UrhG)

Die Vermutung des § 10 UrhG wurde entsprechend Art. 5 lit. b Enforcement-RL auf die Inhaber von Leistungsschutzrechten ausgedehnt. Damit trägt die Richtlinie dem Umstand Rechnung, dass häufig gerade Inhaber von Leistungsschutzrechten, wie etwa Tonträgerhersteller, sich um die Durchsetzung ihrer Rechte und die Bekämpfung von Produktpiraterie bemühen.[116] Daneben hat der deutsche Gesetzgeber mit dem neuen § 10 Abs. 3 UrhG die Vermutung der Rechtsinhaberschaft auf die Inhaber ausschließlicher Nutzungsrechte ausgedehnt, soweit es um Verfahren des einstweiligen Rechtsschutzes oder Unterlassungsansprüche geht. Diese Regelung geht über die gemeinschaftsrechtlichen Vorgaben hinaus und soll insbesondere Verleger und Software-Hersteller in den Anwendungsbereich der Vermutung einschließen.[117]

### ff) Passivlegitimation

#### (1) Allgemeines

Die Ansprüche aus den §§ 97 ff. UrhG richten sich zunächst gegen denjenigen, der die Verletzung eines Urheberrechts oder eines verwandten Schutzrechts begeht oder daran teilnimmt. Dabei ist es nicht erforderlich, dass unmittelbar handelnd in ein von §§ 97 ff. UrhG geschütztes Recht eingegriffen wird. Grundsätzlich ist eine Haftung immer dann zu bejahen, wenn zwischen der Handlung des Verletzers und der Rechtsverletzung ein adäquater Kausalzusammenhang besteht,[118] wobei es schon ausreicht, wenn der Verantwortliche eine von mehreren Ursachen setzt, sofern es nach allgemeiner Lebenserfahrung nicht unwahrscheinlich erscheint, dass die gesetzte Ursache einen solchen Erfolg bewirkt.[119] Zu beachten ist, dass der Kreis der Verantwortlichen von der Rechtsprechung weit gezogen wird. Neben Tätern und Teilnehmern kann bei den negatorischen Ansprüchen auf Unterlassung und Beseitigung unter bestimmten Voraussetzungen auch der bloße Störer haften.

#### (2) Störerhaftung

Der erfolgsbezogene § 97 Abs. 1 UrhG bürdet jedem, der adäquat kausal an einer Urheberrechtsverletzung mitgewirkt hat, ohne Rücksicht auf ein Verschulden eine Unterlassungs- oder Beseitigungspflicht auf. Davon kann auch der Störer, der willentlich und adäquat kausal an der Rechtsverletzung mitgewirkt hat, umfasst sein.

---

[116] Enforcement-RL, Erwägungsgrund 19.

[117] *Spindler/Weber*, ZUM 2007, 257 f.

[118] *Schack*, Urheber- und Urhebervertragsrecht, S. 364 Rn. 766; Wandtke/Bullinger-*v. Wolf*, § 97 Rn. 14.

[119] Schricker-*Wild*, § 97 Rn. 61; Loewenheim-*Vinck*, § 81 Rn. 14; BGHZ 42, 118 (124).

Um aber einer uferlosen Ausdehnung der Haftung Dritter entgegenzutreten, ist entsprechend den allgemeinen Regeln des Deliktsrechts zwischen unmittelbaren und mittelbaren Beeinträchtigungen zu unterscheiden.[120] Während bei unmittelbaren Eingriffen die Rechtswidrigkeit des schädigenden Handlungserfolgs feststeht, müssen bei mittelbaren Beeinträchtigungen spezifische Verhaltenspflichten verletzt werden, um die Rechtswidrigkeit zu bejahen.[121] Eine solche spezifische Verhaltenspflicht, die geeignet ist, die Störerhaftung zu begrenzen, liegt in der Einhaltung von Prüfungspflichten. Deren Umfang bemisst sich danach, ob und inwieweit dem als Störer in Anspruch Genommenen eine Prüfung zuzumuten ist.[122] Bezüglich der Erwägungen der neueren Rechtsprechung, die Störerhaftung auf den Fall der bewussten Mitwirkung im Sinne der deliktsrechtlichen Kategorien der Täterschaft und Teilnahme zu beschränken,[123] hat der BGH klargestellt, dass dies nur Fälle des Verhaltensunrechts betrifft, in denen keine Verletzung von absoluten Rechten in Rede steht. Hingegen seien bei der Verletzung von Immaterialgüterrechten, die auch als absolute Rechte nach § 823 Abs. 1 und § 1004 BGB geschützt sind, die Grundsätze der Störerhaftung uneingeschränkt anwendbar.[124]

### *c) Rechtsfolgen*

#### aa) Unterlassungs- und Beseitigungsanspruch (§ 97 Abs. 1 UrhG)

Sowohl Unterlassungs- als auch Beseitigungsanspruch sind dem negatorischen Rechtsschutz zuzurechnen und unterscheiden sich daher vom Schadensersatzanspruch in verschiedenen Punkten. Zunächst bezwecken sie nicht die Wiederherstellung des ursprünglichen Zustands und sind verschuldensunabhängig. Außerdem sind sie nicht auf Ausgleich bereits eingetretener Schäden gerichtet. Vielmehr können sie unter bestimmten Voraussetzungen präventiven Schutz gewähren, insofern ein Schadenseintritt nicht stets abzuwarten ist, sondern schon künftige Rechtsverletzungen abgewehrt werden können.

##### (1) Unterlassungsanspruch gegen den Rechtsverletzer

Der in § 97 Abs. 1 Satz 1 UrhG normierte Unterlassungsanspruch ist dem von der Rechtsprechung in entsprechender Anwendung des § 1004 BGB entwickelten Unterlassungsanspruch nachgebildet. Voraussetzung ist eine rechtswidrige Rechtsverletzung des Anspruchsstellers, die kausal durch eine Handlung des Verletzers

---

120 Vgl. etwa *Haedicke*, GRUR 1999, 402.

121 *Haedicke*, GRUR 1999, 402; *Larenz*, Schuldrecht II, § 75 II 3.

122 BGH GRUR 2004, 840, 864.

123 BGHZ 155, 189, 194 f. = GRUR 2003, 807; BGH GRUR 2003, 969, 970.

124 BGH GRUR 2004, 840, 864, siehe auch unten Unterlassungsanspruch gegen Diensteanbieter, Erster Teil, III.A.1.c)aa)(1).

bewirkt wurde, und das Bestehen von Wiederholungsgefahr im Hinblick auf die rechtsverletzende Handlung. Der Anspruch besteht unabhängig von Verschulden. Wurde eine Rechtsverletzung erstmalig begangen, so wird Wiederholungsgefahr i.d.R. bejaht. Grundsätzlich wird diese durch eine eingetretene Rechtsverletzung indiziert.[125] In solchen Fällen knüpft die Rechtsprechung an die Verneinung der Wiederholungsgefahr strenge Maßstäbe.[126] Eine einfache Verpflichtung des Verletzers, künftige Rechtsverletzungen zu unterlassen, reicht dafür nicht aus. Vielmehr muss eine ernsthafte, unbefristete, vorbehaltlose und insbesondere strafbewehrte Unterlassungserklärung abgegeben werden, in der sich der Betroffene unter Annahme einer ausreichend hohen Vertragsstrafe verpflichtet, künftige Zuwiderhandlung zu unterlassen.[127] Wiederholungsgefahr wird insbesondere angenommen, wenn der Beklagte sich weigert, eine solche strafbewehrte Unterlassungserklärung abzugeben oder im laufenden Prozess weiterhin seine Unschuld behauptet.[128] Zudem ist es dem Rechtsinhaber nicht zumutbar, eine Erstverletzung abzuwarten, um die Wiederholungsgefahr zu bejahen. Von großer Bedeutung ist daher der vorbeugende Unterlassungsanspruch, der mit der Novellierung[129] durch § 97 Abs. 1 Satz 2 UrhG erstmals in das Urheberrechtsgesetz eingeführt wurde. Vor der Kodifizierung dieses vorbeugenden Anspruchs wurde er der gefestigten Rechtsprechung entnommen.[130] Hier ist die besondere materielle Voraussetzung der Wiederholungsgefahr durch die konkret drohende Erstbegehungsgefahr zu ersetzen, die das unmittelbare Bevorstehen einer objektiv rechtswidrigen Verletzung verlangt.[131]

#### (2) Unterlassungsanspruch gegen den Internet Service Provider

Ein Unterlassungsanspruch gegen den Internet Service Provider (ISP) ist zwar im deutschen Urheberrechtsgesetz nicht gesetzlich normiert, er wird aber aus den Grundsätzen der Störerhaftung[132] hergeleitet.[133] Die gesetzlichen Telemedien-

---

125 Schricker-*Wild*, § 97 Rn. 123; Dreier/Schulze-*Dreier*, § 97 Rn. 41.

126 Vgl. etwa BGH GRUR 1961, 138, 140; Schricker-*Wild*, § 97 Rn. 123 m.w.N.

127 Schricker-*Wild*, § 97 Rn. 123; Dreier/Schulze-*Dreier*, § 97 Rn. 42; *Schack*, Urheber- und Urhebervertragsrecht, S. 383 Rn. 797.

128 *Schack*, Urheber- und Urhebervertragsrecht, S. 383 Rn. 798; Dreier/Schulze-*Dreier*, § 97 Rn. 41; BGH GRUR 1955, 97.

129 Gesetz zur Verbesserung der Durchsetzung von Rechten des geistigen Eigentums, BT-Drucks. 16/5048.

130 Schricker-*Wild*, § 97 Rn. 128; Wandtke/Bullinger-*v. Wolf*, § 97 Rn. 41.

131 *Schack*, Urheber- und Urhebervertragsrecht, S. 383 Rn. 797; BGH GRUR 1984, 54 f.; OLG Frankfurt a.M., ZUM 1996, 97, 99.

132 Vgl. oben: Erster Teil, III.A.1.b)ee)(2).

133 Um die Störerhaftung nicht über Gebühr auf Dritte zu auszudehnen, die nicht selbst die rechtswidrige Beeinträchtigung vorgenommen haben, setzt die Haftung nach ständiger Rechtsprechung die Verletzung von Prüfungspflichten voraus. Deren Umfang bemisst sich danach, ob und inwieweit dem als Störer in Anspruch genommenen nach den Umständen

vorschriften (§§ 7–10 Telemediengesetz – TMG) gewähren den Diensteanbietern zwar Haftungsprivilegien,[134] dennoch bestehen für die ISP Prüfungs- und Kontrollpflichten, die gerade bei Kenntnis der Handlungspflichten für den Diensteanbieter i.d.R. zumutbar sind. So tendiert der BGH zu einer Beschränkung der Haftungsprivilegierung der ISP im Rahmen ihrer zumutbaren Prüfungs- und Kontrollpflichten und bejaht im Einzelfall eine weitreichende Störerhaftung.[135] Allerdings muss der Diensteanbieter nicht jeden erdenklichen Aufwand betreiben, um die Nutzung rechtswidriger Inhalte zu vermeiden, vielmehr müssen die Bedeutung des Einzelfalls und der erforderliche technische und wirtschaftliche Aufwand sowie die Auswirkungen auf andere Teile des Dienstes gesehen werden.[136] Schließlich dürfen

---

eine Prüfung zuzumuten ist (BGH, Urteil vom 10.10.1996 – I ZR 129/94, GRUR 1997, 313, 315 f. – *Architektenwettbewerb*; Urteil vom 15.10.1998 – I ZR 120/96, GRUR 1999, 418, 419 f. – *Möbelklassiker*; BGHZ 148, 13, 17 f. – *ambiente.de*; BGHZ 158, 236, 251 – *Internet-Versteigerung II*.

134 Im TMG werden Haftungsprivilegierungen für die verschiedenen Arten von Diensteanbietern normiert. Nach § 7 TMG haftet der *Content Provider* für eigene Informationen, die er zur Nutzung bereithält, uneingeschränkt nach den allgemeinen Gesetzen. Eigene Informationen sind auch Informationen Dritter, die sich der Provider zu eigen macht. Der *Access Provider* eröffnet lediglich den Zugang zu fremden Informationen, er haftet nach § 8 TMG nicht, wenn er die Übermittlung nicht veranlasst, den Adressaten nicht ausgewählt und die übermittelten Informationen weder ausgewählt noch verändert hat. *Host Provider*, also Diensteanbieter, die fremde Informationen für einen Kunden speichern, haften nicht nach § 10 TMG, sofern sie keine Kenntnis von der rechtswidrigen Handlung oder Information haben; vgl. *Hoeren/Sieber*, Multimedia-Recht, Teil 1 Rn. 17 ff.; Teil 18.1 Rn. 14 ff.

135 Wichtig sind hier die Grundsätze und Abwägungsmaßstäbe des sog. *Internet-Versteigerung I*-Urteils des Bundesgerichtshofs, BGH, Urteil vom 11.3.2004, Az. I ZR 304/01: „Das Haftungsprivileg des § 11 Satz 1 TDG (heute § 10 TMG), das den Diensteanbieter, der fremde Informationen für einen Nutzer speichert *(Hosting)*, von einer Verantwortlichkeit freistellt, betrifft nicht den Unterlassungsanspruch. Eine Haftung als Teilnehmer an der durch den Anbieter begangenen Markenverletzung setzt zumindest bedingten Vorsatz voraus. Eine Haftung als Störer setzt voraus, daß für Diensteanbieter zumutbare Kontrollmöglichkeiten bestehen, um eine solche Markenverletzung zu unterbinden. Ihm ist es nicht zuzumuten, jedes in einem automatisierten Verfahren unmittelbar ins Internet gestellte Angebot darauf zu überprüfen, ob Schutzrechte Dritter verletzt werden. Wird einem Diensteanbieter ein Fall einer Markenverletzung bekannt, muß er nicht nur das konkrete Angebot unverzüglich sperren, sondern auch technisch mögliche und zumutbare Maßnahmen ergreifen, um Vorsorge dafür zu treffen, daß es nicht zu weiteren entsprechenden Markenverletzungen kommt". Siehe dazu auch: OLG Brandenburg, Urteil vom 16.11.2005, Az. 4 U 5/05. Für vorbeugende Unterlassungsansprüche vgl. BGH, Urteil vom 19.4.2007, Az. I ZR 35/04 *(Internet-Versteigerung II)*.

136 Zur erhöhten Prüfungspflicht des Diensteanbieters, der vom Rechtsinhaber auf eine klare Rechtsverletzung hingewiesen worden ist: vgl. OLG Düsseldorf, Urteil vom 15.10.2008 – I-20 U 196/07; BGH, Urteil vom 11.3.2004, Az. I ZR 304/01. Zu den Prüfpflichten auch OLG Düsseldorf Urteil vom 24.2.2009, Az. I-20 U 204/02; LG Düsseldorf vom 13.12.2007, Az. 12 O 550/07; zur Darlegungs- und Beweislast für technische Möglichkeit und Zumutbarkeit der Verhinderung der Rechtsverletzung BGH, Urteil vom 10.4.2008, Az. I ZR 227/05 – *Namensklau im Internet*; zur Zumutbarkeit von Überprüfungspflichten: OLG Hamburg, Urteil vom 30.7.2009, Az. 3 U 214/07; zu Überprüfungspflichten des Verpächters einer Domain: OLG Köln, Urteil vom 19.3.2010, Az. 6 U

dem ISP keine Anforderungen auferlegt werden, die sein von der Rechtsordnung an sich gebilligtes Geschäftsmodell gefährden oder seine Tätigkeit unverhältnismäßig erschweren.[137]

(3) Beseitigungsanspruch

Der Gesetzgeber hat in § 97 Abs. 1 UrhG neben dem Anspruch auf Unterlassung einen Anspruch auf Beseitigung der durch die Verletzungshandlung eingetretenen Beeinträchtigung normiert. Dieser Anspruch beschränkt sich nicht auf die zukünftige Unterlassung der beanstandeten Handlung, sondern verlangt zusätzlich, den durch die rechtswidrige Handlung geschaffenen Zustand zu beseitigen. Die Voraussetzungen der beiden Ansprüche sind ähnlich. Allerdings besteht hier nicht das besondere Erfordernis einer Wiederholungsgefahr, und aufgrund der Auferlegung einer Handlungspflicht, die den möglicherweise schuldlosen Verletzer erheblich gravierender belasten kann, muss die auferlegte Beseitigungspflicht nach Art und Umfang stets verhältnismäßig sein.[138] Eine bestimmte Beseitigungsmaßnahme kann daher nur verlangt werden, wenn keine andere infrage kommt und sie außerdem geeignet, erforderlich und zumutbar ist.[139] Die Kosten der Beseitigung sind vom Verletzer zu tragen. Sofern ihm aber durch eine Beseitigung ein zu großer Schaden entsteht, kann er nach § 100 Abs. 1 UrhG den Verletzten ausnahmsweise in Geld entschädigen.

bb) Schadensersatzanspruch, § 97 Abs. 2 UrhG

(1) Ersatz von Vermögensschäden

Wer durch eine vorsätzliche oder fahrlässige Handlung widerrechtlich in absolute Rechte eingreift, ist auch im Urheberrecht nach dem allgemeinen Rechtsgrundsatz zum Schadensersatz verpflichtet. Der vormals in § 97 Abs. 1 UrhG normierte Anspruch wurde mit der Neufassung des § 97 UrhG zur Verbesserung der Übersichtlichkeit gesondert in Abs. 2 geregelt. Der Schadensersatzanspruch stimmt mit der Regelung des § 823 Abs. 1 BGB im Wesentlichen überein. Zwar geht § 97 Abs. 2 UrhG als Spezialvorschrift § 823 Abs. 1 BGB vor, dies ist aber von keiner praktischen Relevanz, solange Urheberrechte oder andere nach dem Urheberrechtsgesetz geschützte Rechte verletzt werden.[140]

---

167/09; zur Haftung des Access Providers: OLG Frankfurt a.M., Beschluss vom 22.1.2008, Az. 6 W 10/08; LG Hamburg, Urteil vom 12.11.2008, Az. 308 O 548/08, ZUM 2009, 587.

137 OLG Düsseldorf, Urteil vom 15.10.2008 – I-20 U 196/07; BGH GRUR 2007, 890.

138 Wandtke/Bullinger-*v. Wolf*, § 97 Rn. 43; Schricker-*Wild*, § 97 Rn. 133.

139 Schricker-*Wild*, § 97 Rn. 133.

140 Schricker-*Wild*, § 97 Rn. 136; *Ulmer*, Urheber- und Verlagsrecht, § 131 I.

Die Begründung der Schadensersatzpflicht setzt eine schuldhafte Verletzung voraus. Auf eine genaue Abgrenzung zwischen den beiden Verschuldensformen kann verzichtet werden: Fahrlässig und vorsätzlich handelnde Verletzer müssen gleichermaßen für den Schaden einstehen.[141] Bei Tatsachen- oder Rechtsirrtum ist zwar häufig Vorsatz ausgeschlossen, jedoch kommt in diesen Fällen regelmäßig fahrlässiges Handeln in Betracht.[142] An das Maß der im Verkehr zu beachtenden erforderlichen Sorgfalt, um dem Fahrlässigkeitsvorwurf zu entgehen, werden im Urheberrecht strenge Anforderungen gestellt.[143] Im Allgemeinen legen die Gerichte einen strengen Maßstab an die Prüfungs- und Erkundigungspflicht über Bestand und Umfang der eigenen Nutzungsberechtigung an einem urheberrechtlich geschützten Gegenstand.[144] Im Tele- und Mediendienstebereich gelten für Nutzer, Ersteller und Content Provider[145] keine Besonderheiten.[146] Für den Host Provider hingegen ordnet § 10 TMG an, dass er nur bei Kenntnis des Inhalts haftet. Diesbezüglich hat auch der BGH festgestellt, dass es allein auf die positive Kenntnis ankommt und ein Kennenmüssen demnach nicht ausreicht.[147]

Der Schadensumfang bemisst sich auch im Immaterialgüterrecht grundsätzlich nach den allgemeinen Regeln des bürgerlichen Rechts der §§ 249 ff. BGB. Damit gilt auch hier der im Schadensrecht tragende Grundsatz der Naturalrestitution. Es ist der Zustand wiederherzustellen, der ohne die Rechtsverletzung bestehen würde. Da die Wiederherstellung des ursprünglichen Zustands bei der Verletzung eines Rechts unter Umständen nicht möglich ist, kann neben der Schadensbeseitigung auch eine Geldentschädigung gemäß § 251 BGB geleistet werden. Zum konkreten Schaden gehören neben dem entgangenen Gewinn auch aufgrund der Rechtsverletzung vergeblich gemachte Aufwendungen. Trotz der Beweiserleichterung des § 252 Satz 2 BGB i.V.m. § 287 ZPO wird es dem Verletzten häufig schwerfallen, Art und Umfang einer eigenen Nutzung und die hypothetische Gewinnentwicklung darzulegen und zu beweisen.[148] Um diesen Beweisschwierigkeiten im Immaterialgüterrecht entgegenzutreten, steht dem Geschädigten die *dreifache Art der Schadensberechnung* zur Verfügung. Das heißt, dass dem Verletzten ein Wahlrecht zwischen drei verschiedenen Arten der Schadensberechnung zusteht. Er kann dabei selbst noch während des Prozesses auf eine andere Art der Schadensberechnung umsteigen, solange er die Berechnungsarten nicht derart miteinander vermischt,

---

141 Wandtke/Bullinger-*v. Wolf*, § 97 Rn. 51.

142 Dreier/Schulze-*Dreier*, § 97 Rn. 56; Schricker-*Wild*, § 97 Rn. 137.

143 BGH GRUR 1999, 49, 51; BGH GRUR 1998, 568, 569.

144 Dreier/Schulze-*Dreier*, § 97 Rn. 57; BGH GRUR 1988, 373, 375.

145 Zu den Begriffen *Content Provider*, *Access Provider* und *Host Provider* vgl. Dritter Teil, Fn. 134.

146 Schricker-*Wild*, § 97 Rn. 138, 79, 80 ff.

147 BGH GRUR 2004, 74, 75.

148 *Schack*, Urheber- und Urhebervertragsrecht, S. 373 Rn. 778.

dass einzelne Schadenspositionen doppelt abgegolten werden.[149] Der Geschädigte kann also wie bisher seinen konkreten Schaden berechnen, dabei kann aber, wie bereits angeführt, der Nachweis der Kausalität für etwaige Umsatzrückgänge oder entgangene Gewinne schwer zu erbringen sein. Ausdrücklich gesetzlich normiert wurden nun auch die anderen beiden Arten der Schadensberechnung.[150] Nach § 97 Abs. 2 Satz 2 UrhG besteht zum einen die Möglichkeit, die Lizenzgebühr zu verlangen, die vernünftige Parteien bei Abschluss eines Lizenzvertrags in Kenntnis der wahren Rechtslage als angemessen vereinbart hätten *(übliche Lizenzgebühr)*.[151] Der in dieser fiktiven Lizenzgebühr ausgedrückte objektive Nutzungswert könnte auch als ein Mindestschaden gesehen werden, welcher dann mit Blick auf das Schadensrecht als Unterfall des normativen Schadensbegriffs eingeordnet werden könnte.[152] Zum anderen kann der Verletzte den *Gewinn des Schädigers* herausverlangen, der kausal auf seine verletzende Tätigkeit zurückgeht. Für das Urheberrecht war dieser von der Rechtsprechung gewohnheitsrechtlich anerkannte Anspruch bereits vor der Reform ausdrücklich normiert und steht nun in § 97 Abs. 2 Satz 3 UrhG. Der andernfalls über § 687 Abs. 2, § 681, § 667 BGB bei vorsätzlicher unberechtigter Eigengeschäftsführung gewährte Gewinnherausgabeanspruch, besteht im Urheberrecht schon bei einer fahrlässigen Urheberrechtsverletzung.[153]

---

149 Wandtke/Bullinger-*v. Wolf*, § 97 Rn. 59; *Schack*, Urheber- und Urhebervertragsrecht, S. 373 Rn. 778.

150 Für das Urheberrecht waren diese drei Methoden der Schadensberechnung schon vor 1965 gewohnheitsrechtlich anerkannt, *Schack*, Urheber- und Urhebervertragsrecht, S. 373 Rn. 778; RGZ 35, 63m 67 f., 70 f.; BGH GRUR 1959, 379, 383.

151 Dreier/Schulze-*Dreier*, § 97 Rn. 61; vgl. auch BGH GRUR 1990, 1008, 1009.

152 *Schack*, Urheber- und Urhebervertragsrecht, S. 374 Rn. 779.

153 Wichtige Urteile des Bundesgerichtshofs zur Schadensberechnung:

*Gemeinkostenanteil* (BGH, Urteil vom 2.11.2000 – I ZR 246/98). In einem Rechtsstreit über die Verletzung von Geschmacksmusterrechten stellte das Gericht fest, dass, wenn Schadensersatz durch Herausgabe des Verletzergewinns zu leisten ist, Gemeinkosten nur abgezogen werden dürfen, wenn und soweit sie ausnahmsweise den schutzrechtsverletzenden Gegenständen unmittelbar zugerechnet werden können. Der Verletzer kann bei der Bestimmung der Höhe des Verletzergewinns nicht geltend machen, dieser beruhe teilweise auf besonderen eigenen Vertriebsleistungen.

*Tripp-Trapp-Stuhl* (BGH, Urteil vom 14.5.2009 I ZR 98/06). In einem Urheberrechtsstreit stellte der BGH fest, dass, wenn innerhalb einer Lieferkette mehrere Lieferanten nacheinander urheberrechtliche Nutzungsrechte verletzt haben, der Verletzte zwar grundsätzlich berechtigt ist, von jedem Verletzer innerhalb der Verletzerkette die Herausgabe des von diesem erzielten Gewinns als Schadensersatz zu fordern, jedoch wird der vom Lieferanten an den Verletzten herauszugebende Gewinn durch Ersatzzahlungen gemindert, die der Lieferant seinen Abnehmern wegen deren Inanspruchnahme durch den Verletzten erbringt.

*Reseller-Vertrag* (BGH, Urteil vom 26.3.2009, Az. I ZR 44/06). Das Gericht stellte fest, dass die angemessene Lizenzgebühr in Anlehnung an die gewöhnlich vom Lizenzgeber abgeschlossenen Lizenzverträge berechnet wird, wenn er eine ausreichende Anzahl solcher Verträge abgeschlossen hat. Die gewöhnlichen Lizenzen des Rechtsinhabers können dabei höher als in verkehrsüblichen Lizenzierungsmodellen sein.

Die bisher in § 97 Abs. 3 UrhG enthaltene Regelung, dass Ansprüche aus anderen gesetzlichen Ansprüchen unberührt bleiben, konnte wegen der Einführung der allgemeinen Bestimmung in § 102a UrhG entfallen. Auch die Streichung des Rechnungslegungsanspruchs beim Verletzergewinn soll keine inhaltliche Änderung bezwecken, da ein solcher Anspruch ganz allgemein für die Berechnung des Schadensersatzanspruchs im Urheberrecht anerkannt ist.[154]

(2) Ersatz immaterieller Schäden

Der Ersatz immaterieller Schäden ist in § 97 Abs. 2 Satz 4 UrhG normiert und bleibt als solcher unverändert bestehen.[155] Hierdurch soll eine Geldentschädigung wegen eines Schadens, der nicht Vermögensschaden ist, sondern durch die Verletzung rein ideeller Interessen entstanden ist, gewährt werden. Der Anspruch steht dem Urheber sowie den in § 97 Abs. 2 UrhG genannten Inhabern verwandter Schutzrechte zu. Die Begründung des Anspruchs setzt voraus, dass es sich um eine schwerwiegende Verletzung des Urheberpersönlichkeitsrechts handelt[156] und die Beeinträchtigung nicht in anderer Weise befriedigend ausgeglichen werden kann.[157] Die Höhe der billigen Geldentschädigung richtet sich wie bei § 253 Abs. 2 BGB nach der Schwere der Rechtsverletzung und dem Grad des Verschuldens.[158] Auch wenn die zu entrichtende Entschädigung fühlbar[159] sein sollte, sind die Gerichte in ihrer Bemessung eher zurückhaltend. Erfolgt die Rechtsverletzung jedoch allein zur Gewinnerzielung, werden, um die Abschreckungswirkung zu verstärken, allmählich höhere Beträge zugesprochen.[160]

(3) Schadensersatzansprüche in abschreckender Höhe

Ein Strafschadensersatz nach dem Vorbild der US-amerikanischen *punitive damages*[161] ist dem deutschen Recht fremd, auch wenn in jüngeren Gerichtsentschei-

---

*Whistling for a Train* (BGH, Urteil vom 2.10.2008, Az. I ZR 6/06). Im Gegensatz zu seinem Urteil in *Reseller-Vertrag* stellte der BGH hier fest, dass die eigene Lizenzgebühr des Rechtsinhabers nicht die relevante Berechnungsgröße darstellt, wenn die vereinbarte Lizenzgebühr unter dem objektiven Wert der Lizenz liegt. Zusammengelesen mit *Reseller-Vertrag* kann dieses Urteil bedeuten, dass ein Rechtsinhaber eine höhere Lizenzgebühr als die übliche fordern kann, wenn seine normalerweise vereinbarten Lizenzgebühren höher sind, er aber umgekehrt nicht an seine Lizenzgebühr gebunden ist, wenn sie unter der marktüblichen liegt.

154 Gesetzentwurf der Bundesregierung vom 26.1.2007, BR-Drucks. 64/07, S. 114, § 97.

155 Gesetzentwurf der Bundesregierung vom 26.1.2007, BR-Drucks. 64/07, S. 114, § 97.

156 Wandtke/Bullinger-*v. Wolf*, § 97 Rn. 86; BGH GRUR 1971, 525 f.

157 BGH GRUR 1970, 370, 372 f.; BGHZ 128, 1, 12 f.

158 *Schack*, Urheber- und Urhebervertragsrecht, S. 377 Rn. 785.

159 Möhring/Nicolini-*Lütje*, § 97 Rn. 249; Wandtke/Bullinger-*v. Wolf*, § 97 Rn. 88.

160 Wandtke/Bullinger -*v. Wolf*, § 97 Rn. 88; BGHZ 128, 1, 12 f.

161 Zum Begriff der punitive damages siehe unten Fünfter Teil, Fn. 211.

dungen versucht wird, präventive Aspekte mit Hilfe der abschreckenden Wirkung von Geldstrafen in das deutsche Zivilrecht einzuführen.[162] Erklärtes Ziel des BGB-Gesetzgebers war es, ein von pönalen Aspekten freies Privatrecht zu schaffen.[163] Einen Eckpfeiler des Haftungsrechts des BGB soll, neben der Verwirklichung des nur bei Mitverschulden des Geschädigten eingeschränkten Alles-oder-Nichts-Prinzips im Deliktsrecht, der Vorrang der Naturalrestitution vor der Geldentschädigung bilden.[164] Dennoch sind heute generalpräventive Effekte dem deutschen Haftungsrecht grundsätzlich nicht fremd.[165] Dabei hat die Präventionswirkung jedoch grundsätzlich nur eine unselbstständige Funktion, sodass die Ersatzleistung stets durch das Wiedergutmachungsinteresse des Geschädigten gerechtfertigt sein muss.[166]

Die Verfolgung präventiver Zwecke mit Mitteln des Zivilrechts ist aus mehreren Gründen problematisch. Die Frage ist zunächst, ob eine erhöhte Generalprävention als angestrebter Nutzen des Strafschadensersatzes, also der Erhöhung des Schadensersatzes um einen Strafzuschlag unabhängig von der Methode der Schadensberechnung, überhaupt möglich ist. Dafür müsste der andernfalls zugesprochene Schadensersatz zu gering sein, um eine Abschreckungswirkung zu entfalten. Im Regelfall wurde bisher der Schadensberechnung die einfache Lizenzanalogie zugrunde gelegt, die das Schadensersatzrisiko für den Verletzer durchaus kalkulierbar macht und ihn nicht schlechter stellt als den ordentlichen Lizenznehmer.[167] Mit der *Gemeinkostenteil*-Entscheidung des BGH[168] löste die Berechnung auf Basis des Verletzergewinns die Lizenzanalogie aufgrund der erheblich höheren Entschädigungssummen als wichtigste Berechnungsart ab. Die Gefahr des Verlusts eines Drittels oder gar der Hälfte des unter Verletzung eines Urheberrechts erzielten Umsatzes dürfte für Unternehmen durchaus eine abschreckende Wirkung entfalten. Außerdem ist in diesem Zusammenhang auch die *doppelte GEMA-Lizenzgebühr* zu erwähnen. Der GEMA ist die doppelte Lizenzgebühr zu entrichten, um einen gebotenen Ausgleich für die beträchtlichen Kosten des von der GEMA zu unterhaltenden Überwachungsapparats zu erreichen.[169] Selbst wenn man bei Einführung eines Strafschadensersatzes zusätzliche Präventionswirkungen annähme, bliebe fraglich,

---

162 Dies forderte etwa der EuGH im Arbeitsrecht EuGH, NJW 1997, 1840; auch soll nach Ansicht des BGH bei Verletzung des APR der Gedanke der Prävention gebieten, die Gewinnerzielung als Bemessensfaktor für die Geldentschädigung heranzuziehen, BGHZ 128, 1.

163 *Ebert*, Pönale Elemente im deutschen Privatrecht, S. 248.

164 Vgl. Motive II S. 20 = *B. Mugdan*, Materialien II, S. 12.

165 *Canaris*, FS für Deutsch, S. 105.

166 *Canaris*, FS für Deutsch, S. 105; *Deutsch*, JZ 1971, 247, bezeichnet die Vorbeugung ausdrücklich als nachrangigen Zweck.

167 *Haft/Donle/Ehlers/Nack*, GRUR Int. 2005, 403 ff.

168 BGH GRUR 2001, 329, 331 f.

169 BGHZ 59, 286 f; BGHZ 97, 37, 50 f; *Schack*, Urheber- und Urhebervertragsrecht, S. 375 Rn. 782 f.

ob diese die Wirkung der strafrechtlichen Sanktionen übersteigen würde. Ob sich Produktpiraten, deren Handeln ohnehin schon mit Strafe bedroht ist, durch das Risiko eines Strafschadensersatzes eher abschrecken lassen, kann nicht gesagt werden. Es erscheint aber nicht zwingend, dass ein erhöhtes Schadensersatzrisiko abschreckender wirkt als eine Freiheitsstrafe von bis zu drei Jahren, wie sie in § 106 UrhG vorgesehen ist.

Überdies ist eine Vermengung von zivil- und strafrechtlichen Komponenten dem deutschen Rechtssystem, das ein staatliches Bestrafungsmonopol vorsieht, wie bereits oben erwähnt, fremd.[170] Es besteht die Gefahr, dass verfassungsrechtlich abgesicherte strafrechtliche und strafprozessuale Maximen unterlaufen werden.[171] Im Übrigen ist auch nach europarechtlichen Vorgaben in der Enforcement-RL (Richtlinie 2004/48/EG) ausdrücklich kein solcher Strafschadensersatz bezweckt, wie sich aus Erwägungsgrund 26, letzter Satz ergibt.

#### cc) Abmahnung (§ 97a UrhG)

Anlässlich der Umsetzung der Enforcement-RL, nicht aber aufgrund gemeinschaftsrechtlicher Vorgaben, wurde mit § 97a UrhG die urheberrechtliche Abmahnung gesetzlich geregelt. Dies soll insbesondere den Missbrauch der anwaltlichen Abmahnkosten als zusätzliche Einnahmequelle verhindern. Zu einer solchen Fehlentwicklung kann es bei der Vornahme von Massenabmahnungen in ähnlich gelagerten Fällen kommen, wenn nicht mehr der Rechtsschutz durch Rechtsverfolgung, sondern die Einnahme der Abmahnkosten als Gewinn im Vordergrund steht. Die Geltendmachung überhöhter Kosten für Abmahnschreiben gerade bei Urheberrechtsverletzungen im Internet hat sich in der Vergangenheit gehäuft und wurde vor allem von privaten Verbrauchern stark kritisiert.

Die Abmahnung[172] dient dazu, den Verletzer eines Urheberrechts auf die begangene Verletzung aufmerksam zu machen und zur Unterlassung aufzufordern. Durch Abgabe einer strafbewehrten Unterlassungserklärung wird in den meisten Fällen das Ziel der Abmahnung, aufwändige Gerichtsverfahren zu vermeiden und eine außergerichtliche Streitbeilegung zu bewirken, erreicht. Motivation für die Einführung des § 97a UrhG war für den Gesetzgeber die Verbesserung der bestehenden Regelungen zu Abmahnungen.[173] Nach bisheriger Rechtslage erfolgten Abmahnungen zum einen nach von der Rechtsprechung entwickelten Grundsätzen gestützt

---

170 BGHZ 118, 312 [340].

171 *Hildebrandt*, Die Strafvorschriften des Urheberrechts, S. 504; *Weber,* Der strafrechtliche Schutz, S. 399.

172 Ihre Rechtsnatur ist umstritten, überwiegend wird von einer geschäftsähnlichen Handlung mit eigenen Regeln ausgegangen, vgl. *Ewert/Hartz*, ZUM 2007, 450; laut st. Rspr. ist die Abmahnung ein Antrag i.S.d. § 145 BGB auf Abschluss eines Unterwerfungsvertrags, vgl. BGH GRUR 2002, 824 f.

173 Gesetzentwurf der Bundesregierung vom 26.1.2007, BR-Drucks. 64/07, S. 114, § 97a.

auf § 97 Abs. 1 UrhG, § 249 BGB und die Geschäftsführung ohne Auftrag.[174] Zum anderen wurde unter den Voraussetzungen des § 12 UWG abgemahnt. Außerdem sollte ein gerechter Ausgleich geschaffen werden zwischen den Interessen der Rechtsinhaber einerseits, die Rechtsverletzungen unterbinden und eine Unterlassung geltend machen können, und den Interessen der Verletzer andererseits, da ein etwaiger Ersatzanspruch nun unter bestimmten Voraussetzungen auf den Betrag von 100 € begrenzt wird.[175]

§ 97 Abs. 1 Satz 1 UrhG postuliert, dass der Verletzte den Verletzer vor Einleitung eines gerichtlichen Verfahrens auf Unterlassung abmahnen und dem Verletzer dadurch die Möglichkeit einer Streitbeilegung durch Abgabe einer strafbewehrten Unterlassungsverpflichtung geben soll. Der Wortlaut stellt klar, dass keine echte Rechtspflicht zur Abmahnung besteht.[176] Satz 2 gewährt Ersatz für erforderliche Aufwendungen, sofern die Abmahnung zu Recht erfolgt ist.

§ 97 Abs. 2 UrhG legt sodann eine Beschränkung des Ersatzes erforderlicher Aufwendungen für die Inanspruchnahme anwaltlicher Dienstleistungen auf 100 € fest. Dafür muss es sich um eine erstmalige Abmahnung in einem einfach gelagerten Fall mit einer nur unerheblichen Rechtsverletzung außerhalb des geschäftlichen Verkehrs handeln. Einfach gelagert ist der Fall, wenn er nach Art und Umfang ohne größeren Arbeitsumfang zu bearbeiten ist und somit zur Routine gehört.[177] Eine unerhebliche Rechtsverletzung erfordert ein geringes Ausmaß der Verletzung in quantitativer wie qualitativer Hinsicht, wobei eine Einzelfallbetrachtung vorzunehmen ist.[178] Der Begriff des Handelns im geschäftlichen Verkehr ist weit auszulegen und umfasst jede wirtschaftliche Tätigkeit auf dem Markt, die der Förderung eines eigenen oder fremden Geschäftszwecks zu dienen bestimmt ist.[179]

Während die gesetzliche Normierung einer Anspruchsgrundlage für Erstattung der Rechtsverfolgungskosten positiv bewertet wurde, sind die Begrenzung der Kosten des Abmahnschreibens sowie der weitgefasste Wortlaut der Vorschrift beanstandet worden.[180] Eine pauschale Festlegung der zu erstattenden Kosten sei im Einzelfall häufig nicht gerecht, daher sollte auf die von den Gerichten entwickelten Grundsätze, welche auf Höhe und Intensität der unterschiedlichen Urheberrechtsverletzung besser reagieren können, zurückgegriffen werden. Die Abmahnung würde an Bedeutung stark verlieren, da sie aufgrund fehlender Deckung der Auf-

---

174 Vgl. *Ewert/Hartz*, ZUM 2007, 450.

175 Gesetzentwurf der Bundesregierung vom 26.1.2007, BR-Drucks. 64/07, S. 115, § 97a.

176 Bei Unterlassung einer möglichen und zumutbaren Abmahnung riskiert der Kläger aber, dass er bei sofortiger Anerkennung des Anspruchs nach § 93 ZPO durch den Beklagten die Kosten des Verfahrens selbst zu tragen hat.

177 Gesetzentwurf der Bundesregierung vom 26.1.2007, BR-Drucks. 64/07, S. 116, § 97a.

178 Gesetzentwurf der Bundesregierung vom 26.1.2007, BR-Drucks. 64/07, S. 116, § 97a.

179 Gesetzentwurf der Bundesregierung vom 26.1.2007, BR-Drucks. 64/07, S. 116, § 97a.

180 Vgl. *Ewert/Hartz*, ZUM 2007, 450.

wendungskosten nicht mehr einer außergerichtlichen Streitbeilegung dienlich sei. Dem Vorwurf, der Deckelungsbetrag sei in manchen Fällen bereits durch die Aufwendungen bei Ermittlung des Verletzers erreicht, ist entgegenzuhalten, dass laut Regierungsbegründung der Begrenzungsbetrag von 100 € Steuern und Auslagen wie Porto für den Abmahnvorgang abdeckt. Der Betrag umfasse hingegen nicht sonstige Auslagen, die bei der Ermittlung der Rechtsverletzung, etwa bei der Rückverfolgung des Rechtsverletzers anhand seiner IP-Adresse, anfallen können.[181] Da außerdem die Begrenzung der Abmahngebühren ausdrücklich nur einfach gelagerte Fälle umfasst, erscheint es nicht realistisch, dass die gesetzliche Festschreibung einer Höchstgrenze für Abmahngebühren die Attraktivität dieses Instituts mindert. Jedenfalls bleibt abzuwarten, wie diese Norm in der Rechtspraxis künftig genutzt wird.

#### dd) Vernichtungs-, Rückruf- und Überlassungsanspruch (§ 98 UrhG)

In § 98 UrhG ist ein verschuldensunabhängig ausgestalteter Anspruch des Rechtsinhabers vorgesehen, der alternativ auf Vernichtung (Abs. 1), Rückruf (Abs. 2) oder Überlassung (Abs. 2) gerichtet ist. Der Rechtsnatur nach handelt es sich bei § 98 UrhG um einen Beseitigungsanspruch mit generalpräventivem Charakter.[182] Er dient nicht der Sanktionierung von möglicherweise schuldlos begangenen Rechtsverletzungen, sondern primär der Verhinderung künftiger Verletzungshandlungen.[183] Dabei ist die Verhältnismäßigkeit zwischen Rechtsverletzung einerseits und Beseitigungsmaßnahmen andererseits zu wahren, wobei bei der Prüfung auch berechtigte Interessen Dritter zu berücksichtigen sind (§ 98 Abs. 4 UrhG). Andernfalls droht der Ausschluss der Ansprüche auf Vernichtung, Rückruf und Entfernung.[184]

Der Vernichtungsanspruch des aktuellen § 98 Abs. 1 UrhG fasst die früher getrennt geregelten Ansprüche auf Vernichtung von rechtswidrigen Vervielfältigungsstücken und von Vorrichtungen, die vorwiegend ihrer Herstellung gedient haben, zusammen. In § 98 Abs. 1 Satz 1 UrhG ist die Vernichtung aller rechtswidrig hergestellten, verbreiteten oder zur rechtswidrigen Verbreitung *bestimmten* Vervielfältigungsstücke i.S.d. § 16 UrhG, die sich im Besitz oder Eigentum des Verletzers befinden, geregelt. Nicht umfasst von der Norm sind rechtsverletzende Originale. Hingegen können rechtmäßig hergestellte Verbreitungsstücke durchaus

---

181 Gesetzentwurf der Bundesregierung 26.1.2007, BR-Drucks. 64/07, S. 116, § 97a.

182 Schricker-*Wild*, § 98 Rn. 1; *Schack*, Urheber- und Urhebervertragsrecht, S. 384 Rn. 801; Dreier/Schulze-*Dreier*, § 98 Rn. 1, 12.

183 *Schack*, Urheber- und Urhebervertragsrecht, S. 384 Rn. 801; Schricker-*Wild*, § 98 Rn. 2.

184 Der Ausschluss ist zwar so nicht in der Richtlinie geregelt, kann aber als spezielle Ausprägung des Grundsatzes der Verhältnismäßigkeit als richtlinienkonform angesehen werden; Gesetzentwurf der Bundesregierung 26.1.2007, BR-Drucks. 64/07, S. 117, § 98.

in den Anwendungsbereich fallen, wenn sie etwa rechtswidrig, also ohne oder unter Überschreitung des Verbreitungsrechts, verbreitet werden.[185]

In § 98 Abs. 1 Satz 2 UrhG ist neuerdings der Vernichtungsanspruch von Vorrichtungen geregelt, die im Eigentum des Verletzers stehen und vorwiegend der Herstellung von Vervielfältigungsstücken *gedient* haben.[186] Neu ist auch, dass nunmehr in Anlehnung an die Enforcement-RL lediglich eine *vorwiegende* Verwendung der Vorrichtung gefordert wird, und nicht mehr nur eine *ausschließliche oder nahezu ausschließliche Verwendung* zu Verletzungszwecken. Erfasst werden können auch handelsübliche Geräte, die anderweitig eingesetzt und grundsätzlich einer rechtmäßigen Benutzung zugeordnet werden können, wie Kopiergeräte, CD-Brenner und Videorekorder.[187] Entscheidend ist lediglich die Verwendung zur Herstellung von Vervielfältigungsstücken, was konkrete Tatfrage ist.[188]

Alternativ zur Vernichtung kann der Verletzte die Überlassung der Vervielfältigungsstücke vom Eigentümer, nicht jedoch vom Besitzer, gegen ein Entgelt verlangen (§ 98 Abs. 3 UrhG). Dem Überlassungsanspruch kommt in der Praxis im Vergleich zum Vernichtungsanspruch eine geringere Bedeutung zu. Dies liegt wohl zum einen an der minderen Qualität von Pirateriewaren und zum anderen an der angemessenen Vergütung, die der Rechtsinhaber dem Verletzer zahlen muss.

Auch in dieser Norm sind nach Umsetzung der Enforcement-RL Änderungen erfolgt. So wurde ein Rückrufanspruch von rechtswidrig hergestellten, verbreiteten oder zur rechtswidrigen Verbreitung bestimmten Vervielfältigungsstücken eingeführt (§ 98 Abs. 2 UrhG).[189] Ein solcher Anspruch war bisher im deutschen Recht nur anerkannt, wenn Gefahren für Leben oder Gesundheit der Konsumenten beste-

---

185 Durch das Produktpirateriegesetz war der Vernichtungsanspruch verschärft worden: Der Rechtsinhaber kann nämlich nicht nur auf Vervielfältigungsstücke zugreifen, die im Eigentum des Verletzers stehen, sondern auch auf solche, die sich nur in seinem mittelbaren Besitz befinden.

186 Fraglich ist, ob nun auch die *Bestimmung* einer Vorrichtung zur vorwiegenden Herstellung rechtswidriger Vervielfältigungsstücke in den Anwendungsbereich fällt. Dafür sprechen die Ausdehnung des Anwendungsbereichs der Regelung durch die Enforcement-RL und auch Sinn und Zweck des § 98 Abs. 1 Satz 2. Insoweit habe man die bisherige Auslegung des § 99 UrhG a.F. in den § 98 Abs. 1 Satz 2 UrhG hineinzulesen, da andernfalls das Ziel der verschärften Haftung des Verletzers nicht erreicht werden könne. Bei der Bestimmung zur Herstellung ist allerdings auch das Vorliegen eines subjektiven Elements beim Verletzer zu fordern. Dieser muss vorgehabt haben, die Vorrichtung zur Schutzrechtsverletzung zu verwenden. Vgl. Wandtke/Bullinger-*Bohne*, § 98 Rn. 32 f.

187 Mit Blick auf die angestrebte Ausdehnung des Anwendungsbereichs dieser Regelung durch die Enforcement-RL wird die Rechtsprechung des BGH im Fall Videorekorder-Vernichtung (BGH GRUR 1988, 301 f.) als endgültig überholt angesehen, vgl. Wandtke/Bullinger-*Bohne*, § 98 Rn. 34.

188 Schricker-*Wild*, § 98 Rn. 11; Wandtke/Bullinger-*Bohne*, § 98 Rn. 32; a.A.: *Schack*, Urheber- und Urhebervertragsrecht, S. 385 Rn. 803 mit Verweis auf BGH GRUR 1988, 301 f.

189 Vorgabe in Art. 10 sowie Erwägungsgrund 7 und 8 der Enforcement-RL.

hen.[190] Alternativ zum Rückruf kann der Anspruchsteller nach Abs. 2 a.E. UrhG auch das endgültige Entfernen der Vervielfältigungsstücke anordnen.[191] Rückruf und endgültiges Entfernen werden in Deutschland von Rechtsinhabern nicht sehr häufig eingesetzt. Einer der Hauptgründe dafür könnte sein, dass diese Ansprüche nur in Hauptsacheverfahren und nicht im einstweiligen Rechtsschutz genutzt werden können.[192] Problematisch bezüglich der Durchsetzung dieser Ansprüche ist auch, dass diese die Verfügungsgewalt des Verletzers voraussetzen. Befinden sich die Produkte hingegen nicht mehr in dem von ihm kontrollierbaren Bereich, so wird er sich die Sachen schwerlich aus der Verfügungsgewalt Dritter eigenmächtig verschaffen oder einen Anspruch auf Aushändigung der Ware geltend machen können.[193] Ebenso ist es in Fällen von Produktpiraterie größeren Ausmaßes kaum vorstellbar, dass der Verletzer wie im Geschäftsbetrieb sonst üblich, sämtliche Abnehmer über seine Verpflichtung informiert, rechtsverletzende Ware auf seine Kosten zurückzurufen und sie um die Aushändigung der Ware bittet.[194] Ist der Rückrufanspruch nicht mit einem Unterlassungsanspruch verbunden und kann er daher auch nicht im einstweiligen Rechtsschutz durchgesetzt werden, ist es für den Rechtsinhaber sinnvoller, vom Rechtsverletzer Auskunft über Namen und Adres-

---

190 Solche Pflichten ergeben sich vorwiegend aus dem öffentlich-rechtlichen Gefahrenabwehrrecht, *Peukert/Kur*, GRUR Int. 2006, 295.

191 Nach allgemeinem Verständnis wird in Deutschland allerdings kein Unterschied zwischen den beiden Maßnahmen des Rückrufs und endgültigen Entfernens gemacht, vgl. *Spindler/Weber*, ZUM 2007, 259; *Peukert/Kur*, GRUR Int. 2006, 295; Fromm/Nordemann-*Jan Bernd Nordemann*, § 98 Rn. 26; Stroebele/Hacker-*Hacker*, Markengesetz, Art. 18 Rn. 57.

192 So die herrschende Meinung in der Rechtsprechung: LG Hamburg, NJWE-WettbR 1997, 56, 57 – *Grigia*; Fromm/Nordemann-*Jan Bernd Nordemann*, Urheberrechtsgesetz, § 98 Rn. 23; nach anderer Ansicht ist der Rückruf bereits in der Unterlassungsklage enthalten, wenn der Rechtsverletzer immer noch die illegale Ware in seinem Besitz hat, so: LG Frankfurt, GRUR-RR 2009, 412 – *Abreißschreibtischunterlage*; LG Köln, GRUR-RR 2008, 365 – *Möbelhandel*; Stroebele/Hacker-*Hacker*, Markengesetz, Art. 18 Rn. 51 m.w.N.

193 *Peukert/Kur*, GRUR Int. 2006, 295. Urteile, die ebenfalls zur Rechtslage vor Implementierung von Art. 10 Enforcement-RL ergangen sind:

LG Köln, GRUR-RR 2008, 325 – *Möbelhandel*. In der Unterlassungsklage war bereits der Rückruf aller rechtsverletzenden Ware mitumfasst, die sich im Verfügungsbereich des Rechtsverletzers befand. Dabei befindet sich die Ware noch so lange in der Kontrollsphäre des Rechtsverletzers, als sich die Ware im Besitz seiner Vertragspartner befindet. Es ist unerheblich, dass der Vertragspartner ein unabhängiges Unternehmen ist und nicht dem Rechtsverletzer weisungsgebunden ist;

LG Frankfurt, GRUR-RR 2009, 412 – *Abreißschreibtischunterlage*. Bestätigung des vorgenannten Urteils des LG Köln. Zusätzlich stellte das Gericht hier fest, dass eine Unterlassungsklage nicht den Rückruf illegaler Ware umfasst, wenn lediglich spekuliert wird, dass diese zu einem bestimmten Abnehmer gelangt ist.

LG Hamburg, NJWE-WettbR 1997, 56 – *Grigia*. Unterlassungsklage beinhaltet nicht die Verpflichtung eines Verlegers, rechtsverletzende Bücher zurückzurufen, die von seinen Abnehmern vertrieben wurden. Dieses Urteil steht in eklatantem Gegensatz zu den erstgenannten Urteilen.

194 *Peukert/Kur*, GRUR Int. 2006, 296.

sen der Abnehmer zu verlangen und dann gegen diese in einem separaten Verfahren vorzugehen. Demzufolge wird der Rückrufanspruch insbesondere bei Immaterialgüterrechtsverletzungen von geringem Umfang von Bedeutung sein, wenn Einzelpersonen oder Unternehmen, die regelmäßig rechtmäßig handeln, im Einzelfall eine möglicherweise unverschuldete Rechtsverletzung begangen haben.

#### ee) Unternehmensinhaberhaftung (§ 99 UrhG)

In § 99 ist die Haftung des Inhabers eines Unternehmens geregelt, die voraussetzt, dass die Rechtsverletzung durch einen Arbeitnehmer oder Beauftragten dieses Unternehmens erfolgt ist. Der Verletzte hat die Ansprüche aus § 97 Abs. 1 und § 98 UrhG.[195]

#### ff) Ersatzmaßnahme: Entschädigung (§ 100 UrhG)

Im Fall einer unverschuldeten Verletzungshandlung kann der Verletzer zur Abwendung der Ansprüche aus §§ 97, 98 UrhG in Geld entschädigen, wenn ihm durch Erfüllung der Ansprüche ein unverhältnismäßig großer Schaden entstehen würde und die Zahlung einer Entschädigung dem Verletzten zumutbar ist.[196]

#### gg) Bekanntmachung des Urteils (§ 103 UrhG)

Eine prozessuale Sonderregel nach dem Vorbild des § 12 Abs. 3 UWG gilt für die Bekanntmachung des Urteils: Sofern Klage nach dem Urheberrechtsgesetz erhoben wurde, kann der obsiegenden Partei, wenn sie ein berechtigtes Interesse dartut, im Urteil die Befugnis zugesprochen werden, das Urteil auf Kosten der unterliegenden Partei öffentlich bekanntzumachen (§ 103 UrhG).[197] Ein berechtigtes Interesse ist wegen der Gefahr der Entstehung erheblicher Nachteile für die unter-

---

[195] Im Hinblick auf die Verantwortlichkeit von Unternehmen sind als wichtige Regelungen die §§ 30 und 130 OWiG zu nennen. § 130 OWiG regelt die Verletzung von Aufsichtspflichten, wonach der Inhaber eines Betriebs oder Unternehmens in bestimmten Fällen ordnungswidrig handelt, wenn Mitarbeiter unter Verletzung der den Inhaber treffenden Pflichten eine Straftat begehen und der Inhaber diese Straftat vorsätzlich oder fahrlässig nicht durch die erforderlichen Aufsichtsmaßnahmen verhindert. Daneben ist nach § 30 OWiG die Verhängung einer Geldbuße gegen juristische Personen oder Personenvereinigungen möglich, wenn eine der Führungspersonen eine Straftat oder Ordnungswidrigkeit begeht und dadurch entweder Unternehmenspflichten verletzt oder das Unternehmen bereichert wird oder bereichert werden soll. Vgl. *Sieber*, Compliance-Programme im Unternehmensstrafrecht, S. 464 ff.

[196] Diese Regelung entspricht weitgehend Art. 12 Enforcement-RL, war aber bereits vor deren Umsetzung im deutschen Urheberrecht vorhanden in § 101 Abs. 1 UrhG a.F.

[197] Entsprechend nach einer strafrechtlichen Verurteilung § 111 UrhG; vgl. auch § 165, § 200 StGB.

liegende Partei aus der Bekanntmachung erforderlich.[198] Durch die Bekanntmachung des Urteils können beispielsweise im Vorfeld der Verhandlung öffentlich erhobene Vorwürfe öffentlich widerlegt oder bestätigt werden, um so einen Imageschaden oder Umsatzeinbußen zu begrenzen oder zu verhindern. Die Veröffentlichungsbefugnis dient der Beseitigung fortwirkender Störungen[199] und ist somit mit dem Beseitigungsanspruch verwandt.

Die Befugnis zur Urteilsveröffentlichung darf nur auf Antrag zugesprochen werden. Dies ergibt sich zwar nicht aus dem Wortlaut des § 103 Satz 1 UrhG, aber aus der Natur der Regelung.[200] Das Gericht bestimmt die Art der Bekanntmachung. An den Vorschlag der beantragenden Prozesspartei ist das Gericht nicht gebunden.[201] Die Befugnis nach § 103 Satz 3 UrhG erlischt kraft Gesetzes, wenn der Berechtigte das Urteil nicht innerhalb von drei Monaten nach Eintritt der Rechtskraft bekannt macht.[202]

#### *d) Maßnahmen zur Erleichterung der Rechtsdurchsetzung*

##### aa) Auskunftsanspruch

Die Rechtsdurchsetzung zivilrechtlicher Ansprüche erfolgt privat, der Rechtsinhaber kann sich nicht eines hoheitlichen Instrumentariums, wie es das Strafprozessrecht bereithält, bedienen. Hier stellt sich häufig das Problem, dass dem Rechtsinhaber genaue Angaben über den Verletzer und den Umfang der Verletzungshandlung fehlen, die für eine schlüssige Klage und somit zur prozessualen Geltendmachung seiner Ansprüche erforderlich sind, da die Verletzungshandlung zumeist ohne Wissen des Verletzten und außerhalb seines Einwirkungsbereichs erfolgt ist. Um die Effektivität des zivilrechtlichen Instrumentariums zu gewährleisten, sind daher Auskunftsansprüche des Verletzten notwendig, die diesem Informationsdefizit entgegenkommen. Diese sind zwar in der Regel erst auf der Ebene der Rechtsdurchsetzung von Bedeutung, allerdings ist festzuhalten, dass Ansprüche zur Informationsbeschaffung in Deutschland traditionell dem materiellen Recht zugeordnet werden.[203] Grundsätzlich ist eine Partei nach deutschem Zivilprozessrecht nicht gehalten, dem Gegner das Material für seinen Prozesssieg

---

198 *Lettl*, Urheberrecht, S. 301.

199 *Schack*, Urheber- und Urhebervertragsrecht, S. 395 Rn. 827; vgl. OLG Hamburg, ZUM 1995, 430, 434; BGH GRUR 1998, 568, 570.

200 Vgl. Fromm/Nordemann-*Jan Bernd Nordemann,* § 103 Rn. 11; zudem ist auch in Art. 15 Enforcement-RL eine Veröffentlichungsbefugnis nur auf Antrag vorgesehen.

201 Fromm/Nordemann-*Jan Bernd Nordemann,* § 103 Rn. 8.

202 Eine Verlängerung dieser 3-Monats-Frist ist nicht möglich.

203 Wohingegen der Auskunftsanspruch in anderen Rechtsordnungen z.T. prozessual begriffen wird, *Schack*, Urheber- und Urhebervertragsrecht, S. 379 Rn. 788; *McGuire*, GRUR Int. 2005, 15.

zu verschaffen.[204] Werden vom Kläger zur Substantiierung der Klage oder zum Beweis eines Anspruchs Informationen benötigt, so ist der Erfolg eines Anspruchs auf Erteilung von Auskunft, Rechnungslegung, Herausgabe von Unterlagen usw. materiellrechtlich zu beantworten.[205] Das Spektrum der in Deutschland verfügbaren Auskunftsansprüche[206] wurde mit der Umsetzung der Enforcement-RL durch das Gesetz zur Verbesserung der Durchsetzung von Rechten des geistigen Eigentums[207] erweitert; so ist insbesondere ein unmittelbar gegen unbeteiligte Dritte bestehender Auskunftsanspruch normiert worden.

(1) Allgemeiner Auskunftsanspruch

Als Hilfsrecht für die Geltendmachung von Schadensersatz-, Bereicherungs- und Beseitigungsansprüchen hat der Berechtigte gegen den Verletzer einen Anspruch auf Auskunft unter Berufung auf Treu und Glauben (§ 242 BGB).[208] Der Berechtigten kann Auskunft verlangen, sofern er in entschuldbarer Weise über das Bestehen oder den Umfang seines Rechts im Ungewissen ist und der Verpflichtete die notwendigen Informationen unschwer zu geben vermag.[209] Bisher war in § 97 Abs. 1 Satz 2 UrhG auch ein Auskunftsanspruch bezüglich der Rechnungslegung[210] über den herauszugebenden Gewinn ausdrücklich normiert. Mit dem Urheberrechtsreformgesetz vom 7. Juli 2008[211] wurde der Passus mit diesem Anspruch beim Verletzergewinn gestrichen. Die Streichung bezweckt laut Regierungsentwurf[212] jedoch keine inhaltliche Änderung, da dieser Anspruch ganz allgemein für die Berechnung des Schadensersatzanspruchs im Urheberrecht und im gewerblichen Rechtsschutz gewohnheitsrechtlich anerkannt ist.[213]

---

204 BGH NJW 1990, 3151; *Rosenberg/Schwab/Gottwald*, ZPR, § 108 Rn. 8; *Baumbach/Lauterbach/Albers/Hartmann*, § 422 ZPO, Rn. 2.

205 BGH NJW 1990, 3151; BGH NJW 1999, 2887 f.; BGH NJW 2000, 1108 f.; *McGuire*, GRUR Int. 2005, 15 ff.; *Schack*, IPRax 1991, 347–350.

206 Neben den spezialgesetzlich normierten Auskunftsansprüchen bezüglich geistiger Schutzrechte gilt ergänzend § 242 BGB als Grundlage des akzessorischen Auskunftsanspruchs und des gewohnheitsrechtlichen Anspruchs auf Drittauskunft.

207 Urheberrechtsreformgesetz vom 7.7.2008 (BGBl. I S. 1191).

208 *Abel*, FS für Pagenberg, S. 225 ff.; *Schack*, Urheber- und Urhebervertragsrecht, S. 379 Rn. 788.

209 St. Rspr., BGH GRUR 1980, 227, 232 – *Monumenta Germaniae Historica*; BGHZ 95, 274, 278 f. – *GEMA-Vermutung I*.

210 Rechnungslegung erklärt sich aus § 259 BGB und bedeutet die Erteilung einer übersichtlichen in sich verständlichen Zusammenstellung der Einnahmen und Ausgaben.

211 Urheberrechtsreformgesetz vom 7.7.2008 (BGBl. I S. 1191).

212 Gesetzentwurf der Bundesregierung vom 26.1.2007, BR-Drucks. 64/07, S. 114 § 97.

213 *Ulmer*, Urheber- und Verlagsrecht, § 131 IV; Dem liegt der Rechtsgedanke aus § 666, § 681, § 687 Abs. 2 BGB zugrunde, dass der, der fremde Geschäfte besorgt, auf Verlangen über Stand und Ergebnis des Geschäfts Auskunft und Rechenschaft abzulegen hat. Die Rechtsprechung stützt den Anspruch auf § 259 BGB i.V.m. § 242 BGB für den

Voraussetzung für einen solchen verschuldensunabhängigen Auskunftsanspruch ist, dass zwischen den Beteiligten eine durch Vertrag oder auch durch unerlaubte Handlung begründete besondere rechtliche Beziehung besteht.[214] Der Anspruch darf aufgrund des Ausforschungsverbots nicht zu Nachforschungszwecken benutzt werden. Die Tatsache, dass es sich bei dem in Anspruch Genommenen um den Verletzer handelt, muss vielmehr schon feststehen.[215] Auch darf der Anspruch nicht zur Ausforschung von Kalkulationsinterna und Kundenbeziehungen benutzt werden.[216]

Gegenstand des Auskunftsanspruchs im Urheberrecht sind die streitgegenständlichen Verletzungsartikel.[217] Weiterhin ist zur Inhaltsbestimmung des Auskunftsanspruchs entsprechend § 242 BGB eine Interessenabwägung beider Parteien durchzuführen, unter besonderer Berücksichtigung der Zumutbarkeit des Anspruchs für den Auskunftsschuldner und des Schutzes von dessen Betriebs- und Geschäftsgeheimnissen.[218] Liegen die Anspruchsvoraussetzungen vor, so darf der Auskunftsberechtigte grundsätzlich alle Angaben verlangen, die für eine sachgerechte Rechtsverfolgung[219] und zur Schadensberechnung nach einer der drei möglichen Berechnungsarten (konkrete Schadensberechnung einschließlich des entgangenen Gewinns, entgangene angemessene Lizenzgebühr, Herausgabe des Verletzergewinns) erforderlich sind. Zweck des Auskunftsanspruchs ist es gerade, dem Verletzten die Auswahl der für ihn günstigsten Berechnungsart zu ermöglichen. Hierin liegen aber auch die Schranken des Anspruchs, so sind etwa die zur Schadensberechnung erforderlichen Grundlagen aufzuklären, nicht aber die Kundenbeziehungen eines Konkurrenten.[220]

---

Fall, dass der Verletzte in entschuldbarer Weise über das Bestehen oder den Umfang seines Rechts im Ungewissen ist und der Verpflichtete unschwer zur Aufklärung beitragen kann. So BGHZ 10, 385, 387; BGH GRUR 1980, 227, 232; verfassungsrechtlich bestätigt, in: BVerfG, GRUR 1997, 124.

214 *Schack*, Urheber- und Urhebervertragsrecht, S. 379 Rn. 788 f.; BGHZ 95, 274, 297; 95, 285, 288.

215 Dreier/Schulze-*Dreier*, § 97 Rn. 78.

216 Dreier/Schulze-*Dreier*, § 97 Rn. 78; Wandtke/Bullinger-*v. Wolf*, § 97 Rn. 47.

217 *Abel*, FS für Pagenberg, S. 222, 233, danach soll zur Bestimmung des Gegenstands der Auskunftserteilung nicht auf das Merkmal der konkreten Verletzungshandlung abzustellen sein, wie von der deutschen Rechtsprechung teilweise vertreten wurde, so vom 1. Senat des Bundesgerichtshofs in BGH 17.5.2001, GRUR 2001, 841, 844. Hingegen erklärt der X. Senat des BGH einen Auskunftsanspruch nur über das konkrete Umsatzgeschäft als beinahe ohne jeden Wert, da damit letztlich nur Auskunft über Verletzungshandlungen gegeben werde, die schon zuvor darlegbar waren, BGH 4.5.2004, GRUR 2004, 755, 756.

218 Dreier/Schulze-*Dreier*, § 97 Rn. 79.

219 Vgl. etwa BGH GRUR 1991, 153, 155 – *Pizza & Pasta*; GRUR 1977, 491, 493 f. – *Allstar*.

220 Wandtke/Bullinger-*v. Wolf*, § 97 Rn. 48.

(2) Auskunftsanspruch aus § 101 UrhG

Bereits vor Umsetzung der Enforcement-RL durch das Urheberrechtsreformgesetz[221] gab es einen sehr weiten verschuldensunabhängigen Auskunftsanspruch gegen den unmittelbaren Verletzer in § 101a UrhG a.F.[222] Zweck des § 101a UrhG a.F. war es, eine effektive Rechtsverfolgung bei einer Schutzrechtsverletzung zu ermöglichen[223] wie auch Vertriebswege und von Dritten begangene Urheberrechtsverletzungen aufzudecken.[224] Es wurde ein Auskunftsanspruch über die jeweilige Herkunft, die bezogene Menge und den Vertriebsweg von Vervielfältigungsstücken gewährt, der den allgemeinen Auskunftsanspruch aus § 242 im Umfang überstieg. Da die Norm aber die Erweiterung der Auskunftsansprüche des Verletzten bezweckte, blieben diese Auskunftsansprüche neben § 101a UrhG a.F. unberührt,[225] wie auch in § 101a Abs. 5 UrhG a.F. klargestellt wurde.[226]

Nach der Reform ist der Auskunftsanspruch in § 101 UrhG angesiedelt. Die Novellierung des Anspruchs bringt nicht nur eine Verlagerung der Norm mit sich, sondern gewährt erstmalig einen direkten Anspruch gegen Dritte, die nicht unmittelbare Verletzer sind, aber über wichtige Informationen über die Identität des Rechtsverletzers verfügen, wie beispielsweise ISP oder Spediteure. Von zentraler Bedeutung ist demnach die Feststellung, dass nun von der Norm zwei unterschiedliche Personengruppen von Passivlegitimierten angesprochen werden:[227] Dies sind einerseits die unmittelbaren Rechtsverletzer sowie die, deren Verantwortlichkeit sich aus ihrer Störerhaftung ergeben (§ 101 Abs. 1 UrhG) und andererseits Dritte, die ihrerseits weder eine Rechtsverletzung des geistigen Eigentums begangen haben noch i.S.d. Störerhaftung belangt werden können (§ 101 Abs. 2 UrhG).[228]

Der Inhalt der Auskunftspflicht erstreckt sich nach § 101 Abs. 3 UrhG u.a. auf Namen und Anschrift der Hersteller, Lieferanten und anderer Vorbesitzer sowie die Menge der rechtsverletzenden Vervielfältigungsstücke und auf die für die Vervielfältigungsstücke entrichteten Preise.[229] Eine Einschränkung erfährt der Anspruch

---

221 Urheberrechtsreformgesetz vom 7.7.2008 (BGBl. I S. 1191).

222 Eingeführt mit dem Produktpirateriegesetz vom 7.3.1990; BGBl. I S. 442.

223 Wandtke/Bullinger-*Bohne*, § 101 Rn. 2.

224 *Schack*, Urheber- und Urhebervertragsrecht, S. 379 Rn. 788 f.; Vgl. BT-Drucks. 11/4792, S. 15.

225 Wandtke/Bullinger-*Bohne*, § 101 Rn. 2.

226 Nunmehr wird einheitlich in § 102a UrhG geregelt, dass Ansprüche aus anderen gesetzlichen Vorschriften unberührt bleiben.

227 *Peukert/Kur*, GRUR Int. 2006, S. 296.

228 Ob die Störerhaftung unter § 101 Abs. 1 oder Abs. 2 UrhG fällt, ist umstritten: vgl. OLG Schleswig, Beschluss vom 5.2.2010, Az. 6 W 26/09; OLG Zweibrücken, Beschluss vom 27.10.2008, Az. 3 W 184/08; OLG Köln, Beschluss vom 21.10.2008, Az. 6 Wx 2/08.

229 *Spindler/Weber*, ZUM 2007, 261.

durch das in § 101 Abs. 4 UrhG vorgeschriebene Gebot der Verhältnismäßigkeit.[230] Da der Gesetzgeber schon durch Einführung des § 101a UrhG a.F. gezeigt hatte, dass er dem Interesse des Schutzrechtsinhabers auf Auskunftserteilung zur effektiven Rechtsverfolgung vor den Interessen des Verletzers den Vorrang gab, wird das Vorliegen der Unverhältnismäßigkeit eher eine seltene Ausnahme bleiben. Diese könnte etwa bei Missbräuchen zu Ausforschungszwecken vorliegen.[231] Neu ist außerdem die Einführung eines Schadensersatzanspuchs in § 101 Abs. 5 UrhG: Erteilt der zur Auskunft Verpflichtete die Auskunft vorsätzlich oder grob fahrlässig falsch oder unvollständig, so ist er dem Verletzten zum Ersatz des daraus entstehenden Schadens verpflichtet. Wer hingegen eine wahre Auskunft erteilt hat, ohne dazu verpflichtet gewesen zu sein, haftet gemäß § 101 Abs. 6 UrhG Dritten gegenüber nur, wenn er wusste, dass er zur Auskunftserteilung nicht verpflichtet war. Die beiden letztgenannten Ansprüche wurden nicht von der Richtlinie gefordert[232] und gehen damit auf den Willen des deutschen Gesetzgebers zurück. Des Weiteren wurde die Möglichkeit einer einstweiligen Verfügung in Fällen einer offensichtlichen Rechtsverletzung beibehalten, die nun in § 101 Abs. 7 UrhG geregelt ist. Ohne eine gesetzliche Normierung wäre eine einstweilige Verfügung nach §§ 935, 940 ZPO kaum möglich, da Auskunftserteilungen nicht vorläufig und damit rücknehmbar sind, sondern einen Vorgriff auf das Hauptsacheverfahren darstellen.

Daneben fällt auf, dass keine Rücksicht genommen wurde auf das legitime Interesse des Verpflichteten, seine Kundenbeziehungen vor Wettbewerbern nicht aufdecken zu müssen und zu diesem Zweck manche Angaben nur gegenüber einem zur Verschwiegenheit verpflichteten Wirtschaftsprüfer[233] machen zu müssen.[234] Beibehalten wurde das Zustimmungserfordernis des Verpflichteten für eine Verwertung der Auskunft in einem Strafverfahren oder Verfahren nach Ordnungswidrigkeitenrecht wegen einer vor der Erteilung der Auskunft begangenen Tat oder gegen einen in § 52 Abs. 1 StPO bezeichneten Angehörigen, das nun in § 101 Abs. 8 UrhG geregelt ist.

(3) Auskunftsanspruch gegen den Verletzer

Nach § 101 UrhG ist Voraussetzung für einen Anspruch auf Auskunft gegen den Verletzer, dass dieser widerrechtlich eine Schutzrechtsverletzung in gewerblichem

---

230 Das Gebot, die Verhältnismäßigkeit zu wahren, geht auch auf Art. 8 Abs. 1 Enforcement-RL zurück. Vor ihrer Umsetzung galt es bereits nach § 101a Abs. 2 UrhG a.F.

231 Wandtke/Bullinger-*Bohne*, § 101 Rn. 22; BGH MDR 1994, 1200 = GRUR 1994, 630, 633 – *Cartier-Armreif*; Möhring/Nicolini-*Lütje*, § 101a Rn. 8; Dreier/Schulze-*Dreier*, § 101a Rn. 8.

232 *Spindler/Weber*, ZUM 2007, 261.

233 Zum Wirtschaftsprüfervorbehalt: *Schricker/Wild*, § 97 UrhG Rn. 190.

234 Der Geheimnisschutz beschränkt sich auf den Anspruch auf Vorlage und Besichtigung aus dem neuen § 101a UrhG.

Ausmaß begeht. Die zuvor in § 101a UrhG a.F. genannten Tatalternativen der Herstellung und Verbreitung von Vervielfältigungsstücken wurden aufgehoben. Der Anspruch auf eine unverzügliche Auskunft über die Herkunft und den Vertriebsweg wird nach Änderung dieses Absatzes bei jedweder Art *rechtsverletzender* Vervielfältigungsstücke gewährt. Durch diese Modifikation stellt der Gesetzgeber klar, dass der Auskunftsanspruch bei allen Verletzungshandlungen eingreift, also nicht auf Fälle der Verletzung von körperlichen Verwertungsrechten beschränkt ist, sondern auch bei unkörperlichen Verletzungen im Online-Bereich anwendbar ist.[235] Auf diese Weise wurde der alte Streit entschieden, ob auch unkörperliche Vervielfältigungsstücke von der Norm erfasst werden[236] oder eine analoge Anwendung erforderlich ist.[237] Das Problem unkörperlicher Vervielfältigungsstücke erlangte aufgrund der hohen Zahl digitaler Vervielfältigungen große Bedeutung.

Neu ist außerdem das Erfordernis eines *gewerblichen Ausmaßes* der Verletzungshandlungen in § 101 UrhG, welches sich aus den Vorgaben des Art. 8 Enforcement-RL ergibt. Umstritten war der zur Erfüllung des Kriteriums der Gewerblichkeit erforderliche Umfang einer Handlung. In *Erwägungsgrund 14* der Richtlinie wird das gewerbliche Ausmaß damit definiert, dass *die Handlung zwecks Erlangung eines unmittelbaren oder mittelbaren wirtschaftlichen oder kommerziellen Vorteils vorgenommen wird.* Nach diesem Erwägungsgrund sollen Handlungen in gutem Glauben durch Endverbraucher in der Regel nicht erfasst sein. Dies impliziert jedoch nicht, dass bösgläubige private Nutzer immer in gewerblichem Ausmaß handeln. Eine Bagatellgrenze ist in jedem Fall zu beachten, denn dem Begriff der Gewerblichkeit wohnt eine gewisse Nachhaltigkeit inne.[238] In der Gesetzesbegründung wurde auf eine Handlung im geschäftlichen Verkehr[239] in der Regel geschlossen, wenn ihre Nutzung über das hinausgeht, was einer Nutzung zum privaten Gebrauch entspricht.[240] In der neuen Fassung des § 101 UrhG wird indessen in Abs. 1 Satz 2 vorgegeben, dass sich das gewerbliche Ausmaß sowohl aus der *Anzahl der Rechtsverletzungen* als auch aus der *Schwere der Rechtsverletzung* ergeben kann; dem Merkmal wohnt also sowohl ein quantitatives als auch ein qua-

---

235 Gesetzentwurf der Bundesregierung vom 26.1.2007, BR-Drucks. 64/07, S. 117 § 101; *Spindler/Weber*, ZUM 2007, 261.

236 Für eine direkte Anwendbarkeit ohne nähere Begründung: LG München, MMR 2004, 192, 193

237 Wandtke/Bullinger-*Bohne*, § 101 Rn. 7; *von Olenhusen/Crone*, WRP 2002, 164, 166.

238 *Raabe*, ZUM 2006, 440.

239 Dem Kriterium des „gewerblichen Ausmaßes“ wurde im Gesetzentwurf durch das Erfordernis des „geschäftlichen Verkehrs“ Rechnung getragen. „Denn wenn zur Förderung von Geschäftsinteressen gehandelt wird, ist dieses Handeln auf die Erlangung eines wirtschaftlichen Vorteils gerichtet“, Gesetzentwurf der Bundesregierung vom 20.4.2007, BT-Drucks. 16/5048, S. 44, zu § 19 MarkG; Gesetzentwurf der Bundesregierung vom 26.1.2007, BR-Drucks. 64/07, S. 117.

240 Gesetzentwurf der Bundesregierung vom 26.1.2007, BR-Drucks. 64/07, S. 117, zu § 101 UrhG.

litatives Element inne. Die genaue Auslegung des gewerblichen Ausmaßes hat der Gesetzgeber aber letztlich den Gerichten überlassen.[241] So verwundert es auch nicht, dass sich nur kurze Zeit nach Einführung des neuen Auskunftsanspruchs bereits mehrere Landgerichte mit der Begriffsbestimmung befasst haben.[242] Die Ausführungen sind zwar nicht deckungsgleich, lassen aber eine Tendenz zu einem engen Verständnis erkennen, wonach z.B. bereits bei der Veröffentlichung eines einzelnen aktuellen Musikalbums kurz nach Erscheinungstermin die Schwelle zu einer Begehung in gewerblichem Ausmaß überschritten sein kann.[243] Die Zivilgerichte zeigen mit diesen Urteilen deutlich, dass Internetpiraterie und die Betätigung in Tauschbörsen keine Bagatelle ist.

(4) Drittauskunftsanspruch aus § 101 Abs. 2 UrhG

Die Durchsetzung geistiger Eigentumsrechte bei der Bekämpfung der Online-Piraterie stößt bei der Kenntniserlangung der Identität des Verletzers auf Schwierigkeiten. Der Verletzte steht häufig in einer Dreiecksbeziehung (Verletzer – Ver-

---

241 *Raabe*, ZUM 2006, 442.

242 Bisher gibt es noch kein Urteil des BGH zu diesem Merkmal. Hervorzuheben ist, dass auch private Aktivitäten von dem Begriff erfasst werden können, wenn die Verletzungshandlung schwer genug ist; so etwa, wenn das Werk einen bedeutenden wirtschaftlichen Wert aufweist. Zudem ist die Bejahung des Kriteriums wahrscheinlicher, je näher die Verletzungshandlung an dem Veröffentlichungsdatum des Werkes liegt; so OLG Saarbrücken, MMR 2010, 214; OLG Frankfurt a.M., MMR 2009, 296; OLG Köln, GRUR-RR 2009, 9. So wurde beim illegalen Uploaden eines ganzen Musikalbums in seinem aktuellen Verkaufsstadium ein gewerbliches Ausmaß angenommen: OLG Köln, GRUR-RR 2009, 9; OLG Schleswig Urteil vom 5.2.2010, Az. 6 W 26/05. Dasselbe gilt für einen Kinofilm kurz nach seinem Filmstart in Deutschland: (OLG Saarbrücken, MMR 2010, 21) und für ein Hörbuch kurz nach seiner Veröffentlichung (LG Karlsruhe, GRUR-RR 2009, 379), ebenso für Software von bedeutendem wirtschaftlichen Wert (OLG Zweibrücken, GRUR-RR 2009, 377).

243 *Eine enge Auslegung befolgen:* LG Köln, Az. 6 O 325/08 – Bei Zugänglichmachung einer umfangreichen Datei unmittelbar nach Veröffentlichung des Tonträgers, damit Veröffentlichung eines einzigen Musikalbums ausreichend; LG Nürnberg, Az. 3 O 8013/08 – Bereitstellung eines Albums mit 13 Titeln; LG Oldenburg, Az. 5 O 2421/08 – Veröffentlichung eines Albums kurz nach Erscheinen (1 Woche nach offiziellem Erscheinungstermin), zudem sei bereits die einfache Nutzung einer Tauschbörse ein Indiz für die Überschreitung des privaten Gebrauchs, denn der private Bereich sei dadurch gekennzeichnet, dass nur ein überschaubarer, begrenzter Kreis von Kontaktpersonen angesprochen werde, was bei einer Tauschbörse nicht erfüllt sei; LG Bielefeld, Az. 4 O 350/08 und Az. 4 O 328/08 – Bei mehrmaligem (zweimaligem) Anbieten eines Albums; LG Frankfurt a.M., Az. 2-06 O 534/08 – Ein Album kurz nach oder vor Veröffentlichung; LG Köln, Az. 28 OH 8/08 – Mehrere Kriterien, jedenfalls aber wenn ein gefragtes Album kurz nach Erscheinen angeboten wird; LG Köln, Az. 28 AR 6/08 – Angebot eines einzelnen Albums, das zwar älter ist, aber zu den meistverkauften zählt; OLG Köln, Az. 6 Wx 2/08 – Einzelnes aktuelles Album.

*Hingegen für eine weite Auslegung des Begriffs:* LG Frankenthal, Az. 6 O 325/08 –3000 Lieder oder 200 Filme, nicht aber ein ca. drei Monate früher erschienenes Videospiel; LG Darmstadt, Az. 9 Qs 490/08 – Enge Auslegung, jedenfalls bei 620 Liedern.

mittler/Provider – Berechtigter/Verletzter), durch die ihm ein Durchgriff auf den Rechtsverletzer erschwert wird. Die Komplexität wird außerdem dadurch gesteigert, dass in diesem Bereich nicht nur die Regeln des Immaterialgüterrechts, sondern auch das Datenschutz- und Telekommunikationsrecht zu beachten sind. § 101a UrhG a.F. gewährte einen weit über den gewohnheitsrechtlich anerkannten allgemeinen Auskunftsanspruch hinausgehenden Anspruch, der auch Auskünfte *über* Dritte zuließ.[244] Große Uneinigkeit bestand darüber, ob diese Norm auch einen unmittelbaren Drittauskunftsanspruch,[245] insbesondere gegen ISP, gewährte. Dieser Streit wurde mit Umsetzung der Enforcement-RL, die in den in Art. 8 Abs. 1 lit. a–d genannten Fällen den Auskunftsanspruch auch auf nichtverletzende Dritte erstreckt, aufgelöst. Erstmalig gibt es in Art. 101 Abs. 2 UrhG einen normierten Auskunftsanspruch gegen nichtverletzende Dritte. Damit soll dem Rechtsinhaber eine Ermittlung des Rechtsverletzers ermöglicht werden.[246]

So ist ein Auskunftsanspruch gegen einen unbeteiligten Dritten in Fällen der Klageerhebung gegen den Verletzer oder bei offensichtlicher Rechtsverletzung begründet, wenn der Dritte in gewerblichem Ausmaß die Voraussetzungen des § 101 Abs. 2 Satz 1 Nr. 1–4 UrhG erfüllt. Mit dem Erfordernis des Handelns in gewerblichem Ausmaß wird auch hier dem Erwägungsgrund 14 der Richtlinie Rechnung getragen. Das von der Rechtsprechung entwickelte sogenannte *doppelte Gewerbsmäßigkeitserfordernis*, das sich zum einen auf die Rechtsverletzung und zum anderen auch auf die Mitwirkungshandlung des Dritten bezieht, steht der Enforcement-RL nicht entgegen.[247] Außerdem soll der Anspruch gegen Dritte nur in zwei Konstellationen bestehen; dies sind zum einen, wie bereits erwähnt, Fälle, in denen der Verletzte gegen den Verletzer Klage erhoben hat, zum anderen Fälle offensichtlicher Rechtsverletzung.[248] Klageerhebung des Verletzten gegen den Verletzer setzt voraus, dass der Rechtsinhaber Letzteren bereits *in persona* kennt. Durch Erhebung der Klage macht er deutlich, dass er die Rechtsverletzung auch tatsächlich verfolgen will und das Auskunftsbegehren nicht hauptsächlich anderen

---

244 Wandtke/Bullinger-*Bohne*, § 101 Rn. 2; *Schack*, Urheber- und Urhebervertragsrecht, S. 379 Rn. 788 f.; Vgl. BT-Drucks. 11/4792, S. 15.

245 Für einen Drittauskunftsanspruch aus § 101a UrhG etwa: *Nordemann/Dustmann*, CR 2004, 380 ff; *Czychowski*, MMR 2004, 514 ff.; Dagegen: *Sieber/Höfinger*, MMR 2004, 575 ff; *Spindler/Dorschel*, CR 2005, 38 ff; Bundesministerium für Justiz, Fragen zur weiteren Reform des Urheberrechts in der Informationsgesellschaft („Zweiter Korb"). Für eine analoge Anwendung des § 101a UrhG: *Dustmann*, Die privilegierten Provider, S. 171; *Czychowski*, MMR 2004, 516 f.; LG Hamburg, Urteil vom 7.7.2004; *Nordemann/ Dustmann*, CR 2004, 380 ff.

246 Gesetzentwurf der Bundesregierung vom 26.1.2007, BR-Drucks. 64/07, S. 118 § 101.

247 *Spindler/Weber*, ZUM 2007, 262 f.; danach ist aus dem Wortlaut des Erwägungsgrundes, der sich auf „acts carried out" bezieht und somit einen neutraleren Terminus als die vom deutschen Gesetzgeber gewählte „Rechtsverletzung" gebraucht, nicht erwiesen, dass sich das Erfordernis lediglich auf die Tätigkeit des Auskunftspflichtigen bezieht.

248 Dies wurde dem von Art. 8 Enforcement-RL vorgesehenen „Zusammenhang mit einem Verfahren wegen Verletzung eines Rechts des geistigen Eigentums" entnommen.

Zielen dient.[249] Die zweite Alternative soll als einschränkendes Merkmal dienen und den Dritten von der Prüfung des Vorliegens einer Rechtsverletzung entlasten. Denn von einer offensichtlichen Rechtsverletzung ist erst auszugehen, wenn diese so eindeutig ist, dass eine ungerechtfertigte Belastung des Dritten ausgeschlossen erscheint.[250] Gleichzeitig trägt das Erfordernis einer offensichtlichen Rechtsverletzung dem berechtigten Interesse des Rechtsinhabers Rechnung, den Verletzer überhaupt erst zu ermitteln.[251] Zusätzlich ist bezüglich des geforderten Verfahrenszusammenhangs des Anspruchs hervorzuheben, dass dieses Erfordernis nicht für den Fall einer offensichtlichen Rechtsverletzung gelten kann.[252] Andernfalls würde ein solcher Drittauskunftsanspruch zu einem bloßen Annex in einem Verfahren gegen einen verklagten, namentlich bekannten Rechtsverletzer herabgestuft. Der Zweck der Norm, eine Erleichterung der Verfolgung von Internet-Piraterie herbeizuführen, würde jedoch vereitelt, wenn nur gegen bereits individualisierte Verletzer vorgegangen werden könnte.[253]

Schließlich wird in § 101 Abs. 9, 10 UrhG datenschutzrechtlichen Bedenken, die bei einer Auskunftserteilung über die Identität eines urheberrechtswidrig handelnden Nutzers, insbesondere im Internet, bestehen, durch Achtung des Fernmeldegeheimnisses Rechnung getragen. Kann die Auskunft über Bestandsdaten von Nutzern nur unter Verwendung von Verkehrsdaten[254] erteilt werden, so ist eine richterliche Anordnung über die Zulässigkeit der Verwendung dieser Daten erforderlich. Das Fernmeldegeheimnis nach Art. 10 GG ist demnach mit Richtervorbehalt einschränkbar. Ein allgemeiner Richtervorbehalt[255] wurde im Regierungsentwurf als ein dem deutschen Zivilprozess fremdes Institut, das die Gerichte in hohem Maße belasten und dem Verletzten zusätzlich hohe Kosten aufbürden würde, abgelehnt.[256]

---

249 *Lettl*, Urheberrecht, S. 291 § 93.

250 *Raabe*, ZUM 2006, 442.

251 *Lettl*, Urheberrecht, S. 291 § 94. In dem Erfordernis einer offensichtlichen Rechtsverletzung wurde von Verbänden die Einführung eines materiellen Kriteriums gesehen, das erheblichen Interpretationsspielraum und letztendlich ein Bewertungsspielraum zulasten des Dritten mit sich bringen könnte, so *Raabe*, ZUM 2006, 441.

252 Der Regierungsentwurf stellt etwas missverständlich fest, dass die Fälle offensichtlicher Rechtsverletzung wegen des Verfahrenszusammenhangs weiter gehen sollen, als die Richtlinie es fordert, Gesetzentwurf der Bundesregierung vom 20.4.2007, BT-Drucks. 16/5048, S. 56.

253 *Spindler/Weber*, ZUM 2007, 262; *Haedicke*, FS für Schricker, 2005, S. 19, 28.

254 Verkehrsdaten sind gemäß § 3 Nr. 30 des Telekommunikationsgesetzes Daten, die bei der Erbringung eines Telekommunikationsdienstes erhoben, verarbeitet oder genutzt werden. Dazu zählen insbesondere dynamisch vergebene und somit nur vorübergehend gespeicherte IP-Adressen.

255 Wie er etwa von *Peukert/Kur*, GRUR Int. 2006, 297, bei der Auskunftspflicht unbeteiligter Dritter gefordert wurde, um deren Verfahrens- und sonstigen Grundrechte zu schützen.

256 Gesetzentwurf der Bundesregierung vom 20.4.2007, BT-Drucks. 16/5048, S. 55.

Die für die Teilnehmeridentifikation erforderlichen Daten werden gemeinhin als personenbezogene Daten i.S.d. § 3 Abs. 1 Bundesdatenschutzgesetz (BDSG) eingeordnet,[257] womit sie den bereichsspezifischen Datenschutzregeln des Telediensterechts, des Telekommunikationsrechts sowie subsidiär dem Bundesdatenschutzgesetz unterfallen. Ein datenschutzrechtlicher Erlaubnistatbestand für den Bereich der Telemedien findet sich jetzt in § 14 Abs. 2 Telemediengesetz (TMG), der im Gegensatz zu Art. 101 Abs. 2 UrhG allerdings regelmäßig eine richterliche Anordnung zur Auskunftserteilung vorsieht.[258] Klarheit fehlt hingegen im Bereich der Telekommunikation; insbesondere nach der Erweiterung des § 96 Abs. 2 Telekommunikationsgesetz (TKG) („für die durch andere gesetzliche Vorschriften begründete Zwecke") durch das TKG-Änderungsgesetz[259] besteht Unsicherheit, ob dies auch eine datenschutzrechtliche Öffnungsklausel zur Verwendung von Verkehrsdaten durch Access Provider für zivilrechtliche Auskunftsansprüche darstellt.[260]

Bis vor Kurzem fehlte sowohl im Teledienstedatenschutzgesetz (TDDSG) als auch im Telekommunikationsgesetz ein Erlaubnistatbestand, der die Herausgabe von Nutzerdaten rechtfertigen würde, gänzlich.[261] Während aber von einigen Autoren aufgrund des Fehlens einer Regelung der Weitergabe von Daten Dritter im TDDSG die Anwendbarkeit des BDSG befürworteten und damit eine Datenauskunft nach § 28 Abs. 3 Nr. 1 BDSG für möglich hielten,[262] sahen andere bei Eröffnung des Anwendungsbereichs der spezielleren und enger gefassten TKG und TDDSG keine Möglichkeit, auf das subsidiäre und weiter gefasste BDSG zurückgreifen zu können.[263] Daher bestehe aufgrund des Fehlens einer entsprechenden Regelung eine Auskunftsverpflichtung nach derzeitigem Recht nur gegenüber den Strafverfolgungsbehörden.[264]

---

257 LG Hamburg, Urteil vom 7.7.2004; *Nordemann/Dustmann*, CR 2004, 386; *Czychowski*, MMR 2004, 517; *Sieber/Höfinger*, MMR 2004, 581.

258 *Spindler/Weber*, ZUM 2007, 261; *Spindler/Dorschel*, CR 2006, 341, 343.

259 Gesetz zur Änderung telekommunikationsrechtlicher Vorschriften vom 18.2.2007, BGBl. I, 2007, S. 106.

260 *Spindler/Weber*, ZUM 2007, 261.

261 *Spindler/Dorschel*, CR 2005, 44 f.; *Czychowski*, MMR 2004, 517 f.; *Nordemann/Dustmann*, CR 2004, 386 f.

262 *Czychowski*, MMR 2004, 518; LG Hamburg, Urteil vom 7.7.2004; *Nordemann/Dustmann*, CR 2004, 387.

263 *Spindler/Dorschel*, CR 2005, 45; *Sieber/Höfinger*, MMR 2004, 583; *Schaar*, Datenschutz im Internet, Rn. 372.

264 *Sieber/Höfinger*, MMR 2004, 585; so auch das Bundesjustizministerium in „Fragen zur weiteren Reform des Urheberrechts in der Informationsgesellschaft („Zweiter Korb"); so können Strafverfolgungsbehörden von den Zugangsanbietern die Offenlegung relevanter Informationen, mithin die Identität eines Nutzers verlangen (bei entsprechenden Eingriffen in das Fernmeldegeheimnis im Strafrecht gemäß §§ 100a, 100b und §§ 100g, 100h StPO, es sind dabei aber rechtsstaatliche Sicherungen wie eine gerichtliche Entscheidung und ein bestimmter Verdachtsgrad erforderlich).

Letztlich kann bezüglich der Rechte des Dritten noch angemerkt werden, dass die Verpflichtung zur Drittauskunft nach § 101 Abs. 2 Satz 1 a.E. UrhG nicht gilt, wenn dem Dritten als Zeuge ein Zeugnisverweigerungsrecht nach §§ 383–385 ZPO zustehen würde. Dadurch soll er nicht schlechter gestellt sein als ein Zeuge, der wegen desselben Sachverhalts in dem Gerichtsverfahren geladen wurde. Außerdem muss er die Auskunft nicht auf eigene Kosten erteilen, sondern kann von dem verletzten Rechtsinhaber gemäß § 101 Abs. 2 Satz 3 UrhG den Ersatz der für die Auskunftserteilung erforderlichen Aufwendungen verlangen. Dieser Aufwendungsersatz rechtfertigt sich damit, dass der Dritte als unbeteiligte Person Auskunft erteilen muss.[265] Am Ende werden diese Kosten aber vom Rechtsverletzer zu tragen sein. Der Rechtsinhaber kann diese als Schaden geltend machen.[266]

#### bb) Vorlage- und Besichtigungsanspruch (§ 101a UrhG)

Hegt der Rechtsinhaber den Verdacht, dass seine digitalen Werke ohne sein Einverständnis kopiert werden bzw. in ein dem Schein nach neues Produkt eingeflossen sind, so stellt sich häufig das Problem der Beweisführung. Ein Besichtigungsanspruch, der bisher auf § 809 BGB gestützt wurde, sowie ggf. ein Antrag auf Vorlage nach § 142 ZPO bzw. der Inaugenscheinnahme durch den Sachverständigen nach § 144 ZPO vermochten einem Teil der Schwierigkeiten Abhilfe zu verschaffen. Zur Umsetzung von Art. 6 Enforcement-RL wurde § 101a UrhG geschaffen, da die bis dahin vorhandenen Bestimmungen der ZPO als Ermessensvorschriften nicht durchsetzbar waren und damit den Anforderungen der Richtlinie nicht genügten.[267] Auch bezüglich § 809 BGB, der die Durchsetzung von Vorlageansprüchen auf materiellrechtlicher Ebene ermöglicht, bestand Umsetzungsbedarf. Denn die Unterschiede in den zu § 809 BGB ergangenen höchstrichterlichen Urteile haben zu keiner gefestigten Rechtsprechung geführt.[268]

Da er ein Produkt der Enforcement-RL ist, erscheint es ratsam, zur Bewertung des § 101a UrhG zunächst auf die diesbezüglichen Vorschriften der Richtlinie zu schauen. Letztere sieht in ihrem zweiten Abschnitt zwei Vorschriften zu „Beweisen“ vor. Der Vorlageanspruch ist in Art. 6 geregelt. Hier fehlen Hinweise darauf, dass der Anspruch im Wege des einstweiligen Verfahrens ermöglicht werden muss. Art. 7 ist hingegen der Beweissicherung gewidmet, wie sich aus Überschrift und Wortlaut des Artikels ergibt. Es geht also um die Sicherstellung von Gegenständen,

---

265 *Lettl*, Urheberrecht, S. 291 Rn. 98.

266 *Raabe*, ZUM 2006, 443.

267 *Frank/Wiegand*, CR 2007, 484.

268 BGH MDR 1985, 579 = CR 1985, 77 = GRUR 1985, 512 – *Druckbalken*, darin wird auf der Grundlage von § 242 BGB der Vorlageanspruch aus Erwägungen zur Verhältnismäßigkeit und zu Geheimhaltungsinteressen im Bereich des Patentrechts erheblich eingeschränkt. Im Bereich des Urheber- und Wettbewerbsrechts hat der BGH in der Entscheidung *Faxkarte* diese Einschränkungen hingegen zurückgenommen, GRUR 2002, 1045.

die für die spätere Beweisführung von Bedeutung sind. Der sichernde Zweck ergibt sich auch aus Art. 7 Abs. 1 Satz 3 der Norm, wonach derartige Maßnahmen ohne Anhörung nur getroffen werden dürfen, wenn wahrscheinlich ein nicht wiedergutzumachender Schaden entstünde oder wenn nachweislich die Gefahr der Vernichtung von Beweisen besteht. Ein einstweiliges Verfahren ist also von der Richtlinie nach Maßgabe von Art. 7 Abs. 1 Satz 1 nur zur Sicherung von Beweisen vorgesehen. Auffällig ist, dass § 101a UrhG hingegen beide Ansprüche in einer Vorschrift vereint und auch den Vorlageanspruch im Wege der einstweiligen Verfügung gewährt, was die Verpflichtungen aus der Richtlinie übersteigt.[269] In Übereinstimmung mit der Richtlinie wurde außerdem der Grad der Verletzungswahrscheinlichkeit von bisher einer *gewissen Wahrscheinlichkeit* an eine *hinreichende Wahrscheinlichkeit* einer Rechtsverletzung angepasst. Mit der Änderung des Wortlauts soll aber nach der Gesetzesbegründung keine Erhöhung der Anspruchsvoraussetzungen verbunden sein.[270]

Nach Abs. 1 Satz 1 § 101a UrhG kann derjenige, der mit hinreichender Wahrscheinlichkeit ein Recht des geistigen Eigentums verletzt, von dem Rechtsinhaber oder einem anderen Berechtigten auf Vorlage einer Urkunde oder Besichtigung einer Sache, die sich in seiner Verfügungsgewalt befindet, in Anspruch genommen werden, wenn dies zur Begründung von dessen Ansprüchen erforderlich ist. In § 101a Abs. 1 Satz 2 wird hinzugefügt, dass sich der Anspruch auch auf die Vorlage von Bank-, Finanz- oder Handelsunterlagen erstreckt, sofern die hinreichende Wahrscheinlichkeit an einer in gewerblichem Ausmaß begangenen Rechtsverletzung besteht. Der dritte Satz sieht sodann vor, dass soweit der vermutliche Verletzer die Vertraulichkeit der Informationen geltend macht, das Gericht die erforderlichen Maßnahmen trifft, um den im Einzelfall gebotenen Schutz zu gewährleisten. Im zweiten Absatz wird als Ausschlussgrund für den Anspruch die Unverhältnismäßigkeit der Inanspruchnahme festgelegt. Abs. 3 besagt, dass die Verpflichtung zur Vorlage einer Urkunde oder zur Duldung der Besichtigung einer Sache im Wege der einstweiligen Verfügung nach den §§ 935–945 ZPO angeordnet werden kann. Auch hier wird das Gericht ermächtigt, die erforderlichen Maßnahmen zu treffen, um den Schutz vertraulicher Informationen zu gewährleisten, so insbesondere in den Fällen einer einstweiligen Verfügung ohne vorausgegangene Anhörung des Gegners. In Abs. 4 wird auf § 811 BGB sowie auf § 101 Abs. 8 UrhG verwiesen, der eine Verwertung der erworbenen Erkenntnisse im Strafverfahren nur mit Zustimmung des Verpflichteten vorsieht. Neu ist weiterhin der Schadensersatz-

---

[269] *Peukert/Kur*, GRUR Int. 2006, 300 f.; hier wird die überschießende Umsetzung wegen schwerer Verstöße gegen deutsche Rechtsgrundsätze wie das Verbot der Vorwegnahme der Hauptsache und der fehlenden Verpflichtung des Beklagten, an der Beweisermittlung mitzuwirken, kritisiert.

[270] Gesetzentwurf der Bundesregierung vom 20.4.2007, BT-Drucks. 16/5048, S. 27, verweist ausdrücklich darauf, dass die neue Rechtslage der Rechtsprechung des BGH (Entscheidung *Faxkarte*) entspricht.

anspruch nach § 101a Abs. 5 UrhG für ungerechtfertigte Beweisermittlung. Dieser Anspruch stärkt die Rechte des Besichtigungsschuldners, der den Ersatz des durch das Begehren entstandenen Schadens verlangen kann. Bemerkenswert ist, dass der Anspruch immer dann gegeben ist wenn sich im Nachhinein herausstellt, dass tatsächlich keine Verletzung vorlag oder drohte. Das Bestehen oder Nichtbestehen eines Besichtigungsanspruchs, was nach bisherigem Recht für die Geltendmachung eines Schadensersatzanspruchs nach § 945 ZPO zu beurteilen war, ist jetzt unerheblich.[271]

Ein vieldiskutiertes Problem ergibt sich außerdem aus den erweiterten Zugriffsmöglichkeiten des Rechtsinhabers bezüglich des Geheimnisschutzes[272] von Betriebs- und Geschäftsgeheimnissen. Vor Einführung des neuen § 101a UrhG wurde von manchen Autoren festgestellt, dass gerade bezüglich des verfahrensrechtlichen Geheimnisschutzes Handlungsbedarf des Gesetzgebers bestehe.[273] Eine ausreichend bestimmte gesetzliche Grundlage müsse geschaffen werden, um das Konfliktverhältnis zwischen dem Betriebs- und Geschäftsgeheimnis aus Art. 12 bzw. 14 Abs. 1 GG und dem Anspruch auf rechtliches Gehör aus Art. 103 Abs. 1 GG zu lösen.[274] Der Gesetzgeber ist diesem Verlangen nicht nachgekommen. Normiert wurde lediglich,[275] dass das Gericht die erforderlichen Maßnahmen trifft, um den im Einzelfall gebotenen Schutz zu gewährleisten.[276] Zu bemängeln ist des Weiteren, dass sich weder in der Richtlinie noch in dem neuen Urheberrechtsgesetz eine Regelung der Konsequenzen für den Fall der nachfolgenden Aufhebung der Ent-

---

271 *Frank/Wiegand*, CR 2007, 485.

272 Als schützenswerte Geheimnisse kommen etwa besondere Verfahren, die Konstruktions- und Funktionsweise eingesetzter Maschinen, der Quellcode von vertriebener Computersoftware oder auch nur besondere betriebsinterne Arbeitsabläufe in Betracht, *Spindler/Weber*, MMR 2006, 711.

273 *Peukert/Kur*, GRUR Int. 2006, 302; *Spindler/Weber*, MMR 2006, 711.

274 So wird beispielsweise die Einführung eines Geheimverfahrens vorgeschlagen, in Anlehnung an den Geheimnisschutz beim materiell-rechtlichen Besichtigungsanspruch durch Einsatz eines Sachverständigen. Dies wurde allerdings vom BGH wegen Verstoß gegen das Gebot rechtlichen Gehörs und einer unzulässigen Verkürzung der Aufgaben des Gerichts für verfahrenswidrig erklärt, BGHZ 116, 47 = NJW 1992, 1817. Daneben wurde auch ein kameralistisches Verfahren unter Ausschluss einer oder beider Parteien von sensiblen Prozesspunkten vorgeschlagen, *Spindler/Weber*, MMR 2006, 712. Zur Zulässigkeit eines solchen Verfahrens hat sich der BGH bisher noch nicht geäußert.

275 Siehe § 101a Abs. 1 Satz 3, Abs. 3 Satz 2 UrhG.

276 Mit Blick auf andere Rechtsordnungen wäre es wünschenswert gewesen, dass der Gesetzgeber einen rechtlichen Rahmen geschaffen hätte, der den Schutz der Vertraulichkeit gewährleistete und somit den Interessen aller Beteiligten Rechnung trüge. So sehen sowohl das englische als auch das französische Recht mit ihren jedenfalls zum Teil verwandten Beweissicherungs- und -vorlageansprüchen rechtliche Mechanismen zum Schutz der Vertraulichkeit vor, *Peukert/Kur*, GRUR Int. 2006, 302.

scheidung findet. Wie der Besichtigungsgläubiger mit den erlangten geheimen Informationen zu verfahren hat, bleibt damit offen.[277]

#### cc) Vorlage und Zugang zur Sicherung von Schadensersatzansprüchen (§ 101b UrhG)

§ 101b UrhG wurde in Umsetzung von Art. 9 Abs. 2 Satz 2 der Enforcement-RL eingeführt und bezweckt die Sicherung von Schadensersatzansprüchen des Verletzten. Demgemäß kann der Verletzte bei einer in gewerblichem Ausmaß begangenen Rechtsverletzung nach § 97 Abs. 2 UrhG den Verletzer auch auf Vorlage von Bank-, Finanz- oder Handelsunterlagen oder einen geeigneten Zugang zu den entsprechenden Unterlagen in Anspruch nehmen. Voraussetzung dafür ist neben dem Erfordernis eines Schadensersatzanspruchs gegen den Verletzer (1), dass sich die Unterlagen in der Verfügungsgewalt des Verletzers befinden (2), sie für die Durchsetzung des Schadensersatzanspruchs erforderlich sind (3) und ohne ihre Vorlage die Durchsetzung des Schadensersatzanspruchs fraglich ist. Im Übrigen – bezüglich des Schutzes vertraulicher Informationen, der Verhältnismäßigkeit der Inanspruchnahme und der Möglichkeit einer einstweiligen Verfügung ist er den Vorschriften zur Beweisermittlung nach § 101a UrhG nachgebildet.

#### dd) Auskunftsanspruch der Zollbeschlagnahme (§ 111b Abs. 2 Satz 2 UrhG)

Im Fall einer Grenzbeschlagnahme durch die Zollbehörde[278] steht dem Rechtsinhaber ein zusätzlicher Auskunftsanspruch nach § 111b Abs. 2 Satz 2 UrhG zu. Ordnet die Zollbehörde die Beschlagnahme auf Antrag des verletzten Schutzrechtsinhabers an, so sind diesem Herkunft, Menge und Lagerort der Vervielfältigungsstücke sowie Name und Anschrift des Verfügungsberechtigten mitzuteilen. Sollte sich die Beschlagnahme jedoch als unberechtigt erweisen, trifft den Antragsteller wie in § 945 ZPO ein beträchtliches Haftungsrisiko, welches nach § 111b Abs. 5 UrhG eine Schadensersatzpflicht begründet.

### 2. Schutz des digitalen Werks in anderen gesetzlichen Vorschriften

Neben dem sondergesetzlichen Schutz durch die §§ 97 ff. UrhG gewährt § 97 Abs. 3 UrhG ergänzend Ansprüche aus anderen gesetzlichen Vorschriften. Zu denken ist dabei zunächst an den Schutz durch § 823 Abs. 1 und § 1004 BGB. Wie

---

277 Von Teilen der Literatur wurde aus Gründen der Chancengleichheit daher gefordert, dem Besichtigungsgläubiger ein Informationsverwertungsverbot aufzuerlegen, welches vom Besichtigungsschuldner im Wege der einstweiligen Verfügung durchgesetzt werden kann; *Frank/Wiegand*, CR 2007, 485, und auch *Tilmann*, GRUR 2005, 737, 739.

278 Für nähere Ausführungen siehe unten Dritter Teil, III.E.

bereits erwähnt[279] ist ihr Verhältnis zu § 97 UrhG ohne praktisches Interesse, da insoweit keine Schutzunterschiede bestehen, insbesondere gelten die gleichen Verjährungsfristen.[280] Wichtig ist aber, dass der Sonderrechtsschutz des Immaterialgüterrechts entscheidend für die Geltendmachung der Ansprüche ist. Wo er nicht mehr besteht, kann er auch nicht über den Umweg von § 823 I BGB erreicht werden.[281]

Daneben zielen ebenso wie § 97 Abs. 1 Satz 2 UrhG § 687 Abs. 2, § 681 und § 667 BGB auf die Herausgabe des Verletzergewinns. Für diesen Anspruch aus Geschäftsführung ohne Auftrag ist ein vorsätzliches Handeln Voraussetzung. Daher wird dieser Anspruch erst nach Ablauf der dreijährigen Verjährungsfrist des § 102 UrhG interessant.

Aus mehreren Gründen attraktiv erscheint der Bereicherungsanspruch. Nicht nur die längere Verjährungsfrist ist von praktischer Relevanz – so gilt hier eine zehnjährige und nicht die regelmäßige Verjährungsfrist von drei Jahren gemäß § 102 UrhG i.V.m. § 852 BGB –, es wird auch kein Verschulden vorausgesetzt, da mit der Eingriffskondiktion nach § 812 Abs. 1 Satz 1 1. Alt BGB kein Schaden ersetzt, sondern die verbliebene Bereicherung abgeschöpft werden soll. Bereicherungsgegenstand ist der Gebrauch des Immaterialgutes aufgrund des Eingriffs in die dem Rechtsinhaber vorbehaltene ausschließliche Benutzungsbefugnis.[282] Der Verletzer muss, da es unmöglich ist, die gezogenen Gebrauchsvorteile herauszugeben, deren Wert ersetzen.[283] Die objektive Wertbestimmung eines solchen Gebrauchs wird durch die Höhe einer angemessenen Lizenz errechnet.[284] Es kann also über das Bereicherungsrecht nicht die Herausgabe des Verletzergewinns verlangt werden.

### 3. Schutz technischer Maßnahmen durch das Urheberrecht

Mit dem Gesetz zur Regelung des Urheberrechts in der Informationsgesellschaft vom 10. September 2003 wurde erstmals der urheberrechtliche Schutz, der bislang nur für Werke i.S.d. § 2 UrhG und ihre Darbietungen bzw. bestimmten Vermittlungsleistungen galt, auf technische Maßnahmen ausgedehnt.[285] Die §§ 95a–95c UrhG setzen damit Art. 6 und 7 der Richtlinie 2001/29/EG um, die ihrerseits auf den allgemeiner gehaltenen Verpflichtungen der WIPO-Abkommen[286] beruhen.

---

279 Vgl. Dritter Teil, III.A.1.b)aa).

280 Vgl. § 852 BGB mit § 102 UrhG.

281 *Schack*, Urheber- und Urhebervertragsrecht, S. 386 Rn. 805.

282 *Schack*, Urheber- und Urhebervertragsrecht, S. 387 Rn. 808.

283 Nach § 818 Abs. 2 BGB.

284 BGHZ 82, 299, 308.

285 Nach § 69a Abs. 5 finden die §§ 95a–c UrhG keine Anwendung auf Computerprogramme.

286 Genau: Art. 11 WCT und Art. 18 WPPT.

Hinzu tritt § 95d UrhG, der eine Kennzeichnungspflicht für durch technische Maßnahmen geschützte Werke und andere Schutzgegenstände vorsieht. Die Notwendigkeit eines rechtlichen Schutzes technischer Maßnahmen ergibt sich aus der zunehmend erschwerten Rechtsdurchsetzung im Zeitalter von Digitalisierung und Internet, die die Rechtsinhaber dazu zwingt, sich durch den Einsatz technischer Mittel selbst zu schützen. Da es bisher keine unüberwindbaren technischen Maßnahmen gibt, ist für die Gewährleistung der Effektivität der Selbsthilfe ein gesetzliches Umgehungsverbot erforderlich.[287] Trotz der Notwendigkeit eines rechtlichen Schutzes kann nicht geleugnet werden, dass der Schutz technischer Maßnahmen ein Fremdkörper im Urheberrechtsgesetz ist, nicht nur weil der Gesetzgeber von dem eigentlich geschützten Rechtsgut, dem Werk, abrückt, sondern insbesondere weil dies zu Widersprüchlichkeiten in Bezug auf die urheberrechtlichen Schrankenregelungen der §§ 45 ff. UrhG führt.[288]

#### *a) Verbot der Umgehung von Kopierschutzvorrichtungen*

§ 95a Abs. 1 UrhG verbietet die vorsätzliche Umgehung wirksamer technischer Maßnahmen, um Zugang zu dem Werk zu erhalten, soweit die Umgehung ohne Zustimmung des Rechtsinhabers erfolgt.[289] Nach der Legaldefinition des § 95a Abs. 2 UrhG sind technische Maßnahmen Technologien, Vorrichtungen und Bestandteile, die im normalen Betrieb dazu bestimmt sind, bestimmte Verwertungshandlungen, insbesondere das Kopieren von urheberrechtlich geschützten Werken oder anderen Schutzgegenständen des Urheberrechtsgesetzes, zu verhindern. Geschützt sind Gegenstände von Leistungsschutzrechten und alle Werke, nicht aber Computerprogramme. Die spezifischen Regelungen für Computerprogramme bleiben wegen des in § 69a UrhG bereits gesondert geregelten Umgehungsschutzes unberührt.[290] Technische Schutzmaßnahmen werden unabhängig von der verwendeten Technologie geschützt, es werden also gleichermaßen auf Hardware und auf Software beruhende technische Schutzmaßnahmen erfasst.[291] In den Schutzbereich fallen nur wirksame Maßnahmen. Hinsichtlich der Wirksamkeit wird darauf abgestellt, dass es eine Zugangskontrolle, einen Schutzmechanismus wie Verschlüsse-

---

[287] *Rigamonti*, GRUR Int. 2005, 2.

[288] Kritisch gegenüber der Aufnahme von technischen Maßnahmen als Schutzgut in das UrhG und den Auswirkungen des Einsatzes von DRM-Systemen: *Schack*, Urheber- und Urhebervertragsrecht, S. 401 Rn. 838.

[289] Nach Auffassung des OLG München verletzt die Beschränkung der Zulässigkeit digitaler Privatkopien durch das Verbot der Umgehung wirksamer technischer Schutzmaßnahmen in § 95a UrhG nicht das Eigentumsgrundrecht an einer Kopiervorlage; sondern ist vielmehr eine wirksame Inhalts- und Schrankenbestimmung i.S.d. Art. 14 Abs. 1 Satz 2 GG, vgl. OLG München, Urteil vom 23.10.2008, Az. 29 U 5696/07.

[290] Wandtke/Bullinger-*Wandtke/Ohst*, § 95a Rn. 5, 8.

[291] Gesetzentwurf der Bundesregierung vom 6.11.2002, BT-Drucks. 15/38, S. 26; *Ernst*, CR 2004, 40; *Schack*, Urheber- und Urhebervertragsrecht, S. 397 Rn. 831.

lung, Verzerrung oder sonstige Umwandlung oder einen Mechanismus zur Kontrolle der Vervielfältigung geben muss (§ 95a Abs. 2 UrhG). Dies ist die gesetzliche Grundlage für jede Art von *Digital Rights Management*, das in der einfachsten Ausprägung die Rechtsinhaber vor unerlaubter Vervielfältigung der Produkte schützt.[292] Dabei bedeutet „wirksam“ aber nicht, dass die technische Maßnahme unumgehbar sein muss.[293] Andernfalls würde das Umgehungsverbot bei der erstmaligen Umgehung obsolet und nur unüberwindbare Vorrichtungen würden geschützt, die ohnehin keines rechtlichen Schutzes bedürfen. Die Zulässigkeit analoger Kopien von digitalen Trägermedien bleibt unberührt. Schutzsysteme, die digitale Kopien verhindern sollen, können analoge Kopien gerade nicht verhindern und stellen in Bezug auf diese damit keine wirksame technische Maßnahme i.S.d. § 95a Abs. 2 Satz 2 UrhG dar.

In § 95a Abs. 3 UrhG wird das Umgehungsverbot auf Hacking-Werkzeuge ausgeweitet und greift somit bereits im Vorfeld der von Abs. 1 erfassten Handlungen ein. Verboten sind danach Vorbereitungshandlungen wie Herstellung, Verbreitung, Verkauf, Werbung und die Erbringung von Dienstleistungen, die die Umgehung von technischen Maßnahmen zum Ziel haben, wenn zusätzlich eine der weiteren Qualifikationen der Nr. 1–3 erfüllt ist. Dienstleistungen in diesem Sinne können nach der Gesetzesbegründung auch Anleitungen zur Umgehung (sog. Hackertipps) einschließen.[294] Unklarheiten können sich bei der Einstufung von zwar erlaubten Geräten, die aber ebenfalls zum Kopieren geeignet sind, ergeben (sog. *Dual-use*-Güter). Bei der zuweilen schwierigen Abgrenzung, ob eine Technik hauptsächlich der Umgehung von Kopierschutz dient oder dies nur einer von mehreren Nutzen ist, dürfte wohl auf die objektive Zweckbestimmung, die ein Durchschnittsnutzer nach den Gesamtumständen dem Gerät beimisst, auszugehen sein.[295] Ausdrücklich verboten ist außerdem der gewerblichen Zwecken dienende Besitz von Hacking-Werkzeugen. Unschädlich ist hingegen der private Besitz derartiger Vorrichtungen, was aber das Verbot ihrer Benutzung durch § 95a Abs. 1 UrhG unberührt lässt.

Die Umgehungsverbote aus § 95a Abs. 1 und 3 UrhG gelten ungeachtet der urheberrechtlichen Schrankenbestimmungen in §§ 45 ff. UrhG. Um aber ein Leerlaufen dieser Schranken zu vermeiden, hat der Gesetzgeber zur Durchsetzung der Interessen der Werknutzer in § 95b UrhG eine eigene Norm geschaffen. Dieser gewährt dem Berechtigten der genannten Schrankennormen einen Anspruch gegen den Hersteller, ihm die zur Wahrnehmung seiner Rechte erforderlichen Mittel zur Verfügung zu stellen. Ein Recht auf Selbsthilfe besteht hingegen nicht.[296] Eine Ausnahmeregelung von den Verboten des § 95a Abs. 1 und 3 UrhG besteht ledig-

---

292 *Enders*, ZUM 2004, 599 f.

293 *Ernst*, CR 2004, 40; *Pleister/Ruttig*, MMR 2003, 765.

294 Gesetzentwurf der Bundesregierung vom 6.11.2002, BT-Drucks. 15/38, S. 26.

295 *Pleister/Ruttig*, MMR 2003, 764; OLG Frankfurt a.M., MMR 2003, 591.

296 *Ernst*, CR 2004, 41 f.

lich für öffentliche Stellen. Nach § 95a Abs. 4 UrhG dürfen allein Polizei und Strafverfolgungsbehörden diese umgehen.

### *b) Schutz der zur Rechtewahrnehmung erforderlichen Informationen*

In § 95c UrhG werden elektronische Informationen, die dem Schutzgegenstand zum Zweck der Rechtewahrnehmung beigegeben worden sind, vor Veränderungen geschützt. Entsprechend der Definition in § 95c Abs. 2 UrhG handelt es sich hierbei etwa um digitale Wasserzeichen. Wurde die Information verändert oder entfernt, darf das Werk nicht mehr verbreitet oder öffentlich wiedergegeben werden (§ 95c Abs. 3 UrhG).

### *c) Durchsetzbarkeit*

Durch die Einordnung der §§ 95a und c UrhG unter den ersten Abschnitt des vierten Teils des Urheberrechtsgesetzes kann auf die Rechtsnatur der Norm als Verbotsrecht geschlossen werden.[297] Aus dem Gesetzestext ergibt sich aber nicht deutlich, ob eine Verletzung der §§ 95a und c UrhG wie eine Urheberrechtsverletzung über §§ 97 ff. UrhG[298] sanktioniert oder möglicherweise über § 823 Abs. 2, § 1004 BGB[299] geltend gemacht werden soll. Diese Frage wurde durch die Rechtsprechung geklärt, die § 95a UrhG als Schutzgesetz i.S.v. § 823 Abs. 2 BGB anerkennt.[300]

Neben den zivilrechtlichen Maßnahmen kann sich der Rechtsinhaber zur Durchsetzung seiner Rechte auch strafrechtlicher und ordnungswidrigkeitenrechtlicher Mittel bedienen.[301]

## 4. Lücken im zivilrechtlichen Schutz

Der Rechtsinhaber verfügt über ein weites und ausdifferenziertes zivilrechtliches Instrumentarium zur Durchsetzung seiner Rechte. Dennoch ist dieser zivilrecht-

---

297 *Pleister/Ruttig*, MMR 2003, 765.

298 *Pleister/Ruttig*, MMR 2003, 766; Loewenheim-*Peukert*, § 82 Rn. 6.

299 So *Schack*, Urheber- und Urhebervertragsrecht, S. 402 Rn. 841; *Enders*, ZUM 2004, 600; Dreier/Schulze-*Dreier*, § 95a Rn. 3.

300 Vgl. OLG München, Urteil vom 23.10.2008, Az. 29 U 5696/07– *AnyDVD*. Der OLG-Senat entschied, dass die geltend gemachten Unterlassungsansprüche jedenfalls unter dem Gesichtspunkt der Teilnehmerhaftung gemäß § 823 Abs. 2, § 830 Abs. 2 BGB i.V.m. § 95a UrhG bestünden. Die Regelung des § 95a UrhG sei ein Schutzgesetz i.S.d. § 823 Abs. 2 Satz 1 BGB. Vgl. auch BGH GRUR 2008, 996 Rn. 14 – *Clone-CD*, m.w. N.

301 Das Zugangskontrolldienstegesetz (ZKDSG) vom 19.3.2002 hat insbesondere eine strafrechtliche und eine ordnungswidrigkeitenrechtliche Norm zur Verhinderung der gewerbsmäßigen Verbreitung, des Bewerbens und der Wartung von Vorrichtungen oder Programmen, mit denen spezielle Zugangssicherungen (Verschlüsselungen) von Telediensten, Radio- oder Fernsehsendungen unbefugt überwunden werden können. Siehe unten Dritter Teil, III.B.5.

liche Schutz nicht lückenlos. Dies lässt sich anhand verschiedener Beispiele veranschaulichen. Zunächst fehlen dem Verletzten häufig notwendige Informationen, was ihm die Durchführung eines Zivilprozesses erschwert, wenn nicht gar unmöglich macht. Nicht umsonst besteht die dringende Forderung nach Anspruch auf Drittauskunft in Dreiecksverhältnissen, auch wenn die Rechtsverletzung nicht in gewerblichem Ausmaß vorgenommen wird, als Vorbereitung für die Durchsetzung weitergehender zivilrechtlicher Ansprüche. Ohne sie ist es dem Verletzten häufig nicht möglich, den Täter zu ermitteln. Ist aber eine hinreichend sichere Benennung des Beklagten nicht möglich, kann ein Zivilprozess nicht angestrengt werden.[302] Ebenso unwissend ist der verletzte Rechtsinhaber in den meisten Fällen bezüglich des Umfangs der Verletzungshandlung und der rechtswidrig hergestellten Vervielfältigungsstücke. Dann kann der Verletzte auch nicht, wie von § 253 Abs. 2 Nr. 2 ZPO für die Geltendmachung eines zivilrechtlichen Anspruchs gefordert, die betreffenden Vervielfältigungsstücke genau benennen. Das für den Schadensersatzanspruch des § 97 erforderliche Verschulden kann im Einzelfall aus praktischen Gründen schwer nachzuweisen sein, wenn beispielsweise der Händler die Fälschungen bereits an seine Lieferant zurückgeliefert hat[303] oder dieser sich mit dem häufig gebrauchten Einwand entlastet, zuverlässige Vorlieferanten zu haben, die auch durch Stichproben überprüft wurden.[304] Zudem ist ein Zugriff auf Markthändler, die häufig den Standort wechseln, den Firmennamen ändern, Strohmänner vorschalten oder sogar im Ausland leben, besonders schwer.[305] Ebenso erschweren unübersichtliche Vertriebswege den Durchgriff auf die Hintermänner.[306] Kann tatsächlich einmal die Person des Verletzers ermittelt werden, sind zivilrechtliche Maßnahmen dennoch untauglich, wenn keine Vermögensmasse vorhanden ist, in die vollstreckt werden kann.[307] Bestehen bleiben dann nur die hohen Kosten, die eine zivilrechtliche Rechtsverfolgung häufig verursacht.

Effektiver zivilrechtlicher Rechtsschutz wird durch diese Hindernisse erschwert und bewirkt somit eine gesteigerte Attraktivität strafrechtlicher Sanktionen. Dieser Bedeutungszuwachs des Urheberstrafrechts wird auch dadurch begünstigt, dass dem Zivilrecht die dem Strafrecht innewohnende Abschreckungswirkung fehlt.[308] Ein Strafschadensersatz, der auch zivilrechtlichen Maßnahmen abschreckende Wirkung verleihen könnte, ist dem deutschen Zivilrecht jedoch fremd.[309] Anhand der soeben aufgezeigten Gründe werden die Defizite zivilrechtlichen Schutzes

302 Vgl. dazu BGH GRUR 1990, 353; *Weber*, Der strafrechtliche Schutz, S. 3.
303 *Rochlitz*, Der strafrechtliche Schutz, S. 60.
304 *Sternberg-Lieben*, Musikdiebstahl, S. 141.
305 *Rochlitz*, Der strafrechtliche Schutz, S. 34; *Hildebrandt*, Strafvorschriften, S. 500.
306 *Sternberg-Lieben*, Musikdiebstahl, S. 141 f.
307 *Nordemann*, NStZ 1982, 373.
308 *Rochlitz*, Der strafrechtliche Schutz, S. 61 f.; *Hildebrandt*, Strafvorschriften, S. 499.
309 Siehe oben Dritter Teil, III.A.1.a).

erkennbar. Um jedoch ein effektives Instrumentarium gegen digitale Produktpiraterie bereitzuhalten, müssen in Deutschland die Unzulänglichkeiten zivilrechtlicher Maßnahmen durch den Rückgriff auf andere Rechtsgebiete, insbesondere das Strafrecht, ausgeglichen werden.

## B. Strafrechtliche Maßnahmen

### 1. Bedeutung des Urheberstrafrechts

Das Urheberstrafrecht ist in den §§ 106 ff. UrhG geregelt. Diese stimmen mit der Verpflichtung zu strafrechtlicher Sanktionierung von Urheberrechtsverletzungen in Art. 61 TRIPS-Abkommen überein. Das Urheberstrafrecht hat im 20. Jahrhundert, mitbedingt durch die Verweisung der Strafverfolgung auf den Weg der Privatklage durch Gesetz vom 21. März 1924, stark an Bedeutung verloren. So führte es bald ein Nischendasein, weshalb sich bis heute Staatsanwälte oder Richter nur zurückhaltend damit befassen, da Kenntnisse auf diesem Gebiet häufig fehlen. Demgemäß folgt auf Strafanträge oder Strafanzeigen häufig ein Einstellungsbescheid, in dem der Verletzte auf den Zivilrechtsweg verwiesen wird.[310] Dass der Schutz des Urheberrechts und die Sanktionierung von urheberrechtlichen Verletzungshandlungen sachgemäß im Zivilrecht anzusiedeln sei, folgern viele auch aus der Funktionalisierung strafrechtlichen Schutzes zur Durchsetzung zivilrechtlicher Ansprüche.[311] Dem Verletzten gehe es weniger um die Durchführung eines Strafverfahrens und die Bestrafung des Delinquenten, vielmehr wolle er von der Feststellung des Sachverhalts auf Staatskosten und der Akteneinsicht nach § 406e StPO profitieren, um so an Unterlagen für den Zivilprozess und eine finanzielle Entschädigung zu gelangen.[312] Häufig wird nach Aufklärung des Sachverhalts mit Hilfe von strafrechtlichen Ermittlungsmaßnahmen der Strafantrag zurückgezogen.[313] Bedenkt man die ungleichen Verfahrensvoraussetzungen und -maximen in Straf- und Zivilprozess, ist der Einsatz strafprozessualer Zwangsmittel zur Erlangung von Beweismitteln für den Zivilprozess nicht unbedenklich. So droht eine Aufhebung der zivilprozes-

---

310 *Nordemann*, NStZ 1982, 372 ff.; *Sieber*, BB 1981, 1549 f.; das deutsche Strafprozessrecht enthält mit der Verweisungsmöglichkeit an die Zivilgerichtsbarkeit nach den § 154d, § 262 Abs. 2 StPO eine Möglichkeit, die Umgehung des Zivilprozesses zu vermeiden.

311 *Hildebrandt* führte zur Beschreibung dieses Phänomens den Begriff der „funktionalen Strafzwecke" ein, in: *Hildebrandt*, Strafvorschriften, S. 512 f.; *Heghmanns* zweifelt an der Exaktheit der Benennung, da nicht die Strafe, sondern das Verfahren umfunktioniert wird, um das Zivilprozessrecht und seine restriktiven Beweismöglichkeiten zu umgehen, in: *Heghmanns*, GA 2003, 242.

312 Schricker-*Haß*, § 106 Rn. 4; *Nordemann*, NStZ 1982, 372 ff., *Hildebrandt*, Strafvorschriften, S. 512 f.

313 Schricker-*Haß*, § 106 Rn. 4; *Nordemann*, NStZ 1982, 372 ff.

sualen Waffengleichheit der Parteien und eine Verschiebung der zivilprozessualen Beweislast, indem sich der Kläger auf die Seite des Strafverfolgungsapparats stellt.[314] Zudem könnte durch einen weitreichenden strafprozessualen Einsichtsanspruch der im Zivilrecht hochgehaltene Geheimnisschutz von Betriebs- und Geschäftsgeheimnissen unterlaufen werden,[315] der über die zivilrechtlichen Auskunftsansprüche hinausgeht.[316]

Außerdem weisen viele hinsichtlich des Urheberstrafrechts auf die Ultima-Ratio-Funktion des Strafrechts hin.[317] Danach darf das Strafrecht als einschneidendstes Mittel zur Wahrung und Wiederherstellung des Rechtsfriedens nur als letztes verfügbares Mittel eingesetzt werden. Von strafrechtlichen Sanktionen soll vorrangig zum Schutz wertvoller Rechtsgüter vor gravierenden Rechtsverletzungen, die die elementaren Lebensinteressen der Gesellschaft beeinträchtigen, Gebrauch gemacht werden.[318] Die Überzeugung der moralischen Verwerflichkeit von Immaterialgüterrechtsverletzungen und das Bewusstsein ihrer wirtschaftlichen Dimensionen fehlt aber vielfach,[319] was die Stellung des Urheberstrafrechts zusätzlich schwächt. Mit dem technischen Fortschritt kam es, angefangen mit der Raubdruckbewegung im noch analogen Zeitalter der 1960er Jahre und gefolgt von der Tonträger- und Videopiraterie, zu einem rasanten Anstieg von Urheberrechtsverletzungen. Bald wurde erkannt, dass die romantische Vorstellung vom kleinen Kunstfälscher, der in zu vernachlässigenden Bagatellfällen seiner Beschäftigung nachgeht, nichts mit der Realität gemein hat. Der Gesetzgeber reagierte erstmals mit der Urheberrechtsreform von 1985 auf diese Entwicklung und führte den als Offizialdelikt ausgestalteten § 108a UrhG ein, der gewerbsmäßiges urheberstrafrechtliches Handeln mit einer Freiheitsstrafe von bis zu fünf Jahren und auch den Versuch unter Strafe stellt. Mit dem Produktpirateriegesetz vom 7. März 1990 wurden die Strafrahmen

---

314 *Hildebrandt*, Strafvorschriften, S. 512 ff., 368 f.; Schricker-*Haß*, § 106 Rn. 4.

315 Die Begründung des Gesetzgebers bei Einführung des alten § 101a UrhG durch das Produktpirateriegesetz ist auch nach Umsetzung der Enforcement-RL und der damit verbundenen Ausweitung des Auskunftsanspruchs auch gegen Dritte im neuen § 101 UrhG weiter gültig; danach widerspreche ein weitreichender Einsichtsanspruch der deutschen Rechtsordnung und bewirke eine unvertretbare Bevorzugung der Interessen des Schutzrechtsinhabers gegenüber den Interessen des Verletzers an der Wahrung seiner Betriebs- und Geschäftsgeheimnisse und komme in die Nähe der Ausforschung, vgl. Gesetzentwurf der Bundesregierung vom 6.11.2002, BT-Drucks. 11/4792, S. 33.

316 *Hildebrandt*, Strafvorschriften, S. 514 f.; Schricker-*Haß*, § 106 Rn. 4; a.A. ist *Sieber*, FS für Spendel, S. 763, der einen Wertungswiderspruch zwischen Zivil- und Strafprozessrecht unter Hinweis auf den unterschiedlichen Regelungsinhalt strafprozessualer und zivilrechtlicher Einsichtsansprüche verneint und in der Wahrnehmung solcher Einsichtsrechte originäre strafprozessuale Teilnahmerechte sieht, die aus der Verfahrensstellung als Nebenkläger erwachsen.

317 *Hildebrandt*, Strafvorschriften, S. 509 f. m.w.N.; *Roxin,* Strafrecht AT, § 2 Rn. 38 ff.; *Sternberg-Lieben*, Musikdiebstahl, S. 125, 140.

318 *Rochlitz*, Der strafrechtliche Schutz, S. 95; *Hildebrandt*, Strafvorschriften, S. 509.

319 *Schack*, Urheber- und Urhebervertragsrecht, S. 404 Rn. 846.

der §§ 106–108 UrhG verschärft und von einem Jahr auf drei Jahre Freiheitsstrafe heraufgesetzt. Außerdem wurde die Versuchsstrafbarkeit auf alle Strafbestände ausgeweitet.

Angesichts des heute immensen Umfangs der durch digitale Produktpiraterie erstellten gefälschten Güter und des dadurch entstandenen Schadens[320] darf die Bedeutung des Urheberstrafrechts nicht länger unterschätzt werden. Ein Wandel im strafrechtlichen Umgang mit der Produktpiraterie ist heute durchaus erkennbar. So hat Deutschlands Musikindustrie im ersten Halbjahr 2007 allein 25.000 Strafanzeigen gegen illegale Downloads durch Internetnutzer gestellt.[321] Allerdings ließ sich an den Musik-Genres der illegal erworbenen Werke erkennen, dass ein Großteil der Tatverdächtigen Jugendliche waren. Dies führt zu dem Problem einer Kriminalisierung der vornehmlich jugendlichen Endverbraucher für zumeist geringfügige Urheberrechtsverletzungen. Der Rückgriff auf strafrechtliche Maßnahmen ist hingegen vor allem bei der Bekämpfung der organisierten Produktpiraterie notwendig, um vor weiteren Verletzungshandlungen abzuschrecken und auch, um durch die gesetzlichen Straftatbestände das Unrechtsbewusstsein der Allgemeinheit bezüglich urheberrechtsverletzender Handlungen zu schärfen. Nicht aber soll vorrangig das Verhalten privater Endnutzer, die zunehmend urheberrechtlich relevante Handlungen begehen, pönalisiert werden. Dies würde aufgrund der Schwierigkeiten bei der Strafverfolgung vor allem die Akzeptanz des Urheberrechts in der Bevölkerung mindern. Vorteile der strafrechtlichen Deliktsbekämpfung ergeben sich zudem insbesondere bei internationaler Kriminalität. So ermöglicht die Mitteilung bestimmter strafrechtlicher Verurteilungen[322] an die Zollbehörden, anders als bei zivilrechtlichen Verurteilungen, einen besseren Informationsfluss und bessere Kontrollen betroffener Unternehmen.[323] Ferner können sich betroffene Unternehmen einer strafrechtlichen Inanspruchnahme nicht so einfach wie einer zivilrechtlichen durch Umzug in andere europäische Länder entziehen.[324]

---

320 Vgl. Produktpirateriberichte der Bundesregierung, BT-Drucks. 12/4427, 14/2111; polizeiliche Kriminalstatistik der BRD 2002; Schricker-*Haß*, § 106 Rn. 2.

321 Deutsche Presseagentur, veröffentlicht am 9.7.2007 auf web.de; *Kailitz*, Digitale Piraten, Ausdruck aus dem Internetangebot der Zeitschrift „Das Parlament“ mit der Beilage „Aus Politik und Zeitgeschichte“, Ausgabe 14–15 vom 31.3.2008.

322 Vgl. RiStBV Nr. 266.

323 *Hildebrandt*, Strafvorschriften, S. 501.

324 Hierbei ist an die Möglichkeiten internationaler Rechtshilfe zu denken, insbes. das Schengener Durchführungsübereinkommen vom 19.6.1990, aufgenommen in den EU-Vertrag durch den Amsterdamer Vertrag (in Kraft getreten am 1.5.1999), durch das weitreichende Regelungen zur polizeilichen Zusammenarbeit (Art. 39 ff.), Rechtshilfe in Strafsachen (Art. 48 ff.) und das Schengener Informationssystem geschaffen wurden, zudem sei auf den zwar lediglich einen bestimmten Straftatenkatalog umfassenden europäischen Haftbefehl verwiesen, der als erstes Instrument aus dem Grundsatz der Gegenseitigen Anerkennung erwachsen ist.

Diese Arbeit beschränkt sich auf die Untersuchung der Straftatbestände des Urheberrechts. Nicht selten gehen mit Fällen von Produktpiraterie Verstöße gegen weitere Normen einher, beispielsweise solche des Marken- und Geschmacksmusterrechts (§§ 143 ff. MarkG und § 51 GeschmMG), des Wettbewerbsrechts (§§ 16 ff. UWG) oder auch aus dem Kernbereich des Strafgesetzbuchs (z.B. §§ 267, 263 StGB). Auf ihre Behandlung wird mit Rücksicht auf den Umfang der Arbeit und auch, um Oberflächlichkeiten zu vermeiden, verzichtet.

## 2. Materieller Schutz des Werks

### *a) Überblick über allgemeine Fragen*

#### aa) Objektiver Tatbestand

Das Urheberrechtsgesetz enthält in den §§ 106–108 und § 108b Abs. 1 und 2 vier unterschiedliche materielle Straftatbestände, die bestimmte Urheberrechtsverletzungen unter Strafe stellen. Bei gewerbsmäßigem Handeln greifen zusätzlich die Qualifikationstatbestände der § 108a oder § 108b Abs. 3 UrhG ein, die für diesen Fall ein erhöhtes Strafmaß vorsehen. Diese Normen sind Auffüllungstatbestände, ihre Strafbarkeitsvoraussetzungen werden durch zivilrechtliche Vorschriften konkretisiert.[325]

#### bb) Subjektiver Tatbestand

Die subjektive Tatseite der §106–108b erfordert vorsätzliches Handeln. Fahrlässiges Handeln bleibt bei allen Urheberstraftaten straffrei. Der allgemeine Vorsatzbegriff des § 15 StGB hat auch im Urheberstrafrecht Geltung. Danach ist bei dem Beschuldigten zumindest *dolus eventualis* erforderlich, er muss die Erfüllung sämtlicher Tatbestandsvoraussetzungen erkennen und zumindest billigend in Kauf nehmen.[326]

#### cc) Strafmaß

Bei einem Verstoß gegen §§ 106–108 UrhG beträgt das Strafmaß Freiheitsstrafe bis zu drei Jahren oder Geldstrafe. Bei gewerbsmäßigem Handeln erhöht § 108a UrhG den Strafrahmen der §§ 106–108 UrhG von drei auf fünf Jahre oder Geldstrafe. Das Strafmaß des § 108b UrhG ist mit Freiheitsstrafe von bis zu einem Jahr oder Geldstrafe eher niedrig. Es erhöht sich bei gewerbsmäßigem Handeln auf eine Freiheitsstrafe von bis zu drei Jahren oder Geldstrafe (§ 108b Abs. 3 UrhG).

325 Schricker-*Haß,* § 106 Rn. 3.

326 Wandtke/Bullinger-*Hildebrandt*, § 106 Rn. 29.

#### dd) Strafantrag

Die Urheberrechtsdelikte der §§ 106–108 und 108b UrhG sind relative Antragsdelikte und werden daher grundsätzlich nur auf Antrag verfolgt.[327] Fehlt es an einem Antrag, so kann die Staatsanwaltschaft bei Vorliegen eines besonderen öffentlichen Interesses von Amts wegen die Strafverfolgung einleiten (§ 109 UrhG).[328] Tut sie dies nicht, muss sie dennoch, sofern der Strafantrag gestellt ist, nach § 376 StPO prüfen, ob ein öffentliches Interesse an der Strafverfolgung von Amts wegen besteht.[329]

### *b) Unerlaubte Verwertung urheberrechtlich geschützter Werke*

Der Tatbestand des § 106 UrhG stellt die praktisch wichtigsten Formen der Urheberrechtsverletzungen unter Strafe, nämlich das Vervielfältigen, das Verbreiten und die öffentliche Wiedergabe eines urheberrechtlich geschützten Werks. Schutzgut der Vorschrift sind das Verwertungsrecht des Urhebers sowie die eingeräumten Nutzungsrechte. Von der Vorschrift und somit vom strafrechtlichen Schutz ausgespart werden das Ausstellungsrecht (§ 18 UrhG) sowie die Herstellung einer Bearbeitung oder Umgestaltung durch Verfilmung (§ 23 UrhG), welche aber in der Praxis eine untergeordnete Rolle spielen. Unter wirtschaftlichen Gesichtspunkten gewährt § 106 UrhG einen nahezu umfassenden Schutz.[330]

#### aa) Tatobjekt

Tatobjekt der Vorschrift ist das urheberstrafrechtlich geschützte Werk, und zwar auch in einer bearbeiteten oder umgestalteten Fassung. Das Tatbestandsmerkmal „Werk“ in § 106 UrhG knüpft an § 2 UrhG an. Demnach ist der Werkbegriff im gesamten Urheberrecht derselbe, weshalb der Werkbegriff des § 2 UrhG auch im Urheberstrafrecht Geltung hat.[331] Somit kann auf die entsprechenden Ausführungen zum zivilrechtlichen Werkbegriff verwiesen werden.[332] Einzig problematisch ist für das Urheberstrafrecht der Umstand, dass die Aufzählung der Werkarten in § 2

---

[327] Beim Zusammenfallen mit Offizialdelikten in Handlungseinheit ist auch stets Klage bezüglich des Urheberrechtsdelikts zu erheben, ein besonderes öffentliches Interesse ist dann irrelevant, *Hildebrandt*, Strafvorschriften, S. 335 m.w.N.

[328] Umstritten ist das Verhältnis der Begriffe des „besonderen öffentlichen Interesses“ in § 109 UrhG und des „öffentlichen Interesses“ in § 376 StPO, siehe *Hildebrandt*, Strafvorschriften, S. 336 f. m.w.N.; wie die Staatsanwaltschaft diesen Begriff auszulegen hat, bestimmt sich nach RiStBV Nr. 86 Abs. 2, 261.

[329] Vgl. dazu RiStBV Nr. 86 Abs. 2, 261, 261a u.a. in: Meyer-Goßner, Anhang A 15.

[330] Dreier/Schulze-*Dreier*, § 106 Rn. 5.

[331] *Weber*, Der strafrechtliche Schutz, S. 173; Schricker-*Haß*, § 106 Rn. 2; Dreier/Schulze-*Dreier*, § 106 Rn. 4.

[332] Siehe oben Dritter Teil, II.

UrhG nicht abschließend ist, um so die Aufnahme bekannter und noch zu schaffender Werkarten zu ermöglichen. Darin könnte eine Verletzung des aus Art. 103 Abs. 2 GG und dem Rechtsstaatsprinzip (Art. 20 Abs. 3 GG) abgeleiteten verfassungsrechtlichen Bestimmtheitsgebots liegen, dem das Strafrecht unterworfen ist.[333] Die in § 2 Abs. 2 UrhG genannten Voraussetzungen sind zwar etwas unscharf gehalten, haben aber infolge der reichhaltigen Rechtsprechung und Literatur zum Werkbegriff deutliche Konturen erlangt. Außerdem hat auch das Bundesverfassungsgericht bereits ausgesprochen, dass „ohne Verwendung ‚flüssiger' Begriffe der Gesetzgeber nicht in der Lage wäre, der Vielgestaltigkeit des Lebens Herr zu werden".[334] Durch die offene Fassung der Vorschrift wollte der Gesetzgeber verhindern, dass er jedes Mal von Neuem bemüht werden muss, wenn kulturelle oder technische Neuerungen neue Werkarten hervorbringen. Damit umschreibt § 106 i.V.m. § 2 UrhG die Angriffsobjekte hinreichend genau und verstößt nicht gegen das verfassungsrechtliche Bestimmtheitsgebot.[335]

### bb) Verletzungshandlung

Die Tathandlungen des Vervielfältigens, des Verbreitens und der öffentlichen Wiedergabe in § 106 Abs. 1 UrhG erfassen die zivilrechtlichen Verbotstatbestände der §§ 16–20b UrhG und die dort wiedergegebenen Konkretisierungen. Die zivilrechtlichen und strafrechtlichen Handlungsbegriffe sind daher insoweit identisch.[336] Als besonderer Unterfall der Vervielfältigung ist der Download urheberrechtlich geschützter Werke aus dem Internet hervorzuheben. Hierdurch findet eine Vervielfältigung innerhalb des Datenspeichers statt.[337] Solange die Vervielfältigung dem privaten Gebrauch dient, ist sie nach der Schrankenregelung des § 53 Abs. 1 Satz 1 UrhG grundsätzlich rechtmäßig. Werden aber offensichtlich rechtswidrige Vorlagen für die Vervielfältigung verwendet, ist sie nicht mehr zulässig. Diese Offensichtlichkeit ist objektives Tatbestandsmerkmal einer Strafbarkeit.[338] Bestehen also an der rechtmäßigen Herkunft zum Download angebotener Werke aus dem Internet Zweifel, so wird das Vorliegen des Merkmals dann anzunehmen sein, wenn dem unbefangenen Nutzer Bedenken kommen müssen, ob die diesbezüglichen Rechte vorhanden sind.[339]

---

333 *Weber*, Der strafrechtliche Schutz, S. 175.

334 BVerfGE 28, 175, 183.

335 *Weber*, Der strafrechtliche Schutz, S. 173; Schricker-*Haß*, § 106 Rn. 2 ff.; Dreier/Schulze-*Dreier*, § 106 Rn. 4 ff.

336 Schricker-*Haß*, § 106 Rn. 5.

337 BGH NJW 2001, 3558.

338 *Reinbacher*, GRUR 2008, 398 ff.

339 Loewenheim-*Flechsig*, § 90 Rn. 16; Schricker-*Haß*, § 106 Rn. 9; *Heghmanns*, MMR 2004, 15 f.

#### cc) Schranken

Die Verletzung muss in anderen als den gesetzlich zugelassenen Fällen erfolgen. Die „gesetzlich zugelassenen Fälle“ sind in den Schrankenbestimmungen der §§ 44a ff., § 87c UrhG erfasst.[340] Danach greift, wer innerhalb des dort gesetzten Rahmens handelt, nicht in ein fremdes Vervielfältigungs- und Verbreitungsrecht oder Recht auf öffentliche Wiedergabe ein.[341] Das Merkmal ist der Tatbestandsseite zuzuordnen. Insoweit bleibt die Rechtswidrigkeit unberührt, wenn innerhalb der Schrankenregelungen gehandelt wird.

#### dd) Einwilligung

Die Verletzungshandlung wird bestraft, wenn sie ohne Einwilligung des Berechtigten erfolgt. Die Einordnung dieses Merkmals in den Verbrechensaufbau ist umstritten. Einige Autoren fassen die Einwilligung als tatbestandliches Einverständnis auf, womit der zivilrechtlich Berechtigte nicht tatbestandsmäßig handelt.[342] Die herrschende Literatur[343] sieht darin hingegen einen strafrechtlichen Rechtfertigungsgrund.

### *b) Unerlaubte Eingriffe in verwandte Schutzrechte*

Parallel zu § 106 UrhG stellt § 108 UrhG die Verletzung verwandter Schutzrechte unter Strafe. Wie bei § 106 UrhG wird hier gefordert, dass die Verletzungshandlung in anderen als den gesetzlich zugelassenen Fällen und ohne Einwilligung des Berechtigten erfolgt. Diese Merkmale stimmen im Wesentlichen mit § 106 UrhG überein. Einziger Unterschied ist, dass als gesetzlich zugelassener Fall neben den Schrankenregelungen auch die Fälle erfasst werden, in denen dem Inhaber eines verwandten Schutzrechts kein Verwertungsrecht zukommt oder ihm lediglich ein Vergütungsanspruch zusteht.[344] Von den strafrechtlich relevanten Verwertungshandlungen der § 108 Abs. 1 Ziff. 1–8 sind die Ziff. 4 und 5[345] hervorzuheben, die

---

340 Wandtke/Bullinger-*Hildebrandt*, § 106 Rn. 21; Fromm/Nordemann-*Ruttke/Scharringhausen*, § 106 Rn. 21.

341 Schricker-*Haß*, § 106 Rn. 23; Dreier/Schulze-*Dreier*, § 106 Rn. 6.

342 Schricker-*Haß*, § 106 Rn. 27; Wandtke/Bullinger-*Hildebrandt*, § 106 Rn. 24.

343 Dreier/Schulze-*Dreier*, § 106 Rn. 8; Fromm/Nordemann-*Ruttke/Scharringhausen*, § 106 Rn. 25; Möhring/Nicolini-*Spautz*, § 106 Rn. 5.

344 Dreier/Schulze-*Dreier*, § 108 Rn. 3.

345 So besagen die Ziffern 4. und 5. in § 108 UrhG: „Wer in anderen als den gesetzlich zugelassenen Fällen ohne Einwilligung des Berechtigten die Darbietung eines ausübenden Künstlers entgegen den § 77 Abs. 1 oder Abs. 2 Satz 1, § 78 Abs. 1 verwertet (4.); einen Tonträger entgegen § 85 verwertet (5.), wird mit Freiheitsstrafe bis zu drei Jahren oder mit Geldstrafe bestraft.“

mit der Bekämpfung von Raubkopien von Musikwerken und von unzulässigen Filmmitschnitten (sog. *Bootlegs*) praktische Bedeutung erlangt haben.[346]

#### *c) Unzulässiges Anbringen der Urheberbezeichnung*

In § 107 Abs. 1 Nr. 1 und Nr. 2 UrhG wird das urheberpersönlichkeitsrechtliche Namensnennungsrecht des Urhebers nach § 13 UrhG geschützt.[347] Daneben dient die Vorschrift auch den Interessen der Allgemeinheit an der Beweiskraft der Signatur und der Lauterkeit des Kunsthandels.[348] Unzulässig ist das Anbringen der Urheberbezeichnung auf dem Original eines Werks der bildenden Künste (Nr. 1) sowie die Vermittlung des Anscheins eines Originals durch Anbringung einer Urheberbezeichnung an ein Vervielfältigungsstück, an einer Bearbeitung oder anderen Umgestaltung (Nr. 2). Die Strafdrohung gilt demnach nur für Werke der bildenden Kunst, was den Anwendungsbereich von § 107 UrhG, der ohnehin von geringer praktischer Relevanz ist,[349] zusätzlich eingrenzt.

#### *d) Qualifikationstatbestand der gewerbsmäßigen unerlaubten Verwertung*

§ 108a UrhG stellt einen Qualifikationstatbestand der §§ 106–108 UrhG dar. Dabei ist die Gewerbsmäßigkeit ein persönliches strafschärfendes Merkmal i.S.v. § 28 Abs. 2 StGB. Für das Vorliegen von gewerbsmäßigem Handeln ist es nicht erforderlich, dass der Täter selbst Gewerbetreibender ist. Es genügt schon, wenn sich der Täter durch wiederholte Begehung von Straftaten eine fortlaufende Einnahmequelle von einiger Dauer und einigem Umfang verschaffen will, wofür auch die Form des Nebenerwerbs genügt.[350] Weiterhin ist zu beachten, dass § 108a UrhG ein Offizialdelikt ist und daher keines Strafantrags bedarf.[351]

### 3. Prozessualer Schutz des Werks

#### *a) Ermittlungsbefugnisse*

Ist eine Strafrechtsnorm auf materieller Seite verletzt, so kommt das gesamte hoheitliche strafprozessuale Instrumentarium zum Tragen, um den gestörten Rechts-

---

346 Wandtke/Bullinger-*Hildebrandt*, § 108 Rn. 1; *Sternberg-Lieben*, Musikdiebstahl, S. 74; Dreier/Schulze-*Dreier*, § 108 Rn. 1.

347 Dreier/Schulze-*Dreier*, § 107 Rn. 1; Schricker-*Haß*, § 107 Rn. 1.

348 Dreier/Schulze-*Dreier*, § 107 Rn. 1; Schricker-*Haß*, § 107 Rn. 1; Fromm/Nordemann-*Ruttke/Scharringhausen*, § 107 Rn. 1.

349 Wandtke/Bullinger-*Hildebrandt*, § 107 Rn. 1.

350 Vgl. BGH GRUR 2004, 421, 427; *Schack*, Urheber- und Urhebervertragsrecht, S. 408 Rn. 854.

351 Dreier/Schulze-*Dreier*, § 108a Rn. 3; Möhring/Nicolini-*Spautz*, § 108a Rn. 4.

frieden wiederherzustellen.[352] Zur Rechtsdurchsetzung können die Strafverfolgungsbehörden auf weitreichende strafprozessuale Ermittlungsmaßnahmen zurückgreifen. In der Regel werden dies Durchsuchungen von Wohnungen und Geschäftsräumen, Beschlagnahme, Akteneinsicht und ggf. auch Haftbefehle sein.[353] Bereits oben[354] wurden die Vorzüge und die Effizienz des Strafverfahrens dargestellt. Der Staatsanwaltschaft ist es häufig möglich, die Ermittlungen rascher und mit größerem Nachdruck durchzuführen als dem Zivilrichter.[355] Viele Rechtsinhaber ziehen einen strafrechtlichen Schutz dem zivilrechtlichen vor, weil sie den Zugriff der Polizei und die Beweisgewinnung durch fachkundige Kriminalbeamte für effektiver halten.[356]

Die Beschlagnahme von Gegenständen kann zum einen zur Verhinderung eines Beweisverlusts und zur Sicherung der Durchführung eines Strafverfahrens nach § 94 ff. StPO erfolgen. Darüber hinaus ist eine Sicherstellung von Verfalls- und Einziehungsgegenständen nach §§ 111b ff. StPO möglich, die etwaige im Urteil zu verhängende Rechtsfolgen gemäß §§ 73 f. StGB sichert. Die Beschlagnahme ganzer Computeranlagen wird von vielen Autoren als unverhältnismäßig abgelehnt. Es bestehe heute die Möglichkeit, in kurzer Zeit den gesamten Datenbestand zu kopieren, zudem könne solches Vorgehen sich bei manchen Unternehmen existenzgefährdend auswirken.[357] Umstritten ist auch die Sicherstellung von Vervielfältigungsgeräten. Manche Autoren befürworten sie in Fällen gewerbsmäßigen Handelns,[358] wohingegen andere dies mit Hinweis auf anderweitige Nutzungsmöglichkeiten der Vervielfältigungsgeräte als zur Tatbegehung ablehnen und eine sorgfältige Einzelfallprüfung fordern.[359] Möglicherweise führt der Wortlaut des neuen § 98 UrhG, der nunmehr den Anwendungsbereich der Norm auf Vorrichtungen ausdehnt, die *vorwiegend* und damit nicht mehr „ausschließlich“ oder „nahezu ausschließlich“ zur Herstellung von Vervielfältigungsstücken gedient haben, zu einer Beilegung des Streits.

Eine wichtige, aber auch umstrittene Stellung im strafprozessualen Instrumentarium kommt dem Akteneinsichtsrecht des Verletzten über einen von ihm beauftragten Rechtsanwalt nach § 406e StPO zu.[360] Für die Einsicht in Akten, die dem

---

352 *Sieber*, FS für Spendel, S. 767.

353 *Hildebrandt*, Strafvorschriften, S. 501.

354 Siehe oben Dritter Teil, III.B.1.

355 *Nordemann*, NStZ 1982, 373.

356 *Nordemann*, NStZ 1982, 373; *Sieber*, BB 1981, 1550, 1556; *Sternberg-Lieben*, Musikdiebstahl, S. 141 f.; *Sieber*, FS für Spendel, S. 760.

357 *Hildebrandt*, Strafvorschriften, S. 374 f.

358 *Rochlitz*, Der strafrechtliche Schutz, S. 210.

359 *Hildebrandt*, Strafvorschriften, S. 374 f.

360 In § 406e StPO kann eine Überschneidung mit zivilrechtlichen Beweissicherungsansprüchen erfolgen. Der Gang über § 406e StPO bei der Akteneinsicht zur Durchsetzung zivilrechtlicher Ansprüche erscheint verlockend, wird aber kontrovers bewertet. Ableh-

Gericht vorliegen oder diesem im Fall der Erhebung der öffentlichen Klage vorzulegen wären, sowie die Besichtigung amtlich verwahrter Beweisstücke ist grundsätzlich die Darlegung eines berechtigten Interesses erforderlich (§ 406e Abs. 1 Satz 1 StPO). Ein berechtigtes Interesse wird insbesondere angenommen, wenn der Verletzte prüft, in welchem Umfang er bürgerlich-rechtliche Ansprüche gegen den Beschuldigten geltend machen kann,[361] nicht aber, wenn die Einsichtnahme nur zu einer „Ausforschung" des Beschuldigten oder einer Umgehung zivilprozessualer Beweisregeln dienen soll.[362] Ein zwingender Versagungsgrund für die Akteneinsicht ist sodann in Abs. 2 genannt: Das Entgegenstehen überwiegender schutzwürdiger Interessen des Beschuldigten oder anderer Personen. Solche Interessen Dritter überwiegen, wenn das Interesse an der Geheimhaltung ihrer in den Akten enthaltenen persönlichen Informationen größer ist als das berechtigte Interesse des Verletzten, den Akteninhalt kennenzulernen.[363] Erscheint der Untersuchungszweck gefährdet oder würde das Verfahren durch die Einsichtnahme erheblich verzögert, kann sie versagt werden (§ 406e Abs. 2 Satz 2 StPO).

Kurz sei noch erwähnt, dass im Fall einer Durchsuchung von Wohn- und Geschäftsräumen nach § 102 ff. StPO zu beachten ist, dass ein Eingriff in die von Art. 2, 13 GG grundrechtlich geschützten Bereiche erfolgt und daher der Grundsatz der Verhältnismäßigkeit zu wahren ist.[364]

---

nend *Hildebrandt*, Strafvorschriften, S. 512 ff., 368 f.; Schricker-*Haß*, § 106 Rn. 4; a.A. *Sieber*, FS für Spendel, S. 771 ff., der zwar von einer selbstständigen Auslegung von § 406e StPO ggü. zivilrechtlichen Beweisermittlungsansprüchen ausgeht, aber den Einsatz von § 406e StPO zur zivilrechtlichen Beweissicherung und zur Unterstützung zivilrechtlicher Interessen zuerkennt.

Aus der Rechtsprechung: Gegen eine Nutzung des strafprozessualen Einsichtsrechts zur Durchsetzung zivilrechtlicher Ansprüche: LG München I, Beschluss vom 12.3.2008, Az. 5 Qs 19/08; Versagung des Einsichtsrechts zumindest bei bagatellartigen Rechtsverletzungen: LG Darmstadt, Beschluss vom 20.4.2009, Az. 9 Qs 99/09, Grenze der Bagatellartigkeit nach dem LG Darmstadt zumindest überschritten bei fünf Filmen, fünf Musikalben oder 50 Musikstücken in der Summe. Dem schlossen sich das LG Saarbrücken, Beschluss vom 2.7.2009, Az. 2 Qs 11/09 und das LG Köln, Beschluss vom 25.9.2008, Az. 109-1/08, an. Zur Berücksichtigung der Stärke des Tatverdachts im Rahmen der Interessenabwägung des § 406e StPO vgl. LG Darmstadt, MMR 2009, 579; LG Saarbrücken, MMR 2009, 639.

Gegen eine Einschränkung eines strafprozessualen Akteneinsichtsanspruchs und eine Verweisung auf den Zivilrechtsweg: LG Duisburg, Beschluss vom 30.11.2009, Az. 34 AR 3/09; LG Düsseldorf, Beschluss vom 27.11.2009, Az. 34 AR 4/09; LG Darmstadt, Beschluss vom 9.10.2008, Az. 9 Qs 490/08 (721 Js 35200/08 – StA Darmstadt).

361 *Meyer-Goßner*, § 406e StPO, Rn. 3; nach dem Willen des Gesetzgebers ist die Verfolgung zivilrechtlicher Ansprüche ein berechtigtes Interesse des Verletzten einer Straftat, das zu einer Akteneinsicht berechtigt, BVerfG, NJW 2007, 1052.

362 *Meyer-Goßner,* § 406e StPO, Rn. 3; *Otto*, GA 1989, 289, 301, 303; hingegen: *Sieber*, FS für Spendel, S. 771 ff.: § 406e StPO dient auch der zivilrechtlichen Beweissicherung.

363 Beispielsweise wenn die Ermittlungen keinen hinreichenden Tatverdacht für die Verletzung des Anzeigenerstatters ergeben haben, Meyer-Goßner, § 406e StPO, Rn. 6.

364 BVerfG, NJW 1997, 2165; Ausführlich *Hildebrandt*, Strafvorschriften, S. 371 ff.; Meyer-Goßner, § 105 StPO Rn. 5.

#### *b) Verfahrensgrundsätze*

Die §§ 106–108 UrhG beschreiben Privatklagedelikte (§ 374 Abs. 1 Nr. 8 StPO).[365] Demnach wird nach § 376 StPO die öffentliche Klage nur erhoben, wenn dies im öffentlichen Interesse liegt. Aus dem Fehlen einer besonderen Erwähnung der §§ 108a und 108b Abs. 3 UrhG in § 374 Abs. 1 Nr. 2 StPO ist zu folgern, dass die gewerbsmäßige Begehung der Urheberstraftaten Offizialdelikte darstellen.[366]

Besonderheiten können sich mit Blick auf das Jugendstrafrecht ergeben: Da sich oft Jugendliche der digitalen Vervielfältigungstechniken bedienen, sei auch erwähnt, dass gegen jugendliche Beschuldigte keine Privatklage erhoben werden kann (§ 80 Abs. 1 Satz 1 JGG). Allerdings kann eine Verfehlung ohne Rücksicht auf ein öffentliches Interesse dennoch verfolgt werden, wenn Gründe der Erziehung oder ein berechtigtes Interesse des Verletzten, das dem Erziehungszweck nicht entgegensteht, es erfordern (§ 80 Abs. 1 Satz 2 JGG). Außerdem findet das Adhäsionsverfahren[367] gemäß § 81 JGG bei Jugendlichen keine Anwendung und auch die Nebenfolge der Urteilsveröffentlichung ist bei Jugendlichen unzulässig (§ 6 Abs. 1 Satz 2, § 105 Abs. 1 JGG).

Außerdem kann nach § 110 Satz 2 UrhG das Adhäsionsverfahren Einfluss auf die Einziehung haben. Das Urheberstrafrecht wirft hinsichtlich des Adhäsionsverfahrens keine Besonderheiten auf.[368] Verletzter i.S.v. § 403 StPO ist jeder, der geltend macht, aus einer Straftat des Beschuldigten einen Anspruch gemäß den §§ 98 und 99 UrhG zu haben.[369] Das Adhäsionsverfahren hat im Strafrecht keine praktische Bedeutung erlangt und ist nach Ansicht einiger Autoren wegen der mangelnden Fachkenntnisse der Strafrichter im Urheberrecht auch nicht sinnvoll.[370]

### 4. Strafrechtlicher Schutz von DRM-Systemen (§ 108b UrhG)

Gemäß § 108b UrhG wird der strafrechtliche Schutz auf technische Maßnahmen und zur Rechtewahrnehmung erforderliche Informationen ausgeweitet.[371] Danach

---

365 Wer privatklageberechtigt ist, hat nach § 395 StPO auch die Nebenklagebefugnis.

366 Schricker-*Haß*, § 106 Rn. 4.

367 Mit dem Adhäsionsverfahren wird dem Verletzten einer Straftat die Möglichkeit gegeben, zivilrechtliche Ansprüche, die aus einer Straftat erwachsen und die er an sich vor dem Zivilgericht verfolgen müsste, im Strafverfahren durchzusetzen, vgl. §§ 403–406c StPO, *Beulke*, Strafprozessrecht, Rn. 597 ff.

368 *Hildebrandt*, Strafvorschriften, S. 370 m.w.N.

369 Schricker-*Haß*, § 110 Rn. 2.

370 *Hildebrandt*, Strafvorschriften, S. 370 m.w.N; *Sieber*, FS für Spendel, S. 770, bemerkt, dass sich vor allem im Adhäsionsverfahren die Berücksichtigung zivilrechtlicher Interessen im Strafverfahren zeigt und dass demnach dem Gesetzgeber die Durchsetzung zivilrechtlicher Ansprüche auf der Grundlage strafprozessualen Beweisrechts nicht fremd sei.

371 Darüber hinaus unterstützt der Ordnungswidrigkeitstatbestand des § 111a UrhG den Schutz technischer Maßnahmen.

kann sich strafbar machen, wer gegen §§ 95a und c UrhG verstößt, auch wenn die Tat gemäß § 109 UrhG nur bei Vorliegen eines Strafantrags verfolgt wird. Hingegen bleibt die Tat straflos, die ausschließlich zum eigenen privaten Gebrauch des Täters oder mit dem Täter eng verbundener Personen[372] erfolgt oder sich auf einen derartigen privaten Gebrauch bezieht (§ 108b Abs. 1 a.E. UrhG).[373] Das Fehlen strafrechtlicher Sanktionen ändert aber nichts an der zivilrechtlichen Relevanz solchen Handelns und der Begründung zivilrechtlicher Ansprüche. Ungewöhnlich ist das in § 108b Abs. 1 Nr. 1 normierte Verbot von Umgehungshandlungen „ohne Zustimmung des Rechtsinhabers“. Im Gegensatz zu den §§ 106 und 108 UrhG, bei denen nur eine vorherige Einwilligung rechtfertigende Wirkung entfaltet, scheint diese Formulierung auch eine nachträgliche Genehmigung zu umfassen.[374] Damit kann der Rechtsinhaber sogar bei Bestehen eines besonderen öffentlichen Interesses nach Belieben über den entstandenen Strafanspruch des Staates walten.

### 5. Zugangskontrolldiensteschutz-Gesetz

Das ZKDSG[375] bezweckt den Schutz von Rundfunkangeboten, Informations- und Kommunikationsdiensten,[376] die zunehmend in verschlüsselter Form übertragen und beim Nutzer von einem Zugangskontrolldienst[377] entschlüsselt werden müssen. Es soll sichergestellt werden, dass nur zahlende Nutzer diese Dienste in Anspruch nehmen können und dass die Dienste gegen das kostenlose Erschleichen geschützt werden. Das Gesetz verbietet unerlaubte gewerbsmäßige Maßnahmen zur

---

372 Vgl. zur persönlichen Verbindung Schricker-*Loewenheim*, § 53 Rn. 13.

373 Kritisch dazu *Sieber,* in: Pfitzmann/Sieber, DMMV-Gutachten, S. 138 ff.

374 *Schack*, Urheber- und Urhebervertragsrecht, S. 406 Rn. 851

375 Gesetz über den Schutz von zugangskontrollierten Diensten und von Zugangskontrolldiensten (Zugangskontrolldiensteschutz-Gesetz – ZKDSG). Das Gesetz dient der Umsetzung der Richtlinie 1998/84/EG des Europäischen Parlaments und des Rates über den rechtlichen Schutz von Zugangskontrollierten Diensten und von Zugangskontrolldiensten vom 20.11.1998 (ABl. EG Nr. L 320 S. 54).

376 Die Regelung erfasst verschlüsselt übertragene Rundfunksendungen (Pay-TV) ebenso wie verschlüsselt im Internet bereit gehaltene Mediendienste (z.B. das entgeltliche Angebot von Near Video On Demand) und verschlüsselt im Internet bereit gehaltene Teledienste (z.B. entgeltliche Computerspiele, bei denen mehrere Teilnehmer über das Internet miteinander spielen). Nicht erfasst werden Dienste, die aus Sicherheitsaspekten (Vertraulichkeit bei GSM) oder aus Authentifizierungsgründen (z.B. verschlüsselte Nachrichten der elektronischen Post) verschlüsselt übertragen werden, und der bloße Kopierschutz bei Dateien.

377 „Zugangskontrolldienste“ i.S.v. § 2 Nr. 2 ZKDSG sind technische Verfahren oder Vorrichtungen, die die erlaubte Nutzung des Angebots ermöglichen. Dazu muss das unverständliche (z. B. verschlüsselte) Angebot wieder in verständliche Form gebracht werden (z.B. entschlüsselt werden). Dies bewerkstelligt z.B. ein Decoder. Hierbei sind nicht nur Geräte (Hardwarelösungen), sondern auch andere technische Verfahren (Softwarelösungen) erfasst, Gesetzentwurf der Bundesregierung vom 24.10.2001, BT-Drucks. 14/7229, S. 7.

Umgehung der Schutzvorrichtungen für zugangskontrollierte Dienste sowie bestimmte Unterstützungshandlungen. Dabei werden Sanktionen für den Fall der gewerbsmäßigen Umgehung von Schutzmaßnahmen geregelt. In § 4 ZKDSG sind Strafvorschriften[378] und in § 5 ZKDSG[379] Bußgeldvorschriften normiert.

### 6. Mögliche Nachteile strafrechtlichen Schutzes

Die Anwendung urheberstrafrechtlicher Sanktionen ist in der Praxis mit verschiedenen Schwierigkeiten verbunden. Wie bereits eingangs erwähnt, stellt das Fehlen von Fachkenntnis auf urheberstrafrechtlichem Gebiet aufseiten der Staatsanwälte und Richter häufig ein grundlegendes Problem dar, das zu einem Vollzugsdefizit wegen zu zögerlichem Umgang mit den entsprechenden Urheberrechtsverletzungen führen kann. Daneben besteht die Gefahr der Funktionalisierung strafrechtlichen Schutzes durch den Rechtsinhaber.[380] Daran ist beispielsweise zu denken, wenn für den Zivilprozess notwendige Informationen, wie der Name des Verletzers, allein zivilrechtlich nicht ermittelbar sind. Außerdem ist auch die Ultima-Ratio-Funktion des Strafrechts zu beachten, wonach das Strafrecht als einschneidendstes Instrument unserer Rechtsordnung zur Wahrung und Wiederherstellung des Rechtsfriedens zuvörderst zum Schutz wertvoller Rechtsgüter vor gravierenden Rechtsverletzungen bestimmt ist. So soll das strafrechtliche Instrumentarium nicht zur Verfolgung von Bagatellfällen eingesetzt werden, was, angesichts eines oft feststellbaren fehlenden Bewusstseins über die moralische Verwerflichkeit von Immaterialgüterrechtsverletzungen in der Gesellschaft, die Akzeptanz des Urheberrechts weiter schwächen würde. Neben diesen bereits oben dargestellten Bedenken gegenüber dem Rückgriff auf strafrechtliche Sanktionen können urheberstrafrechtliche Maßnahmen in der Praxis weitere Nachteile mit sich bringen. Von manchen Autoren[381] wird bemängelt, dass strafrechtliche Sanktionen bezüglich der Erreichung wirtschaftlicher Interessen abträglich seien. So könnte bereits die Verurteilung zu einer Geldstrafe die finanziellen Kapazitäten des Verletzers er-

378 § 4 ZKDSG, Strafvorschriften: Mit Freiheitsstrafe bis zu einem Jahr oder mit Geldstrafe wird bestraft, wer entgegen § 3 Nr. 1 eine Umgehungsvorrichtung herstellt, einführt oder verbreitet.

§ 3 ZKDSG, Verbot von gewerbsmäßigen Eingriffen zur Umgehung von Zugangskontrolldiensten: Verboten sind 1. die Herstellung, die Einfuhr und die Verbreitung von Umgehungsvorrichtungen zu gewerbsmäßigen Zwecken.

379 § 5 ZKDSG, Bußgeldvorschriften: (1) Ordnungswidrig handelt, wer entgegen § 3 Nr. 2 eine Umgehungsvorrichtung besitzt, technisch einrichtet, wartet oder austauscht. (2) Die Ordnungswidrigkeit kann mit einer Geldbuße bis zu fünfzigtausend Euro geahndet werden.

§ 3 ZKDSG, Verbot von gewerbsmäßigen Eingriffen zur Umgehung von Zugangskontrolldiensten: Verboten sind 2. der Besitz, die technische Einrichtung, die Wartung und der Austausch von Umgehungsvorrichtungen zu gewerbsmäßigen Zwecken.

380 Siehe oben Dritter Teil, III.B.1.

381 *Hildebrandt*, Strafvorschriften, S. 508 C; *Weber*, FuR 1980, 338 f.

schöpfen und die vom Verletzten gestellten zivilrechtlichen Ansprüche leerlaufen lassen. Ebenso würde bei der Verurteilung zu einer Freiheitsstrafe dem Verletzer die Möglichkeit genommen, Einkommen zur Begleichung der Geldansprüche des Verletzten zu verdienen. In diesen Fällen kann demnach durch die strafrechtliche Sanktion die Erfüllung daneben bestehender zivilrechtlicher Geldansprüche des Verletzten behindert werden. Soweit ein zivilrechtliches Vorgehen relativ einfach vonstatten geht, können sich strafrechtliche Sanktionen daher als hinderlich erweisen. Auch aus wettbewerbspolitischen Gründen sind Bedenken anzumelden. So hat eine ökonomische Analyse[382] des geistigen Eigentums gezeigt, dass bei überschießenden Sanktionen Freiräume, die an sich rechtmäßig zu nutzen wären, im Zweifel mit Blick auf die drohenden Sanktionen gemieden werden.[383] Dies würde Innovationen zurückhalten und einen gesunden Wettbewerb behindern, was auf die Volkswirtschaft eine negative Wirkung hätte.[384] Ungeachtet wirtschaftlicher Interessen wäre letztlich auch denkbar, dass das strafrechtliche Instrumentarium aufgrund seiner abschreckenden Wirkung die urheberrechtlich geschützte und geförderte Kreativität der möglicherweise Betroffenen von vornherein erstickt und behindert.[385]

## C. Maßnahmen des Ordnungswidrigkeitenrechts

Um die mit dem Urheberstrafrecht verbundenen Schwierigkeiten zu umgehen, wird von manchen eine stärkere Gewichtung des Ordnungswidrigkeitenrechts neben dem zivilrechtlichen Schutz in Betracht gezogen.[386] Allerdings ist bei einer solchen Verlagerung fraglich, ob nur bestehende Probleme gelöst oder nicht vielmehr neue geschaffen werden. Zu beachten ist zunächst, dass das Ordnungswidrigkeitenrecht vorrangig auf den Schutz von Allgemeininteressen gerichtet ist, wohingegen Vermögensinteressen Einzelner durch das Strafrecht geschützt werden.[387] Diesen Schluss lässt auch die Auslegung des § 17 Abs. 3 OWiG zu, der den wirtschaftlichen Verhältnissen des Täters eine geringere Bedeutung beimisst. Außerdem ist zweifelhaft, ob dem Ordnungswidrigkeitenrecht die Rolle des milderen

---

382 Siehe zur ökonomischen Analyse *Lemley*, 82 Texas Law Review 2005, 1032 ff.; *Peukert/Kur*, GRUR Int. 2006, 293.

383 *Peukert*, in: Hilty/Peukert, Interessenausgleich im Urheberrecht, S. 11 f.; *Peukert/Kur*, GRUR Int. 2006, 293.

384 So hat der Große Senat des Bundesgerichtshofs die Notwendigkeit der Herstellung eines ausgewogenen Verhältnisses zwischen Schutz des geistigen Eigentums und der Wettbewerbs- und Handlungsfreiheit der Marktteilnehmer in seinem Beschluss zur sog. unberechtigten Schutzrechtsverwarnung in aller Deutlichkeit festgehalten; siehe BGH NJW 2005, 3141 f.; BGH GRUR 2006, 219, 222.

385 *Hildebrandt*, Strafvorschriften, S. 508 C.

386 *Dähn*, Wirtschaftsstrafrechtliche Normen im Urheberrecht, S. 134.

387 *Sternberg-Lieben*, Musikdiebstahl, S. 143; *Hildebrandt*, Strafvorschriften, S. 507.

Mittels zugesprochen werden kann. So ist es nicht mehr als präventives Verwaltungszwangsrecht einzustufen, sondern dient ebenso wie das Strafrecht einem echten Rechtsgüterschutz und regelt die staatliche Verhängung von Sanktionen wegen tatbestandsmäßiger, rechtswidriger Verhaltensweisen, die in der Vergangenheit liegen.[388] Daran ändert auch nichts, dass die Zuständigkeit für die Verfolgung von Ordnungswidrigkeiten, insbesondere die Verhängung von Bußgeld, gemäß § 35 Abs. 2, 65 OWiG, grundsätzlich der Verwaltungsbehörde anvertraut ist.

Durch das Gesetz zur Regelung des Urheberrechts in der Informationsgesellschaft vom 10. September 2003 wurde im Zuge der Umsetzung von Art. 6 Abs. 1 und Art. 7 Abs. 1 der Richtlinie 2001/29/EG § 111a UrhG als erster Bußgeldparagraf in das Urheberrechtsgesetz eingeführt.[389] § 111a UrhG bezweckt eine zusätzliche Absicherung gegen die Vorbereitung der Umgehung einer wirksamen technischen Maßnahme (§ 95a Abs. 3 UrhG), gegen das Nichtzurverfügungstellen eines zur Umgehung notwendigen Mittels (§ 95b Abs. 1 UrhG) und gegen die fehlende oder unvollständige Kennzeichnung eines Schutzgegenstands (§ 95d Abs. 2 Satz 1 UrhG). Demnach handelt ordnungswidrig, wer entgegen § 95a UrhG Hacking-Werkzeuge, auch ohne gewerbsmäßig zu handeln, verkauft, vermietet oder verbreitet (Abs. 1 Nr. 1 lit. a) oder solche Werkzeuge zu gewerblichen Zwecken besitzt oder für den Verkauf oder die Vermietung dieser Mittel wirbt oder eine entsprechende Dienstleistung erbringt (Abs. 1 Nr. 1 lit. b). Allerdings wird auch der Rechtsinhaber mit Bußgeld bedroht, wenn er entgegen § 95b UrhG nicht die notwendigen Mittel zur Umgehung der Schutzmaßnahmen zur Verfügung stellt (Abs. 1 Nr. 2) oder entgegen § 95d UrhG seinen Kennzeichnungspflichten nicht vollständig nachkommt (Abs. 1 Nr. 3). Durch die Höhe des Bußgeldes soll eine Abschreckungswirkung erzielt werden, die geeignet ist, nachdrücklich zur Befolgung der Rechtsordnung anzuhalten.[390] In den Fällen des Abs. 1 Nr. 1 und Nr. 2 beträgt der Bußgeldrahmen bis zu 50.000 €. Im Fall von Abs. 1 Nr. 3 kann ein Bußgeld von bis zu 10.000 € verhängt werden.

## D. Verwaltungsrechtliche Maßnahmen

Zur Bekämpfung der gewerblichen Tätigkeit des Verletzers kann außerdem auf verwaltungsrechtliche Maßnahmen zurückgegriffen werden. Vorrangig ist hierbei an das Institut der Gewerbeuntersagung gemäß § 35 GewO zu denken, eine zentrale Vorschrift des Gewerberechts. Handelt es sich um ein Reise- oder Marktgewerbe

---

[388] *Weber*, ZStW Bd. 92, 1980, S. 315; ähnlich *Hildebrandt*, Strafvorschriften, S. 507; anders *Sternberg-Lieben*, Musikdiebstahl, S. 143.

[389] Beachte daneben die Bußgeldvorschriften in § 5 ZKDSG vom 19.3.2002, siehe oben Dritter Teil, III.B.5.

[390] Gesetzentwurf der Bundesregierung vom 6.11.2002, BT-Drucks. 15/38, S. 27.

erfolgt die Untersagung nicht nach § 35 GewO, sondern im Reisegewerbe nach den §§ 57, 59, 60d GewO sowie im Marktgewerbe gegenüber dem Marktteilnehmer nach § 70a GewO und gegenüber dem Festsetzungsantrag des Veranstalters nach § 69a GewO. Bei einem erlaubnispflichtigen Gewerbe erfolgen hingegen Rücknahme oder Widerruf der Gewerbeerlaubnis nach §§ 48, 49 VwVfG und, wenn das Gewerbe ohne die erforderliche Erlaubnis ausgeübt wird, eine Untersagung nach § 15 Abs. 2 GewO. Diese sind aber ebenso wie § 35 GewO an die Zuverlässigkeit des Gewerbetreibenden und den Verhältnismäßigkeitsgrundsatz gebunden, sodass aufgrund der ähnlichen Voraussetzungen auf nähere Ausführungen verzichtet wird.

Hervorzuheben ist, dass es sich bei § 35 GewO nicht um ein Mittel zur Sanktionierung zurückliegenden Verhaltens handelt, vielmehr sollen Präventivmaßnahmen zum Schutz der Allgemeinheit ermöglicht werden. So muss die Verwaltungsbehörde anhand des bisherigen Verhaltens des Gewerbetreibenden eine Prognoseentscheidung treffen.

Voraussetzung einer schlichten Gewerbeuntersagung nach § 35 GewO sind neben der Ausübung eines bloß anzeigepflichtigen Gewerbes die Unzuverlässigkeit des Gewerbetreibenden und die Erforderlichkeit der Maßnahme zum Schutz der Allgemeinheit. § 35 GewO kann sich sowohl gegen den Hersteller illegaler Vervielfältigungsstücke als auch gegen einen am Vertrieb beteiligten Händler richten. Diesen ist die weitere Ausübung ihres Gewerbes zu untersagen, sofern sie nicht die erforderliche Zuverlässigkeit für die Gewerbeausübung bieten. Unzuverlässig ist nach der klassischen gewerberechtlichen Formel derjenige Gewerbetreibende, der nach dem Gesamteindruck seines Verhaltens nicht die Gewähr dafür bietet, sein Gewerbe künftig ordnungsgemäß zu betreiben.[391] Diese Voraussetzung ist beispielsweise bei Steuerhinterziehung erfüllt, die oft mit urheberrechtlichen Verletzungshandlungen einhergeht,[392] oder auch bei sonstigen Verstößen gegen Strafvorschriften. Dabei ist bezüglich der Straftaten zu differenzieren: Verfehlungen von geringerem Gewicht und ohne Tätigkeitsbezug sind gerade angesichts der schweren Folgen entsprechender gewerberechtlicher Maßnahmen vor dem Hintergrund von Art. 12 GG unbeachtlich. Anders verhält es sich bei schwereren Delikten, insbesondere Betrug oder Unterschlagung.[393] Dies lässt den Schluss zu, dass bei der Begehung einzelner Straftaten eine ausreichende Erheblichkeit gegeben sein muss, um eine Unzuverlässigkeit bejahen zu können. Bei kleineren urheberrechtlichen Verstößen wird dies nicht der Fall sein. Wendet der Gewerbetreibende aber ein gewisses Maß an krimineller Energie auf, um sich planmäßig anhand von Produkt-

391 BVerwGE 65, 1 = NVwZ 1982, 503; *Ruthig/Storr*, Öffentliches Wirtschaftsrecht, § 3 I 5 Rn. 164, § 3 II 2 Rn. 192.

392 Wenn sie sich über einen längeren Zeitraum erstreckt und nicht unerhebliche Summen umfasst, so: BVerwG, NVwZ 1988, 432; *Ruthig/Storr*, Öffentliches Wirtschaftsrecht, § 3 I 5 Rn. 170.

393 BVerwG, GewArch 1972, 189.

piraterie ein Gewerbe aufzubauen, das ihm eine Einnahmequelle von einiger Dauer und Gewicht ist, so lässt sich nicht mehr von einer Bagatelle sprechen. Letztlich ist anzumerken, dass für die Beurteilung der Unzuverlässigkeit ein Verschulden unerheblich ist.[394]

Die Gewerbeuntersagung stellt eines der schärfsten gewerberechtlichen Mittel dar. Daher ist sie nach § 35 Abs. 1 Satz 1 GewO daran gebunden, dass sie zum Schutz der Allgemeinheit oder der im Betrieb Beschäftigten erforderlich ist. Es muss also entsprechend dem Verhältnismäßigkeitsgrundsatz geprüft werden, ob die Rechtsgütergefährdung nicht durch andere, den Gewerbetreibenden weniger belastende Maßnahmen abgewehrt werden können, wie z.B. Abmahnungen, Auflagen, Kontrollen oder Teiluntersagungen.[395] Dies schwächt die Bedeutung der Gewerbeuntersagung als Maßnahme gegen Produktpiraterie, denn eine vollständige Untersagung wird unter diesen strengen Voraussetzungen wohl nur selten erfolgen können.[396]

## E. Zollrechtliche Maßnahmen

### 1. Allgemein

Angesichts der internationalen Dimension der Produktpiraterie und der international bestehenden Unterschiede bezüglich rechtlicher Schutzstandards und der gerichtlichen oder strafbehördlichen Rechtsdurchsetzung erscheint es wichtig, bereits den Zufluss schutzrechtsverletzender Produkte aus dem Ausland einzudämmen. Diesem Ziel dient die sogenannte Grenzbeschlagnahme: Der Rechtsinhaber kann durch Antrag erreichen, dass die Zollbehörde urheberrechtswidrige Waren bei ihrer Ein- oder Ausfuhr in ihrer Gesamtheit beschlagnahmt. Damit soll bereits die Einfuhr von Piraterieware nach Deutschland verhindert werden, um so wirksam den weiteren Vertrieb der Ware zu unterbinden und leichter auf die Waren zugreifen zu können, bevor sie im Markt verbreitet werden. Die nationale Regelung über eine solche Grenzbeschlagnahme geht auf das Produktpirateriegesetz vom 7. März 1990 zurück. Sie wird ergänzt durch die Regelung einer Grenzbeschlagnahme auf europäischer Ebene nach Verordnung (EG) Nr. 1383/2003, die als gemeinschaftsrechtliche Regelung dem mitgliedstaatlichen Recht vorgeht.[397] Die Kodifizierung eines Grenzbeschlagnahmeverfahrens ist auch eine Verpflichtung, die sich aus den Art. 51 ff. TRIPS-Abkommen ergibt, welche jedoch für den Schutzrechtsinhaber

---

394 Landmann/Rohmer-*Marcks*, GewO, § 35 Rn. 33; *Ruthig/Storr*, Öffentliches Wirtschaftsrecht, § 3 I 5 Rn. 167.

395 *Ruthig/Storr*, Öffentliches Wirtschaftsrecht, § 3 II 2 Rn. 199.

396 *Sternberg-Lieben*, Musikdiebstahl, S. 143.

397 Grundlegend zum Vorrang des Gemeinschaftsrechts EuGH, 15.7.1964 – Rs. C-6/64, *Costa/Enel*, Slg. 1964, 1251.

kein unmittelbar geltendes Recht darstellen, da lediglich die Abkommensmitglieder verpflichtet werden, gegebenenfalls ihr nationales Recht entsprechend zu gestalten.[398] Die Vorschriften des TRIPS-Abkommens entsprechen weitgehend der alten Piraterie-Verordnung[399] aus dem Jahre 1994.[400]

Trotz der gemeinschaftsrechtlichen Regelung der Grenzbeschlagnahme verbleibt § 111b UrhG, wonach Grenzbeschlagnahmen bei Verletzung von Urheberrechten und verwandten Schutzrechten nach nationalem Recht angeordnet werden können, ein eigener Anwendungsbereich. Eine Beschlagnahme nach den nationalen Schutzgesetzen kommt in Betracht, soweit die Pirateriererordnung ausdrücklich darauf verweist oder sie nicht anwendbar ist. Dabei deckt die Verordnung[401] die Einfuhr rechtsverletzender Vervielfältigungsstücke aus Drittländern und deren Ausfuhr in solche Länder umfassend ab. Wichtig sind daher insbesondere zwei Anwendungsfälle von § 111b UrhG: Erstens der Fall des Warenverkehrs zwischen den Mitgliedstaaten der Europäischen Gemeinschaft. Zweitens fallen auch Parallelimporte, also Originalwaren, die ohne Zustimmung des Rechtsinhabers und somit unter Umgehung vertraglich festgelegter Vertriebswege aus Drittländern ein- oder ausgeführt werden, unter die nationale Regelung.

Zu beachten ist, dass es sich bei der Grenzbeschlagnahme um eine Maßnahme im Rahmen der Zollabfertigung handelt, die nicht mit der Beschlagnahme nach den strafprozessualen Bestimmungen (§§ 94 ff. StPO) zu verwechseln ist.

## 2. Voraussetzungen für eine Grenzbeschlagnahme nach § 111b UrhG

Die Durchführung eines Grenzbeschlagnahmeverfahrens setzt zunächst einen Antrag des Rechtsinhabers bei der zuständigen Zolldienststelle voraus, in welchem möglichst konkrete Merkmale für eine mühelose Erkennung rechtsverletzender Ware angegeben werden sollten.[402] Zusätzlich erfordert ein Tätigwerden durch die Zollbehörden nach § 111b UrhG stets eine Sicherheitsleistung durch den Antragsteller, damit gegebenenfalls die mit dem Grenzbeschlagnahmeverfahren verbundenen Kosten sowie etwaige Schadensersatzansprüche des Verfügungsberechtigten bei ungerechtfertigter Beschlagnahme abgedeckt sind und darüber hinaus miss-

---

398 *Ahrens*, RIW 1996, 727.

399 Verordnung (EG) Nr. 3295/1994 des Rates vom 22.12.1994 über Maßnahmen zum Verbot der Überführung nachgeahmter Waren und unerlaubt hergestellter Vervielfältigungsstücke oder Nachbildungen in den zollrechtlich freien Verkehr oder in ein Nichterhebungsverfahren sowie zum Verbot ihrer Ausfuhr und Wiederausfuhr, ABlEG Nr. L 341 vom 30.12.1994, 8–13.

400 *Welser*, EWS 2005, 203.

401 Die alte Piraterie-Verordnung (EG) Nr. 3295/1994 wurde mittlerweile durch die Verordnung (EG) 1383/2003 mit Wirkung zum 1.7.2004 aufgehoben und vollständig durch die Regelungen der neuen Verordnung ersetzt.

402 Wandtke/Bullinger-*Kefferpütz*, § 111b Rn. 11 f.

bräuchliche Antragstellungen verhindert werden.[403] Des Weiteren ist eine Beschlagnahme nur bei Vorliegen einer offensichtlichen Rechtsverletzung möglich, die von der Zollbehörde anhand der vom Antragssteller erhaltenen Informationen mühelos festgestellt werden kann. § 111b Abs. 1 Satz 1 UrhG stellt auf die Verletzung von Urheber- oder Leistungsschutzrechten durch die Herstellung oder Verbreitung von Vervielfältigungsstücken i.S.d. § 16 UrhG ab. Das Herstellungsverbot ist umfassend, es ist unbeachtlich, ob die Herstellung zu privaten, geschäftlichen oder sonstigen Zwecken erfolgt. Durch die Schranke des § 53 UrhG ausgenommen ist lediglich der Fall, dass zum privaten oder sonstigen eigenen Gebrauch einzelne Vervielfältigungsstücke hergestellt wurden.[404] Die Begehungsform des Verbreitens beinhaltet das öffentliche Anbieten und Inverkehrbringen von Vervielfältigungsstücken, wovon die rein private Weitergabe an einen individualisierbaren Personenkreis ausgenommen ist.[405] Von der Grenzbeschlagnahme erfasst sind unstreitig die Ein- und die Ausfuhr rechtsverletzender Vervielfältigungsstücke, nicht jedoch die bloße Durchfuhr der Ware.[406] Rein private Waren ohne kommerziellen Charakter, die im persönlichen Gepäck mitgeführt werden und den Einkaufswert von 175 € nicht übersteigen, sind hierbei ausgenommen.

Wird einem Antrag auf Durchführung der Grenzbeschlagnahme stattgegeben, so werden die Zollbehörden aufgrund der vom Antragsteller bereitgestellten Informationen die Aussetzung der Überlassung oder die Zurückhaltung von Waren anordnen, d.h. die Waren werden zur Überprüfung festgehalten. Sofern die Überprüfung ergibt, dass es sich um rechtsverletzende Waren handelt, werden diese gemäß § 111b Abs. 1 UrhG beschlagnahmt. Wenn der Verfügungsberechtigte nicht innerhalb einer Frist von zwei Wochen der Beschlagnahme widerspricht, ordnet die Zollbehörde die Einziehung der beschlagnahmten Vervielfältigungsstücke nach § 111b Abs. 3 UrhG im Zuge des vereinfachten Verfahrens an. Erfolgt aber ein Widerspruch des Verfügungsberechtigten gegen die Maßnahmen der Zollbehörde, so muss der Antragssteller unverzüglich eine Erklärung an die Zollbehörde über den Fortbestand seines Antrags abgeben und innerhalb von zwei Wochen eine vollziehbare gerichtliche Entscheidung vorlegen, durch die eine Verwahrung der Vervielfältigungsstücke oder eine Verfügungsbeschränkung angeordnet wird.[407]

---

403 Schricker-*Haß*, § 111b Rn. 5; *Braun/Heise*, GRUR Int. 2001, 29.

404 Wandtke/Bullinger-*Kefferpütz*, § 111b Rn. 26.

405 Wandtke/Bullinger-*Kefferpütz*, § 111b Rn. 27.

406 So die Erwägungen des Gesetzgebers zum Produktpirateriegesetz, Gesetzentwurf der Bundesregierung vom 15.6.1989, BT-Drucks. 11/4792, S. 41; *Braun/Heise*, GRUR Int. 2001, 30; Schricker-*Haß*, § 111b Rn. 3; *Ahrens*, BB 1997, 903.

407 Wandtke/Bullinger-*Kefferpütz*, § 111b Rn. 49 ff.; *Braun/Heise*, GRUR Int. 2001, 29.

# F. Außerrechtliches Instrumentarium

## 1. Digital-Rights-Management-Systeme

Die heute meistgenutzte und dennoch nicht minder umstrittene Selbsthilfemaßnahme stellt der Einsatz von sogenannten Digital-Rights-Management-Systemen dar. Wie bereits oben beschrieben[408] lässt sich bisher eine einheitliche allgemeingültige Begriffsbestimmung der DRM-Systeme kaum vornehmen.[409] Man kann sie als ein umfassendes Schutzsystem für den Online- und Offline-Bereich beschreiben, in dem verschiedene technische Schutzmaßnahmen[410] zur Steuerung und Kontrolle der gestatteten Nutzungen integriert werden.[411] Jede einzelne dieser technischen Maßnahmen hat ihre Schwachstellen. Durch den Rückgriff auf DRM-Systeme, die auf einen kombinierten Einsatz verschiedener Schutztechniken und die Heranziehung rechtlicher Schutzmechanismen bauen, kann jedoch ein höheres Schutzniveau bei der Verwertung geschützter Werke über das Internet, auf Datenträgern, mobilen Abspielgeräten oder auch Mobiltelefonen gewährt werden.[412] Da bis heute kein unüberwindbares Schutzsystem gefunden wurde, ist sowohl auf internationaler[413] wie nationaler Ebene die Notwendigkeit eines gesetzlichen Schutzes dieser Maßnahmen erkannt worden. Für ein effektives Funktionieren dieser Schutz- und Kontrollmechanismen ist also ein Zusammenspiel zwischen technischen Maßnahmen, rechtlichem Schutz und auch Akzeptanz und Einhaltung der Nutzungsbedingungen durch die Verbraucher erforderlich.[414] Rechtlichen Schutz zur Gewährleistung der Effektivität der DRM-Systeme bieten in Deutschland die §§ 95a ff., § 108b UrhG. Eine weitere Funktion der gesetzlichen Regelung besteht nach Auffassung der Bundesregierung darin, Anreize zur weiteren Entwicklung von DRM-Systemen zu geben.[415] Außerdem können DRM-Systeme ihrerseits die Einhaltung von mit den einzelnen Nutzern geschlossenen Nutzungsverträgen auf technischem Wege sicherstellen.[416] Ein weiterer Vorteil von DRM-Systemen ist,

---

408 Siehe oben Erster Teil, II.C.1.

409 *Bechtold*, Vom Urheber- zum Informationsrecht, S. 3, 5 f.; *Arlt*, GRUR 2004, 548 f.

410 Zu den technischen Schutzmaßnahmen zählen etwa Verschlüsselungstechniken, Kopierkontrollsysteme, Metadaten zur Identifizierung und Beschreibung digitaler Inhalte, Erkennungsmerkmale wie digitale Wasserzeichen und digitale Fingerabdrücke oder Regionalcodes; dazu oben Erster Teil, II.B.

411 Für eine genaue Beschreibung und Auflistung Hoeren/Sieber-*Bechtold*, Multimediarecht, Kapitel 7.11 Rn. 4 ff.; *Schulz*, GRUR 2006, 471 ff.; *Bechtold*, Vom Urheber- zum Informationsrecht, S. 4.

412 *Schulz*, GRUR 2006, S. 471; *Rump*, in: Becker et al. (eds.) Digital Rights Management, S. 3.

413 Art. 41 (1), 61 TRIPS; Art. 11, 12 WCT; Art. 6 Harmonisierungs-RL.

414 *De Angelis*, Tutela Giuridica, S. 193 f.

415 Gegenäußerung der Bundesregierung zur Stellungnahme des Bundesrates, Gesetzentwurf der Bundesregierung vom 6.11.2002, BT-Drucks. 15/38, S. 37, 42.

416 Hoeren/Sieber-*Bechtold*, Multimediarecht, Kapitel 7.11 Rn. 18.

dass ihr Einsatz neue Vertriebswege etwa über das Internet eröffnet und auch eine flexiblere Preisgestaltung, die an den Umfang der Kopierschutzmechanismen oder an die Qualität des Werks (seine Bit-Rate) angepasst wird, ermöglicht wird.[417]

Über den genannten Vorzügen sollte aber nicht vergessen werden, dass DRM-Systeme bisher noch keinen unüberwindbaren Schutz bieten. In der Industrie gibt es noch kaum einheitliche Standards bezüglich der DRM-Systeme. Diese können aber nur reibungslos miteinander funktionieren, wenn das Zusammenwirken und Ineinandergreifen der verschiedenen technischen Schutzmaßnahmen standardisiert wird.[418] So sind die heute schon bestehenden Bemühungen um die Weiterentwicklung für die Wirksamkeit der Systeme grundlegend und müssen auch in Zukunft vorangetrieben werden. Ein weiterer Nachteil, der sich durch den Einsatz technischer Schutzmaßnahmen gezeigt hat, kann die Beschädigung von Computer-Software sein. Durch das Senden von Verbraucherinformationen an den Mutterkonzern Sony BMG, welches ohne Einwilligung der Endnutzer erfolgte, wurden beispielsweise die PCs gleichzeitig anfällig für Hacker-Angriffe.[419] Diese Auswirkung schadete nicht nur dem öffentlichen Ansehen des Konzerns, sondern führte auch zu einer starken Abnahme der Zahl kopiergeschützter Produkte.[420] Es bestehen allerdings nicht nur technische Probleme. Durch die technischen Schutzmaßnahmen erlangen die Rechtsinhaber eine sehr weitgehende Kontrolle über Verbreitung und Nutzung ihrer digitalen Inhalte. Dies birgt die Gefahr, dass ein Schutzniveau erreicht wird, welches weit über den durch das Urheberrechtsgesetz gewährten Schutz hinausgeht. So kommt es schon jetzt zu dem absurden Fall, dass eine rechtmäßig erworbene CD nur noch eingeschränkt einsetzbar ist, weil ihr Inhalt nicht beliebig für den privaten Gebrauch digital vervielfältigt und so für andere Trägermedien nutzbar gemacht werden kann. Zudem droht ein Bedeutungsverlust des Urheberrechts, sollte der faktische Schutz durch DRM-Systeme in der Zukunft lückenlos werden. Schon jetzt haben Rechtsinhaber oder Verwerter die Möglichkeit, die Werke online zu vermarkten oder aufgrund von Nutzungsverträgen die faktische Nutzungsmöglichkeit eines digitalen Inhalts festzulegen und auch die Durchsetzung und Verfolgung ihrer Rechte durch DRM-Systeme vorzunehmen.[421] Außerdem ist trotz der Notwendigkeit rechtlichen Schutzes technischer Schutzmaßnahmen darauf zu achten, dass Endnutzer bei dem Gebrauch ihrer rechtmäßig erworbenen Werke nicht unnötig kriminalisiert werden. Das würde nur weiteres Unverständnis in der Bevölkerung hervorrufen und die Akzeptanz des Urheberrechts schwächen.

---

417 *Schulz*, GRUR 2006, 473.

418 Hoeren/Sieber-*Bechtold*, Multimediarecht, Kapitel 7.11 Rn. 20.

419 Vgl. http://www.businessweek.com/technology/content/nov2005/tc20051129_6854 54.htm ?chan=search [19.4.2008].

420 Vgl. http://www.spiegel.de/netzwelt/web/0,1518,527992,00.html [19.4.2008].

421 *Schulz*, GRUR 2006, 474 f.

## 2. Neue Geschäftsmodelle

Ein weiteres Instrument zur Selbsthilfe ergibt sich für die Rechtsinhaber aus der Wahl neuer Geschäftsmodelle, wie beispielsweise dem Gebrauch moderner Distributionsformen über das Internet. Mit einem Vertrieb über das Internet wird eine schnellere, kostengünstigere und durch die Möglichkeit, auf individuelle Kundenwünsche reagieren zu können, auch eine kundenorientiertere Verbreitung von digitalen Inhalten erreicht. Dass ein großes Interesse an der Bereitstellung digitaler Inhalte über das Internet besteht, zeigen schon die vielen Nutzer von *Filesharing*-Systemen, die sich hier kostenlos Musik downloaden. Dieses Potenzial kann nutzbar gemacht werden, indem die illegalen Angebote durch legale Internet-Vertriebssysteme verdrängt werden. Dafür spricht auch die aktuelle Entwicklung: Laut Bundesverband Informationswirtschaft, Telekommunikation und neue Medien[422] stieg die Anzahl der legalen Downloads im Jahr 2006 auf 31 Millionen und erreichte einen Umsatz von 131 Millionen Euro. Im Vergleich zum Vorjahr wuchs der Markt damit um ein Drittel. Auch künftig wird mit einem Zuwachs gerechnet.

Auf das Verhaltensmuster vieler Internetnutzer, sich aus dem vielfältigen Musikangebot im Netz zu bedienen und so die eigene große, leider aber illegale Musiksammlung zu erstellen, haben einige Unternehmen mit einem weiteren neuen Geschäftsmodell reagiert.[423]

## 3. Aufklärungskampagnen zur Schärfung des Unrechtsbewusstseins

Eine weitere wichtige Chance im Kampf gegen die Produktpiraterie liegt in der Initiierung von Aufklärungskampagnen, die das Unrechtsbewusstsein bezüglich der Verletzung von Immaterialgüterrechten durch alle Bevölkerungsschichten und Altersklassen hinweg schärfen sollen. In diesem Rahmen können die negativen Auswirkungen der Produktpiraterie und die von ihr konkret verursachten Schäden aufgezeigt werden. Dabei sollten auch Grund und Zweck des Urheberrechts vermittelt werden: Das Urheberrecht schützt nicht nur die materiellen und ideellen Interessen

---

422 Deutsche Presseagentur am 9.7.2007.

423 Neben Nokias „Comes With Music“ in England sind das z.B. TDC, ein dänischer Telefondiensteanbieter, oder der Mobilfunkanbieter Orange mit „Music Max“, die unbegrenzte Musik-Downloads an bestimmte Flatrate-Verträge knüpfen. Auch Sony Ericsson plant ein ähnliches Modell: „Playnow Plus“ wird über Mobilfunkanbieter in Schweden erhältlich sein. Mit dem Kauf eines tragbaren Abspielgeräts erhält der Käufer das Recht zum Download beliebig vieler digitaler Musiktitel. Diese Abspielgeräte sind mit einem einjährigen Online-Musikabonnement verbunden. Die downgeloadete Musik kann sowohl auf dem Abspielgerät als über den PC gehört werden und ist auch nach Ablauf des Abonnements weiter nutzbar. Ziel dieses Modells ist es, der illegalen Verhaltenspraxis vieler, zumeist minderjähriger Internetnutzer ein Ende zu bereiten, und ihnen Rückkehr in die Legalität zu ermöglichen. Welche Ergebnisse und Auswirkungen diese Pläne in der Zukunft haben werden und ob sich die Warnungen vor den Folgen eines solchen Modells als gerechtfertigt erweisen, kann noch nicht gesagt werden.

des Urhebers an seinem Geisteswerk, sondern gibt auch Motivation und Anreize für weitere schöpferische Tätigkeit. Es ist also kein Mittel, das etwa darauf gerichtet ist, das Handeln der Verbraucher einzuschränken, sondern dient vielmehr der Aufrechterhaltung eines reichhaltigen professionell produzierten Angebots. Mit diesen Erwägungen wird man wahrscheinlich gewerblich handelnde Produktpiraten nicht von ihrem Handeln abbringen können, bei privaten Verbrauchern ließe sich aber sicher das Problembewusstsein schärfen.

## G. Verhältnis zwischen den Schutzmaßnahmen in den verschiedenen Rechtsgebieten

### 1. Zivilrechtliche Maßnahmen

Für Urheberrechtsstreitsachen ist heute gemäß § 104 UrhG grundsätzlich der ordentliche Rechtsweg zu den Zivilgerichten offen. Nicht nur diese Zuständigkeitsvorschrift, auch das heute verfügbare umfangreiche zivilrechtliche Instrumentarium, das einen sehr weitreichenden Schutz gewährt,[424] zeigen die vorrangige Bedeutung zivilrechtlicher Maßnahmen in Deutschland. Vorteile zivilrechtlichen Schutzes liegen darin, dass der Verletzte zur Geltendmachung eines Anspruchs keinen Vorsatz nachweisen muss und im Gegensatz zum Strafrecht bei der Beurteilung neuartiger Sachverhalte die Bildung von Analogien möglich ist.[425] Auch die Weite des Schutzgutes stärkt die Bedeutung des zivilrechtlichen Instrumentariums, geschützt ist nämlich das Urheberrecht schlechthin.[426] Außerdem ist nach § 97 Abs. 3 UrhG, wonach Vorschriften aus anderen gesetzlichen Vorschriften ausdrücklich unberührt bleiben, neben der Anwendung des urheberrechtlichen Instrumentariums auch ein Rückgriff auf andere zivilrechtliche Normen nicht ausgeschlossen. Eine wichtige Stärkung des zivilrechtlichen Instrumentariums erfolgte durch die Implementierung des in Art. 8 Enforcement-RL vorgeschriebenen Drittauskunftsanspruchs in das deutsche Recht. Die Probleme bei Identifizierung des Rechtsverletzers in Dreiecksbeziehungen (Verletzer – Vermittler/Provider – Berechtigter/Verletzter) wurden durch Einführung eines Auskunftsanspruchs nicht nur gegen den Rechtsverletzer selbst, sondern auch gegen an der in gewerblichem Ausmaß vorgenommenen Verletzungshandlung unbeteiligte Dritte, gemildert.

Allerdings ist der zivilrechtliche Schutz nicht lückenlos. Trotz des neuen Drittauskunftsanspruchs leidet der Verletzte häufig an einem Defizit notwendiger Informationen, was ihm die Durchführung eines Zivilprozesses erschwert, wenn nicht gar unmöglich macht. Nicht umsonst besteht die dringende Forderung nach Dritt-

---

424 *Rehbinder*, Urheberrecht, S. 358 Rn. 938; *Sternberg-Lieben*, Musikdiebstahl, S. 58; *Weber*, Der strafrechtliche Schutz, S. 141 ff.

425 *Ulmer*, Urheber- und Verlagsrecht, S. 565.

426 *Schack*, Urheber- und Urhebervertragsrecht, S. 405 Rn. 848.

auskunftansprüchen in Dreiecksverhältnissen, auch wenn die Rechtsverletzung nicht in gewerblichem Ausmaß vorgenommen wird, als Vorbereitung für weitergehende zivilrechtliche Ansprüche. Denn ohne sie ist es dem Verletzten häufig nicht möglich, den Täter zu ermitteln. Ist aber eine hinreichend sichere Benennung des Beklagten nicht möglich, kann kein Zivilprozess angestrengt werden.[427] Ebenso unwissend ist der verletzte Rechtsinhaber in den meisten Fällen bezüglich des Umfangs der Verletzungshandlung und der rechtswidrig hergestellten Vervielfältigungsstücke. Dann kann der Verletzte auch nicht wie von § 253 Abs. 2 Nr. 2 ZPO für die Geltendmachung eines zivilrechtlichen Anspruchs gefordert, die betreffenden Vervielfältigungsstücke genau benennen. Auch kann das für den Schadensersatzanspruch des § 97 erforderliche Verschulden im Einzelfall aus praktischen Gründen schwer nachzuweisen sein, wenn beispielsweise der Händler die Fälschungen bereits an seinen Lieferanten zurückgeliefert hat[428] oder dieser sich mit dem häufig gebrauchten Einwand entlastet, zuverlässige Vorlieferanten zu haben, die auch durch Stichproben überprüft wurden.[429] Zudem ist ein Zugriff auf Markthändler, die häufig den Standort wechseln, den Firmennamen ändern, Strohmänner vorschalten oder sogar im Ausland leben, besonders schwer.[430] Ebenso erschweren unübersichtliche Vertriebswege den Durchgriff auf die Hintermänner.[431] Kann jedoch tatsächlich einmal die Person des Verletzers ermittelt werden, so sind zivilrechtliche Maßnahmen dennoch untauglich, wenn keine Vermögensmasse vorhanden ist, in die vollstreckt werden kann.[432] Bestehen bleiben dann nur die hohen Kosten, die eine zivilrechtliche Rechtsverfolgung häufig verursacht.

Effektiver zivilrechtlicher Rechtsschutz wird durch diese Hindernisse erschwert und bewirkt somit eine gesteigerte Attraktivität strafrechtlicher Sanktionen. Dieser Bedeutungszuwachs des Urheberstrafrechts wird auch dadurch begünstigt, dass dem Zivilrecht die dem Strafrecht innewohnende Abschreckungswirkung fehlt.[433] Die Einführung eines Strafschadensersatzes, um auch zivilrechtlichen Maßnahmen abschreckende Wirkung zu verleihen, ist aber dem deutschen Zivilrecht fremd.[434] Solange der Rechtsverletzer jedoch nur eine Kompensation des verursachten Schadens und Unterlassungsanordnung der Rechtsverletzung fürchten muss, stellt sich der Rückgriff allein auf das zivilrechtliche Instrumentarium im Kampf gegen die Produktpiraterie als stumpfes Schwert dar.

---

427 Vgl. dazu BGH GRUR 1990, 353; *Weber*, Der strafrechtliche Schutz, S. 3.

428 *Rochlitz*, Der strafrechtliche Schutz, S. 60.

429 *Sternberg-Lieben*, Musikdiebstahl, S. 141.

430 *Rochlitz*, Der strafrechtliche Schutz, S. 34; *Hildebrandt*, Strafvorschriften, S. 500.

431 *Sternberg-Lieben*, Musikdiebstahl, S. 141 f.

432 *Nordemann*, NStZ 1982, 373.

433 *Rochlitz*, Der strafrechtliche Schutz, S. 61 f.; *Hildebrandt*, Strafvorschriften, S. 499.

434 Siehe oben Dritter Teil, III.A.1.a).

### 2. Strafrechtliche Maßnahmen

Das Urheberstrafrecht führte lange Zeit ein Nischendasein, weshalb sich bis heute Staatsanwälte oder Richter nur zurückhaltend damit befassen. Häufig folgt auf Strafanträge oder Strafanzeigen ein Einstellungsbescheid, in dem der Verletzte auf den Zivilrechtsweg verwiesen wird.[435] Dass der Schutz und die Sanktionierung von urheberrechtlichen Verletzungshandlungen sachgemäß im Zivilrecht anzusiedeln sei, folgern viele auch aus der in langer Praxis erfolgten Funktionalisierung strafrechtlichen Schutzes zur Durchsetzung zivilrechtlicher Ansprüche.[436] Dem Verletzten ging es dabei weniger um die Durchführung eines Strafverfahrens und die Bestrafung des Delinquenten, sondern vielmehr um die Feststellung des Sachverhalts auf Staatskosten und insbesondere die Akteneinsicht nach § 406e StPO, die ihm ermöglichte, an Unterlagen für den Zivilprozess und eine finanzielle Entschädigung zu gelangen.[437] Angesichts der ungleichen Verfahrensvoraussetzungen und -maximen in Straf- und Zivilprozess und auch der Ultima-Ratio-Funktion des Strafrechts[438] ist diese Vorgehensweise nicht unbedenklich.[439] Allerdings dürfte sich insbesondere das Problem der Informationserlangung durch Einführung eines neuen Drittauskunftsanspruchs im September 2008 zumindest in Fällen von Verletzungshandlungen in gewerblichem Ausmaß abgemildert haben.

Nicht erst angesichts des heute immensen Umfangs der durch digitale Produktpiraterie erstellten gefälschten Güter und des dadurch entstandenen Schadens,[440] ist ein Wandel im strafrechtlichen Umgang mit der Produktpiraterie erkennbar. Mit Verschärfung der Sanktionen im Urheberstrafrecht[441] nahm auch ihre abschreckende Wirkung zu, was zu einem verstärkten Rückgriff auf strafrechtliche Maßnahmen

---

435 *Nordemann*, NStZ 1982, 372 ff.; *Sieber*, BB 1981, 1549 f.; das deutsche Strafprozessrecht enthält mit der Verweisungsmöglichkeit an die Zivilgerichtsbarkeit nach §154d und § 262 Abs. 2 StPO eine Möglichkeit, die Umgehung des Zivilprozesses zu vermeiden.

436 *Hildebrandt* führte zur Beschreibung dieses Phänomens den Begriff der „funktionalen Strafzwecke“ ein, *Hildebrandt*, Strafvorschriften, S. 512 f.; *Heghmanns* zweifelt an der Exaktheit der Benennung, da nicht die Strafe, sondern das Verfahren umfunktioniert wird, um das Zivilprozessrecht und seine restriktiven Beweismöglichkeiten zu umgehen, *Heghmanns*, GA 2003, 242.

437 Schricker-*Haß*, § 106 Rn. 4; *Nordemann*, NStZ 1982, 372 ff., *Hildebrandt*, Strafvorschriften, S. 512 f.; zur Rechtsprechung siehe Dritter Teil, Fn. 360.

438 *Hildebrandt*, Strafvorschriften, S. 509 f. m.w.N.; *Roxin*, Strafrecht AT, § 2 Rn. 38 ff.; *Sternberg-Lieben*, Musikdiebstahl, S. 125, 140.

439 Siehe oben Dritter Teil, III.B.3.a).

440 Vgl. Produktpiraterieberichte der Bundesregierung, BT-Drucks. 12/4427, 14/2111; polizeiliche Kriminalstatistik der BRD 2002; Schricker-*Haß*, § 106 Rn. 2.

441 Siehe oben Dritter Teil, III.B.1.

führte: Allein Deutschlands Musikindustrie stellte im ersten Halbjahr 2007 25.000 Strafanzeigen gegen illegale Downloads durch Internetnutzer.[442]

Vorteile der strafrechtlichen Deliktsbekämpfung ergeben sich zudem insbesondere bei internationaler Kriminalität. So ermöglicht die Mitteilung bestimmter strafrechtlicher Verurteilungen[443] an die Zollbehörden, anders als bei zivilrechtlichen Verurteilungen, einen besseren Informationsfluss und bessere Kontrollen betroffener Unternehmen.[444] Und auch der Zugriff auf Straftäter, die sich in anderen europäischen Mitgliedstaaten aufhalten, ist mit strafrechtlichen Mitteln einfacher als über das Zivilrecht.[445]

Allerdings soll das strafrechtliche Instrumentarium nicht zur Verfolgung von Bagatellfällen eingesetzt werden, was, angesichts eines oft feststellbaren fehlenden Bewusstseins über die moralische Verwerflichkeit von Immaterialgüterrechtsverletzungen in der Gesellschaft, die Akzeptanz des Urheberrechts schwächen würde. Weiterhin wird von manchen[446] bemängelt, dass strafrechtliche Sanktionen bezüglich der parallelen Verfolgung wirtschaftlicher Interessen auf zivilrechtlichem Wege abträglich seien. Ungeachtet wirtschaftlicher Interessen wäre letztlich auch denkbar, dass das strafrechtliche Instrumentarium aufgrund seiner abschreckenden Wirkung die urheberrechtlich geschützte und geförderte Kreativität der möglicherweise Betroffenen von vornherein erstickt und behindert.

### 3. Maßnahmen des Ordnungswidrigkeitenrechts

Im Zuge der Umsetzung von Art. 6 Abs. 1 und Art. 7 Abs. 1 der Richtlinie 2001/29/EG[447] wurde § 111a UrhG als erster Bußgeldparagraf in das Urheberrechtsgesetz eingeführt. Diese Neuerung entspricht auch der Forderung, das Ordnungswidrigkeitenrecht neben den zivilrechtlichen Maßnahmen stärker zu gewichten, um

---

442 Deutsche Presseagentur, veröffentlicht am 9.7.2007 auf web.de; *Kailitz,* Digitale Piraten, Ausdruck aus dem Internetangebot der Zeitschrift „Das Parlament“ mit der Beilage „Aus Politik und Zeitgeschichte“, Ausgabe 14/15 vom 31.3.2008.

443 Vgl. RiStBV Nr. 266.

444 *Hildebrandt*, Strafvorschriften, S. 501.

445 Hierbei ist an die Möglichkeiten internationaler Rechtshilfe zu denken, insbesondere das Schengener Durchführungsübereinkommen vom 19.6.1990, aufgenommen in den EU-Vertrag durch den Amsterdamer Vertrag (in Kraft getreten am 1.5.1999), durch das weitreichende Regelungen zur polizeilichen Zusammenarbeit (Art. 39 ff.), Rechtshilfe in Strafsachen (Art. 48 ff.) und das Schengener Informationssystem geschaffen wurden, zudem sei auf den zwar lediglich einen bestimmten Straftatenkatalog umfassenden europäischen Haftbefehl verwiesen, der als erstes Instrument aus dem Grundsatz der Gegenseitigen Anerkennung erwachsen ist.

446 *Hildebrandt*, Strafvorschriften, S. 508 C; *Weber*, FuR 1980, 338 f.

447 Durch das Gesetz zur Regelung des Urheberrechts in der Informationsgesellschaft vom 10.9.2003.

die mit dem Urheberstrafrecht verbundenen Schwierigkeiten zu umgehen.[448] Allerdings ist bei einer solchen Verlagerung fraglich, ob nur bestehende Probleme gelöst oder nicht vielmehr neue geschaffen werden. Zu beachten ist zunächst, dass das Ordnungswidrigkeitenrecht nach herrschender Ansicht vorrangig auf den Schutz von Allgemeininteressen gerichtet ist, wohingegen Vermögensinteressen Einzelner durch das Strafrecht geschützt werden.[449] Diesen Schluss lässt auch die Auslegung des § 17 Abs. 3 OWiG zu, der den wirtschaftlichen Verhältnissen des Täters eine geringere Bedeutung beimisst. Außerdem ist zweifelhaft, ob dem Ordnungswidrigkeitenrecht die Rolle des milderen Mittels zugesprochen werden kann. So ist es nicht mehr als präventives Verwaltungszwangsrecht einzustufen, sondern dient ebenso wie das Strafrecht einem echten Rechtsgüterschutz und regelt die staatliche Verhängung von Sanktionen wegen tatbestandsmäßiger, rechtswidriger Verhaltensweisen, die in der Vergangenheit liegen.[450] Daran ändert auch nichts, dass die Zuständigkeit für die Verfolgung von Ordnungswidrigkeiten, insbesondere die Verhängung von Bußgeld, gemäß § 35 Abs. 2, § 65 OWiG grundsätzlich der Verwaltungsbehörde anvertraut ist.

### 4. Verwaltungsrechtliche Maßnahmen

Zur Bekämpfung der gewerblichen Tätigkeit des Verletzers kann außerdem auf verwaltungsrechtliche Maßnahmen zurückgegriffen werden. Vorrangig ist hierbei an das Institut der Gewerbeuntersagung gemäß § 35 GewO zu denken, eine zentrale Vorschrift des Gewerberechts. Diese ist an die Zuverlässigkeit des Gewerbetreibenden und den Verhältnismäßigkeitsgrundsatz gebunden. Hervorzuheben ist, dass es sich bei § 35 GewO nicht um ein Mittel zur Sanktionierung zurückliegenden Verhaltens handelt, vielmehr sollen durch § 35 GewO Präventivmaßnahmen zum Schutz der Allgemeinheit ermöglicht werden. So muss die Verwaltungsbehörde anhand des bisherigen Verhaltens des Gewerbetreibenden eine Prognoseentscheidung treffen.

### 5. Zollrechtliche Maßnahmen

Die zollrechtliche Grenzbeschlagnahme ermöglicht es, bereits den Zustrom schutzrechtsverletzender Produkte aus dem Ausland einzudämmen und so wirksam den weiteren Vertrieb der Waren auf dem nationalen Markt zu unterbinden. Die nationale Regelung in § 111b UrhG über eine solche Grenzbeschlagnahme wird ergänzt durch die Regelung einer Grenzbeschlagnahme auf europäischer Ebene

---

448 *Dähn*, Wirtschaftsstrafrechtliche Normen im Urheberrecht, S. 134.

449 *Sternberg-Lieben*, Musikdiebstahl, S. 143; *Hildebrandt*, Strafvorschriften, S. 507.

450 *Weber*, ZStW Bd. 92, 1980, S. 315; ähnlich *Hildebrandt*, Strafvorschriften, S. 507; anders *Sternberg-Lieben*, Musikdiebstahl, S. 143.

nach Verordnung (EG) Nr. 1383/2003.[451] Trotz der gemeinschaftsrechtlichen Regelung der Grenzbeschlagnahme verbleibt § 111b UrhG ein eigener Anwendungsbereich für den Fall des Warenverkehrs zwischen den Mitgliedstaaten der Europäischen Union und auch für den Fall von Parallelimporten, also wenn Originalwaren ohne Zustimmung des Rechtsinhabers und somit unter Umgehung vertraglich festgelegter Vertriebswege aus Drittländern ein- oder ausgeführt werden.

451 Grundlegend zum Vorrang des Gemeinschaftsrechts EuGH, 15.7.1964 – Rs. C-6/64, *Costa/Enel*, Slg. 1964, 1251.

*Vierter Teil*

# Schutz digitaler Werke in Italien

## I. Rechtlicher Rahmen

### A. Verfassungsrechtlicher Hintergrund

Die Natur des Urheberrechts wurde in Italien seit Anerkennung besonderer Rechte des Urhebers an seinem Werk kontrovers diskutiert.[1] Die heute herrschende Meinung ordnet es, ebenso wie der Gesetzgeber von 1941, dem Zivil- und Arbeitsrecht zu.[2] Damals wurde es in das fünfte Buch des italienischen *Codice Civile* (C.C.)[3] eingefügt, das mit dem Titel *Del lavoro* (Arbeit) überschrieben ist. Dessen neunter Teil ist den *Rechten an geistigen Werken und industriellen Erfindungen*[4] gewidmet. Auch Art. 2060 C.C. hebt ausdrücklich hervor, dass *die Arbeit in all ihren Formen geschützt wird, sowohl bei ihrer Organisation als auch bei geistiger, technischer und handwerklicher Ausführung*. Neben dieser gesetzessystematischen Einordnung führten auch wesentliche Unterschiede zwischen geistigem Eigentum und sonstigen Eigentumsrechten, etwa bei Entstehung, Erlöschen und Schutzdauer, zu einer Einordnung in das Arbeitsrecht.[5]

Aufgrund der rechtlichen Klassifizierung des Urheberrechts als besonderer Ausdruck einer geistigen Arbeit basiert sein verfassungsrechtlicher Schutz auf dem Schutz der Arbeit nach Art. 4 ital. Verfassung. Dieser bestimmt, dass die Republik Italien ein Recht auf Arbeit für alle Bürger anerkennt und die Bedingungen schafft, um die Wirksamkeit dieses Rechts zu gewährleisten. Der Arbeitsbegriff des Art. 4 ital. Verfassung umfasst als wirtschaftliches und soziales Grundrecht zunächst jede menschliche Tätigkeit, die dem Allgemeinwohl dient.[6] Darüber hinaus schützt auch Art. 35 Abs. 1 ital. Verfassung die Arbeit *in all ihren Formen und Anwendungen.*

---

1 Im Wesentlichen hatten sich drei Meinungsströme gebildet: So wurde das Urheberrecht von manchen dem Persönlichkeitsrecht des Urhebers zugeordnet, andere sahen darin eine besondere Eigentumsform. Daneben wurde es auch als Recht eigener Art klassifiziert, als besonderer Ausdruck geistiger Arbeit, *Piola-Caselli/Arienzo/Bile*, in: Novissimo Digesto Italiano, S. 676.

2 *Fuchs*, Der Werkbegriff, S. 13.

3 Ital. Zivilgesetzbuch, in Kraft getreten im Jahr 1942.

4 Diritti sulle opere dell'ingegno e sulle invenzioni industriali.

5 *Piola-Caselli/Arienzo/Bile*, in: Novissimo Digesto Italiano, S. 676.

6 Zudem gewährt diese Norm das Recht, einen Beruf frei zu wählen und ohne Behinderung auszuüben; vgl. *Spagna Musso*, Diritto Costituzionale, S. 362.

Des Weiteren wird der Urheber während des Schaffensprozesses und bei Ausstellungen, Darbietungen oder sonstigen Verbreitungen des Werks in der Öffentlichkeit durch die Meinungsfreiheit[7] nach Art. 21 ital. Verfassung und die Kunst-[8] und Wissenschaftsfreiheit[9] nach Art. 33 ital. Verfassung geschützt. Art. 9 ital. Verfassung erklärt zudem, dass die Republik die Entwicklung der Kultur und wissenschaftlicher und technischer Forschung unterstützt und gewährt damit ein Recht auf Kulturförderung.[10]

## B. Nationale Rechtsquellen des Urheberrechts

Vor der Nationwerdung Italiens wurde am 12. Januar 1799 das erste Gesetz zum Urheberrecht im Piemont verabschiedet. Kurze Zeit später folgten andere italienische Kleinstaaten.[11] Die Gesetzeswerke sahen ähnliche Regelungen vor, auch weil die einzelnen Staaten dem Österreich-Sardischen Abkommen vom 10. Juni 1840 beigetreten waren. Sie gewährten dem Urheber eines Werks den Schutz seines Ausschließlichkeitsrechts bis zu 30 Jahre nach seinem Tod.[12] Mit der Vereinigung Italiens begann im Parlament die Arbeit an einem neuen Gesetzeswerk, die mit seiner Verkündung am 25. Juni 1865[13] endete. Das Gesetz vom 19. September 1882, Nr. 1012, löste das Gesetz von 1865 ab und verband zwei Reformgesetze in sich. Auch dieses Gesetz musste, obwohl es zu jener Zeit als einer der vollständigsten Gesetzestexte auf diesem Gebiet galt,[14] bald überarbeitet und an die von der Berner Übereinkunft vom 9. September 1886[15] aufgestellten internationalen Stan-

---

7 Die durch Art. 21 ital. Verfassung gewährte Meinungsfreiheit umfasst das Recht, die eigenen Gedanken durch das gesprochene Wort, in einem Schriftstück und durch jede andere Verbreitungsform auszudrücken. Dieses Recht steht jedem Rechtssubjekt zu, also natürlichen und juristischen Personen, Staatsbürgern und Ausländern, *Spagna Musso*, Diritto Costituzionale, S. 329.

8 Die Kunstfreiheit beinhaltet die Äußerung eines Gedankens, welchem anhand eines objektiven Urteils ein künstlerischer Gehalt beigemessen werden kann. Sie schützt im Gegensatz zur Meinungsfreiheit speziell solche Äußerungen, die sich direkt auf die Schaffung von Kunst und Kultur beziehen, *Spagna Musso*, Diritto Costituzionale, S. 347.

9 Die Wissenschaftsfreiheit schützt ebenso die freie Äußerung eines Gedankens. Dieser muss sich aber in einem besonderen Entstehungsprozess entwickeln, an den strenge Anforderungen gestellt werden, um der Wissenschaft zugeordnet werden zu können. *Spagna Musso*, Diritto Costituzionale, S. 348.

10 *De Sanctis*, Dir. Aut. 1995, 433.

11 U.a. in den Kleinstaaten Sardinien, Lombardisch Venetien, der Toscana und den Fürstentümern Modena, Lucca und Parma.

12 *De Angelis*, La tutela giuridica, S. 85 f.

13 Legge 25 giugno 1865, n. 2337, *Sui diritti spettanti agli autori delle opere dell'ingegno.*

14 *Piola-Caselli/Arienzo/Bile*, in: Novissimo Digesto Italiano, S. 676.

15 Berner Übereinkunft vom 9.9.1886 zum Schutz von Werken der Literatur und Kunst; in Kraft seit dem 5.12.1887.

dards angepasst werden.[16] Mit der Revision der Berner Übereinkunft im Jahr 1928[17] gab es erneut Anpassungsbedarf an internationale Vorgaben, aber auch auf nationaler Ebene wurden Unzulänglichkeiten der geltenden Rechtslage festgestellt. Eine Untersuchungskommission wurde per Ministerialdekret vom 19. November 1931 damit beauftragt, einen Reformvorschlag für das geltende Urheberrechtsgesetz zu erstellen. Deren Vorarbeiten wurden von einem besonderen Komitee bei der Ausarbeitung eines Gesetzentwurfs verwendet, der am 20. Juli 1939 dem Kulturminister vorgelegt und schließlich in leicht geänderter Form am 22. April 1941 vom Parlament verabschiedet wurde.

Die Hauptquelle für das italienische Urheberrecht stellt heute das Urheberrechtsgesetz vom 22. April 1941, Nr. 633, (LDA)[18] dar. Die grundlegenden Strukturen dieses Gesetzeswerks, dessen Entstehungsprozess sich über nahezu zehn Jahre erstreckte,[19] blieben bis heute erhalten, auch wenn das ursprüngliche Gesetz einer Vielzahl von Änderungen unterzogen wurde.[20] Wie bereits oben festgestellt, ordnet der italienische Gesetzgeber das Urheberrecht in das Zivil- und Arbeitsrecht ein. Von grundlegender Bedeutung sind die Art. 2575–2583 C.C., die Regelungen bezüglich des Urheberrechts enthalten. Nach der herrschenden Meinung zeigt sich in den Vorschriften des *Codice Civile* lediglich der Zweck des Urheberrechts, während das Urheberrechtsgesetz als Spezialgesetz den Kern der Materie regelt.[21] Zusätzlich zum Urheberrechtsgesetz wurde im Mai 1942 eine Verordnung bezüglich seiner Durchsetzung verabschiedet.[22] Wichtige Neuerungen des LDA haben sich jüngst durch das sogenannte Anti-Piraterie-Gesetz[23] aus dem Jahr 2000 ergeben, welches das italienische Urheberrecht an das Zeitalter der Informationsgesellschaft angepasst hat.[24] Zudem hat es insbesondere Änderungen bezüglich der rechtlichen Maßnahmen, speziell eine Verschärfung der strafrecht-

---

16 Der Ausarbeitung eines Gesetzentwurfs, dem sog. Regio decreto legge 7 novembre 1925, n. 1950, folgte das Gesetz Legge 18 marzo 1926, n. 562. Darin wurde erstmals das Urheberpersönlichkeitsrecht anerkannt, das auch nach dem Tod noch von den Angehörigen ausgeübt werden kann, *De Angelis*, La tutela giuridica, S. 86.

17 Durch das Abkommen von Rom, geschlossen im Mai 1928.

18 Legge 22 aprile 1941, n. 633, *Protezione del Diritto d'autore e di altri diritti connessi al suo esercizio*, im Folgenden LDA.

19 Im November 1931 wurde eine Kommission mit der Erstellung eines Reformentwurfs zum geltenden Urheberrechtsgesetz beauftragt. Nach langen Verhandlungen legte ein Spezialkomitee dem Minister für Nationale Kultur im Juli 1931 einen Reformentwurf vor, der nach weiteren Änderungen am 22.4.1941 vom Parlament verabschiedet wurde.

20 *Fuchs*, Der Werkbegriff, S. 13.

21 *Fuchs*, Der Werkbegriff, S. 13.

22 Regio decreto 18 maggio 1942, n. 1369; Regolamento per l'esecuzione della Legge 22 aprile 1941 n. 633, *Per la protezione del Diritto d'autore e di altri diritti connessi al suo esercizio.*

23 Legge 18 agosto 2000, n. 248, *Nuove norme di tutela del Diritto d'autore.*

24 *Marzano*, Digital Technologies, S. 6.

lichen Sanktionen[25] bei Produkt- und Dienstleistungspiraterie bewirkt. Das italienische Urheberrechtsgesetz wurde danach abermals im Zuge der Umsetzung der Harmonisierungs-RL (RL 2001/29/EG) in das italienische Recht durch das Gesetz vom 9. April 2003, Nr. 68, und der Umsetzung der Enforcement-RL (RL 2004/48/EG) durch Gesetz vom 16. März 2006, Nr. 140, modifiziert.

## II. Der urheberrechtliche Werkbegriff in Italien

Der Begriff des urheberrechtlich geschützten Werks ist in Art. 2575 C.C. geregelt. Dieser stimmt größtenteils mit der Bestimmung des Art. 1 LDA überein, welcher sich auf *geistige Werke von kreativem Charakter* bezieht. Um den Anforderungen des italienischen Werkbegriffs zu entsprechen, muss ein Werk verschiedene Voraussetzungen erfüllen.[26] Zunächst muss es einen *geistigen Inhalt* aufweisen, also Ergebnis einer geistigen Tätigkeit sein. Zweitens muss ein *schöpferischer Gehalt* erkennbar sein. Bei von Maschinen hergestellten digitalen Werken kann das Vorliegen dieses Kriteriums nicht ohne Weiteres angenommen werden.[27] Entscheidend ist, ob der Entstehungsprozess vom Urheber des Werks beherrscht wird, dieser also nicht außerhalb seines Einwirkungsbereichs steht.[28] Daher ist es auch unschädlich, wenn sich der Werkschöpfer bei seinem Schaffen digitaler Geräte bedient, solange das Produkt Ausdruck menschlicher schöpferischer Tätigkeit ist. Drittens muss der schöpferische Gehalt des Werks anhand der *Originalität* und der *Neuheit* des Werks bestimmbar sein.[29] Der Begriff der Originalität umschreibt dabei die Erkennbarkeit eines persönlichen Faktors in dem Werk, es muss also erkennbar sein, dass es von einer individualisierbaren Person stammt. Während Originalität subjektiv bestimmt wird, ist die Neuheit objektiv bestimmbar. Ein Werk ist neu, wenn es kein vorher bestehendes identisches Exemplar gibt, wobei die Kenntnis des Urhebers in diesem Fall irrelevant ist.[30] Eine Doppelkreation bleibt folglich ungeschützt. Als letztes Erfordernis für die Bejahung der Werkeigenschaft muss das Werk eine konkrete Form im Sinn einer *wahrnehmbaren Formgestaltung* haben. Darüber hinaus ist es aber nicht erforderlich, dass das Werk vollendet ist, um urheberrechtlichen Schutz zu erhalten. Entwürfe und Pläne werden ebenso geschützt, solange sie den nötigen Betrag an Originalität auf-

---

25 Neue Straftatbestände sind etwa in Art. 171-*ter* lit. e) und f) und dem neuen Art. 171-*octies* LDA enthalten.

26 *Fuchs*, Der Werkbegriff, S. 298.

27 Siehe dazu bereits oben im Deutschen Teil zur Werkeigenschaft.

28 *Rehbinder*, Urheberrecht, S. 66 Rn. 146; *Schack,* Urheber- und Urhebervertragsrecht, S. 97 Rn. 180 f.

29 *Sirotti Gaudenzi*, Nuovo diritto d'autore, S. 51.

30 *Fuchs*, Der Werkbegriff, S. 299.

weisen.[31] Eine bloße Idee kann nicht geschützt werden, da es dann in der Regel keine Möglichkeit zur Erkennbarkeit der Form oder der Originalität des Werks gibt.[32] Eine Besonderheit ergibt sich hier wiederum bei digitalen Werken, denn dort kann u.U. die unmittelbare Wahrnehmung der Formgestaltung erschwert sein. Allerdings ist es unerheblich, ob das Werk unmittelbar oder erst nach Einsatz technischer Hilfsmittel, wie etwa Monitore, Lautsprecher oder Drucker, wahrnehmbar ist.[33]

Ein Werk, welches diese aufgelisteten Kriterien aufweist, muss zusätzlich in eine der Kategorien des Art. 1 LDA einzuordnen sein: Literatur, Musik, darstellende Kunst, Architektur, Theater und Film. Um einen umfassenden Werkschutz zu gewährleisten und insbesondere neue Werkarten mit einzubeziehen, die in den meisten Fällen als Ergebnis technischer Innovationen aufkommen, ist der Katalog geschützter Werkarten in Art. 2 LDA nicht abschließend. Insofern wurde vom Gesetzgeber ein *offener Werkbegriff* gewählt, der grundsätzlich auch Werke umfasst, die in der Auflistung des Art. 2 LDA nicht ausdrücklich genannt sind.[34]

## III. Sanktions- und Schutzmaßnahmen im Einzelnen

### A. Zivilrechtliche Maßnahmen

#### 1. Schutz des digitalen Werks durch das Urheberrecht

##### *a) Bedeutung des zivilrechtlichen Werkschutzes*

Das italienische Urheberrechtsgesetz sieht in den Art. 156–170 ein zivil- und strafrechtliches Instrumentarium zum Schutz der Urheberrechte vor. Der erste Teil, Art. 156–167 LDA, befasst sich mit dem Schutz wirtschaftlicher Rechte. Der Schutz des *droit moral* ist im zweiten Teil geregelt, den Art. 168–170 LDA. Klagen wegen Verletzung wirtschaftlicher oder immaterieller Rechte sind unabhängig voneinander. Sie können aber gemeinsam erhoben werden, solange Rücksicht auf die Besonderheiten immaterieller Rechte genommen wird (Art. 168 LDA).[35] Teil des verfügbaren Instrumentariums sind präventive Maßnahmen und Abhilfemaßnahmen wie Beschlagnahme und Zerstörung, ferner Maßnahmen, die der Wiederherstellung des ursprünglichen Zustands dienen, was auch im einstweiligen Rechtsschutz erreicht werden kann, sowie letztlich Schadensersatzansprüche und die Bekanntmachung des Urteils.

31 *Fuchs*, Der Werkbegriff, S. 300.

32 *Chimienti*, Lineamenti, S. 17.

33 *Schack,* Urheber- und Urhebervertragsrecht, S. 100 Rn. 187 f.

34 *Fuchs*, Der Werkbegriff, S. 302.

35 *Mondini/Carabelli*, in: Campbell/Cotter (eds.), Copyright Infringement, S. 211.

Der aktuelle, umfangreiche Katalog zivilrechtlicher Maßnahmen lag in den frühen Formen des italienischen Urheberrechtsgesetzes nicht vor.[36] Die erstmalige Kodifikation eines Urheberrechtsgesetzes aus dem Jahre 1865[37] enthielt einen Teil, der den Titel *Contraffazione o altre trasgressioni alla presente legge e le loro pene*[38] trug. Dieser zielte hauptsächlich auf den strafrechtlichen Schutz urheberrechtlicher Werke ab. Die einzig vorhandenen zivilrechtlichen Hilfsmittel waren Schadensersatz[39] und ein Vernichtungsanspruch,[40] der bestimmten Voraussetzungen unterlag. Das reformierte Urheberrechtsgesetz von 1925 sah zwar eine Änderung des Titels für den Teil über Schutzmaßnahmen bei Urheberrechtsverletzungen in *Sanzioni penali e misure cautelari* (Strafrechtliche Sanktionen und präventive Maßnahmen) vor, doch obwohl diese Umbenennung zeigte, dass es neben dem strafrechtlichen Instrumentarium auch andere mögliche Maßnahmen gab, blieben die zivilrechtlichen Maßnahmen beinahe unverändert und waren von untergeordneter Bedeutung. Neben die bereits bekannten Ansprüche auf Schadensersatz und Vernichtung trat nun auch ein Anspruch auf Bekanntmachung des Urteils.[41] Darüber hinaus wurde die Zuständigkeit für urheberrechtliche Streitigkeiten erstmals neben dem Strafrichter auch dem Zivilrichter erteilt.[42] Hierin kann ein erstes Zeichen für die Nebeneinanderstellung der beiden Rechtsgebiete gesehen werden, wie auch die Erkenntnis der Unzulänglichkeit des bisherigen zivilrechtlichen Instrumentariums.

Eine eindeutige Zuordnung des Urheberrechts in den Bereich und auch die Gerichtsbarkeit des Zivilrechts erfolgte 1941. Der damalige Gesetzgeber ordnete das Urheberrecht in das Zivil- und Arbeitsrecht ein und regelte die Materie im neunten Titel (Arbeit) des fünften Buchs des ital. *Codice Civile* von 1942.[43] Die Tragweite dieser Neuerung zeigt sich besonders, wenn man an den unterschiedlichen Schutzgegenstand und die geschützten Interessen von Zivil- und Strafrecht denkt: Werden zivilrechtliche Maßnahmen in privaten Rechtsstreitigkeiten zum Schutz und zur Durchsetzung individueller Interessen eingesetzt, so dienen Strafverfahren dem Schutze eines öffentlichen Interesses.[44]

Die tiefgreifenden gesetzlichen Änderungen des italienischen Urheberrechtsgesetzes sind zu einem Großteil auf den technischen Fortschritt und dadurch bedingte Kodifikationsentwicklungen zurückzuführen. Um der neuen Herausforde-

---

36 *Piola-Caselli/Arienzo/Bile*, in: Novissimo Digesto Italiano, S. 702.

37 Legge 25 giugno 1865, n. 2337, *Sui diritti spettanti agli autori delle opere dell'ingegno.*

38 Plagiarismus oder andere Verletzungen des vorliegenden Gesetzes und ihre Strafen.

39 Art. 30 Legge 25 giugno 1865, n. 2337.

40 Art. 31 ff. Legge 25 giugno 1865, n. 2337.

41 Art. 64 Reggio decreto legge 7 novembre 1925, n. 1950.

42 Art. 65 letzter Satz Reggio decreto legge 7 novembre 1925, n. 1950.

43 *Fuchs*, Der Werkbegriff, S. 13.

44 *Trabucchi*, Istituzioni di Diritto civile, S. 203.

rungen gerecht zu werden, wurden internationale Abkommen[45] geschlossen und EG-Richtlinien[46] verabschiedet, die ihrerseits die Umsetzung ins nationale Recht erforderten. Das zivilrechtliche Instrumentarium hat in den letzten 50 Jahren erheblich an Bedeutung gewonnen und wurde zu diesem Zweck stetig ausgeweitet.

### *b) Materieller Schutz*

#### aa) Schutzgegenstand

Die Ansprüche der Art. 156 ff. LDA setzen die Verletzung von vermögens- oder persönlichkeitsrechtlichen[47] Befugnissen des Urhebers voraus. Anders als das deutsche folgt das italienische Recht der Dualistischen Theorie,[48] wonach unabhängig neben dem Urheberrecht als Vermögensrecht das allgemeine Persönlichkeitsrecht steht.[49] Das italienische Urheberrecht ist demnach nicht wie das deutsche ein einheitliches Recht, in welchem persönlichkeits- und vermögensrechtliche Befugnisse untrennbar miteinander verwoben sind.[50] Während das *droit moral* (Art. 20 ff. LDA) aufgrund des engen Bandes zwischen Urheber und Werk nicht übertragen werden kann, ist dies bei wirtschaftlichen Verwertungsrechten möglich. Die dualistische Auffassung mit der genannten Abkoppelung von Vermögensrechten und Persönlichkeitsrecht führt auch zu unterschiedlichen Schutzfristen; so ist in Italien nach Art. 23 LDA ein ewig währender Schutz des Persönlichkeitsrechts *(diritto morale)*, das nach Ablauf der Schutzfrist von den Angehörigen und letztlich von staatlichen Stellen wahrgenommen wird, vorgesehen.[51]

#### (1) Vermögensrechte des Urhebers

In der italienischen Rechtsordnung werden die Vermögensrechte des Urhebers als wirtschaftliche Nutzungsrechte *(utilizzazione economica)* bezeichnet. Der Katalog ausschließlicher Rechte erstreckt sich auf die Art. 12–18 LDA. Sie sind alle unabhängig voneinander und können auch getrennt ausgeübt werden (vgl. Art. 19 LDA). Art. 12 LDA begründet ein allgemeines Verwertungsrecht des Urhebers. Danach hat der Urheber das ausschließliche Recht, das Werk zu veröffentlichen

---

[45] *Ercolani*, Dir. Aut. 2001, 21.

[46] Dies sind insbesondere die Richtlinien 2001/29/EG und 2004/48/EG.

[47] Gemäß Art. 168 LDA sind die Ansprüche in Art. 156 ff. LDA auf das Urheberpersönlichkeitsrecht anwendbar.

[48] Die dualistische Theorie herrscht auch in anderen kontinentaleuropäischen Rechtsordnungen, so etwa in Frankreich, Belgien oder in der Schweiz; *De Angelis*, La tutela giuridica, S. 113 ff.; *Dietz*, FS für Erdmann 2002, S. 63–71.

[49] *Aliprandi*, Capire il copyright, S. 52, Nr. 4.

[50] *Schack*, Urheber- und Urhebervertragsrecht, S. 170 Rn. 343.

[51] *Schack*, Urheber- und Urhebervertragsrecht, S. 172 Rn. 346; *De Angelis*, La tutela giuridica, S. 113 ff.

(Abs. 1) sowie zu kommerziellen Zwecken in jeder Form und Weise zu nutzen, unabhängig davon, ob es sich dabei um das Original oder ein Vervielfältigungsstück des Werks handelt (Abs. 2).[52] In den darauffolgenden Artikeln[53] findet man eine Aufzählung einzelner spezieller Verwertungsrechte, die dem Urheber vorbehalten sind, doch ist diese nicht abschließend. Dazu zählen das Vervielfältigungsrecht (Art. 13 LDA), das Recht, ein mündliches Werk in ein geschriebenes Werk umzuwandeln (Art. 14 LDA), das Recht zur öffentlichen Wiedergabe (Art. 15 LDA), Vortrags- und Aufführungsrechte (Art. 16 LDA), das Recht zur Verbreitung (Art. 17 LDA) sowie das Recht zur Übersetzung, Umwandlung und Ausgestaltung (Art. 18 LDA). Zusätzlich wurden Vermiet- und Verleihrechte durch die Umsetzung der EG-Richtlinie 92/100 in das Gesetz eingeführt. Vor dieser Novellierung bestand Uneinigkeit darüber, ob solche Vermiet- und Verleihrechte zulässig sind. Ein Teil der Lehre verneinte ihre Zulässigkeit unter Berufung auf den Erschöpfungsgrundsatz.[54]

Die Rechtsträger werden in den Art. 6 ff. LDA genannt. Grundsätzlich stehen wirtschaftliche Verwertungsrechte dem Urheber zu (Art. 6 LDA). Bei Modifikationen steht das Recht bezüglich der Umgestaltung dem Urheber derselben zu (Art. 7 LDA). Gemeinschaftswerke, die das Produkt mehrerer Urheber sind und bei denen die einzelnen Beiträge nicht unterscheidbar sind, werden unter den allgemeinen Regeln zur Miturheberschaft behandelt (Art. 10 LDA). Bei Gemeinschaftswerken, die das Ergebnis einer Zusammenführung verschiedener getrennter Werke unterschiedlicher Urheber sind, steht die Rechtewahrnehmung demjenigen zu, der den Schaffungsvorgang des Werks geleitet hat (Art. 7).

(2) Urheberpersönlichkeitsrecht

Das Persönlichkeitsrecht des Urhebers umfasst sein Recht, die Urheberschaft an einem Werk einzuklagen, sowie das Recht, sich jeder Entstellung oder sonstiger Beeinträchtigung und Veränderung des Werks, die seine Ehre oder das Ansehen verletzen könnte, entgegenzusetzen (Art. 20 LDA). Es beinhaltet ebenso das Recht, zu entscheiden, ob und gegebenenfalls in welcher Form ein Werk veröffentlicht werden darf, sowie das Recht, ein Werk aus dem Geschäftsverkehr zu ziehen, falls diese Nutzung das *droit moral* des Urhebers schwerwiegend verletzt (Art. 21, 24, 142 LDA). Diese Rechte zum Schutz des geistigen und persönlichen Interesses des Urhebers, welche in den Art. 20–24 LDA näher bestimmt werden, bestehen unab-

52 Solange der Urheber sich an die Grenzen des LDA hält, Art. 12 Abs. 2 LDA.

53 Artikel 13–19 LDA.

54 *Mondini/Carabelli*, in: Campbell/Cotter (eds.), Copyright Infringement, S. 205; Zwischenzeitlich hatte der EuGH bereits entschieden, dass Miet- und Verleihrechte nicht erschöpft sind, nachdem ein Produkt mit Einverständnis des Rechtsinhabers auf den Markt gebracht wurde, in: Rs. 158/86, *Warner Bros Inc v Christiansen*, [1988] ECR 2605.

hängig von wirtschaftlichen Verwertungsrechten, die möglicherweise durch Übertragung auch einer anderen Person zustehen. Im Gegensatz zu diesen sind Urheberpersönlichkeitsrechte untrennbar mit der Person des Urhebers verbunden und damit nicht übertragbar.[55] Außerdem bestehen sie für unbegrenzte Zeit.[56] In Art. 168 LDA wird ausdrücklich festgelegt, dass die zivilrechtlichen Maßnahmen der Art. 156–167 LDA auch auf eine Verletzung des Urheberpersönlichkeitsrechts Anwendung finden, soweit sie nicht dessen Natur entgegenlaufen. Zusätzlich gewähren Art. 169 und 170 LDA einen Beseitigungs- und Vernichtungsanspruch, sofern die Verletzung nicht in angemessener Weise beseitigt werden kann durch Anbringung oder Entfernung von Angaben in Bezug auf die Urheberschaft (Art. 169 LDA) oder wenn die Wiederherstellung des Werks in seiner ursprünglichen Form mit einem erträglichen finanziellen Aufwand nicht möglich ist (Art. 170 LDA).

#### bb) Die Privatkopie

Schranken des Urheberrechts sind wichtig für die Herstellung eines gerechten Gleichgewichts zwischen einer rechtmäßigen Nutzung des Werks und seinem notwendigen urheberrechtlichen Schutz.[57] Diese miteinander konfligierenden Interessen stehen insbesondere bei der Anfertigung einer privaten digitalen Kopie von einem rechtmäßig erworbenen Werk im Vordergrund. Man denke beispielsweise an die Herstellung einer privaten Sicherungskopie, die zwar ohne Einverständnis des Rechtsinhabers erstellt wurde, aber dem Nutzer den rechtmäßigen Gebrauch des Werks ermöglicht, indem er sich vor eventuellen Beschädigungen schützt. In Italien wurde der rechtliche Rahmen bezüglich der Herstellung von Privatkopien mit der Umsetzung der Harmonisierungs-RL 2001[58] modifiziert.[59] Das Problem ist heute in den Art. 71-*sexies*, 71-*septies* und 71-*octies* LDA in dem Teil über Ausnahmen und Schrankenbestimmungen geregelt.

Art. 71-*sexies* LDA umschreibt die Schranken des dem Urheber zustehenden Vervielfältigungsrechts und postuliert, dass eine Vervielfältigung für den privaten

---

[55] *Mondini/Carabelli*, in: Campbell/Cotter (eds.), Copyright Infringement, S. 209.

[56] *Mondini/Carabelli*, in: Campbell/Cotter (eds.), Copyright Infringement, S. 209.

[57] *Schack*, Urheber- und Urhebervertragsrecht, S. 256 Rn. 534.

[58] Art. 5 Abs. 2 lit. b der Harmonisierungs-RL besagt, dass die Mitgliedstaaten Ausnahmen und Beschränkungen in Bezug auf das Vervielfältigungsrecht u.a. im Fall der Vervielfältigung durch eine natürliche Person zum privaten Gebrauch vorsehen können.

[59] Das Problem der Vervielfältigung zum privaten Gebrauch war früher in zwei verschiedenen Gesetzestexten geregelt: zum einen in Art. 68 LDA, der Vervielfältigungen zum privaten Gebrauch grundsätzlich verbot, ausgenommen handgemachte Exemplare und Exemplare, die nicht durch Geräte hergestellt wurden, die zu einer öffentlichen Verbreitung geeignet sind. Zum anderen in Art. 3 Legge 5 febbraio 1992, n. 93, welcher die Anfertigung der Kopie einer Audio- oder Video-Aufnahme unter bestimmten Umständen gestattete.

Gebrauch innerhalb bestimmter Grenzen unter Beachtung bestimmter Bedingungen rechtmäßig ist.[60] Nach Abs. 1 sind private Vervielfältigungen von Musikwerken oder Filmwerken auf beliebigen Trägern zulässig, soweit sie von einer natürlichen Person für einen ausschließlichen privaten Gebrauch hergestellt wurden. Dabei muss jegliche Gewinnabsicht fehlen und die Vervielfältigungsstücke dürfen weder direkt noch indirekt zu kommerziellen Zwecken genutzt werden. Zudem dürfen die technischen Schutzmaßnahmen aus Art. 102-*quater* LDA nicht umgangen werden. Abs. 2 schränkt das Vervielfältigungsrecht weiter ein, indem er vorschreibt, dass die Kopie nicht durch Dritte angefertigt werden darf.

Abs. 3 erklärt, dass das in Abs. 1 gewährte Recht zur Anfertigung von Privatkopien für Werke, die der Öffentlichkeit auf eine Weise zugänglich gemacht wurden, dass jede Person individuell bestimmen kann, wann und wo sie Zugriff darauf hat,[61] nicht gilt, wenn technische Maßnahmen i.S.v. Art. 102-*quater* LDA an den Werken angebracht sind. Im Umkehrschluss sind aber somit Privatkopien von öffentlich zugänglich gemachten Werken, die nicht den Umgehungsschutz des Art. 102-*quater* LDA genießen, erlaubt.[62]

Eine wichtige Vorschrift findet sich in Abs. 4, welcher vorgibt, dass ungeachtet des Einsatzes technischer Schutzmaßnahmen gemäß Art. 102-*quater* LDA, einer natürlichen Person, die auf rechtmäßige Weise den Besitz oder den Zugang zu einem geschützten Werk erlangt hat, die Anfertigung einer Kopie zum privaten Gebrauch, wenn auch nur in analoger Form, gestattet sein muss. Allerdings darf dies nicht dem gewöhnlichen Gebrauch des Werks entgegenstehen oder einen ungerechtfertigt hohen Schaden für die Rechtsinhaber begründen. Durch Verabschiedung dieser Norm hat Italien von der in Art. 6 Abs. 4 Harmonisierungs-RL gewährten Möglichkeit zumindest teilweise Gebrauch gemacht, wonach es den Mitgliedstaaten freigestellt wird, eine Pflicht zur Entfernung technischer Schutzmaßnahmen zur Ermöglichung der Anfertigung von Privatkopien einzuführen. Indes ist eine Umgehung technischer Schutzmaßnahmen grundsätzlich nur zur Anfertigung einer analogen Kopie gestattet, eine digitale Kopie soll hingegen bei Umgehung der Schutzvorrichtungen nur möglich sein, wenn diese für eine gewöhnliche Nutzung des Werks erforderlich ist.[63]

Strafrechtlich ausgespart wird die Anfertigung einer Privatkopie von Art. 171-*ter* LDA, der ausdrücklich festlegt, dass die Erstellung von Vervielfältigungsstücken nur sanktioniert wird, wenn sie nicht zum Eigengebrauch erfolgt.

---

60 *Carretta/di Cicco/Succi*, Tutela penale e amministrativa, S. 23.

61 Z.B. Zugang über Internet oder andere *On-Demand*-Dienste.

62 *Carretta/di Cicco/Succi*, Tutela penale e amministrativa, S. 25.

63 *De Angelis*, La tutela giuridica, S. 161, m.w.N.

#### cc) Zeitliche und territoriale Grenzen

Die urheberrechtliche Schutzfrist beträgt in Italien nach Art. 25 LDA 70 Jahre p.m.a. Mit Erlöschen des Urheberrechts wird das Werk gemeinfrei; Erben oder sonstige frühere Lizenznehmer können gegen eine Nutzung nicht länger vorgehen. Die Berechnung der Schutzfrist richtet sich nach Art. 32-*ter* LDA, wonach diese am 1. Januar des auf das Todesjahr folgenden Jahres zu laufen beginnt. Nicht erfasst vom Ablauf dieser Frist ist der Schutz des Urheberpersönlichkeitsrechts. In Art. 23 LDA ist ein ewiges Urheberpersönlichkeitsrecht vorgesehen, das nach Ablauf der Schutzfrist zunächst von den Angehörigen und letztlich von staatlichen Stellen wahrgenommen wird.

In Anlehnung an das Territorialitätsprinzip beschränkt sich der Urheberrechtsschutz auf das italienische Staatsgebiet und endet damit an den nationalen Grenzen. Folglich ist es zur Erfüllung des Tatbestandes erforderlich, dass die Verletzung eines vom LDA geschützten Rechts vorliegt und die Handlung auf italienischem Staatsgebiet stattgefunden hat. Wie bereits oben im deutschen Teil ausgeführt wurde,[64] ist die Feststellung dieses Kriteriums durch das Internet und die neuen Möglichkeiten in der Informationsgesellschaft deutlich erschwert worden.

#### dd) Aktivlegitimation

Das Instrumentarium der in Art. 156 ff. LDA aufgeführten Maßnahmen steht demjenigen zu, dessen Verwertungs- und Nutzungsrechte oder dessen Urheberpersönlichkeitsrecht verletzt wurden. Für die Aktivlegitimation des Rechtsinhabers ist es wichtig, eine Unterscheidung zwischen wirtschaftlichen Verwertungsrechten und dem *droit moral* des Urhebers vorzunehmen. Bei einem Streit um wirtschaftliche Verwertungs- oder Nutzungsrechte, ist es dem Urheber möglich, einem vom Lizenznehmer initiierten Rechtsstreit beizutreten, ungeachtet der Tatsache, ob diese Rechte bereits übertragen wurden (Art. 165 LDA). Auch ist zu beachten, dass Nutzungsrechte vom jeweiligen Inhaber derselben durchgesetzt werden können (Art. 167 lit. a) LDA) oder auch von dessen rechtmäßigem Stellvertreter (Art. 167 lit. b) LDA). Im Gegensatz dazu können Urheberpersönlichkeitsrechte nur vom Urheber selbst ausgeübt werden. An seine Stelle treten nach seinem Tode seine Eltern oder Abkömmlinge.[65]

#### ee) Rechtsverletzung

Jede Handlung, die nach dem LDA als unzulässig bezeichnet wird, ein geschütztes Werk als Ganzes oder einen erheblichen Teil davon betrifft und die von einer

---

64 Siehe oben Dritter Teil, III.A.1.b)bb).

65 *Mondini/Carabelli*, in: Campbell/Cotter (eds.), Copyright Infringement, S. 209.

anderen Person als dem Urheber vorgenommen wird, stellt eine Urheberrechtsverletzung dar. Auch die Überschreitung vertraglicher Rechte durch unsachgemäßen Gebrauch kann eine Rechtsverletzung darstellen.[66] Wirtschaftliche Verwertungsrechte und Persönlichkeitsrechte können gleichermaßen verletzt werden. Dabei sind Vorsatz oder Bewusstheit nicht erforderlich.[67]

### *c) Rechtsfolgen*

#### aa) Unterlassungsanspruch und Feststellung eines Rechts (Art. 156, 163 LDA)

Der verschuldensunabhängige Unterlassungsanspruch in Art. 156 Abs. 1 LDA gibt vor, dass jeder, der die Verletzung eines ihm zustehenden wirtschaftlichen Verwertungsrechts fürchten muss oder der eine bereits erfolgte Urheberrechtsverletzung unterbinden will, sowohl gegen den Verletzer als auch gegen einen Dritten vorgehen kann, dessen Dienste für eine solche Verletzungshandlung genutzt wurden. Zwei Situationen werden demnach in der Norm unterschieden: Eine drohende Rechtsverletzung und eine bereits erfolgte, deren Wiederholung bzw. Fortdauer unterbunden werden soll. Es sind also sowohl der *vorbeugende* als auch der *allgemeine Unterlassungsanspruch* normiert. Das Erfordernis der Wiederholungsgefahr einer bereits erfolgten oder noch andauernden Rechtsverletzung für den allgemeinen Unterlassungsanspruch ist bei dem vorbeugenden Unterlassungsanspruch durch die begründete Annahme einer drohenden Erstbegehung zu ersetzen. Seit der Umsetzung der Enforcement-RL[68] wurde auch die Liste der möglichen Beklagten erweitert: Nicht mehr nur der Rechtsverletzer selbst, auch Mittelspersonen, deren Dienste zur Rechtsverletzung genutzt wurden, sind nun mögliche Adressaten der Norm. Damit wurden insbesondere Internet Service Provider in den Täterkreis aufgenommen.

Zwei Rechtsfolgen sind in Art. 156 Abs. 1 LDA vorgesehen: Neben dem bereits erwähnten Unterlassungsanspruch kann der Rechtsinhaber, der eine Verletzung seiner Rechte durch einen Dritten beklagt oder fürchtet, seine Rechtsstellung gerichtlich feststellen lassen. In Verbindung mit dem Unterlassungsanspruch kann der Richter nach Art. 156 Abs. 1 Satz 2 LDA auch einen Geldbetrag festsetzen, der für jede fortan festgestellte Rechtsverletzung oder sonstige Missachtung oder verspätete Umsetzung von dem Beklagten zu entrichten ist.[69]

Diese Ansprüche haben im Präventiv-Bereich eine wichtige Funktion und können daher sowohl während des Hauptsacheverfahrens als auch im vorläufigen

---

[66] *Mondini/Carabelli*, in: Campbell/Cotter (eds.), Copyright Infringement, S. 211.
[67] *Mondini/Carabelli*, in: Campbell/Cotter (eds.), Copyright Infringement, S. 211.
[68] Durch das Decreto legge 14 marzo 2005, n. 35.
[69] Im vorläufigen Rechtsschutz nach 163 Abs. 2 LDA.

Rechtsschutz[70] durchgesetzt werden. Die allgemeinen Regeln des ital. Zivilprozessbuches sind anwendbar (Art. 156 Abs. 3, 163 LDA).[71]

#### bb) Verbot der Aufführung oder Ausstellung eines Werks (Art. 157 LDA)

Eine besondere Form des Unterlassungsanspruchs stellt das Verbot der Aufführung eines zur öffentlichen Darbietung oder Aufführung geeigneten Werks nach Art. 157 LDA dar. Obwohl diese Maßnahme zwischen den zivilrechtlichen Instrumenten aufgeführt ist, steht sie dem verwaltungsrechtlichen Instrumentarium nahe: So ist ein Antrag dafür an den *Prefetto* zu stellen, der in einer italienischen Provinz als Vertreter des Staates auftritt und verwaltungsrechtliche Aufgaben wahrnimmt.

#### cc) Schadensersatzanspruch (Art. 158 LDA)

Nach Art. 158 LDA kann jeder, der einen Schaden aus einer Urheberrechtsverletzung erlitten hat, zusätzlich zu den Abhilfemaßnahmen der Vernichtung und Beseitigung[72] Schadensersatz verlangen.[73] In der Vorschrift wird zwar nicht ausdrücklich das Vorliegen eines subjektiven Elements beim Verletzer gefordert, jedoch muss dieser Schadensersatzanspruch im Licht des Art. 2043 C.C. ausgelegt werden.[74] Dieser schreibt vor, dass das schadensbegründende Ereignis vorsätzlich und schuldhaft erfolgen muss. Demnach muss auch der Verletzer eines Urheberrechts vorsätzlich oder zumindest fahrlässig gehandelt haben. Der neu eingeführte[75] zweite Absatz des Art. 158 LDA besagt, dass der erlittene Schaden nach den Art. 1223, 1226, 1227 und 2056 C.C. zu bestimmen ist. Berechnet der Richter also den Gewinnausfall nach Art. 2056 C.C., so muss er alle Umstände des Falls berücksichtigen und in die Schadensberechnung auch den erwirtschafteten Verletzergewinn einbeziehen. Eine weitere Neuerung ist, dass der Richter nun eine Pauschalsumme als Schadensbetrag festsetzen kann. Diese wird auf der Grundlage der zu entrichtenden Lizenzgebühr bei rechtmäßiger Nutzung des fraglichen Urheber-

---

70 Art. 163 LDA erklärt ausdrücklich das Verfahren des vorläufigen Rechtsschutzes für anwendbar.

71 Alle Verfahren im vorläufigen Rechtsschutz müssen nach allgemeinen Regeln nach italienischem Recht zwei Voraussetzungen erfüllen: Erstens muss Eile dringlich sein und eine abgeschätzte Zeitspanne bis zu einem Urteil in der Hauptsache als unsachgemäß erscheinen lassen angesichts der drohenden irreparablen Schäden durch die Rechtsverletzung. Zweitens muss eine summarische Prüfung *prima facie* ergeben, dass der Kläger tatsächlich Inhaber der vorgetragenen Rechte ist; *Vanzetti/Cataldo*, Diritto Industriale, S. 504 f.

72 Diese sind in derselben Vorschrift normiert.

73 *Ragonesi*, Dir. Aut. 2006, 463.

74 *Ragonesi*, Dir. Aut. 2006, 464.

75 Durch das Decreto legislativo 16 marzo 2006, n. 140.

rechts berechnet.[76] Zudem hat der Rechtsinhaber gemäß Art. 158 Abs. 2 LDA ein Wahlrecht bezüglich des Ersatzes entweder des ihm entgangenen Gewinns oder des Verletzergewinns, je nachdem, welcher Betrag höher ist.[77] Immaterielle Schäden, die der Rechtsinhaber erleidet, werden nach Art. 2059 C.C. ersetzt. Die Beweislast für den Nachweis des erlittenen Schadens liegt grundsätzlich beim Rechtsinhaber; allerdings muss dieser in der Regel nur Indizien für den entgangenen Gewinn oder die Verletzung des Urheberpersönlichkeitsrechts vorlegen, ein vom Gericht ernannter Sachverständiger wird dann den genauen Schadensbetrag berechnen.

Zuletzt ist anzumerken, dass die italienische Rechtsordnung nur einen kompensatorischen Schadensersatz kennt, nicht aber einen Strafschadensersatzanspruch, wie er im angelsächsischen Rechtskreis vorkommt. Eine Straffunktion des Schadensersatzes würde mit grundlegenden Prinzipien des italienischen Zivilrechts, das Schadensersatz nur zur Kompensation des eingetretenen Schadens gewährt, in Konflikt treten.[78]

#### dd) Beseitigungs-, Vernichtungs- und Rückrufsanspruch (Art. 158 f. LDA)

Unbeschadet etwaiger Schadensersatzansprüche des Rechtsinhabers aus der Rechtsverletzung besteht nach Art. 158 Abs. 1 LDA ein Anspruch auf Vernichtung oder Beseitigung der rechtswidrigen Waren auf Kosten des Verletzers. Bei den fraglichen Waren kann es sich einerseits um die rechtswidrig hergestellten Kopien des Werks handeln. Aber auch die Geräte selbst, die zur Vervielfältigung oder Verbreitung dieser Waren gedient haben und nicht vorwiegend zu anderen Zwecken genutzt werden können, fallen in den Anwendungsbereich des Art. 159 Abs. 1 LDA.

In Bezug auf die Eigentumsverhältnisse der rechtswidrig hergestellten Vervielfältigungsstücke oder der bei Begehung der Verletzungshandlung eingesetzten technischen Geräte äußert sich die Vorschrift nur indirekt: Ein Eigentumserfordernis der Ware wird nicht ausdrücklich gefordert. Lediglich Art. 159 Abs. 6 LDA legt fest, dass Beseitigungs- und Vernichtungsansprüche nicht die Gegenstände und rechtswidrig hergestellten Kopien betreffen, die in gutem Glauben zum Eigengebrauch erworben wurden.[79] Auch mit Blick auf die allgemeinen Regeln des *Codice Civile* ergibt sich, dass Eigentums- und Besitzverhältnisse an den rechtsverletzenden Waren für die Durchsetzung eines Vernichtungsanspruchs unbedeu-

---

[76] Die Fassung entspricht Art. 13 Abs. 1 lit. b Enforcement-RL wörtlich.

[77] Eingeführt durch Decreto legislativo 16 marzo 2006, n. 140.

[78] *Frassi,* in: Sena (ed.), Il risarcimento del danno da illecito concorrenziale e da lesione della proprietà intelletuale, S. 337.

[79] Innerhalb des strafrechtlichen Instrumentariums bestimmt Art. 171-*sexies* Abs. 3 LDA, dass die Zerstörung beschlagnahmten Materials vom Richter angeordnet werden kann, wobei die Eigentumsverhältnisse der betreffenden Ware ausdrücklich unberücksichtigt bleiben, wenn der Besitzer zumindest im Interesse des Eigentümers gehandelt hat.

tend sind: Nach Art. 2933 C.C. kann der Rechtsinhaber die Vernichtung von Gegenständen, die durch Rechtsverletzungen entstanden sind, anordnen. Grundsätzlich ist es daher für die Durchsetzung des Vernichtungs- oder Beseitigungsanspruchs unbeachtlich, ob sich die Gegenstände im Eigentum des Verletzers befinden.

Problematisch ist der Fall, wenn sich die Ware schon nicht mehr im Besitz des Rechtsverletzers befindet. Nach der herrschenden Meinung in der Lehre kann die Ware zumindest dann noch vom Rechtsverletzer herausverlangt werden, wenn er darüber verfügen kann oder wenn die Gegenstände dafür von anderen angefordert werden müssen. Andernfalls müssen die jeweiligen Besitzer separat verklagt werden.[80]

Die in Art. 158 Abs. 1 LDA nur sehr allgemein normierte Beseitigung aus dem Geschäftsverkehr muss außerdem nicht endgültig sein: Nach Art. 159 Abs. 2 LDA kann der Richter einen zeitlich begrenzten Rückruf der Ware aus den Vertriebswegen anordnen.[81] Dazu müssen sich aber die in Abs. 1 genannten Waren auch für eine rechtmäßige Nutzung eignen und der Verletzer muss eine Garantieerklärung zur Beachtung ihrer künftig rechtmäßigen Nutzung abgeben. Ist ein Teil der in Abs. 1 genannten Ware und Geräte abtrennbar und für eine andere Art der Nutzung geeignet, so kann gemäß Abs. 3 die Entfernung dieser Teile auf eigene Kosten verlangt werden. Weiterhin gibt Abs. 4 bezüglich der Ware, die Gegenstand der Beseitigung oder Vernichtung ist, dem Richter die Möglichkeit, diese einem öffentlichen Museum zukommen zu lassen, wenn sie von besonderem künstlerischem oder wissenschaftlichem Wert ist. Der Rechtsinhaber kann außerdem die fraglichen Waren und Geräte zu einem festgelegten Preis erwerben, der mit seinen Schadensersatzansprüchen aus der Tat aufzurechnen ist (Abs. 5). Zu beachten ist, dass rechtswidrig hergestellte Kopien, die in gutem Glauben zu privatem Gebrauch erworben wurden, von dem Beseitigungs- oder Vernichtungsanspruch des Art. 159 ausgenommen sind.

Des Weiteren wurde auch der Verhältnismäßigkeit dieser Abhilfemaßnahmen Rechnung getragen. So bestimmt Art. 159 Abs. 7 LDA, dass alle gewählten Mittel in einem angemessenen Verhältnis zur Schwere der Verletzungshandlung stehen und dass auch die Interessen Dritter Berücksichtigung finden müssen. Diese neu eingeführte Vorschrift soll Schutzmaßnahmen, die zu exzessiven Eingriffen auf Seiten des Rechtsverletzers führen können, eindämmen.[82] Eine Einschränkung für den Beseitigungs- und Vernichtungsanspruch des Art. 159 LDA legt Art. 160 LDA fest. Danach dürfen Beseitigung und Vernichtung nicht im letzten Jahr der Gel-

---

80 *Savorani,* Danno e responsabilità, 2007, S. 500 ff.

81 Im Unterschied zu Art. 10 Enforcement-RL, die diese zeitliche Beschränkung nicht enthält, sondern einen Rückruf oder ein endgültiges Entfernen aus den Vertriebswegen vorschreibt.

82 *Ragonesi,* Dir. Aut. 2006, 472.

tungsdauer des Urheberrechts verlangt werden. Stattdessen ist eine Beschlagnahme anzuordnen, die bis zum Ablauf der Schutzfrist des Urheberrechts andauert. Diese Beschlagnahme kann außerdem auch schon zu einem früheren Zeitpunkt erfolgen, sofern die aus der Verletzungshandlung entstandenen Schäden beglichen wurden.

##### ee) Bekanntmachung des Urteils (Art. 166 LDA)

Nach Art. 166 LDA kann auf Antrag einer Partei oder von Amts wegen der Richter die Bekanntmachung des Urteils in einer oder mehreren Zeitungen, auch wiederholt, auf Kosten der unterlegenen Partei anordnen.

#### *d) Maßnahmen zur Erleichterung der Rechtsdurchsetzung*

##### aa) Auskunftsanspruch (Art. 156-*ter*, Art. 156-*bis* LDA)

Art. 156-*ter* LDA, der nahezu dem Wortlaut des Art. 8 Enforcement-RL entspricht, führt einen neuen Anspruch in das italienische Instrumentarium verfügbarer Schutzmaßnahmen ein.[83] Die neue nationale Vorschrift und auch die EU-Richtlinie wurzeln in Art. 47 TRIPS.[84] Allerdings hat Art. 8 Enforcement-RL den Anwendungsbereich des Art. 47 TRIPS ausgedehnt, indem er einen Drittauskunftsanspruch normiert, der sich nicht nur gegen den Rechtsverletzer, sondern auch gegen Dritte wendet, die nicht Teil des Rechtsstreits sind.

Dieser neue Auskunftsanspruch in Art. 156-*ter* LDA bestimmt, dass die Gerichte sowohl im Hauptsacheverfahren wie auch im einstweiligen Rechtsschutz auf einen begründeten und die Verhältnismäßigkeit wahrenden Antrag des Klägers hin Auskünfte über den Ursprung und die Vertriebswege von Waren oder Dienstleistungen von dem Verletzer verlangen können. Daneben sind diese Auskünfte auch von jeder anderen Person zu erteilen, die (a) nachweislich rechtsverletzende Ware in gewerblichem Ausmaß in ihrem Besitz hatte, (b) nachweislich rechtsverletzende Dienstleistungen in gewerblichem Ausmaß in Anspruch nahm, (c) nachweislich für rechtsverletzende Tätigkeiten genutzte Dienstleistungen in gewerblichem Ausmaß

---

[83] Durch das Gesetz legge 18 agosto 2000, n. 248, war zuvor Art. 171-*novies* in das LDA eingeführt worden, der einen Strafmilderungsgrund vorsieht, wenn ein Täter, vor seiner Anklage von sich aus Auskunft über alle ihm verfügbaren Informationen erteilt. Dieser Strafmilderungsgrund ist zwar nicht mit dem zivilrechtlichen Auskunftsanspruch verwandt, ermöglicht aber ein ähnliches Ergebnis, *Cunegatti*, Dir. Aut. 2006, 194.

[84] *Ragonesi*, Dir. Aut. 2006, 458; Art. 47 TRIPS schreibt vor, dass Mitglieder Gerichten die Kompetenz erteilen können, vom Rechtsverletzer zu verlangen, dass er den Rechtsinhaber über die Identität von bei der Herstellung und Verbreitung der rechtsverletzenden Ware oder Dienstleistungen beteiligter Dritter und über Vertriebswege informiert. Dabei muss die Verhältnismäßigkeit insbesondere mit Blick auf die Schwere der Rechtsverletzung gewahrt werden. Die Gewährung von Ansprüchen auf Drittauskunft und Auskunft über Vertriebswege ist folglich in das Ermessen der Mitglieder gestellt.

erbrachte oder (d) nach den Angaben einer in Buchstabe (a), (b) oder (c) genannten Person an der Herstellung, Erzeugung oder am Vertrieb solcher Waren bzw. an der Erbringung solcher Dienstleistungen beteiligt war. Abs. 2 beschreibt sodann den Inhalt des Auskunftsanspruchs. Danach erstreckt er sich auf Auskünfte u.a. über (1.) Namen und Adressen der Hersteller, Erzeuger, Vertreiber, Lieferanten und anderer Vorbesitzer der Waren oder Dienstleistungen sowie der gewerbliche Abnehmer und Verkaufsstellen und (2.) über die Menge der hergestellten, erzeugten, ausgelieferten, erhaltenen oder bestellten Waren und über die Preise, die für die betreffenden Waren oder Dienstleistungen gezahlt wurden. Eine Definition des gewerblichen Ausmaßes hat der italienische Gesetzgeber bisher nicht bereitgestellt und obgleich in der Lehre noch Uneinigkeit bezüglich der Begriffsbestimmungen besteht, so herrscht doch Einigkeit darüber, dass die Tätigkeit im Laufe des Handelsbetriebs erfolgen muss; d.h. dass lediglich Hersteller und gewerbsmäßig Handeltreibende das Merkmal erfüllen können.[85]

Eine wichtige Neuerung in Art. 156-*ter* LDA betrifft den Drittauskunftsanspruch, der auch die Erlangung von Informationen gestattet, die nicht unmittelbar den Streitgegenstand und die Rechtsverletzung betreffen, sondern sich vielmehr auf Umstände und Verhaltensweisen unbeteiligter Dritter beziehen.[86] Die Schaffung einer solch weitreichenden Vorschrift verfolgt hauptsächlich das Ziel, den gesamten Umfang der Verletzungshandlung offenzulegen. Dem in seinen Rechten verletzten Rechtsinhaber soll Zugang zu Informationen verschafft werden, die nicht nur für das anhängige Verfahren nützlich sind, sondern möglicherweise auch zur Aufdeckung anderer Rechtsverletzungen führen und damit den Werkschutz insgesamt erhöhen.[87] Dritte, die nicht unmittelbare Verletzer sind, aber über wichtige Informationen über die Identität des Rechtsverletzers verfügen, sind beispielsweise ISP,[88] deren Inanspruchnahme in Italien bisher wegen rechtlicher und technischer

---

85 Bisher wurde von dem neuen Auskunftsanspruch in Gerichtsverfahren nur sehr zögerlich Gebrauch gemacht. In Italien ziehen es die Rechtsinhaber i.d.R. vor, Beweissicherungsansprüche und Beweisvorlageansprüche zu verfolgen, zumal es bei diesen Ansprüchen eine schnelle und effektive Durchsetzungspraxis gibt.

86 *Ragonesi*, Dir. Aut. 2006, 459.

87 *Ragonesi*, Dir. Aut. 2006, 459.

88 In Italien wurde in Umsetzung der Richtlinie 2000/31/EG über bestimmte rechtliche Aspekte der Dienste der Informationsgesellschaft, insbesondere des elektronischen Geschäftsverkehrs, im Binnenmarkt („Richtlinie über den elektronischen Geschäftsverkehr") das Decreto legislativo 9 aprile 2003, n. 70, erlassen. Darin enthalten die Art. 14–17 wichtige Bestimmungen bezüglich der Providerhaftung. Art. 14: Übermittlung von Inhalten, keine Haftung, solange keine Verantwortung für die übermittelten Inhalte (weil Daten nicht vom Übermittler stammen, er sie nicht modifiziert hat oder deren Empfänger aussucht); Art. 15: *Caching* (zeitweises Speichern von übermittelten Inhalten), innerhalb der aufgestellten Kriterien keine Haftung; Art. 16: *Hosting*, keine Haftung, solange keine Kenntnis von rechtswidrigen Inhalten; Art. 17: kein allgemeines Überwachungsgebot für den Provider.

Probleme umstritten war.[89] Der neue Drittauskunftsanspruch erweitert nicht nur das rechtliche Instrumentarium, er wirft aufgrund seiner Neuartigkeit in der italienischen Rechtsordnung einige bisher unbeantwortete Fragen auf: So ist beispielsweise eine Klärung der Rechtsnatur und der Verwendung der unter Art. 156-*ter* LDA erlangten Informationen in anderen Verfahren erforderlich.[90]

In den Abs. 3–6 sind außerdem verfahrensrechtliche Erfordernisse, die bei der Erlangung der Informationen zu beachten sind, normiert. Der Rechtsinhaber muss die zu vernehmenden Personen und den Gegenstand der Vernehmung genau bezeichnen (Abs. 4). Außerdem werden die Informationen in einer Vernehmung der in Abs. 1 bezeichneten Personen erlangt (Abs. 3). Diese Verfahrensregeln sind im Wesentlichen an die Regeln über die Zeugenaussage angelehnt und nähern damit den Auskunftsanspruch an das Institut der Zeugenaussage an. In Abs. 6 wird sogar direkt auf die Art. 249, 250, 252, 255 und 257 *Codice di Procedura Civile*[91] verwiesen, welche die Zeugenaussage regeln.

Neben Art. 156-*ter* LDA regelt auch Art. 156-*bis* Abs. 1 Satz 1 LDA einen Auskunftsanspruch zur Beweissicherung, wenn eine Partei stichhaltige Beweismittel zur hinreichenden Begründung ihres Antrags vorgelegt hat. Dieser kann aber nur gegen die Person des Rechtsverletzers geltend gemacht werden.

#### bb) Vorlage und Besichtigung von Beweisen (Art. 156-*bis* LDA)

Art. 156-*bis* LDA[92] wurde neu eingeführt und setzt Art. 6 Enforcement-RL[93] in das italienische Urheberrecht um. Der erste Absatz schreibt vor, dass auf Antrag einer Partei der Richter die Vorführung von Beweismitteln anordnen oder Auskünfte von der gegnerischen Partei verlangen kann. Dazu muss der Antragsteller stichhaltige Beweismittel zur hinreichenden Begründung des Antrags vorlegen und außerdem Dokumente, Beweise oder Informationen bezeichnen, die in der Verfügungsgewalt der gegnerischen Partei liegen. Vom Richter kann auch die Anweisung an die gegnerische Partei erwirkt werden, Beweismittel preiszugeben, die zur

---

[89] Vgl. *Picotti*, Dir. Pen. e Proc. 1999, 379 ff., und *Picotti*, Dir. Pen. e Proc. 1999, 501 ff., der sich zur strafrechtlichen Verantwortlichkeit von ISP in Italien äußert. Er unterstreicht die besondere Stellung und Verantwortung des ISP, die mit derjenigen anderer Vorstandsmitglieder in Massenkommunikationsmedien wie etwa Presse, Fernsehen, Radio oder Post- und Telekommunikationsdiensten vergleichbar sei. Daneben werden die rechtlichen und technischen Schwierigkeiten bei der Erfassung des Service Providers wegen eines Unterlassungsdelikts oder aktiver Täterschaft als Dienstleister aufgezeigt wie auch Vorsatzfragen behandelt.

[90] *Ragonesi*, Dir. Aut. 2006, 459; allerdings wird die Verwendung der erlangten Informationen in einem anderen als dem anhängigen Verfahren, vor allem aufgrund des zu wahrenden Geheimnisschutzes, herrschend verneint.

[91] Ital. Zivilprozessordnung.

[92] Decreto legislativo 16 marzo 2006, n. 140.

[93] Dieser ist seinerseits auf Art. 43 Abs. 1 TRIPS rückführbar.

Identifikation von Gegenständen, die zur Herstellung und Verbreitung der Vervielfältigungsstücke verwandt wurden, oder der Dienste, die zu Urheberrechtsverletzungen führten, beitragen. In Abs. 2 wird sodann für den Fall einer in gewerblichem Ausmaß begangenen Rechtsverletzung festgesetzt, dass der Richter auf Antrag einer Partei die Übermittlung von in der Verfügungsgewalt der gegnerischen Partei befindlichen Bank-, Finanz- oder Handelsunterlagen anordnen kann. Abs. 3 gewährleistet schließlich die Wahrung des Geheimnisschutzes für Maßnahmen nach Abs. 1 und 2. Nicht nur bei einer Rechtsverletzung gewerblichen Ausmaßes, wie in der Enforcement-RL vorgesehen, muss der Richter demnach geeignete Maßnahmen für den Schutz vertraulicher Informationen treffen. Zudem schreibt Abs. 3 a.E. ein grundsätzliches Recht der gegnerischen Partei auf Anhörung vor.

#### cc) Beweissicherungsmaßnahmen (Art. 161 LDA)

In Art. 161 LDA werden einige Maßnahmen aufgelistet, die darauf abzielen, Beweise bezüglich der erfolgten Rechtsverletzung zu sichern.[94] Dabei handelt es sich um die Beschreibung, die Feststellung und die Erstellung eines Sachverständigengutachtens sowie die Beschlagnahme. Diese Maßnahmen können auch zur Durchsetzung der in den vorausgehenden Artikeln genannten Ansprüche angeordnet werden (Art. 161 Abs. 1 LDA). Die *Beschreibung* dient dazu, frühzeitig einen Beweis für die Rechtsverletzung zu liefern.[95] Sie wird vom *Ufficiale Giudiziario*, einem Vollstreckungsbeamten, mit Hilfe von Sachverständigen am Ort der Verletzungshandlungen vorgenommen. In seinem Bericht beschreibt er, auch mit Hilfe fotografischer Dokumentation, die rechtsverletzenden Gegenstände. Sind diese bereits in großer Zahl in geschäftlichem Umlauf, wird die Beschreibung überflüssig und es genügt, ein solches Exemplar zu erstehen.[96] Der Rückgriff auf diese Maßnahme ist demnach vor allem in Fällen angebracht, in denen die fraglichen Produkte noch nicht in den Wirtschaftskreislauf gelangt sind oder ein hoher finanzieller Schaden droht.[97] Mit der *gerichtlichen Feststellung* seiner Rechte kann der Rechts-

---

94 Diese kommen häufig in Fällen vorläufigen Rechtsschutzes zum Einsatz. Die Maßnahmen können demnach sowohl vor Verfahrensbeginn als auch im Laufe eines Hauptsacheverfahrens beantragt werden. Der einstweilige Rechtsschutz auf dem Gebiet des geistigen Eigentums wurde durch die Umsetzung der Enforcement-RL in Italien einigen Änderungen unterzogen. Eine wichtige Neuerung besteht darin, dass einmal erwirkte Sicherungsmaßnahmen weiterhin gültig bleiben, auch wenn sie geeignet sind, die Auswirkungen der Hauptsacheentscheidung vorwegzunehmen. Sie verlieren ihre Wirksamkeit auch dann nicht, wenn kein Hauptsacheverfahren eingeleitet wird, was bis jetzt in jedem Fall erforderlich war, *Liuzzo*, Der neue vorsorgliche Rechtsschutz der gewerblichen Eigentumsrechte in Italien, GRUR Int. 2007, 893.

95 *Vanzetti/Cataldo*, Diritto Industriale, S. 507.

96 *Vanzetti/Cataldo*, Diritto Industriale, S. 507.

97 *Vanzetti/Cataldo*, Diritto Industriale, S. 507.

inhaber seine Rechtsstellung gegenüber anderen abgrenzen und Rechtsverletzungen durch Dritte entgegenwirken. Einem ähnlichen Ziel dient die *Erstellung des Sachverständigengutachtens*, das außerdem auch bereits erfolgte Verletzungshandlungen feststellen kann. Ziel der *Beschlagnahme* ist es, den Umlauf rechtswidrig hergestellter Ware zu verhindern.

In besonders schweren Fällen können außerdem die Erträge beschlagnahmt werden, die aus der illegalen Verwertung des geschützten Werks oder mit Hilfe der rechtsverletzenden Gegenstände gewonnen wurden (Abs. 3). Handelt es sich bei dem beanstandeten Objekt um ein Produkt mehrerer Personen, so kann es nach Abs. 2 nur in einem besonders schweren Fall beschlagnahmt werden, wenn die Rechtsverletzung allen Beteiligten zurechenbar ist. Auch bei diesen Sicherungsmaßnahmen wird das ital. Zivilprozessbuch gemäß Art. 162 LDA für anwendbar erklärt.

#### dd) Vorsorgliche Beschlagnahme (Art. 162-*ter* LDA)

Kann die geschädigte Partei glaubhaft machen, dass Umstände vorliegen, die die Erfüllung ihrer Schadensersatzforderung erschweren, hat das zuständige Gericht die Möglichkeit, eine vorsorgliche Beschlagnahme beweglichen und unbeweglichen Vermögens des angeblichen Rechtsverletzers, einschließlich der Sperrung seiner Bankkonten und der Beschlagnahme sonstiger Vermögenswerte, anzuordnen, bis die Schadensersatzforderung beglichen ist. Liegt eine Rechtsverletzung in gewerblichem Ausmaß vor, kann das Gericht die Übermittlung von Bank-, Finanz- oder Handelsunterlagen oder einen geeigneten Zugang zu den entsprechenden Unterlagen anordnen. Diese Vorschrift ist durch die Umsetzung von Art. 9 Abs. 2 Enforcement-RL entstanden. Indes stimmt sie aus Gründen der Rechtseinheit der italienischen Rechtsordnung nicht vollkommen mit der EU-Richtlinie überein.[98] Der italienische Gesetzgeber ist über die Mindestanforderungen der Richtlinie hinausgegangen; so ist eine vorsorgliche Beschlagnahme in allen Fällen von Urheberrechtsverletzungen möglich und nicht an die Bedingung der Begehung in gewerblichem Ausmaß geknüpft.

### 2. Zivilrechtlicher Schutz technischer Maßnahmen

Technische Maßnahmen erfahren in Italien keinen unmittelbaren Schutz durch die zivilrechtlichen Normen des Urheberrechtsgesetzes.[99]

---

98 *Ragonesi*, Dir. Aut. 2006, 479.

99 Sie werden über das strafrechtliche Instrumentarium geschützt, vgl. unten Vierter Teil, III.B.3.

## B. Strafrechtliche Maßnahmen

### 1. Bedeutung des Urheberstrafrechts

Der Urheberrechtsschutz wurde in Italien in den ersten kodifizierten Urheberrechtsgesetzen vorrangig durch das Strafrecht gewährt, wohingegen zivilrechtliche Maßnahmen anfangs eine bloß untergeordnete Rolle spielten.[100] Von grundlegender Bedeutung waren die Strafnormen im Gesetz vom 25. Juni 1865, Nr. 2337, und seinem Nachfolger,[101] die einen weitreichenden Rückgriff auf strafrechtliche Sanktionen zum Schutz des Urheberrechts gewährten.[102] Später, mit Umsetzung der Berner Übereinkunft[103] durch das Gesetz vom 18. März 1926, Nr. 562, erfuhren die zivilrechtlichen Maßnahmen eine erhebliche Stärkung, vor allem in Bezug auf den Schutz des Urheberpersönlichkeitsrechts, welcher neben den vermögensrechtlichen Verwertungsrechten endlich anerkannt wurde. Das Urheberstrafrecht wurde hingegen zunehmend vernachlässigt. In der ursprünglichen Fassung des neuen Urheberrechtsgesetzes von 1941 gab es mit Art. 171 LDA nur eine einzige Strafnorm, die überdies nur eine sehr milde Strafe androhte. Dies lässt auf einen sehr begrenzten Anwendungsbereich des Urheberstrafrechts schließen. Bis in die 1970er Jahre hinein gab es keine großen Veränderungen; erst später, mit der massiven Verbreitung analoger Vervielfältigungsgeräte, hat der italienische Gesetzgeber schrittweise durch eine Vielzahl nicht immer einheitlicher Gesetze die Straftatbestände ausgeweitet und die zugehörigen Strafen verschärft. Mit dem technischen Fortschritt und der weitverbreiteten Verfügbarkeit von Kopiervorrichtungen in der Öffentlichkeit hat sich schließlich auch der Schutz unternehmerischer Leistungen, insbesondere der Tonträger- und Filmhersteller, erhöht.[104]

---

[100] Bereits vor der Vereinigung Italiens zum Nationalstaat legte Art. 392 des sardischen Strafgesetzbuchs, welches in allen italienischen Regionen mit Ausnahme Venetiens gültig war, eine Geldstrafe für die Vervielfältigung fremder Werke unter Missachtung des Eigentumsschutzes und des Urheberschutzes fest.

[101] Regio decreto 19 settembre 1882 n. 1012. Mit einer Geldstrafe wurden darin sanktioniert: unrechtmäßige Veröffentlichung und Fälschung, öffentliche Darbietung des ganzen Werks oder von Teilen davon in jedweder Ausführung, gleich ob Teile hinzugefügt, das Werk verkürzt oder variiert wurde. Die Geldstrafe sollte ungeachtet eines zu leistenden Schadensersatzes oder schärferer Strafen nach dem Strafgesetzbuch im Fall von Diebstahl und Betrug erlassen werden. Außerdem war gemäß Art. 28 auch bei jeder anderen Übertretung des Gesetzes oder anderer Regelungen auf dem Gebiet des Urheberrechts eine Geldstrafe zu entrichten.

[102] *Pedrazzi*, Riv. it. dir. proc. pen. 1969, 683.

[103] Berner Übereinkunft vom 9.9.1886 zum Schutz von Werken der Literatur und Kunst; in Kraft seit dem 5.12.1887.

[104] Bis zum Erlass des Gesetzes Legge 29 luglio 1981, n. 406, war der strafrechtliche Schutz verwandter Schutzrechte der Tonträgerhersteller sehr begrenzt und wurde lediglich von Art. 171 lit. e) LDA erfasst, der die Vervielfältigung oder den missbräuchlichen Verkauf von Schallplatten oder analogen Tonträgern mit einer niedrigen Geldstrafe sanktionierte. Neben dieser Norm gab es allerdings weitere Strafnormen im *Codice Penale*, die schärfere Strafen aufwiesen; etwa Art. 468, 470 C.P. für Fälschung des SIAE-Siegels oder Fälschung geschützter Marken der Musikunternehmen/Tonträgerhersteller, sanktioniert durch Art. 473, 517 C.P.

Heute sind die urheberstrafrechtlichen Tatbestände in den Art. 171–174-*quinquies* im 3. Teil, 3. Titel, 2. Abschnitt LDA geregelt. Eine tiefgreifende Änderung des urheberrechtlichen Instrumentariums und insbesondere eine stärkere Gewichtung der urheberstrafrechtlichen Tatbestände erfuhr das LDA durch das Gesetz vom 18. August 2000, Nr. 248.[105] Vorrangiges Ziel des Gesetzes war es, die einzelnen Vorschriften an die technischen Neuerungen anzupassen und die Bekämpfung der Produktpiraterie zu verbessern. Bei der Ausweitung der strafrechtlichen Normen auf nationaler Ebene wurden neben gemeinschaftsrechtlichen auch Verpflichtungen aus dem TRIPS-Abkommen[106] umgesetzt.[107] Darin werden die Vertragsparteien zur Schaffung zivilrechtlicher Maßnahmen[108] und auch zur Gewährleistung abschreckender strafrechtlicher Sanktionen zumindest bei vorsätzlicher unerlaubter *Herstellung* urheberrechtlich geschützter Waren in *gewerbsmäßigem Umfang* angehalten.[109]

Neben den Ratifikationsverpflichtungen und einem Handlungsbedarf aufgrund der stark angewachsenen Produktpiraterie in der Informationsgesellschaft sprechen auch strafprozessuale Gründe für eine Stärkung des strafrechtlichen Schutzes. Die Rechtsdurchsetzung wird zum einen dadurch erleichtert, dass urheberstrafrechtliche Delikte von Amts wegen verfolgt werden, während in einem zivilrechtlichen Verfahren die privaten Parteien Klage erheben müssen. Die Einleitung eines zivilrechtlichen Verfahrens kann in manchen Fällen einschüchternd und sogar abschreckend sein, wenn die finanziellen Rücklagen und die Erfahrung in gleichgearteten Prozessen des Rechtsverletzers ungleich höher sind als diejenigen des verletzten Rechtsinhabers. So beispielsweise, wenn ein einzelner Urheber eine große Mediengruppe verklagen möchte.[110] Hinzu kommt, dass in einem Zivilprozess jede Partei die Tatsachen, die Grundlage ihres Vortrags sind, beweisen muss,[111] wohingegen der Strafrichter von den Parteien mehr Informationen zur Unterlegung ihrer Aussagen und damit die Vorlage weiterer Dokumente verlangen kann.[112]

---

105 Sechs Artikel sind darin der Einführung neuer Straftatbestände gewidmet. Art. 14 des Gesetzes ersetzt die alte Fassung von Art. 171-*ter* vollständig. Bald darauf wurden die urheberstrafrechtlichen Maßnahmen mit der Umsetzung der Harmonisierungs-RL durch das Decreto legislativo 9 aprile 2003, n. 68, erneut modifiziert. Diese entspricht in ihrer Zielrichtung dem Gesetz Legge 18 agosto 2000, n. 248.

106 Insbesondere der verursachte Schaden für Handel und Wirtschaft führte zur Annahme des TRIPS-Abkommens vom 15.4.1994. In Italien wurde es mit dem Gesetz Legge 29 dicembre 1994, n. 747, ratifiziert.

107 *Carretta/di Cicco/Succi*, Tutela penale e amministrativa, S. 150.

108 Vgl. Art. 42 TRIPS.

109 Vgl. Art. 61 TRIPS. Auffallend ist, dass dieser nur die Herstellung von Waren erfasst. Eine Verpflichtung zu einer strafrechtlichen Sanktionierung anderer Verwertungshandlungen besteht nicht.

110 *Aliprandi,* Capire il copyright, S. 68.

111 *Trabucchi*, Istituzioni di Diritto civile, S. 234.

112 *Trabucchi*, Istituzioni di Diritto civile, S. 233; Art. 117 C.P.C. gestattet dem Richter, die Parteien jederzeit vorzuladen und auch zu Sachfragen zu befragen, die nicht Streitgegenstand sind.

Gleichwohl stellt sich die Frage, warum das Urheberstrafrecht in Italien lange Zeit vernachlässigt wurde. Zunächst können dafür fachspezifische Gründe angeführt werden. Während das Urheberrecht vom Gesetzgeber dem Zivil- und Handelsrecht zugeordnet wird, verfolgt das Urheberstrafrecht einen multidisziplinären Ansatz; für eine korrekte Analyse der Tatbestände ist neben Kenntnissen der Strafrechtsdogmatik auch Fachkunde im Umgang mit dem Urheberrechtsgesetz eine Grundvoraussetzung. Obwohl diese Überschneidung die Möglichkeit bietet, an die Problemstellungen von zwei unterschiedlichen Fachbereichen aus heranzutreten, wurde das Urheberstrafrecht gerade auch wegen dieser Anlehnung an fremde Rechtsgebiete gemieden.

Hinzu kommt, dass beim Einsatz strafrechtlicher Sanktionen wegen ihrer hohen Eingriffsintensität in bürgerliche Grundrechte die *Ultima-Ratio-Funktion* des Strafrechts zu beachten ist, wonach es nur als letztes verfügbares Mittel zum Einsatz kommen darf.[113] Darüber hinaus kämen bei einer zu weitreichenden Kriminalisierung Probleme bei der Rechtsverfolgung auf; nicht nur wäre es für die Ermittler schwer, in private Lebensbereiche der Menschen einzudringen, um Kenntnis von etwaigen relevanten Tathandlungen, beispielsweise der Anfertigung unerlaubter Vervielfältigungsstücke, zu erlangen. Wegen einer Überlastung der zuständigen Strafverfolgungsbehörden wären auch bald die Kapazitäten erschöpft, um alle anfallenden Straftaten unterschiedlicher Schwere zu verfolgen.[114]

Außerdem ist bei der Normierung neuer Straftatbestände an den gesellschaftlichen Konsens zur Sanktionierung bestimmten Verhaltens zu denken. In einem demokratischen Rechtsstaat zieht das Strafrecht eine Grenze zwischen erlaubtem und verbotenem Handeln und ist damit nicht nur Ausdruck herrschender Ordnungsvorstellungen, sondern soll auch wichtige Schutzgüter und Werte vor Schäden schützen.[115] Ließe man die gesellschaftliche Zustimmung unbeachtet, verkämen die Strafrechtsnormen zu einem bloßen Aufruf von symbolischer Wirkung.[116] Daher sollen Indikatoren, wie die Verwurzelung unrechtmäßigen Verhaltens in der Gesellschaft, bei Bewertung der gesellschaftlichen Akzeptanz berücksichtigt werden. Allerdings musste der Gesetzgeber trotz der immer noch weitverbreiteten Urheberrechtsverletzungen durch alle Gesellschaftsschichten hinweg bei ihrer Bekämpfung die entscheidende Bedeutung des Strafrechts erkennen und kam letztlich durch Verschärfung des strafrechtlichen Instrumentariums dem erhöhten Schutzbedürfnis der Rechtsinhaber in unserer digitalisierten Welt nach.[117] Diese Entwick-

---

113 *Musco*, Riv. it. dir. proc. pen. 1993, 90 ff.

114 *Musco*, Riv. it. dir. proc. pen. 1993, 80 f.

115 *Paliero*, Riv. it. dir. proc. pen. 1992, 869; *Musco*, Riv. it. dir. proc. pen. 1993, 852.

116 *Dibenedetto*, Responsabilità penale, S. 181.

117 Neben den nationalen weisen auch die internationalen Kodifikationsbemühungen darauf hin, dass in Anbetracht der weiten Verbreitung von Produkt- und Dienstleistungspiraterie sowie der dadurch verursachten Schäden die große Bedeutung des Urheberstrafrechts nicht weiter unterschätzt wird. Vielmehr werden die Ausweitung der Urheberrechts-

lungen sollen aber nicht zu einer zunehmenden Kriminalisierung privater Verbraucher führen. Die Erfassung einer Privatperson, die in unbeträchtlichem Maße in ihrer Freizeit Urheberrechtsverletzungen begeht, würde nur zu weiterem Unverständnis unter den Verbrauchern führen und der gesellschaftlichen Akzeptanz des Urheberrechts schaden.

Zuletzt soll noch einmal darauf hingewiesen werden, dass bei der tatbestandlichen Erfüllung von Urheberrechtsdelikten auch Straftatbestände des *Codice Penale* einschlägig sein können. Diese werden aber zugunsten einer Schwerpunktsetzung auf die Urheberrechtsdelikte der Art. 171 ff. LDA in dieser Arbeit nicht behandelt.

### 2. Materieller Schutz des Werks

#### *a) Überblick über allgemeine Fragen*

Einige allgemeine Feststellungen, die für die gesamten urheberrechtlichen Straftatbestände gelten, sind einer genauen Analyse der einzelnen Tatbestände voranzustellen. Es sei zunächst daran erinnert, dass die urheberstrafrechtlichen Normen in aller Regel nicht losgelöst von dem ihnen zugrunde liegenden Rechtsgebiet erfasst und umfassend gewürdigt werden können. Daher ist für die Auslegung einzelner Tatbestandsmerkmale ein Rückverweis auf die zivilrechtlichen Vorschriften des LDA erforderlich. Beispielsweise verlangt die Bestimmung des Begriffs „Werk eines anderen" *(opera altrui)*, welches von den meisten Tathandlungen als Tatobjekt gefordert wird, die Bezugnahme zu Art. 1 LDA[118] und Art. 2 LDA.[119] Des Weiteren kann ein repressiver Eingriff nur erfolgen, wenn das zu schützende Recht zivilrechtlich gültig ist und außerdem auch von dem Anwendungsbereich der urheberrechtlichen Norm umfasst ist. So erklärt Art. 171 LDA, dass eine Urheberrechtsverletzung erfolgt, wenn der Verletzer ohne Berechtigung handelt *(senza averne diritto)*. Verhaltensweisen sind also dann rechtmäßig, wenn sie nicht unter die in Art. 171 LDA aufgezählten Begehungsweisen fallen und die exklusiven Rechte des Urhebers, wie sie im LDA genannt werden, nicht verletzen.[120]

Aufgrund der Komplexität der urheberstrafrechtlichen Normen, die oft in einer einzelnen Vorschrift eine Vielzahl verschiedener Begehungsformen aufzählen,

straftatbestände und die Verschärfung der zugehörigen Strafen als notwendiges Mittel erachtet. Dies zeigen die Vorschriften des TRIPS-Abkommen zu strafrechtlichen Sanktionen sowie die Richtlinien 2001/29/EG und 2004/48/EG. Auf nationaler Ebene zeigen dies die tiefgreifenden Veränderungen im Urheberstrafrecht der letzten Jahre.

118 Art. 1 LDA nennt die Bereiche, denen die zu schützenden Werke angehören müssen.

119 Art. 2 LDA zählt beispielhaft einen Katalog verschiedener Werkarten auf.

120 Dabei ist auch an die 70-jährige urheberrechtliche Schutzfrist zu denken. Nach ihrem Ablauf ist das Werk frei öffentlich nutzbar.

haben sich in der Vergangenheit viele Autoren[121] mit der Frage befasst, ob bei einer Tatbegehung durch Erfüllung mehrerer Tatalternativen lediglich eine oder mehrere Straftaten vorlägen.[122] Eine Antwort auf dieses Problem gibt der Gleichheitssatz (Art. 3 ital. Verfassung), denn eine Gleichsetzung verschiedener Tatalternativen kann nur dort erfolgen, wo der Unwertgehalt derselbe ist und es unwichtig ist, welche Verletzungshandlung erfolgt ist.[123] Nach herrschender Meinung handelt es sich bei den einzelnen Tatalternativen um verschiedene Straftaten, die eventuell in Tateinheit verwirklicht werden.[124]

Auf subjektiver Tatseite ist bei Begehung eines urheberstrafrechtlichen Delikts grundsätzlich ein einfacher Tatbestandsvorsatz erforderlich. In einigen Fällen treten außerdem besondere subjektive Merkmale hinzu, wie etwa die Gewinnabsicht in Art. 171-*ter* und Art. 171-*quater* LDA oder die Täuschungsabsicht in Art. 171-*octies* LDA. Darüber hinaus ist hervorzuheben, dass auch eine fahrlässige Tatbegehung in manchen Fällen strafbar sein kann.[125]

Die in den einzelnen urheberstrafrechtlichen Vorschriften vorgesehenen Strafmaßen divergieren je nach Art und Schwere der Tat. In den zahlreichen Gesetzesänderungen der letzten Jahre wurden nicht nur Straftatbestände ausgeweitet, auch die Strafen wurden verschärft.[126] Die Höchststrafe für die Begehung eines urheberstrafrechtlichen Delikts droht bei einer Verletzung von Art. 171-*ter* Abs. 2 LDA[127] mit einer Freiheitsstrafe von einem bis vier Jahren *und* Geldstrafe von 2.582 € bis zu 15.493 €. Diese Norm zeigt exemplarisch, dass in Italien bei Freiheits- und Geldstrafe sowohl Unter- als auch Obergrenzen normiert werden. Damit legt der Gesetzgeber selbst den Strafrahmen fest, den der Richter bei der Wahl des Strafmaßes einhalten muss. Zudem können Geld- und Freiheitsstrafen auch kumulativ vorkommen.

Hinsichtlich der Strafverfolgung von Urheberrechtsdelikten ist hervorzuheben, dass diese nach dem auch in Italien geltenden Offizialprinzip gemäß Art. 112 ital. Verfassung[128] von Amts wegen erfolgt. Die Offizialmaxime wäre im Fall des Vor-

---

121 *Terracina*, La tutela, S. 106 ff. m.w.N.; *Colucci*, La tutela penale nel diritto d'autore, S. 20 ff.

122 D.h.: Liegt ein kumulatives Mischgesetz vor, bei dem in einer einzelnen Norm verschiedene Straftatbestände vereint sind, oder handelt es sich um ein alternatives Mischgesetz, in dem die verschiedenen Begehungsformen alle zur selben Strafnorm gehören.

123 *Terracina*, La tutela, S. 108.

124 *Dibenedetto*, Responsabilità penale, S. 14.

125 Etwa bei Art. 171-*quater* und Art. 171-*quinquies* LDA (s.u.).

126 Siehe oben Vierter Teil, III.B.

127 Dabei handelt es sich um einen in mengenmäßiger Hinsicht besonders schweren Fall der Vervielfältigung und Verbreitung, eine gewerbliche Tatbegehung oder die Verbreitung über Internet und sonstige der Kommunikation dienende informatisierte Netzwerke.

128 Nach Art. 112 ital. Verfassung ist die Staatsanwaltschaft zur Erhebung der öffentlichen Klage berufen.

liegens eines Antragsdelikts einschränkbar. Allerdings hat der Gesetzgeber das Antragserfordernis nicht ausdrücklich im Gesetzestext normiert und sich somit für eine Verfolgung von Amts wegen entschieden.

### *b) Art. 171 LDA*

Der urheberstrafrechtliche Zentraltatbestand des Art. 171 LDA, der den Katalog der Urheberstrafrechtsdelikte eröffnet, ist trotz der zahlreichen Gesetzesänderungen der letzten Jahre[129] nahezu unverändert geblieben.[130] Dies dürfte auf seinen generalklauselartigen Charakter und seine tatbestandlich weite Fassung zurückzuführen sein. Allerdings hat die Bedeutung des Art. 171 LDA, der anfänglich die einzige Strafnorm des LDA darstellte, insbesondere aufgrund der Ausgestaltung speziellerer Tatbestände stark abgenommen.[131] Der Gesetzgeber von 1941 hat bei der Formulierung des Gesetzestextes einen kasuistischen Ansatz gewählt und zählt in einem sehr detaillierten Regelwerk die verschiedenen Tathandlungen auf.[132] Einen letzten Rest an Elastizität, der die notwendige Offenheit der Norm für neue Begehungsformen gewährleistet, findet man in dem Begriff der Tatbegehung *in jedweder Form (in qualsiasi forma)*. Art. 171 LDA schützt alle ausschließlichen wirtschaftlichen Verwertungs- und Nutzungsrechte.[133] Auch verwandte Schutzrechte im Sinne der Art. 72 ff. LDA sind erfasst. Darüber hinaus erweitert der Qualifikationstatbestand in Art. 171 Abs. 3 a.E. LDA das Schutzgut auf das Urheberpersönlichkeitsrecht. Bezüglich der subjektiven Tatseite ist anzumerken, dass kein Vorliegen besonderer subjektiver Tatbestandsmerkmale, wie etwa eine Gewinnabsicht, verlangt wird, sondern ein einfacher Tatbestandsvorsatz in Form des *dolus eventualis* genügt *(a qualsiasi scopo)*. Das Strafmaß von Art. 171 LDA ist Geldstrafe von 51 € bis 2.065 €. Es wird von einigen Stimmen[134] als zu mild kritisiert und bestärkt die Zweifel an der Zweckmäßigkeit eines Erhalts von Art. 171 LDA.

---

[129] Zuletzt durch das Decreto legislativo 9 aprile 2003, n. 68, Decreto legge 22 marzo 2004, n. 72 ("Decreto Urbani"), und das Decreto legge 31 gennaio 2005, n. 7.

[130] *Bonelli*, Dir. Aut. 2004, 48.

[131] Der Text des Art. 171 Abs. 1 LDA schreibt selbst vor, dass, soweit eine Verletzungshandlung von Art. 171-*bis* oder 171-*ter* LDA erfasst wird, Art. 171 LDA nicht anwendbar ist. Daneben hat auch der italienische Kassationshof festgestellt, dass nach Inkrafttreten des Gesetzes Legge 18 agosto 2000, n. 248, keine formelle Konkurrenz mehr zwischen Art. 171 und 171-*ter* LDA besteht, Sez. III. pen., 27.2.2003, Giust. pen. 2004, II, S. 303 ff.

[132] *Dibenedetto*, Responsabilità penale, S. 14; *Seminara*, Riv. Trim. Dir. pen. Econ. 1997, 79.

[133] Mit Ausnahme der Mietrechte des Art. 18-*bis* LDA, deren Verletzung von den Art. 171-*quater* und 171-*quinquies* LDA sanktioniert wird, sowie der Rechte zur Umwandlung eines Sprachwerks in ein Schriftwerk nach Art. 14 LDA.

[134] *Terracina*, La tutela, S. 104.

### aa) Die Tathandlungen im Einzelnen

Art. 171 Abs. 1 lit. a) LDA erfasst Verletzungen der ausschließlichen Rechte des Urhebers nach Art. 12–18 LDA. Zuerst werden die Fälle der *Vervielfältigung* und der *Transkription* erfasst, die das LDA in den Art. 13[135] und 14[136] definiert. Die in den Art. 65 ff. LDA normierten freien Nutzungsarten bleiben von diesem Vervielfältigungsverbot unberührt. Auch die Anfertigung der Kopie nur eines Teils des Werks[137] ist nach Art. 171 lit. a) LDA verfolgbar.[138] Als nächste Tatalternativen werden in lit. a) der *Vortrag in der Öffentlichkeit*[139] und die *Verbreitung* eines Werks genannt. Es fällt auf, dass auch in lit. b) die öffentliche Vorstellung,[140] Aufführung[141] und der öffentliche Vortrag bestraft werden. Das könnte vermuten lassen, dass lit. b) nur Werke erfasst, die sich auch für eine Vorstellung oder Aufführung eignen. Dies würde bedeuten, dass die Vervielfältigung eines rein wissenschaftlichen Werks, das sich nicht für eine öffentliche Vorstellung eignet, nach lit. a) bestraft würde, die Vervielfältigung oder Transkription eines Theater- oder Orchesterstücks jedoch straffrei bliebe. Diese Lösung erscheint nicht sachgemäß, weshalb diese gesetzliche Überlappung als rein sprachliche Ungenauigkeit des Gesetzestextes anzusehen ist.[142] Die *Verbreitung* des Werks muss sich an die Öffentlichkeit richten. Auch eine Verbreitung über das Internet, die von der Harmonisierungs-RL ausdrücklich zu den ausschließlichen Verbreitungsrechten des Urhebers gezählt wird, ist miteinbezogen. Die nächste Tathandlung ist die *Offenbarung des Inhalts eines Werks vor seiner Veröffentlichung*. Diese soll das von Art. 12 LDA geschützte Erstveröffentlichungsrecht des Urhebers schützen; aber auch für den Persönlichkeitsschutz des Urhebers ist diese Tatalternative relevant, beispielsweise,

---

135 Das ausschließliche Vervielfältigungsrecht hat die Anfertigung von direkten oder indirekten Kopien des ganzen Werks oder einzelner Teile davon zum Gegenstand, die zeitlich begrenzt oder zur dauerhaften Nutzung bestimmt sind, ungeachtet der gewählten Form. Dies sind etwa eine von Hand angefertigte Kopie, ein Druckerzeugnis, eine Lithografie, eine Gravur, eine Fotografie, eine Audioaufnahme, die Aufnahme eines Filmwerks sowie jedes andere Vervielfältigungsverfahren.

136 Art. 14 LDA: Das ausschließliche Recht zur Transkription beinhaltet die Umwandlung eines Sprachwerks in ein literarisches Werk mittels geeigneter Hilfsmittel oder die Reproduktion eines Werks mit Hilfe eines der im vorigen Artikel genannten Mittel.

137 Art. 19 Abs. 2 LDA legt ausdrücklich fest, dass Gegenstand der ausschließlichen Rechte sowohl das gesamte Werk als auch einzelne Teile sind.

138 Was die Anfertigung von nicht gänzlich originalgetreuen Kopien anbelangt, soll auf Art. 17 lit. c) LDA verwiesen werden.

139 Eine negative Definition des Öffentlichkeitsbegriffs findet sich in Art. 15 Abs. 2 LDA. Aufführung, Vorstellung und Vortrag sind nicht öffentlich, wenn diese im Kreise der Familie, eines Konvikts, einer Schule oder einer Heileinrichtung und nicht mit Gewinnabsicht erfolgen.

140 Eine Vorstellung meint eine bildliche/szenische Darstellung.

141 Eine Aufführung soll musikalische Werke oder Theaterwerke beinhalten.

142 *Grosso*, Riv. it. dir. proc. pen. 1968, 99.

wenn sich der Urheber nicht mehr mit politischen oder religiösen Äußerungen, die in einem frühen, nicht zur Veröffentlichung bestimmten Werk enthalten sind, identifiziert.[143] Bezüglich des Umfangs des veröffentlichten Werks wird nicht verlangt, dass das Werk in seinem gesamten Ausmaß bekannt wird, schon einzelne wesentliche Merkmale, wie Namen der Hauptfiguren, der Refrain eines Musikstücks oder eine inhaltliche Zusammenfassung, reichen aus.[144] Die letzte Gruppe strafbarer Verletzungshandlungen betreffen Verbreitung und Handel, also den *Verkauf, die Bereitstellung zum Verkauf* oder ein *anderweitiges In-Verkehr-Bringen* eines fremden Werks sowie die *Einführung und das In-Umlauf-Bringen* von Ware, die im Ausland hergestellt wurde und nicht den Anforderungen des italienischen Rechts entspricht. Diese Tatalternativen spiegeln das Recht des Urhebers aus Art. 17 LDA zur ausschließlichen wirtschaftlichen Verwertung des Werks wider.

Art. 171 Abs. 1 lit. a-*bis*)[145] LDA stellt die Zugänglichmachung eines geschützten Werks für die Öffentlichkeit durch Bereitstellung in einem Netzwerk unter Strafe. Abs. 2 gewährt im Fall einer Rechtsverletzung nach lit. a-*bis*) die Möglichkeit einer Straftilgung durch Zahlung der Hälfte des Höchstbetrages der in Abs. 1 genannten Geldstrafe neben den Verfahrenskosten.

Art. 171 Abs. 1 lit. b) LDA bezieht sich auf die Vorstellung, Aufführung und den öffentlichen Vortrag eines Werks. Wie bereits gezeigt wurde, überschneidet sich lit. b) teilweise mit der zweiten Fallgruppe in lit. a). Gemäß lit. c) werden die Begehungsweisen in lit. a) und b) auch bestraft, wenn sie nicht am Original, sondern an einer Bearbeitung vorgenommen werden. Lit. d) sanktioniert die Vervielfältigung von mehr Exemplaren und die Durchführung von mehr Vorstellungen und Aufführungen als ursprünglich mit dem Urheber vereinbart. Lit. f)[146] schützt verwandte Schutzrechte, insbesondere die Rechte derjenigen in Art. 79 LDA aufgeführten Personen, die einer Sendetätigkeit bei Rundfunk und Fernsehen nachgehen.[147] Geschützt wird durch diese Strafnorm die Rundfunksendung und die unternehmerische Tätigkeit. Enthält die ausgestrahlte Sendung auch ein musikalisches Werk, kann lit. a) ebenfalls erfüllt sein.

---

143 *Dibenedetto*, Responsabilità penale, S. 26, 34.

144 *Dibenedetto*, Responsabilità penale, S. 27.

145 Eingeführt von Decreto legge 31 gennaio 2005, n. 7.

146 Vormals wurden verwandte Schutzrechte auch durch lit. e) geschützt, dieser wurde aber von Art. 3 Legge 29 luglio 1981, n. 406, aufgehoben.

147 Unter lit. f) fällt jeder, der unter Verletzung des Art. 79 LDA über Kabel oder Rundfunk ein Werk erneut aussendet oder auf Schallplatten oder anderen analogen Trägermedien Sendungen aufnimmt oder Schallplatten oder andere unrechtmäßig bespielte Trägermedien absetzt.

#### bb) Schutz des Urheberpersönlichkeitsrechts

Art. 171 Abs. 3 LDA beschreibt einen Qualifikationstatbestand,[148] der mit einer Freiheitsstrafe von bis zu einem Jahr oder einer Geldstrafe nicht unter 516,45 € bestraft wird. Abs. 3 ist erfüllt, wenn die in Art. 171 Abs. 1 LDA aufgelisteten Tathandlungen ein Werk betreffen, das nicht zur Veröffentlichung bestimmt war, und der Verletzer sich die Urheberschaft widerrechtlich angeeignet hat oder das Werk verändert oder modifiziert wurde, sofern dies eine Verletzung der Ehre und des Ansehens des Urhebers bewirkt. Bereits eine Offenbarung des Inhalts eines Werks vor seiner Veröffentlichung durch den Urheber nach Abs. 1 lit. a) kann für den Persönlichkeitsschutz des Urhebers relevant sein. Während letztere Norm sich vorrangig an den wirtschaftlichen und unternehmerischen Interessen des Urhebers orientiert, schützt der Gesetzgeber in Abs. 3 das Urheberpersönlichkeitsrecht als weitergehendes Interesse. Nicht erfasst von der Norm ist der Fall einer anonymen Veröffentlichung des Werks, da das Merkmal der widerrechtlichen Aneignung der Urheberschaft fehlt. Ebenso wenig erfasst ist die Herstellung einer Privatkopie, die keinen weiteren wirtschaftlichen Schaden mit sich bringt. Unschädlich ist aber, wenn der Verletzer sich die Urheberschaft an einer Bearbeitung[149] des Werks angeeignet hat, was eine der häufigsten Begehungsformen des Abs. 3 darstellt. Um den Qualifikationstatbestand zu erfüllen, muss der Täter außerdem bei Tatbegehung gewusst haben, dass das Werk nicht zur Veröffentlichung bestimmt war, oder dies schuldhaft verkannt haben (Art. 59 Abs. 2 C.P).

Letztlich soll noch einmal hervorgehoben werden, dass das LDA keinen selbstständigen strafrechtlichen Schutz des Urheberpersönlichkeitsrechts gewährt. Die Straftatbestände des italienischen Urheberrechtsgesetzes schützen Vermögensrechte und wirtschaftliche Verwertungsrechte des Urhebers sowie verwandte Schutzrechte.[150] Nur wenn die Verletzung des *droit moral*, wie in Art. 171 Abs. 3 LDA, qualifizierend zu einer Verletzung wirtschaftlicher Verwertungsrechte hinzutritt, wird diese strafrechtlich geahndet. Andernfalls erfolgt die Verfolgung solcher Verletzungshandlungen auf zivilrechtlichem Gebiet.[151]

#### cc) Art. 172 Abs. 1 LDA

Handelt der Täter in einem der in Art. 171 LDA aufgeführten Fälle nicht vorsätzlich, sondern fahrlässig, so muss er nach Art. 172 Abs. 1 LDA ein Bußgeld von bis zu 1.032 € entrichten.

---

148 Nach herrschender Meinung handelt es sich bei Art. 171 Abs. 3 LDA um einen Qualifikationstatbestand, *Pedrazzi*, Riv. it. dir. proc. pen. 1969, 688; *Colucci*, La tutela penale nel diritto d'autore, S. 60. Nur eine Mindermeinung vertritt, dass es sich dabei um einen selbstständigen Tatbestand handelt: *Grosso*, Riv. it. dir. proc. pen. 1968, 68.

149 I.S.v. Art. 4 LDA.

150 *Terracina*, La tutela, S. 90 ff.

151 *Dibenedetto*, Responsabilità penale, S. 39.

### c) *Art. 171-ter LDA*

Die zweite wichtige Vorschrift für den strafrechtlichen Schutz von Urheberrechten ist Art. 171-*ter* LDA.[152] Anders als Art. 171 LDA durchlief dieser eine Reihe von Gesetzesänderungen,[153] die auf eine Erhöhung des strafrechtlichen Schutzes durch Ausdehnung des strafrechtlich relevanten Verhaltens und eine Strafverschärfung abzielten, um das geltende Recht den neuen Technologien anzupassen.[154] Darüber hinaus schützt Art. 171-*ter* LDA nicht mehr wie ursprünglich vorgesehen nur die Tonträgerhersteller, sondern erfasst nun auch die Urheber selbst.[155] Diese Modifizierungen des Gesetzestextes waren einem leichteren Verständnis der Norm nicht dienlich, vielmehr ist Art. 171-*ter* LDA in seiner jetzigen Fassung unklar gefasst, was Lektüre und rechtliche Würdigung erschwert.[156] Art. 171-*ter* LDA steht in einem Spezialitätsverhältnis zu Art. 171 LDA und geht diesem in der Prüfung vor.[157] Er besteht aus fünf Absätzen: Abs. 1 und Abs. 2 listen die strafbaren Tathandlungen auf, wobei im zweiten Absatz ein Qualifikationstatbestand normiert ist. Abs. 3 enthält einen Milderungsgrund. Abs. 4 bezeichnet Nebenstrafen,[158] die im Fall einer tatbestandlichen Verwirklichung von Abs. 1 anwendbar sind, und Abs. 5 bestimmt den Zweck der eingenommenen Geldstrafen.

#### aa) Verletzungshandlungen (Abs. 1)

Der erste Absatz erfasst die relevanten Tathandlungen in sechs Literas (lit. a)–f)). Verschiedene Elemente sind für die Verwirklichung der verschiedenen Tatalternativen gleichermaßen erforderlich: (1) subjektives Tatbestandselement ist bei

---

152 Eingeführt in das LDA durch Art. 17 Abs. 1 Decreto legislativo 16 novembre 1994, n. 685, die der Umsetzung der Richtlinie 92/100/EWG diente. Durch Art. 14 des „Anti-Piraterie-Gesetzes“ (Legge 18 agosto 2000, n. 248) wurde Art. 171-*ter* LDA gänzlich neu gefasst. und wurde in der Folge durch das Decreto legislativo 9 aprile 2003, n. 68, modifiziert.

153 Kürzlich erfolgt durch das Decreto legislativo 9 aprile 2003, n. 68, Decreto legge 22 marzo 2004, n. 72 (“Decreto Urbani”), und das Decreto legge 31 gennaio 2005, n. 7.

154 *Bonelli*, Dir. Aut. 2004, 493.

155 *Terracina*, Riv. Pen. 2000, 1090, 1093; dies erfolgte durch Änderung des Abs. 1 lit. b).

156 *Sirotti Gaudenzi*, Nuovo diritto d’autore, S. 376; *De Angelis*, La tutela giuridica, S.170 f. Darin wird außerdem darauf verwiesen, dass infolge der Unklarheiten bezüglich der Tatbestände des Art. 171-*ter* LDA auch eine einheitliche Rechtsprechungspraxis erschwert ist.

157 *Sirotti Gaudenzi*, Nuovo diritto d’autore, S. 376.

158 Nach Abs. 4 beinhaltet eine Verurteilung nach Abs. 1 auch (a) die Anwendung der Nebenstrafen aus Art. 30 und 32-*bis* des Strafgesetzbuches; (b) die Veröffentlichung des Urteils in einer oder mehreren Tageszeitungen, wovon mindestens eine landesweit verteilt werden muss, sowie in einer oder mehreren Fachzeitschriften und (c) die einjährige Aufhebung der Konzession oder Genehmigung zur Ausstrahlung über Fernsehen und Rundfunk zu gewerblichen Zwecken.

allen eine Gewinnabsicht;[159] (2) es werden Handlungen tatbestandlich ausgeschlossen, die für den eigenen persönlichen Gebrauch vorgenommen werden; (3) für alle Tatbestände des Abs. 1 gilt dasselbe Strafmaß der Freiheitsstrafe von sechs Monaten bis zu drei Jahren und einer Geldstrafe von 2.582 bis zu 15.493 €.

Die Verletzungshandlungen in Abs. 1 lit. a) und b) richten sich gegen die Piraterie im Video-, Musik- und Buchsektor. Sie verbindet, dass in beiden Fällen (1) die Tathandlung in rechtswidriger Weise erfolgt sein muss und (2) die Tathandlung die rechtswidrige Anfertigung einer Kopie,[160] die Vervielfältigung, Ausstrahlung oder Verbreitung in der Öffentlichkeit durch jedes Mittel und Vorgehen erfasst. Die geschützten Werke unterscheiden sich jedoch: In lit. a) sind dies Werke, die zu einer Verbreitung über Fernsehen oder Kino durch Verkauf oder Vermietung bestimmt sind (Abs. 1 lit. a) 1. Teil), sowie Schallplatten, Tonbänder, analoge Träger oder andere Hilfsmittel,[161] die Musik- oder Sprachwerke und Videos mit Musik- und Filmwerken ebenso wie Abfolgen von Laufbildern enthalten (Abs. 1 lit. a) 2. Teil). Lit. b) umfasst Werke oder Teile von Werken der Literatur, des Theaters, der Wissenschaft oder Lehre, der Musik oder des Musiktheaters ebenso wie Multimediawerke, selbst wenn sie in Gemeinschaftswerke auf einer Datenbank eingefügt werden.

Bei einer näheren Betrachtung der Vorschrift fällt auf, dass mit dem Verbot der (auch nur teilweisen) Herstellung einer Kopie oder sonstigen Vervielfältigung von Videos und Musikwerken durch jedes Mittel und Vorgehen, auch das Downloaden von geschützten Musik- und Filmwerken oder anderer audiovisueller Werke aus dem Internet erfasst ist. Das Uploaden als Gegenstück hierzu, welches beispielsweise beim *Filesharing*[162] erfolgt, liegt vor, wenn geschützte Werke im Internet

---

159 Die subjektiven Tatbestandselemente wurden durch das Gesetz Legge 21 maggio 2004, n. 128, modifiziert. Die vormals geforderte Gewinnabsicht *(a fini di lucro)* wurde durch die Vorteilserlangungsabsicht *(per trarne profitto)* ersetzt. Damit sollte der Anwendungsbereich der Vorschrift erweitert werden: Die Erlangung eines bestimmten wirtschaftlichen Wertes sollte nicht mehr erforderlich sein, vielmehr wurde jeder Nutzen, gleich ob wirtschaftlicher oder immaterieller Natur erfasst, *De Angelis*, La tutela giuridica, S. 171. Diese Änderung war jedoch nicht von Dauer. Schon das Gesetz Legge 31 marzo 2005, n. 43, wandelte den Wortlaut in seine vorherige Form zurück.

160 *Duplicare*, die Verdoppelung oder Anfertigung einer Kopie, ist nur in lit. a) erwähnt. Allerdings wird diese Tathandlung nicht im LDA definiert, insbesondere fehlt eine Abgrenzung zur „Vervielfältigung" des Werks. In der Lehre wurde unter *duplicazione* die Anfertigung einer mit dem Original identischen Kopie verstanden (z.B. die Kopie eines Tonbands auf ein anderes Tonband). Eine *Vervielfältigung* soll hingegen vorliegen, wenn ein Werk auf einem anderen Trägermedium festgehalten wird (z.B. die Aufnahme einer Rundfunksendung auf ein Tonband, Aufnahme von TV-Sendungen auf ein Trägermedium), so *Dibenedetto*, Responsabilità penale, S. 58.

161 Die Erwähnung *anderer Werke* beinhaltet auch digitale Werke.

162 *Filesharing* bezeichnet das direkte Weitergeben von Dateien zwischen Benutzern des Internets unter Verwendung eines Peer-to-Peer-Netzwerks. Dabei befinden sich die Daten auf den Computern der Teilnehmer und werden von dort aus verteilt. Normalerweise werden Daten von fremden Rechnern kopiert (Download), während gleichzeitig andere

verbreitet oder unrechtmäßig zugänglich gemacht werden. Allerdings können Up- und Downloader aufgrund eines „Schlupflochs" im Gesetzestext einer Strafe entkommen, wenn der Download für den eigenen Gebrauch vorgenommen wurde und wenn das Upload ohne eine weitergehende Gewinnabsicht erfolgt ist. Bezüglich der rechtswidrigen Vervielfältigung zu privatem Gebrauch soll auf die obigen Ausführungen zur Privatkopie verwiesen werden.[163]

In Abs. 1 lit. c) werden verschiedene Tathandlungen bezüglich Personen genannt, die, obwohl sie nicht selbst die rechtswidrige Anfertigung einer Kopie oder Vervielfältigung gemäß lit. a) und lit. b) vornehmen, geschützte Werke verteilen[164] oder vermieten.[165] Mit dieser Norm zielte der Gesetzgeber darauf ab, jeden Schritt im Wirtschaftskreislauf zu erfassen, der auf die rechtswidrige Herstellung eines Vervielfältigungsstücks folgt. Es soll eine Bekämpfung des Schwarzmarkts, der sich aus der Produkt- und Dienstleistungspiraterie ergibt, ermöglicht werden.

Die Verletzungshandlung in lit. d) betrifft die Verbreitung[166] von Werken, bei denen die gesetzlich vorgeschriebene Anbringung des SIAE[167]-Siegels[168] nicht vorgenommen wurde oder die ein gefälschtes oder verändertes Siegel aufweisen.[169] Lit. d) zielt darauf ab, den Handel mit Gütern, die nicht den Vorschriften bezüglich des SIAE-Siegels entsprechen, zu bestrafen. Lit. d) soll die Transparenz des Mark-

---

Daten versendet werden (Upload). Für den Zugriff auf solche Netzwerke werden spezielle Computerprogramme benötigt, *Bonelli*, Dir. Aut. 2004, 499.

163 Siehe oben Vierter Teil, III.A.1.c)ff).

164 Das Verteilen kann erfolgen durch: Einfuhr, Besitz zum Verkauf oder sonstiger Verteilung, Einführen in den Wirtschaftskreislauf, Vermietung oder sonstige Überlassung, öffentliche Ausstrahlung durch das Fernsehen, das Radio oder andere Mittel oder die in lit. a) und b) genannten rechtswidrigen Vervielfältigungen in der Öffentlichkeit ausstrahlt.

165 Bei den Werken handelt es sich um Musik- und Videoaufnahmen von Musik- oder Filmwerken und sonstigen audiovisuellen Werken ebenso wie Abfolgen von Laufbildern.

166 Die Verletzungshandlung in lit. d) betrifft: Besitz zum Verkauf oder zur Vermietung, Einführen in den Wirtschaftskreislauf, Verkauf, Vermietung oder sonstige Überlassung, öffentliche Ausstrahlung, Verbreitung in Fernsehen und Radio durch jegliches Verfahren mit Hilfe von Video- und Tonbändern oder anderen Trägermedien, die Musik- und Filmwerke oder Abfolgen von Laufbildern und an denen durch das LDA die Anbringung des SIAE-Siegels vorgeschrieben ist.

167 Società Italiana degli Autori ed Editori, italienische Verwertungsgesellschaft zum Schutz der Urheberrechte.

168 Die Pflicht zur Anbringung des SIAE-Siegels ist eine Besonderheit des italienischen Urheberrechts. Ähnliches wird in keinem anderen Land praktiziert. Durch das Anbringen des Siegels garantiert die SIAE die Legitimität der Vermarktung der gekennzeichneten Ware. Dadurch schützt die Verwertungsgesellschaft nicht nur die Interessen der eigenen Mitglieder (Urheber und Verleger), sondern auch die Inhaber verwandter Schutzrechte (ausübende Künstler und Tonträgerhersteller), die in der Regel anderen Gesellschaften beiwohnen, *De Sanctis*, Tutela Giurdica, S. 172 f.

169 In lit. d) wurde durch das Decreto legislativo 9 aprile 2003, n. 68, der letzte Teil bezüglich Systeme zur Umgehung technischer Schutzmaßnahmen gestrichen. Letztere wurden fortan durch die neuen lit. f-*bis*) und h) geschützt.

tes und die Legalität der in Umlauf befindlichen Waren garantieren.[170] Die Tatbestände der lit. e), f), f-*bis*) und h) werden unten im Zusammenhang mit den strafrechtlichen Vorschriften zum Schutz technischer Maßnahmen behandelt.

#### bb) Qualifikation (Abs. 2)

Art. 171-*ter* Abs. 2 LDA enthält eine Tatbestandsqualifikation[171] zu Abs. 1 und enthält ebenso wie Abs. 1 eine Unterteilung der Tathandlungen in verschiedene Buchstaben (a)–c)). Das Strafmaß umfasst hier eine Freiheitsstrafe von einem bis zu vier Jahren und eine Geldstrafe von 2.582 € bis zu 15.493 €. Bezüglich der Verletzungshandlungen des Abs. 1 wurde in lit. a) eine mengenmäßige Hürde von mindestens 50 gefälschten Kopien eingeführt. Der neue Buchstabe a-*bis)* geht auf das *Decreto Urbani*[172] von 2004 zurück und bezweckt vor allem die Bekämpfung der in den letzten Jahren stark anwachsenden Produktpiraterie über das Internet.[173] Darin wird die Veröffentlichung eines urheberrechtlich geschützten Werks oder von Teilen davon über telematische[174] Technologien und Netzwerke, die unter Verletzung des von Art. 16 LDA geschützten Senderechts und mit Gewinnabsicht vorgenommen wird, erfasst. Manche Autoren bemängeln, dass die Einführung der Tatalternative lit. a-*bis*) überflüssig sei, da die Verletzungshandlung bereits von dem vorangehenden lit. a) abgedeckt werde.[175] Allerdings gilt auch hier, dass angesichts der Ausnahme bei Anfertigung von Privatkopien nach Art. 171-*ter* LDA die vom *Decreto Urbani* bewirkten Änderungen jedenfalls keine Anwendung finden, wenn die Person zum Eigengebrauch handelt. In lit. b) und c) erfordert die Qualifikation nicht ein *Mehr* in quantitativer Hinsicht wie in lit. a), sondern bezeichnet erschwerende Umstände bezüglich der Art und Weise der Tatbegehung. So werden im zweiten Absatz die Tathandlung der Vervielfältigung, Verteilung, des Verkaufs und der Kommerzialisierung *in gewerblichem Umfang* (lit. b) und das Voran-

---

170 Dem SIAE-Siegel wird auch künftig bei der Kennzeichnung digitaler Werke eine große Bedeutung beigemessen, *De Angelis*, La tutela giuridica, S. 173; *Di Fabio*, Dir. Aut. 2000, 42.

171 Darüber, dass es sich bei Abs. 2 um eine Qualifikation zu Abs. 1 und nicht um einen eigenständigen Tatbestand handelt, sind sich Lehre und Rechtsprechung weitgehend einig: *Dibenedetto*, Responsabilità penale, S. 158; *Parodi-Calice*, Responsabilità penali e Internet, S. 258; *Ziccardi*, Il Diritto d'autore nell'era digitale, S. 67; *Bonelli*, Dir. Aut. 2000, 395; eher kritisch *Terracina*, Riv. pen. 2000, 1094; 55 Corte App. Trento, 27/02/2002, Giur. merito 2002, 4–5, 1014.

172 Decreto legge 22 marzo 2004, n. 72.

173 *Chimienti*, Lineamenti, S. 379.

174 Telematik (zusammengesetzt aus Telekommunikation und Informatik) ist eine Technologie der Informationsverknüpfung von mindestens zwei EDV-Systemen mit Hilfe eines Telekommunikationssystems sowie einer speziellen Datenverarbeitung. Zu den Kernbereichen, mit denen die Telematik sich befasst, gehören Rechnernetze wie z.B. das Internet, Telefon- und Mobilfunknetze.

175 *Carretta/di Cicco/Succi*, Tutela penale e amministrativa, S. 162.

treiben, Unterstützen und die Organisierung der Tathandlungen des Abs. 1 (lit. c) erfasst. Auffallend ist, dass es im zweiten Absatz keine ausdrückliche Erwähnung subjektiver Tatbestandselemente gibt.[176] Um Unstimmigkeiten im Verhältnis zu Abs. 1 zu vermeiden[177] und weil es sich bei diesem Absatz um eine Qualifikation handelt, ist aber anzunehmen, dass der subjektive Tatbestand auch hinsichtlich besonderer subjektiver Tatbestandsmerkmale Abs.1 entspricht.[178]

### *d) Art. 171-quater und Art. 171-quinquies LDA*

Soweit ein Delikt nicht an anderer Stelle mit schwererer Strafe bedroht ist, bestraft Art. 171-*quater*[179] LDA mit Freiheitsstrafe bis zu einem Jahr oder einer Geldstrafe von 516 € bis zu 5.164 € jede Person, die rechtswidrig und mit Gewinnabsicht Originale oder Kopien von urheberrechtlich geschützten Werken, auch wenn sie rechtmäßig erworben wurden, vermietet[180] oder auf sonstige Art zum Gebrauch überlässt (lit. a) oder künstlerische Darbietungen, wie sie in Art. 80 LDA beschrieben werden, auf Audio- oder Videoträgern oder auf sonstigen Trägermedien aufzeichnet (lit. b). Es handelt sich dabei um eine *contravvenzione a sanzione alternativa*[181] und kann daher nach Art. 42 Abs. 4 C.P. sowohl vorsätzlich als auch fahrlässig begangen werden. Zudem ist es aufgrund der alternativen Strafe (Freiheits- oder Geldstrafe) möglich, das Verfahren aufgrund einer *oblazione*[182] gemäß Art. 162-*bis* C.P., also durch Zahlung eines Geldbetrages,[183] zu beenden.

---

176 Ausnahme hierbei ist lit. a-*bis*): *A fini di lucro* (= Zum Zweck der Bereicherung).

177 Ein Täter, der 50 Kopien nur zum Eigengebrauch ohne weitere Gewinnabsicht herstellt, würde demnach von der Qualifikation in Abs. 2 erfasst und unterläge einer härteren Strafe als derjenige, der mit Gewinnabsicht lediglich 45 Kopien herstellt und damit unter der Schwelle des Abs. 2 lit. a) bleibt.

178 *Dibenedetto*, Responsabilità penale, S. 159.

179 Eingeführt durch das Decreto legislativo 16 novembre 1994, n. 685, in Umsetzung der Richtlinie 1992/100/EG.

180 Es soll daran erinnert werden, dass das Vermietrecht gemäß Art. 18-*bis* LDA unabhängig neben dem Verbreitungsrecht steht und somit nicht mit dem Verkauf oder einer sonstigen Verbreitung eines Produkts erschöpft ist, gemäß Art. 72 und 78-*bis* LDA.

181 Der Begriff *contravvenzione* entspricht nach der Zweiteilung der Straftaten in *delitti* und *contravvenzioni* nach Art. 39 C.P. etwa einem Vergehen im deutschen Strafrecht. Der Terminus *sanzione alternativa* betrifft die alternative Strafe (Freiheitsstrafe oder Geldstrafe).

182 Die *oblazione*, geregelt in den Art. 162 und 162-*bis* C.P. führt zum Erlöschen der strafbaren Handlung: Bei *contravvenzioni* kann auf Antrag des Täters durch Zahlung eines bestimmten Geldbetrags das Delikt in all seinen Wirkungen zum Erlöschen gebracht werden, insbesondere erfolgt kein Eintrag in das *Casellario giudiziale* (vergleichbar mit dem deutschen Bundeszentralregister). Die vom Richter durch Urteil erklärte *oblazione* erhält materielle Rechtskraft. Das Verbot der Doppelbestrafung ist aufgrund des Strafklageverbrauchs zu beachten.

183 Dieser beträgt im Fall einer *oblazione* nach Art. 162-*bis* C.P. die Hälfte des im Gesetz angegebenen Höchstbetrags. Bei Art. 171-*quater* LDA sind das 2.582 € (5.164 €/2).

Voraussetzung für eine Verwirklichung von lit. a) ist, dass die Verletzungshandlung an rechtmäßig erworbenen Produkten vorgenommen wird. Werden rechtswidrig hergestellte Vervielfältigungsstücke[184] vermietet, ist Art. 171-*ter* lit. b) oder c) einschlägig, der mit einer bedeutend höheren Strafe belegt ist.

Bei genauer Betrachtung fällt auf, dass durch seinen ausdrücklichen Bezug auf unerlaubte Mitschnitte von künstlerischen Aufführungen lit. b) ausübenden Künstlern Schutz vor dem sogenannten *Bootleg*[185] gewährt.[186] Damit soll das ausschließliche Recht der ausübenden Künstler, ihre Darbietung gemäß Art. 80 LDA auf Bild- oder Tonträger aufzunehmen, geschützt werden. Zur Abgrenzung zwischen den Vorschriften zur Sanktionierung des Bootlegs[187] und Art. 171-*ter* LDA können einige Unterschiede angeführt werden. Zunächst ist anzumerken, dass Art. 171-*ter* LDA auf den Schutz des Trägermediums, das das geschützte Werk enthält, gerichtet ist und nicht auf das Werk selbst.[188] Außerdem hängt die Rechtswidrigkeit der Verletzungshandlung in Art. 171-*quater* und 171 Abs. 1 lit. f) LDA von der Genehmigung durch Urheber und ausübende Künstler ab, wohingegen eine Legitimierung der Verletzungshandlung von Art. 171-*ter* LDA durch eine Genehmigung nicht möglich ist. Kurz soll auch daran erinnert werden, dass die Anfertigung eines unerlaubten Mitschnitts nur dann relevant ist, wenn das einschlägige Verhalten mit Gewinnabsicht erfolgt ist, nicht aber, wenn dies nur für den Eigengebrauch geschieht.

Art. 171-*quinquies* LDA dient der Klärung einiger Unklarheiten bezüglich des Anwendungsbereichs von Art. 171-*quater* LDA. Er legt fest, dass die Vermietung einer Sache einem aufschiebend oder auflösend bedingtem Verkauf gleichgestellt ist, sofern bei Eintritt oder Auflösung der Bedingung die ausbezahlte Geldsumme durch den Verkäufer niedriger als die zu Anfang entrichtete ist. Damit soll die Umgehung von Art. 171-*quater* LDA durch die Wahl bestimmter Kaufverträge anstelle des Abschlusses eines Mietvertrags verhindert werden.

#### *e) Art. 171-sexies LDA*

Art. 171-*sexies* Abs. 1 LDA ermöglicht die Vernichtung beschlagnahmter Ware, wenn diese nur schwer aufzubewahren ist. Abs. 2 betont die Verpflichtung zur Beschlagnahme von Geräten und sonstigem Material, das benutzt wurde oder dazu

---

184 Zumindest solche, an denen das SIAE-Siegel fehlt.

185 Bei einem *Bootleg* handelt es sich um den unerlaubten Mitschnitt einer Live-Aufführung oder einer Rundfunk- oder Fernsehsendung. Auch der Mitschnitt von Probeaufnahmen, die später auf dem wirtschaftlich verwerteten Produkt gezeigt werden, kann darunter fallen.

186 Ebenso wie dies Art. 171 lit. f) LDA zugunsten des Urhebers tut.

187 Art. 171 Abs. 1 lit. f) und Art. 171-*quater* lit. b).

188 *Dibenedetto*, Responsabilità penale, S. 67 f.

bestimmt war, die Straftaten der Art. 171-*bis*, 171-*ter* und 171-*quater* LDA zu begehen. Auch möglich ist zudem die Beschlagnahme von Videokassetten oder anderer Träger von Ton-, Bild-, Computer- oder Multimediawerken, welche rechtswidrig kopiert[189] oder nicht mit dem SIAE-Siegel versehen wurden.[190] Abs. 3 erklärt die Vorschriften der vorausgehenden Absätze auch für anwendbar, wenn die Waren und Geräte einer anderen Person gehören, in deren Interesse aber einer der Teilnehmer der Tat gehandelt haben muss.

### *f) Art. 171-septies LDA*

Derselben Strafe wie in Art. 171-*ter* Abs. 1 LDA unterliegen die Hersteller oder Importeure von Waren, die von der Kennzeichnungspflicht mit dem SIAE-Siegel ausgenommen sind und innerhalb von 30 Tagen nach Inverkehrbringen der Güter auf dem nationalen Markt der SIAE nicht die notwendigen Informationen zur Identifizierung der Ware mitteilen (lit. a). Daneben wird auch bestraft, wer fälschlicherweise die Erfüllung der Pflichten des Art. 181-*bis* Abs. 2 LDA[191] vorgibt, sofern die Tat nicht mit schwererer Strafe bedroht ist.

### *g) Art. 171-octies LDA*

Art. 171-*octies*[192] LDA vervollständigt neben Art. 171-*ter* lit. e) und f) den Schutz von Diensten mit begrenztem Zugang. Das Strafmaß dieser Norm ist Freiheitsstrafe von sechs Monaten bis zu drei Jahren und eine Geldstrafe von 2.583 € bis zu 25.822 €. Die subjektive Tatseite erfordert eine Begehung in Täuschungsabsicht, nicht aber eine Gewinnabsicht. Die Tathandlung umfasst die Herstellung, die Bereitstellung zum Verkauf, die Einfuhr, die Unterstützung, die Installation, die Veränderung und die öffentliche und private Nutzung von Geräten oder Teilen davon, die geeignet sind, audiovisuelle Sendungen zu entschlüsseln und den Zugang dazu zu gewähren, egal ob dies in analoger oder digitaler Form geschieht. Der objektive Tatbestand ist verwirklicht, ganz gleich, ob die Tat zu gewerblichen Zwecken oder zum privaten Gebrauch vorgenommen wurde. Gegenstand dieser Strafnorm sind die Empfangsgeräte, wie z.B. Entschlüsselungsvorrichtungen. Ziel der

---

[189] Andere Tathandlungen sind Vervielfältigung, Überlassung, Handel, Aufbewahrung und Import.

[190] Oder mit einem gefälschten, veränderten oder für ein anderes Werk bestimmten SIAE-Siegel versehen wurden.

[191] Art. 181-*bis* wurde von Legge 18 agosto 2000, n. 248, in das LDA zum Zweck der Klärung von Unklarheiten bezüglich des SIAE-Siegels eingeführt. Abs. 2 schreibt die Anbringungspflicht des Siegels zum Schutz der Interessen der Rechtsträger vor, sofern Letztere zuvor alle ihm aus dem URG obliegenden Pflichten erfüllt haben.

[192] Art. 171-*octies* LDA wurde durch das Gesetz Legge 18 agosto 2000, n. 248, neu in das LDA eingeführt.

Norm ist der Zugangsschutz bei verschlüsselten Diensten, welche über Luft, Kabel, Satellit in analoger oder digitaler Form übertragen werden. Unerheblich ist auch, ob es sich um einen kostenpflichtigen Dienst handelt.[193] Liegt ein schwerwiegender Fall vor, greift die Straferhöhung in Abs. 2.

#### *h) Art. 171-octies-bis LDA*

In Art. 171-*octies-bis* LDA wird derjenige bestraft, der in ungerechtfertigter Weise die auf den Auskunftsanspruch aus Art. 156-*ter* LDA gestützten Fragen des Richters nicht beantwortet oder dem Richter falsche Auskünfte erteilt. Es gilt die Strafe des Art. 372 C.P.,[194] die um die Hälfte herabgesetzt wird.

#### *i) Art. 171-nonies LDA*

Zeigt sich der Täter selbst an, bevor ihm das Urheberstrafrechtsdelikt von einem Richter vorgeworfen wird, oder ermöglicht er durch Bereitstellung nützlicher Informationen die Identifikation des Täters[195] oder die Beschlagnahme einer beträchtlichen Anzahl von Video- oder Tonträgern sowie von Materialien, die zu einer urheberrechtsverletzenden Handlung bestimmt waren, so gelten für ihn die mildernden Umstände des Art. 171-*nonies* LDA. Demnach wird bei tatbestandlicher Erfüllung der Art. 171-*bis*, 171-*ter* und 171-*quater* das Strafmaß um ein Drittel bis zur Hälfte herabgesetzt. Ausgenommen von diesem Milderungsgrund sind gemäß Art. 171-*nonies* Abs. 2 LDA Täter einer in Art. 171-*bis* Abs. 1 und Art. 171-*ter* Abs. 1 LDA genannten Tat. Zweck dieser Norm ist es, einen Anreiz zu schaffen sowohl zum Abstandnehmen von eigenen kriminellen Vorhaben als auch zur effektiven Mithilfe bei der Entlarvung von Tätern.[196]

#### *j) Art. 173 LDA*

Art. 173 LDA ist mit einer Subsidiaritätsklausel vergleichbar. Als allgemeine Vorschrift, die auf alle Urheberrechtsdelikte Anwendung findet, wird festgelegt, dass das Urheberstrafrecht zurücktritt, sofern die Rechtsverletzung im italienischen Strafgesetzbuch oder in anderen Gesetzen mit härterer Strafe bedroht ist.[197]

---

193 *De Angelis*, La tutela giuridica, S. 175.

194 Das Strafmaß für die in Art. 372 C.P. sanktionierte Falschaussage *(falsa testimonianza)* umfasst eine Freiheitsstrafe von zwei bis zu sechs Jahren.

195 Dabei handelt es sich um den Täter einer Straftat nach Art. 171-*ter* und Art. 171-*quater* LDA oder eine andere Person, die Werke vervielfältigt oder verbreitet.

196 *Terracina*, Riv. Pen. 2000, 1096.

197 Man denke hierbei beispielsweise an Vorschriften bezüglich der kriminellen Vereinigungen oder Computerkriminalität, *De Angelis*, La tutela giuridica, S. 176.

#### *k) Art. 174 LDA*

Nach Art. 174 LDA kann eine Partei im Rahmen eines Strafverfahrens die Anwendung der zivilrechtlichen Maßnahmen der Art. 159 und 160 LDA beantragen.

## 3. Strafrechtlicher Schutz von DRM-Systemen

### *a) Technische Schutzmaßnahmen und Informationen zur Rechtewahrnehmung im italienischen Urheberrechtsgesetz*

Die Art. 102-*quater* und -*quinquies* LDA[198] schützen technische Maßnahmen und Informationen für die Rechtewahrnehmung, die von den Rechtsinhabern und den Inhabern verwandter Schutzrechte freiwillig an den geschützten Werken angebracht werden können. Die technischen Schutzmaßnahmen können in aktiv und passiv wirkende Mechanismen unterteilt werden. Art. 102-*quater* LDA erfasst die erste Gruppe aktiver technischer Maßnahmen, welche bereits beim Zugang zu Inhalten eingreifen, indem sie Zugangsschutz gewähren[199] oder durch Kopierschutzvorrichtungen unerlaubte Handlungen verhindern sollen. Die passiven Schutzmaßnahmen des Art. 102-*quinquies* LDA sind hingegen elektronische Informationen zur Rechtewahrnehmung, die auf dem Werk enthalten sind und den Handel mit den Werken vereinfachen sollen. Der Nutzer erhält die notwendigen Informationen für einen rechtmäßigen Umgang mit dem Werk, er soll sich also bei Missachtung der exklusiven Rechte der Rechtsinhaber nicht auf seine Gutgläubigkeit berufen können.[200]

Art. 102-*quater* Abs. 1 LDA gewährt den Rechtsinhabern, den Inhabern verwandter Schutzrechte und den Berechtigten aus Art. 102-*bis* Abs. 3[201] LDA das Recht,wirksame technische Maßnahmen an geschützten Werken auzubringen, wovon alle Technologien, Vorrichtungen und Bestandteile umfasst sind, die im normalen Betrieb dazu bestimmt sind, Handlungen zu verhindern oder einzuschränken, die nicht von den Rechtsinhabern genehmigt worden sind.[202] Mit dieser Formulierung begründet die Norm im Grunde kein neues Recht für die Rechtsinhaber, sondern erkennt eine von ihnen bereits gehandhabte Praxis an.[203] Der zweite Absatz übernimmt die Definition einer wirksamen technischen Maßnahme weitgehend aus der Harmonisierungs-RL.[204] Demnach liegt eine „wirksame technische Maßnahme“ vor, wenn die Nutzung eines geschützten Werks oder eines sonstigen

198 Eingeführt von Art. 23 Decreto legislativo 9 aprile 2003, n. 68.

199 Den einfachsten Zugangsschutz gewährt ein Passwort.

200 *De Angelis*, La tutela giuridica, S. 159.

201 Dabei handelt es sich um den Datenbankhersteller.

202 Die Definition technischer Maßnahmen entspricht Art. 6 Abs. 3 Harmonisierungs-RL.

203 *De Angelis*, La tutela giuridica, S. 160.

204 Art. 6 Abs. 3, Zweiter Teil Harmonisierungs-RL.

Schutzgegenstands von den Rechtsinhabern durch eine Zugangskontrolle oder einen Schutzmechanismus, wie Verschlüsselung, Verzerrung oder sonstige Umwandlung, oder durch einen Mechanismus zur Kontrolle der Vervielfältigung begrenzt wird. Bezüglich der *Wirksamkeit* der technischen Schutzmaßnahme wird in Anbetracht einer bislang fehlenden gänzlich undurchlässigen Maßnahme nicht verlangt, dass diese unumgehbar ist.[205] Allerdings wird ein gewisser Grad an Aufwand vonseiten des Täters zu deren Umgehung gefordert, dabei kann auch der Einsatz spezieller Vorrichtungen oder Programme berücksichtigt werden.

Art. 102-*quinquies* LDA ist in Umsetzung von Art. 7 Harmonisierungs-RL entstanden. In Abs. 1 wird wiederum die Anbringung elektronischer Informationen zur Rechtewahrnehmung durch die Rechtsinhaber, Inhaber verwandter Schutzrechte und die Berechtigten aus Art. 102-*bis* Abs. 3[206] LDA auf den Werken oder Schutzgegenständen gestattet. Abs. 2 unterstreicht den Zweck elektronischer Informationen zur Rechtewahrnehmung: Sie sollen den Urheber oder jeden anderen Rechtsinhaber sowie Werke oder Schutzgegenstände identifizieren. Darüber hinaus können diese Informationen auch Angaben über Modalitäten und Bedingungen für die Nutzung der Werke oder Schutzgegenstände enthalten sowie Zahlen oder Codes angeben, durch die derartige Angaben oder andere der Identifikation dienende Elemente ausgedrückt werden.

### *b) Straftatbestände*

Wie gerade festgestellt wurde, erfuhr der Schutz vor Umgehung technischer Maßnahmen im LDA durch die Umsetzung von Art. 6 und 7 Harmonisierungs-RL[207] eine wichtige Neuerung. Neben der Einführung des Titels II-*ter* in das LDA,[208] welcher gänzlich den technischen Schutzmaßnahmen und Rechten zur Informationswahrnehmung gewidmet ist, wurden auch einige neue Straftatbestände eingeführt.[209] Während der Erlass gesetzlicher Regelungen bezüglich technischer Schutzmaßnahmen auf internationaler Ebene ein Novum war,[210] gab es in der ita-

---

205 *De Angelis*, La tutela giuridica, S. 161 f.

206 Siehe Vierter Teil, Fn. 201.

207 Neben den Art. 6 und 7 Harmonisierungs-RL nehmen auch einige Erwägungsgründe der Richtlinie Bezug auf die Bedeutung technischer Maßnahmen zum Schutz von Werken und zur Sicherstellung der nötigen Informationen über die Schutzrechte auf europäischer Ebene (Nr. 13), die Notwendigkeit der Harmonisierung rechtlichen Schutzes vor Umgehung technischer Maßnahmen (Nr. 47) und die Grenze ihres Einsatzes dort, wo sie den normalen Betrieb elektronischer Geräte und deren technische Entwicklung behindern und Handlungen untersagen, deren wirtschaftlicher Zweck und Nutzen nicht in der Umgehung technischer Maßnahmen besteht (Nr. 48).

208 Art. 23 Decreto legislativo 9 aprile 2003, n. 68.

209 Art. 26 Decreto legislativo 9 aprile 2003, n. 68, hat lit. f-*bis*) und h) in Art. 171-*ter* LDA eingeführt.

210 *Marzano*, Digital Technologies, S. 214.

lienischen Rechtsordnung bereits einige Normen, die die Umgehung solcher Vorrichtungen sanktionierten.[211] Die Tatbestände können ihrer Schutzrichtung folgend in zwei Gruppen zusammengefasst werden: Dies sind zum einen die lit. f-*bis*) und h), die auf den Schutz technischer Maßnahmen und von Informationen zur Rechtewahrnehmung gerichtet sind, und zum anderen die lit. e) und f), die den Zugang zu verschlüsselten Diensten schützen sollen.

Lit. f-*bis)* in Art. 171-*ter* Abs. 1 setzt die Bestimmungen der Harmonisierungs-RL bezüglich des Schutzes technischer Maßnahmen um.[212] Eine Definition davon wurde erstmals in Art. 102-*quater* LDA gegeben und kürzlich durch Art. 171-*ter* Abs. 1 lit. f-*bis*)[213] LDA konkretisiert. Sie stimmt nahezu mit der Definition des Art. 6 Harmonisierungs-RL überein.[214] In Art. 171-*ter* Abs. 1 lit. f-*bis)* LDA wurde der Anwendungsbereich des Vorgängers Art. 171-*ter* Abs. 1 lit. d) LDA in beträchtlichem Maße erweitert.[215] Nun umfasst die Tathandlung auch jede Vorbereitungshandlung[216] oder Erbringung von Dienstleistungen, die auf die Umgehung technischer Schutzmaßnahmen gerichtet ist. Betroffen sind alle Geräte, Produkte oder Geräteteile, die neben der Umgehung wirksamer technischer Maßnahmen nur einen begrenzten wirtschaftlichen Zweck oder Nutzen haben oder die hauptsächlich entworfen, hergestellt oder angepasst wurden, um die Umgehung wirksamer technischer Maßnahmen i.S.v. Art. 102-*quater* LDA zu ermöglichen oder zu erleichtern, sowie entsprechende Dienstleistungen. Eine Begehung in gewerblichem Umfang wird von der Norm ebenfalls erfasst. Handelt es sich in einem bestimmten Fall um Handeln zum Privatgebrauch, fehlt also die Gewinnabsicht, so greift die verwaltungsrechtliche Maßnahme des Art. 174-*ter* LDA.[217]

---

211 So z.B. Art. 171-*ter* Abs. 1 lit. d) LDA (auf dem Stand von Legge 18 agosto 2000, n. 248, vor den Änderungen von 2003), der den Handel mit Umgehungsvorrichtungen sanktionierte. Daneben wurden im zweiten Teil von Art. 171-*bis* LDA (der Art. 7 der Richtlinie 91/250/EG umsetzte) Computerprogramme geschützt. Auch Art. 615-*ter* C.P., der von Legge 23 dicembre 1993, n. 547, eingeführt wurde, sah im Strafgesetzbuch den Zugangsschutz zu Systemen der Informatik und Telematik vor; *Sirotti Gaudenzi*, Nuovo diritto d'autore, S. 379; *De Angelis*, La tutela giuridica, S. 157.

212 Die lit. f-*bis*) und h) wurden durch Art. 23 Abs. 1 Decreto legislativo 9 aprile 2003, n. 68, neu eingeführt, der den Schutz technischer Schutzmaßnahmen und von Informationen für die Rechtewahrnehmung bezweckt. Art. 23 Decreto legislativo 9 aprile 2003, n. 68, selbst wurzelt wiederum in den WIPO Verträgen von 1996.

213 Decreto legislativo 9 aprile 2003, n. 68.

214 *Sirotti Gaudenzi*, Nuovo Diritto d'autore, S. 380.

215 Etwa bezüglich Verletzungshandlungen (insb. die Werbung zu Verkaufs- oder Vermietungszwecken) oder Tatobjekte (vormals wurden lediglich *Systeme* erfasst, heute auch *Dienstleistungen*); *Sirotti Gaudenzi*, Nuovo diritto d'autore, S. 381.

216 Umfasst sind: Herstellung, Einfuhr, Verteilung, Verkauf, Vermietung, Überlassung, Werbung zu Verkaufs- oder Vermietungszwecken, Aufbewahrung zu Handelszwecken.

217 Art. 174-*ter* belegt die Tathandlung mit einem Bußgeld von 154 €. Daneben werden die Beschlagnahme des Materials und die Veröffentlichung der Verfügungen in einer nationalen Tageszeitung angeordnet.

Lit. h) bezweckt den Schutz von Informationen zur Rechtewahrnehmung. So macht sich derjenige strafbar, der in rechtswidriger Weise elektronische Informationen für die Wahrnehmung der Rechte i.S.v. Art. 102-*quinquies* LDA entfernt oder verändert. Einbezogen ist daneben auch derjenige, der Werke oder andere Schutzgegenstände, an denen elektronische Informationen für die Wahrnehmung der Rechte entfernt oder verändert wurden, verteilt, zur Verbreitung einführt, über Radio und Fernsehen sendet, öffentlich wiedergibt oder öffentlich zugänglich macht.

Die Tatbestände der lit. e) und f) schützen vor allem die Fernsehbranche und ISP, die verschlüsselte Dienste anbieten. Rechtsverletzungen durch Personen, die ohne eine gültige Vereinbarung mit dem Rechtsinhaber verschlüsselte oder begrenzt zugängliche Dienste, zu denen sich der Zugang mit Hilfe von Entschlüsselungsapparaten verschafft wurde, verbreiten oder ausstrahlen, sind in lit. e) erfasst. Die Norm soll demnach vor allem Tathandlungen pönalisieren, die den Sendeunternehmen von verschlüsselten Fernsehsendungen einen wirtschaftlichen Schaden zufügen können. Lit. f) wurde eingeführt, um den Empfang oder den unrechtmäßigen Zugang zu begrenzten Diensten durch Entschlüsselungsgeräte zu verhindern und alle diesbezüglich wirtschaftlich relevanten Handlungen, die einen gebührenfreien Zugang ermöglichen, zu sanktionieren.[218] Sogar technische Hilfsdienste für solche Geräte werden von der Norm erfasst, indem sie bestimmt, dass jeder, der solche Vorrichtungen beim Verkauf fördert, bewirbt oder vermarktet und Entschlüsselungsprogramme installiert, in den Anwendungsbereich fällt. Lit. f) soll die Rechte und Interessen von ISP schützen, die begrenzt zugängliche Dienste anbieten, unabhängig davon, ob diese Dienste geschützte Werke beinhalten.[219]

### *c) Entfernungspflicht technischer Maßnahmen nach Art. 71-quinquies LDA*

Der Einsatz und rechtliche Schutz technischer Maßnahmen kann zu Verwerfungen innerhalb der Systematik des Urheberrechts führen,[220] insbesondere das Verhältnis zwischen technischen Schutzmaßnahmen und den Schrankenregelungen ist problematisch und bedarf einer besonderen Klärung. Art. 71-*quinquies* LDA stellt daher in Abs. 1 zur Wahrung der öffentlichen Sicherheit und um den korrekten Ablauf eines verwaltungsrechtlichen Verfahrens zu ermöglichen,[221] die Pflicht für Rechtsinhaber auf, die von ihnen angebrachten Schutzmaßnahmen zu entfernen, um einen korrekten Gebrauch der Werke oder der Schutzgegenstände zu gewähren.

---

218 Als Verletzungshandlung sind genannt: Die Einfuhr in ein Staatsgebiet, Besitz zum Verkauf oder sonstiger Verteilung, Verkauf, Vermietung oder sonstige Überlassung, Verkaufsförderung, Werbung oder Vermarktung und Installieren von Entschlüsselungsprogrammen und -techniken von Entschlüsselungsgeräten, die den Zugang zu einem verschlüsselten Dienst ohne Entrichtung der fälligen Gebühr ermöglichen.

219 *Carretta, di Cicco, Succi*, Tutela penale e amministrativa , S. 161.

220 Siehe oben Dritter Teil, III.A.3.a).

221 Auf Anfrage der zuständigen Behörde.

Abs. 2 regelt das Verhältnis zu den Schrankenregelungen der Art. 55, Art. 68 Abs. 1 und 2, Art. 69 Abs. 2, Art. 70 Abs. 1, Art. 71-*bis* und Art. 71-*quater* LDA. Danach sind die Rechtsinhaber dazu angehalten, geeignete Maßnahmen zu treffen, auch durch die Vereinbarung bestimmter Absprachen mit den Vertretergremien der Nutzer der geschützten Werke, um die Ausübung dieser Ausnahmen zu gewährleisten.[222] Der Schutz technischer Maßnahmen gilt mithin nicht völlig unabhängig von gesetzlichen Ausnahme- und Schrankenregelungen. Um die widerstreitenden Interessen von Rechtsinhabern und Werknutzern in Einklang zu bringen, sieht Art. 71-*quinquies* Abs. 4 LDA sogar für die Vornahme der Verhandlungen nach Abs. 2 ein obligatorisches Schlichtungsverfahren nach Art. 194-*bis* LDA vor dem ständigen Rat zur Schlichtung und Beratung von Urheberrechtsstreitigkeiten nach Art. 190 LDA vor.

# C. Verwaltungsrechtliche Maßnahmen

Die verwaltungsrechtlichen Maßnahmen erfüllen zwei unterschiedliche Funktionen: zum einen sehen sie ein komplementäres Instrumentarium zum Strafrecht vor, das mögliche Schutzlücken schließen soll.[223] Daneben können sie auch in einem Subsidiaritätsverhältnis zu strafrechtlichen Sanktionen stehen, wenn (meist subjektive) Tatbestandselemente fehlen. In ähnlicher Weise wie die strafrechtlichen Tatbestände wurden sie durch die häufigen Gesetzesänderungen der letzten Jahre modifiziert. Neben den im Folgenden aufgeführten verwaltungsrechtlichen Maßnahmen des LDA sind auch Art. 172[224] und 171 Abs. 4[225] LDA zu erwähnen, die hier nicht einzeln besprochen werden.

## 1. Art. 174-*bis* LDA

Art. 174-*bis* LDA[226] findet neben den urheberstrafrechtlichen Normen von Teil 3 Abschnitt I LDA Anwendung. Er zielt darauf ab, industrielle und unternehmerische Interessen zu schützen, die mit der wirtschaftlichen Nutzung der geschützten

---

222 *Sirotti Gaudenzi*, Nuovo diritto d'autore, S. 263.

223 *Terracina*, Riv. Pen. 2000, 1089.

224 Art. 172 LDA, der bei fahrlässiger Begehung des Art. 171 LDA ein Bußgeld vorsieht, wurde bereits oben besprochen, siehe oben Vierter Teil, III.B.2.b)aa)(3).

225 Dieser verhängt bei Verletzung von Art. 68 Abs. 3 und 4 LDA ein einjähriges Vervielfältigungsverbot sowie ein Bußgeld von 1.000 bis zu 5.000 €. Art. 68 Abs. 3 und 4 LDA regeln das Recht bis zu 15 % eines literarischen Werks zu vervielfältigen, sofern es sich dabei nicht um eine Musik-Partitur handelt und die Betreiberabgabe für die Vornahme von Vervielfältigungsvorgängen.

226 Außer in den Art. 174-*bis* ff. LDA ist ein Bußgeld i.H.v. 1.000 bis 5.000 € auch in Art. 171 Abs. 4 LDA vorgesehen, für eine Verletzung von Art. 68 Abs. 3 und 4 LDA. Darin sind Regelungen bezüglich der Fotokopie und analogen Vervielfältigung geschützter Werke sowie an die Rechtsinhaber zu entrichtende Entschädigungen enthalten.

Werke verbunden sind. Die Bußgelder stehen im Verhältnis zum Verkehrswert des Tatobjekts. Bei einer Rechtsverletzung muss der doppelte Wert des Werks, welches Gegenstand der Rechtsverletzung ist, entrichtet werden. Diese Summe darf jedenfalls nicht unter 103 € liegen. Ist der Wert nicht leicht bestimmbar, wird ein Bußgeld zwischen 103 € und 1032 € verhängt.

### 2. Art. 174-*ter* LDA

Art. 174-*ter* LDA steht in einem Subsidiaritätsverhältnis zu den Art. 171, 171-*bis*, 171-*ter*, 171-*quater*, 171-*quinquies*, 171-*septies* und 171-*octies* LDA und gilt damit nur, wenn Letztere nicht bereits eine Strafbarkeit für das fragliche Verhalten festlegen. Die Norm bestimmt, dass jeder, der in missbräuchlicher Weise durch irgendein Verfahren oder durch die Nutzbarmachung von Geräten, die zur Umgehung technischer Schutzmaßnahmen geeignet sind, geschützte Werke oder Materialien nutzt,[227] kopiert, ganz oder teilweise vervielfältigt oder der audiovisuelle, phonografische, multimediale Werke oder Computerprogramme, die nicht den Erfordernissen des LDA entsprechen, erwirbt oder (ver-)mietet, mit einem Bußgeld von 154 € belegt wird. Daneben werden die Beschlagnahme des Materials und die Veröffentlichung der Verfügungen in einer nationalen Tageszeitung angeordnet.

Ein wichtiger Unterschied des vorliegenden Artikels zu den Tathandlungen in den Art. 171 ff. LDA ist, dass auf das Erfordernis einer subjektiven Gewinnabsicht verzichtet wird. Abs. 2 umschreibt erschwerende Umstände für den Fall wiederholter Tatbegehung oder großen Umfangs der begangenen Rechtsverletzungen oder einer großen Anzahl der erworbenen oder vermieteten Werke. Die Rechtsfolge ist dann ein Bußgeld von bis zu 1.032 €, Beschlagnahme der Geräte und des Materials, Veröffentlichung der Anordnung in einer oder mehreren nationalen Tageszeitungen oder in einer oder mehreren Fachzeitschriften für den Medienbereich. Handelt es sich um eine Tatbegehung in gewerblichem Ausmaß, werden Konzession oder Sendegenehmigung für Fernsehen und Rundfunk oder die Gewerbeerlaubnis widerrufen.

Abs. 2-*bis* betrifft die Verbreitung von geschützten Filmwerken über Kabel, jegliche Art von Netzwerken oder sonstige Verbindungen sowie auch das Nutzen von Filmwerken oder Teilen davon durch dieselben Techniken. Rechtsfolge ist, sofern das Verhalten nicht bereits unter Abs. 1 fällt, ein Bußgeld in Höhe von 1.500 €, Beschlagnahme der Geräte und des Materials, Veröffentlichung der Anordnung in einer oder mehr nationalen Tageszeitungen und in einer Fachzeitschrift für den Medienbereich. Abs. 2-*ter* sieht sodann vor, dass jeder, der Handlungen unternimmt, die darauf gerichtet sind die Rechtsverletzung des Abs. 2-*bis* zu ermöglichen oder zu ermutigen, ein Bußgeld in Höhe von 2.000 € entrichten muss und ihm außerdem die anderen Nebenstrafen des Abs. 2-*bis* auferlegt werden.

---

[227] Auch über Luft oder Kabel.

### 3. Art. 174-*quinquies* LDA

Art. 174-*quinquies* LDA greift ein, wenn es sich um eine gewerblich ausgeübte Tätigkeit handelt oder wenn eine Genehmigungspflicht für das fragliche Verhalten besteht. Wird ein Urheberstrafrechtsdelikt des vorliegenden Abschnitts im Zusammenhang mit einer gewerblichen oder erlaubnispflichtigen Tätigkeit begangen, so muss die Staatsanwaltschaft den *Questore*[228] davon in Kenntnis setzen (Abs. 1). Der *Questore* kann nach Auswertung der Indizien und Anhörung der Beteiligten die Aussetzung der Tätigkeit oder des Betriebs für eine Dauer von mindestens zwei Wochen und höchsten drei Monaten anordnen (Abs. 2). Im Fall einer strafrechtlichen Verurteilung für ein Delikt nach Abs. 1 wird eine Aussetzung der Tätigkeit oder des Betriebs für eine Dauer von drei Monaten bis zu einem Jahr angeordnet, unter Anrechnung einer etwaigen Frist nach Abs. 2. Im Fall einer wiederholten Tatbegehung erfolgt der Widerruf der Gewerbeerlaubnis oder einer sonstigen Genehmigung. Abs. 4 erweitert letztlich den Anwendungsbereich dieses Artikels auch auf die Tätigkeiten der Presse und andere Einrichtungen, die Druckerzeugnisse herstellen oder mit einer sonstigen industriellen Produktion von gefälschten Werken verbunden sind, und auch auf Einrichtungen, die Fernsehsendungen ausstrahlen oder empfangen.

### 4. Art. 174-*quater* LDA

In Art. 174-*quater* LDA wird die Verwendung der aus den Bußgeldern der Art. 174-*bis* und 174-*ter* LDA fließenden Einnahmen geregelt. Demnach sollen 50 % davon einem Fonds des Justizministeriums zufließen, der für die Verbesserung der Strukturen und Instrumente zum Schutz und zur Ahndung der Urheberstrafrechtsdelikte bestimmt ist (lit. a). Bemerkenswert ist die Zweckbestimmung der übrigen 50 %: Damit sollen Informationskampagnen,[229] die das Unrechtsbewusstsein der Bevölkerung bezüglich des Erwerbs illegaler und gefälschter Werke des geistigen Eigentums schärfen sollen, veranstaltet und unterstützt wer-

---

[228] Die *Questura* ist das Amt der Staatspolizei mit Kompetenzen auf provinzieller Ebene, die dem Innenministerium untersteht. Ihre Hauptaufgabe besteht im Schutz und der Wahrung der öffentlichen Sicherheit und Ordnung in der Provinz. Ihre Struktur sieht eine Teilung in eine repressive Polizei zur Verbrechensbekämpfung und eine Polizei mit sozialen und verwaltungsrechtlichen Befugnissen vor. In jeder Provinz steht an der Spitze der Verwaltungsbehörden der öffentlichen Sicherheit der *Questore*. Er übt daneben auch alle Befugnisse der sog. Verwaltungspolizei *(polizia amministrativa)*, die mit wirtschafts- und sozialverwaltungsrechtlichen Aufgaben betraut ist, aus.

[229] I.S.v. Art. 26 Abs. 3-*bis* Legge 23 agosto 1988, n. 400. Dieser sieht vor, dass die Abteilung für Information und das Verlagswesen *(dipartimento per l'informazione e l'editoria)* mit den Bußgeldern aus Art. 174-*bis* Abs. 2 lit. b) LDA Informationskampagnen über Fernsehen, Radio, Kino, Tages- und Wochenpresse veranstalten und unterstützen soll, die darauf gerichtet sind, das Unrechtsbewusstsein in der Bevölkerung bezüglich des Erwerbs unrechtmäßiger oder gefälschter Werke des geistigen Eigentums zu schärfen.

den.[230] Es findet also eine Umverteilung von Mitteln, die aus der Verletzung einer gesetzlichen Vorschrift stammen, zugunsten außerrechtlicher Aktionen statt.

### 5. Art. 75-*bis* TULPS

Neben den gerade besprochenen Normen des LDA soll auch auf den von Gesetz vom 18. August 2000, Nr. 248, eingeführten[231] Art. 75-*bis* TULPS *(Testo unico della pubblica sicurezza)* eingegangen werden. Dieses Gesetz betrifft, wie schon der Titel verrät, den Schutz der öffentlichen Sicherheit. Bei der Ausübung eines Gewerbes müssen zum Schutz der Allgemeinheit bestimmte Voraussetzungen bezüglich der Person des Gewerbetreibenden selbst, des Ladenlokals und der verkauften Ware erfüllt sein. So ist in Art. 75-*bis* TULPS eine Anzeigepflicht bei Ausübung einer gewerblichen Tätigkeit in Bezug auf bestimmte urheberrechtlich geschützte Werke normiert. Danach muss eine Person, die ein Gewerbe ausüben möchte, welches die Herstellung, Vervielfältigung, den Verkauf oder die Vermietung von Kassetten, Schallplatten, Videos oder anderen Trägern, die Tonaufzeichnungen, Videos, Filme oder audiovisuelle Werke enthalten, beinhaltet, und einen wirtschaftlichen Gewinn aus dieser Tätigkeit ziehen will, den *Questore*[232] im Vorfeld darüber informieren. Der *Questore* dokumentiert sodann in einer Kartei die Anzeige einer entsprechenden Tätigkeit. Eine solche Anzeige muss jährlich erneuert werden.

## D. Zollrechtliche Maßnahmen

Wie mehrfach betont wurde, ist das Problem der illegalen Vervielfältigung und Verbreitung digitaler Werke von internationaler Dimension. Trotz der Bemühungen, einheitliche Standards bezüglich der Schutz- und Sanktionsmaßnahmen durch internationale Abkommen auf europäischer und internationaler Ebene herzustellen, bestehen immer noch Unterschiede zwischen den einzelnen Rechtsordnungen. Einen wichtigen Beitrag zur Bekämpfung der Produktpiraterie stellen Maßnahmen des Zollrechts dar. Diese können die Einfuhr solcher unrechtmäßigen Werke in ein Land verhindern, indem sie an der Staatsgrenze sichergestellt werden. Wichtig ist auch, dass die illegale Ware nicht zu den lokalen Verkäufern gelangt, denn die Aufdeckung der Vertriebswege und die Lokalisierung der Ware sowie der verantwortlichen Täter stellt eine deutliche Erschwernis für die Rechtsverfolgung dar. Außerdem kann das zollrechtliche Handeln sehr schnell erfolgen und erhöht damit die Effektivität im Vergleich zu langwierigen Rechtsstreitigkeiten, die manchmal

---

230 Art. 26 Abs. 3-*bis* und 3-*ter* Legge 23 agosto 1988, n. 400, wurden von Art. 12 Legge 18 agosto 2000, n. 248, eingeführt.

231 Eingeführt durch Legge 18 agosto 2000, n. 248.

232 Siehe oben Vierter Teil, Fn. 228.

sogar die Durchsetzung der verfügbaren Maßnahmen verhindern.[233] Darüber hinaus erweitern die zollrechtlichen Regelungen das verfügbare Instrumentarium durch weitere Maßnahmen, etwa einen Auskunftsanspruch, die Möglichkeit, Informationen über Menge und Art der rechtsverletzenden Waren zu erhalten und eine Inspektion oder Analyse derselben durchführen zu können. Wichtig ist auch die Ermöglichung der Vernichtung urheberrechtsverletzender Waren ohne vorherige gerichtliche Feststellung der Rechtsverletzung. Mit dem Gesetz vom 19. März 2001, Nr. 68, wurden in Italien die Kompetenzen der *Guardia di Finanza*[234] neu geordnet. Art. 2 Abs. 2 lit. l*)* Gesetz vom 19. März 2001, Nr. 68, überträgt nun den Zollbehörden die Kompetenz, bei Rechtsverletzungen im Urheberrecht[235] sowohl repressive Maßnahmen zu ergreifen als auch bereits präventiv im Vorfeld tätig zu werden.

## 1. Anspruchsvoraussetzungen

In Italien hat das Gemeinschaftsrecht maßgeblich das zollrechtliche Instrumentarium im Kampf gegen die Produktpiraterie beeinflusst. Daher muss an dieser Stelle auf die gemeinschaftsrechtlichen Rechtsakte geschaut werden. Die verfügbaren Maßnahmen und Voraussetzungen[236] für das Tätigwerden der Zollbehörden werden von der Verordnung (EG) Nr. 1383/2003 aufgestellt.[237] Diese ist seit Juli 2004 in Kraft und zielt darauf ab, den durch die Vorgängerverordnung Nr. 3295/94 gewährten Schutz zu vergrößern, indem mehr Rechtsklarheit geschaffen, der Anwendungsbereich durch Miteinbeziehung anderer Bereiche des geistigen Eigentums[238] ausgeweitet, der Zugang zu Schutz- und Sanktionsmaßnahmen für Rechtsinhaber vereinfacht und wirksame rechtliche Maßnahmen für diese Zwecke entwickelt werden. Zudem setzt die Verordnung die Anforderungen für die Einleitung eines Verfahrens *ex officio* nach Art. 4 Abs. 1 Verordnung Nr. 1383/2003 herab. Damit soll den Zollbehörden auch ohne vorausgehenden Antrag des Rechtsinhabers ein

---

233 *Mondini/Carabelli*, in: Campbell/Cotter (eds.), Copyright Infringement, S. 219.

234 Steuerbehörde in Italien.

235 Auch in den anderen Bereichen des geistigen Eigentums.

236 Die Kodifizierung eines Verfahrens, das den Rechtsinhaber dazu ermächtigt, einen Antrag auf Beschlagnahme der rechtsverletzenden Ware zu stellen, wenn er einen berechtigten Verdacht auf Verletzung seiner Urheberrechte hat, ist ebenso eine Verpflichtung aus Art. 51 TRIPS.

237 Verordnung Nr. 1383/2003 des Rates vom 22.7.2003 über das Vorgehen der Zollbehörden gegen Waren, die im Verdacht stehen, bestimmte Rechte des geistigen Eigentums zu verletzen, und die Maßnahmen gegenüber Waren, die erkanntermaßen solche Rechte verletzen.

238 Wie etwa bei Sortenschutzrechten, geschützten geografischen Angaben oder geschützten Ursprungsbezeichnungen.

Tätigwerden im Vorfeld ermöglicht werden.[239] Grundsätzlich muss der Rechtsinhaber[240] aber einen Antrag nach Art. 5 Verordnung Nr. 1383/2003 auf Tätigwerden der Zollbehörden stellen. Dieser kann auf den Schutz von urheberrechtlich geschützten Werken sowohl auf nationaler (Abs. 1) wie gemeinschaftsrechtlicher[241] (Abs. 4) Ebene gerichtet sein. Der Antrag muss schriftlich erfolgen und alle Angaben nach Art. 5 Abs. 5 und 6 Verordnung Nr. 1383/2003 enthalten, die es den Zollbehörden ermöglichen, die betreffenden Waren leicht zu erkennen.[242] Die nach Art. 5 Abs. 2 Verordnung Nr. 1383/2003 von jedem Mitgliedstaat zu benennende zuständige Zolldienststelle, an die der Antrag gerichtet werden muss, ist in Italien das *Ufficio antifrode centrale* in Rom.[243] Außerdem wird nach Art. 5 Abs. 7 Verordnung Nr. 1383/2003 keine Gebühr zur Deckung der durch die Bearbeitung des Antrags entstehenden Verwaltungskosten vom Rechtsinhaber verlangt. Damit sollen vor allem kleine und mittelständische Unternehmen ermutigt werden, die durch das Zollrecht gewährten Möglichkeiten zu nutzen.

### 2. Rechtsfolge

Stellt eine Zollstelle[244] ggf. nach Anhörung des Antragstellers fest, dass Waren[245] möglicherweise ein Recht des geistigen Eigentums verletzen, so setzt sie die Überlassung dieser Waren aus oder hält sie zurück (Art. 9 Abs. 1 Verordnung Nr. 1383/2003). Über ihr Tätigwerden unterrichtet die zuständige Zolldienststelle den Rechtsinhaber.[246] Gleichzeitig können dem Rechtsinhaber Informationen über

---

239 Art. 4 Abs. 1 Verordnung Nr. 1383/2003 gibt vor, dass die Zollbehörden, wenn sich der hinreichend begründete Verdacht auf Verletzung eines Rechts des geistigen Eigentums ergibt, für drei Arbeitstage nach Eingang der Benachrichtigung bei dem Rechtsinhaber die Überlassung der Waren aussetzen oder die Waren zurückhalten können, um dem Rechtsinhaber die Möglichkeit zu geben, einen Antrag auf Tätigwerden zu stellen.

240 Auch der Lizenznehmer; Art. 2 Abs. 2 Verordnung Nr. 1383/2003.

241 Der Antragsteller muss an die Zollämter aller Mitgliedstaaten, in denen ein Eingriff beantragt wurde, eine Kopie der Antragsbewilligung der nationalen Zollbehörde sowie alle erforderlichen Informationen schicken; Art. 8 Abs. 2 Verordnung Nr. 1383/2003.

242 Insbesondere: eine genaue und ausführliche Beschreibung der Waren; genaue Informationen über die Art des Betrugs, von denen der Rechtsinhaber möglicherweise Kenntnis hat; Name und Adresse der vom Rechtsinhaber benannten Kontaktperson; den Nachweis, dass der Antragsteller Inhaber des geltend gemachten Rechts ist. Ferner ist eine Erklärung des Rechtsinhabers nach Art. 6 Verordnung Nr. 1383/2003 abzugeben, wonach Letzterer die Verantwortung für alle evt. Schäden übernimmt, die aus einer der in Art. 1 Abs. 1 Verordnung Nr. 1383/2003 genannten Situationen erwachsen können.

243 Rundbrief 32/D vom 23.6.2004.

244 Dabei handelt es sich um die Zollstelle, der die dem Antrag des Rechtsinhabers stattgebende Entscheidung nach Artikel 8 Verordnung Nr. 1383/2003 übermittelt worden ist.

245 Die Ware muss sich in einer der in Art. 1 Abs. 1 Verordnung Nr. 1383/2003 genannten Sachlagen befinden.

246 Sowie den Anmelder oder Besitzer der Waren i.S.d. Art. 38 Verordnung Nr. 2913/92.

die tatsächliche oder geschätzte Menge und die tatsächliche oder vermutete Art der Waren mitgeteilt[247] oder dem Antragsteller und den von einer in Art. 1 Abs. 1 Verordnung Nr. 1383/2003 genannten Situation betroffenen Personen die Möglichkeit zur Inspektion der verdächtigen Waren eingeräumt werden.[248] Zudem kann die Zollstelle[249] bei der Prüfung der Ware Proben oder Muster entnehmen und diese dem Rechtsinhaber auf ausdrücklichen Antrag zu Zwecken der Analyse und Verfahrenserleichterung übergeben.[250] Solche Analysen werden unter der alleinigen Verantwortung des Rechtsinhabers durchgeführt.

Zusätzlich hat der Rechtsinhaber auf Antrag zum Zweck der Feststellung einer Rechtsverletzung einen *Auskunftsanspruch* nach Art. 9 Abs. 3 Verordnung Nr. 1383/2003. Danach kann er von der Zollstelle Auskünfte über Name und Anschrift des Empfängers sowie des Versenders, des Anmelders oder des Besitzers der Waren, den Ursprung und die Herkunft der Waren, die im Verdacht stehen, ein Recht geistigen Eigentums zu verletzen, erhalten. Um den Geheimnisschutz zu gewährleisten, schreibt die Verordnung zudem vor, dass bei Auskunftserteilung Rechtsvorschriften dieses Mitgliedstaats über den Schutz personenbezogener Daten und den Schutz des Geschäfts- und Betriebs- sowie des Berufs- und Dienstgeheimnisses zu beachten sind.

Wurden Waren, die im Verdacht stehen, ein Recht des geistigen Eigentums zu verletzen, von den Zollbehörden zurückgehalten oder deren Überlassung ausgesetzt, ist grundsätzlich nach der Verordnung alternativ die Einleitung zweier Verfahren möglich: zum einen kann ein zivilrechtliches Verfahren nach Art. 10, 13 Verordnung Nr. 1383/2003 eingeleitet werden, in dem festgestellt wird, ob ein Recht des geistigen Eigentums nach den Rechtsvorschriften des betreffenden Mitgliedstaats verletzt worden ist. Zum anderen können die Mitgliedstaaten gemäß ihren innerstaatlichen Vorschriften ein *vereinfachtes Verfahren* entsprechend Art. 11 Verordnung Nr. 1383/2003 vorsehen, wonach die Zollbehörden die Waren mit Zustimmung des Rechtsinhabers unter zollamtlicher Überwachung *vernichten* lassen können, ohne dass festgestellt werden muss, ob ein Recht geistigen Eigentums nach den Rechtsvorschriften des betreffenden Mitgliedstaats verletzt ist.[251] Das vereinfachte Verfahren nach Art. 11 Verordnung Nr. 1383/2003 findet in Italien keine Anwendung, da es mit einer nationalen Regelung übereinstimmt.[252]

---

247 Nach Art. 9 Abs. 2 Verordnung Nr. 1383/2003.

248 Nach Art. 9 Abs. 3, 2. Teil Verordnung Nr. 1383/2003.

249 Nach Art. 9 Abs. 3, 3. Teil Verordnung Nr. 1383/2003.

250 Soweit die Umstände es gestatten, müssen die Proben und Muster nach der technischen Analyse zurückgegeben werden.

251 In Erwägungsgrund 9 Verordnung 1383/2003 wird außerdem ausdrücklich hervorgehoben, dass ein solches flexibleres Verfahren zum Zweck einer erleichterten Anwendung dieser Verordnung durch die Zollverwaltungen und Rechtsinhaber von den Mitgliedstaaten vorgesehen werden sollte.

252 Rundbrief Nr. 32 vom 23.6.2004, Abschnitt IV lit. a).

Art. 1 Abs. 3 des Gesetzes vom 3. Oktober 2006, Nr. 262,[253] hat das vereinfachte Verfahren für die Vernichtung von urheberrechtsverletzenden Waren in das nationale Recht eingeführt.[254]

# E. Außerrechtliches Instrumentarium

Die Entwicklung neuer Technologien und die breitflächige Zugänglichmachung schneller Internetverbindungen haben nicht nur zu Anpassungsbedarf aufseiten des Gesetzgebers geführt, sondern auch das Verhalten der Bürger maßgeblich beeinflusst. Den privaten Nutzern ist es heute ein Leichtes, per Mausklick vom heimischen PC aus Waren zu erwerben und Dienstleistungen in Anspruch zu nehmen, auf dem Handy Filme anzusehen oder ganze Bibliotheken auf einem E-Book mit auf Reisen zu nehmen. Jeder kann heute über das Internet auf Musik-, Film- oder Sprachwerke zugreifen, sie auf ein Massenspeichergerät fixieren, sie selbst beliebig nutzen oder in wenigen Augenblicken an einen weiten Nutzerkreis verteilen. Die Rechtsinhaber haben bald erkannt, dass das rein rechtliche Instrumentarium zum Schutz ihrer digitalisierten Werke nicht ausreichte und sie zur Nutzungskontrolle der legal wie auch illegal erworbenen Werke auf andere Maßnahmen zurückgreifen mussten. Aus dieser Notlage heraus sind zum einen technische Schutzmaßnahmen entstanden, die die Verwaltung von Urheberrechten und die Sicherung digitaler Werke ermöglichen.[255] Leider hat sich der Einsatz technischer Maßnahmen nicht als ideale Lösung des Problems erwiesen: Schwierigkeiten bei einem gerechten Interessenausgleich zwischen Rechtsinhabern und privaten Nutzern, Akzeptanzprobleme in der Bevölkerung und auch ein häufig unverhältnismäßiger Einsatz der DRM-Systeme durch die Rechtsinhaber[256] haben dazu geführt, dass sich Unternehmen zunehmend für einen Verzicht auf technische Schutzmaßnahmen entschei-

[253] In Kraft getreten am Tage seiner Veröffentlichung, 3.10.2006, gemäß Art. 48 Decreto legge 3 ottobre 2006, n. 262.

[254] Art. 1 Abs. 3 Decreto legge 3 ottobre 2006, n. 262, besagt, dass in Umsetzung der Verordnung Nr. 1383/2003 die zuständige Zollbehörde nach vorheriger Zustimmung des Rechtsinhabers, des Antragstellers, des Besitzers oder Eigentümers der verdächtigen Waren die Zerstörung derselben Waren auf Kosten des Rechtsinhabers anordnen kann. Davon ausgenommen sind Proben, die zu Beweiszwecken für künftige Gerichtsverfahren aufbewahrt werden.

[255] Ausführlich zu technischen Maßnahmen und DRM-Systemen siehe oben Erster Teil, II.

[256] Aufsehenerregend war zudem der Fall um eine von *Sony BMG* eingesetzte Software, die nicht nur Informationen über das Verhalten der Nutzer ohne deren Einwilligung an Sony BMG weitergab, sondern auch die privaten PCs der Nutzer anfällig für Hackerangriffe machte. Nach Bekanntwerden dieses Dilemmas verzichtete Sony BMG nicht zuletzt wegen des immensen Ansehensverlustes gänzlich auf den Einsatz von DRM-Systemen.

den.[257] Die neuen digitalen Informationstechnologien haben allerdings nicht nur negative Auswirkungen. Für die Rechtsinhaber hat vor allem das Internet neue Geschäftsmodelle für den kundenorientierten Absatz ihrer Werke eröffnet. So ist als außerrechtliche Maßnahme ein breitflächiges legales Angebot digitaler Werke über das Internet eine wichtige Voraussetzung für eine Verringerung der digitalen Produktpiraterie.

Als weiteres Mittel hat der italienische Gesetzgeber die grundlegende Bedeutung von Informations- und Aufklärungskampagnen zur Schärfung des Unrechtsbewusstseins in der Bevölkerung und zur Förderung der Akzeptanz des Urheber(straf-)rechts erkannt. Um eine finanzielle Unterstützung dieser Aufklärungsarbeit zu gewährleisten, bestimmt Art. 174-*quater* LDA, dass die Bußgeldeinnahmen diesem Zweck dienen sollen.[258] Mit der gesetzgeberischen Entscheidung, eingenommene Bußgelder zur Organisation und Unterstützung von außerrechtlichen Aktionen im Kampf gegen Produkt- und Dienstleistungspiraterie zu verwenden, wurde der hohe Stellenwert dieser Maßnahme hervorgehoben.

## F. Verhältnis zwischen den Schutzmaßnahmen in den verschiedenen Rechtsgebieten

### 1. Zivilrechtliche Maßnahmen

Beim Schutz digitaler Werke liegt auch in Italien der Schwerpunkt auf dem zivilrechtlichen Instrumentarium, das bedingt durch den technologischen Fortschritt in den vergangenen Jahren stetig ausgeweitet wurde.[259] Wichtig sind hier insbesondere der Schadensersatz- und der Unterlassungsanspruch. Für Letzteren wurde der Adressatenkreis mit Umsetzung der Enforcement-RL[260] erweitert: Nicht mehr nur der Rechtsverletzer selbst, auch Mittelspersonen, deren Dienste zur Rechtsverletzung genutzt wurden, werden nun ausdrücklich erfasst. Damit wurden insbesondere ISP in den Täterkreis aufgenommen. Außerdem kann der Richter in Verbindung mit dem Unterlassungsanspruch einen Geldbetrag festsetzen, der für jede fortan

[257] Unerwartet hat der Computer- und Elektronikkonzern *Apple* auf der Messe *Macword Expo* am 5.1.2009 in San Francisco die Aufgabe des Kopierschutzes auf dem Online-Musikdienst *iTunes* bekanntgegeben. Damit wird es den Nutzern von *iTunes* künftig möglich sein, gekaufte Titel beliebig auf andere Musikspieler und Computer zu kopieren. *Apple* nimmt in der Musikbranche eine dominierende Rolle ein. Mit *iTunes*, das im Jahr 2003 gestartet wurde, gelang der Durchbruch für den legalen und kostenpflichtigen Verkauf von Musik über das Internet. Ungeklärt muss an dieser Stelle bleiben, ob diese Entwicklungen den Untergang von Kopiersperren im Online-Musikvertrieb einleiten. Daneben bietet auch der Internethändler *Amazon.com* Musik ohne technischen Kopierschutz an.

[258] Siehe oben Vierter Teil, III.C.4.

[259] Vgl. oben Vierter Teil, III.A.1.

[260] Durch das Decreto legge 14 marzo 2005, n. 35.

festgestellte Rechtsverletzung oder sonstige Missachtung vom Beklagten zu entrichten ist.[261] Mit Umsetzung des Art. 8 Enforcement-RL wurde im italienischen Urheberrecht erstmals ein Auskunftsanspruch gegen den Rechtsverletzer und an der Verletzungshandlung unbeteiligte Dritte normiert. Das Gewerblichkeitserfordernis besteht hierbei nur bei Auskunftsansprüchen gegen Dritte, nicht aber, wenn Auskunft von dem Rechtsverletzer selbst verlangt wird. Handeln in privatem Rahmen reicht für die Bejahung des gewerblichen Ausmaßes nicht aus.[262]

Das zivilrechtliche Instrumentarium erfährt in Italien, ebenso wie in Deutschland, eine Schwächung dadurch, dass es auf jegliche pönalen Elemente verzichtet und ihm so die den strafrechtlichen Sanktionen innewohnende Abschreckungswirkung fehlt. Um ein effektives Instrumentarium gegen digitale Produktpiraterie bereitzuhalten, ist daher der Rückgriff auf andere Rechtsregime, insbesondere das Strafrecht, geboten.

## 2. Strafrechtliche Maßnahmen

Mit dem Anstieg der Produktpiraterie hat der italienische Gesetzgeber durch eine Vielzahl von Gesetzen die Straftatbestände ausgeweitet und die zugehörigen Strafen verschärft. Diese Gesetzesänderungen haben zu einer hohen Komplexität der urheberstrafrechtlichen Normen geführt, die häufig in einer einzelnen Vorschrift eine Vielzahl verschiedener Begehungsformen erfassen. Schon diese äußere Form der Straftatbestände führt zu Verständnisschwierigkeiten.

Auch die Strafen wurden vom Gesetzgeber verschärft.[263] Die Höchststrafe für die Begehung eines urheberstrafrechtlichen Delikts droht bei einer Verletzung von Art. 171-*ter* Abs. 2 LDA[264] mit einer Freiheitsstrafe von ein bis vier Jahren *und* Geldstrafe von 2.582 € bis 15.493 €. Diese kann verglichen mit den zivilrechtlichen Maßnahmen, wonach der Verletzer womöglich nur Unterlassung der Verletzungshandlung und Ersatz des entstandenen Schadens zu befürchten hat, eine erhebliche Abschreckungswirkung entfalten. Für die Stärkung des strafrechtlichen Schutzes sprechen daneben insbesondere strafprozessuale Gründe, die die Rechtsdurchsetzung erleichtern: Dies ist einmal die Geltung des Offizialprinzips, wonach urheberstrafrechtliche Delikte von Amts wegen verfolgt werden, während in einem zivilrechtlichen Verfahren die privaten Parteien Klage erheben müssen. Hinzu kommt, dass in einem Zivilprozess jede Partei die Tatsachen, die Grundlage ihres Vortrags

---

261 Nach Art. 156 Abs. 1 Satz 2 LDA; im vorläufigen Rechtsschutz nach 163 Abs. 2 LDA.

262 Siehe oben Vierter Teil, III.A.1.d)aa).

263 Siehe oben Vierter Teil, III.B.

264 Art. 171-*ter* Abs. 2 LDA erfasst einen in mengenmäßiger Sicht besonders schweren Fall der Vervielfältigung und Verbreitung, eine gewerbliche Tatbegehung oder die Verbreitung über Internet und sonstige der Kommunikation dienende informatisierte Netzwerke.

sind, beweisen muss,[265] wohingegen der Strafrichter von den Parteien mehr Informationen zur Stützung ihrer Aussagen und die Vorlage weiterer Dokumente verlangen kann.[266] Außerdem erfüllt das Strafrecht auch für den Schutz technischer Schutzmaßnahmen eine wichtige Funktion, der italienische Gesetzgeber hat diesbezüglich nämlich gänzlich auf zivilrechtlichen Schutz verzichtet.

### 3. Verwaltungsrechtliche Maßnahmen

Die zahlreichen verwaltungsrechtlichen Maßnahmen im italienischen Urheberrechtsgesetz erfüllen zwei unterschiedliche Funktionen: Zum einen sehen sie ein komplementäres Instrumentarium zum Strafrecht vor, das mögliche Schutzlücken schließen soll.[267] Daneben können sie auch in einem Subsidiaritätsverhältnis zu strafrechtlichen Sanktionen stehen, wenn (meist subjektive) Tatbestandselemente fehlen. In ähnlicher Weise wie die strafrechtlichen Tatbestände wurden sie durch die häufigen Gesetzesänderungen der letzten Jahre modifiziert.

### 4. Zollrechtliche Maßnahmen

In Italien hat das Gemeinschaftsrecht maßgeblich das zollrechtliche Instrumentarium im Kampf gegen die Produktpiraterie beeinflusst und die nationalen zollrechtlichen Regelungen ersetzt. Die verfügbaren Maßnahmen und Voraussetzungen für das Tätigwerden der Zollbehörden werden von der Verordnung Nr. 1383/2003 aufgestellt. Mit dem Gesetz vom 19. März 2001, Nr. 68, wurden die Kompetenzen der *Guardia di Finanza*[268] neu geordnet. Art. 2 Abs. 2 lit. l) dieses Gesetzes überträgt nun den Zollbehörden die Kompetenz, bei Urheberrechtsverletzungen[269] sowohl repressive Maßnahmen zu ergreifen als auch bereits präventiv im Vorfeld tätig zu werden. Zollrechtliches Handeln kann nicht nur die Einfuhr illegaler Ware in ein Land verhindern, es kann zudem sehr schnell erfolgen und erhöht damit die Effektivität im Vergleich zu langwierigen Rechtsstreitigkeiten, die manchmal sogar die Durchsetzung verfügbarer Maßnahmen verhindern.[270] Daneben erhält der Rechtsinhaber über den zollrechtlichen Auskunftsanspruch die Möglichkeit, Informationen über Menge und Art der rechtsverletzenden Waren zu erhalten und eine Inspektion oder Analyse derselben durchführen zu können.

---

265 *Trabucchi*, Istituzioni di Diritto civile, S. 234.

266 *Trabucchi*, Istituzioni di Diritto civile, S. 233; Art. 117 C.P.C. gestattet dem Richter, die Parteien jederzeit vorzuladen und auch zu Sachfragen zu befragen, die nicht Streitgegenstand sind.

267 *Terracina*, Riv. Pen. 2000, 1089.

268 Steuerbehörde in Italien.

269 Auch in anderen Feldern des geistigen Eigentums.

270 *Mondini/Carabelli,* in: Campbell/Cotter (eds.), Copyright Infringement, S. 219.

*Fünfter Teil*

# Schutz digitaler Werke in England

## I. Rechtlicher Rahmen

### A. Verfassungsrechtlicher Hintergrund

#### 1. Die Gewährleistung von Menschenrechten im Vereinigten Königreich

Das Vereinigte Königreich[1] war bis zur Annahme des *Human Rights Acts 1998*[2] (HRA) eine der wenigen westlichen Demokratien, die über keinen verschriftlichten Menschenrechtskatalog verfügten. Der Menschenrechtsschutz begann in England und Wales gleichwohl nicht erst mit dem Inkrafttreten des HRA im Oktober 2000. Bis dahin wurden Grundrechte durch den Legalitätsgrundsatz[3] geschützt und von den Gerichten anerkannt. Daneben wachte der EuGH bei Fällen mit Gemeinschaftsrechtsbezug über die Einhaltung der Menschenrechte. Auch internationale Menschenrechtskonventionen, obwohl in England nicht unmittelbar durchsetzbar, gaben wichtige Leitlinien für die Gerichte, den Gesetzgeber und die Exekutive vor.[4] Denn wenngleich internationale Abkommen, wie beispielsweise die EMRK, innerstaatlich keine Rechtswirkung haben, solange sie nicht durch einen Rechtsakt des Parlaments in nationales Recht eingefügt werden,[5] hatte die EMRK schon vor Inkrafttreten des HRA Auswirkungen auf das englische Recht. Dies konnte sowohl indirekt geschehen, durch Urteile gegen das Vereinigte Königreich durch den EGMR in Straßburg, als auch unmittelbar durch den Rückgriff auf die EMRK durch englische Gerichte.[6] Obgleich die Bedeutung der Konvention in England stetig zunahm, wehrten sich Gegner gegen ihre Aufnahme in englisches Recht. Sie sahen durch einen rigiden Menschenrechtskatalog die Souveränität des Parlaments und die Gewaltenteilung in Gefahr. Zudem fürchteten sie, dass Richter im Vergleich zu demokratisch gewählten Parlamentsabgeordneten zu mächtig würden. Letztlich siegten die Argumente der Befürworter: Menschenrechte nur durch das

---

1 Das Vereinigte Königreich umfasst das Staatsgebiet von England, Wales, Schottland und Irland.

2 In Kraft getreten am 2.10.2000.

3 Demnach war es nur dem Parlament durch ausdrückliche Äußerung möglich, in Grundrechte einzugreifen; *Wadham* et al., Human Rights Act 1998, Rn. 1.08.

4 *Amos*, Human Rights Law, S. 3.

5 *Wadham* et al., Human Rights Act 1998, Rn. 1.11.

6 *Wadham* et al., Human Rights Act 1998, Rn. 1.12.

*Common Law* zu schützen berge die Gefahr des Missbrauchs, nicht nur durch das Parlament, das ständigen politischen Richtungswechseln unterliege, sondern auch durch staatliche Behörden.[7] Zudem müssten britische Bürger zur Durchsetzung und Wahrung ihrer Grundrechte den langen und kostspieligen Weg nach Straßburg beschreiten und könnten sie nicht als national garantierte Rechte vor englischen Gerichten einfordern.[8] Nach dem Wahlsieg der Labour Partei 1997 löste diese ihr Wahlversprechen ein und nach langen parlamentarischen Debatten verabschiedeten beide Kammern den *Human Rights Act 1998*, dessen verfassungsrechtlicher Rang gemeinhin anerkannt ist.[9]

Die EMRK[10] wurde mit Inkrafttreten des HRA zentraler Bestandteil der Rechtspraxis in England. Ihr langer Titel, nach dem sie ein Gesetz ist, das den durch die Konvention garantierten Rechten und Freiheiten eine weitergehende Wirkung verleiht,[11] betont ihren Anwendungsbereich: Alle Gesetze müssen in Einklang mit der Konvention ausgelegt und durchgesetzt werden. Das heißt, sobald ein Recht der EMRK berührt ist, erhält dieses durch den HRA weitergehende Wirkung.[12] Indem Gerichte und staatliche Behörden an die Wahrung der Grundrechte gebunden sind, ihre Durchsetzung vor staatlichen Gerichten gewährleistet wird und schließlich auch die Rechtsprechung des EGMR in Straßburg zu berücksichtigen ist, wird ein Hauptziel des HRA erreicht, nämlich die EMRK im bestehenden Rechtssystem zu verankern.

## 2. Verfassungsrechtlicher Schutz des Copyrights

Es gibt im HRA weder eine ausdrückliche Erwähnung des geistigen Eigentums noch des Copyrights. Auch die Fachliteratur zum Urheberrecht schenkt seinem verfassungsrechtlichen Schutz wenig Beachtung.[13] Obwohl sich in den letzten Jahren in England Urteile mehrten, die sich mit der Kollision von Copyright und anderen Grundrechten befassten, sind die Gerichte auf diesem Gebiet weiterhin zurück-

---

7 *Amos*, Human Rights Law, S. 4.

8 *Wadham* et al., Human Rights Act 1998, Rn. 1.17.

9 *Wadham* et al., Human Rights Act 1998, Rn. 1.24.

10 Der HRA verleiht nur den in Sec. 1 aufgeführten Konventionsrechten Rechtskraft. Dies sind Art. 2–12 und 14 EMRK, Art. 1–3 des ersten Zusatzprotokolls zur EMRK und Art. 1–2 des sechsten Zusatzprotokolls zur EMRK.

11 *An Act to give further effect to the rights and freedoms guaranteed under the Convention.*

12 Dies geschieht in dreierlei Hinsicht. Erstens sind alle Gerichte zur Einhaltung der Grundrechte verpflichtet (Sec. 6 Abs. 1–3 HRA). Außerdem müssen Gerichte bestehende und zukünftige Gesetze soweit möglich entsprechend der Konvention auslegen (Sec. 3 HRA). Schließlich müssen englische Gerichte die Rechtsprechung des EGMR in allen Verfahren berücksichtigen, für die die Richter sie als wesentlich erachten (Sec. 2 Abs. 1 HRA).

13 *Torremans*, in: Torremans (ed.), Copyright and Human Rights, S. 1.

haltend.[14] Dies könnte zum einen dem Umstand geschuldet sein, dass es sich meist nicht um den Rechtsstreit eines Bürgers gegen den Staat, sondern um einen Streit zwischen Privatpersonen handelt, also eine *Drittwirkung* der Grundrechte erfolgen müsste. Zum anderen wird aufgrund der wirtschaftlichen Bedeutung des Copyrights meist Schutz unter dem *Copyright, Designs and Patents Act* (CDPA)[15] selbst oder unter wettbewerbsrechtlichen Gesichtspunkten[16] gesucht. Neben dieser wirtschaftlichen Dimension des Copyrights ist auch das in der Menschenwürde wurzelnde Urheberpersönlichkeitsrecht zu beachten, denn Anerkennung der Urheberschaft und Integritätsschutz des Werks gewähren grundlegende Rechte, die auch ungeachtet der wirtschaftlichen Nutzung eines Werks weiterbestehen.[17] Dem Urheber ist es damit meist auf zivilrechtlichem Weg möglich, einer missbräuchlichen Nutzung, die die durch sein Werk ausgedrückte Kreativität und dessen Aussagegehalt beeinträchtigen könnte, entgegenzutreten.[18]

In England wird das Copyright den Eigentumsrechten zugeordnet.[19] Dieser Grundsatz wird in Sec. 1 (1) CDPA[20] unterstrichen, der klar festlegt, dass das Copyright ein Eigentumsrecht ist.[21] So wird dem Urheber für die von ihm aufgebrachten Investitionen, seine Forschung oder künstlerische Aktivität Eigentum an seinem Werk als Anreiz für sein Schaffen in Aussicht gestellt. Schwerpunktmäßig erfährt das Copyright als Teilbereich des geistigen Eigentums seinen verfassungs-

---

14 *Masiyakurima,* in: Torremans (ed.), Copyright and Human Rights, S. 89.

15 *Stone*, Civil Liberties and Human Rights, S. 482.

16 Die Aussicht, das Ergebnis ihrer Investitionen und ihrer Forschung durch ein Eigentumsrecht schützen zu können, animiert Individuen und Unternehmen, in weitere kulturelle und künstlerische Schöpfungen sowie Forschung und Entwicklung zu investieren. Allerdings kollidieren solche monopolbildenden ausschließlichen Rechte häufig mit dem Ideal eines freien Wettbewerbs und dem öffentlichen Interesse an der Nutzung neuer Werke. Hier wird das Wettbewerbsrecht genutzt, um einen Ausgleich zwischen Copyright und freiem Wettbewerb zu finden; *Torremans*, in: Torremans (ed.), Copyright and Human Rights, S. 13 f.

17 Der Urheber behält in England seine Urheberpersönlichkeitsrechte, auch wenn er einer Übertragung wirtschaftlicher Nutzungsrechte zustimmt, *Torremans*, Holyoak and Torremans Intellectual Property Law, S. 220 ff.

18 *Torremans*, in: Torremans (ed.), Copyright and Human Rights, S. 17.

19 *Torremans*, Holyoak and Torremans Intellectual Property Law, S. 169; *Cohen,* in: Campbell/Cotter (eds.), Copyright Infringement, S. 362.

20 Sec. 1 (19) CDPA: “Copyright is a property right which subsists in accordance with this part in the following descriptions of work […]”. Neben Sec. 1 (1) CDPA gibt es weitere Vorschriften im CDPA, aus denen hervorgeht, dass das Copyright dem Eigentum zugeordnet wird: Sec 90 (1) bestimmt insoweit bezüglich der Übertragbarkeit, dass das Copyright als Eigentum durch Übertragung, testamentarische Verfügung oder kraft Gesetzes übergehen kann.

21 Der Begriff *property* im englischen Recht entspricht allerdings nicht genau dem deutschen Eigentumsbegriff. Er ist weiter gefasst und beinhaltet zusätzlich u.a. schuldrechtliche Beziehungen, *good will* und Vermögen als solches.

rechtlichen Schutz daher durch seine Einordnung in den Schutzbereich des Eigentums.[22] Nach Art. 1 Abs. 1 des ersten Zusatzprotokolls zur EMRK hat

> jede natürliche oder juristische Person [...] das Recht auf Achtung ihres Eigentums. Niemandem darf sein Eigentum entzogen werden, es sei denn, dass das öffentliche Interesse es verlangt und nur unter den durch Gesetz oder durch die allgemeinen Grundsätze des Völkerrechts vorgegebenen Bedingungen.

Der Eigentumsbegriff wird vom EGMR weit ausgelegt, ihm kommt ein eigenständiger Bedeutungsgehalt zu, der nicht von nationalen Definitionen abhängen soll.[23] Nicht nur materielle Güter und Grundstücke fallen darunter, neben anderen Rechten am geistigen Eigentum wie Patenten[24] oder Markenrechten[25] sind beispielsweise auch Vertragsrechte oder Gesellschaftsanteile miteinbezogen.[26]

Daneben werden im Vereinigten Königreich Klagen wegen Copyright-Verletzungen genutzt, um die Privatsphäre und die Vertraulichkeit von Dokumenten zu schützen. So kann beispielsweise das Copyright an Fotos, an einem privaten Briefwechsel,[27] Sitzungsprotokollen[28] oder an Aufnahmen einer Überwachungskamera[29] dazu genutzt werden, deren Veröffentlichung zu verhindern. Das Recht auf Privatsphäre ist noch nicht als eigenständiges Recht anerkannt worden, auch wenn manche Autoren dies für die nahe Zukunft voraussagen.[30] Bisher wird es auf Art. 8 EMRK zurückgeführt, der ein Recht auf Achtung des Privat- und Familienlebens gewährt.[31]

Gebraucht der Rechtsinhaber sein Copyright dazu, eine Veröffentlichung zu untersagen, wird damit gleichzeitig eine Meinungsäußerung unterbunden. Hinzu kommt, dass Unterlassungsverfügungen meist durch einstweilige Anordnungen vorgenommen werden, bei denen eine Aussicht auf Erfolg im Hauptsacheverfahren nur summarisch geprüft wird.[32] Die Gefahr schwerer Eingriffe in die Meinungs-

---

22 *France 2 v France*, App No 30262/96, 15 January 1997 (EGMR); *Ashdown v Telegraph Group Ltd* [2001] EWCA Civ 1142, [2001] 3 WLR 1368; *Wadham* et al., Human Rights Act 1998, Rn. 8.822; *Amos*, Human Rights Law, S. 469.

23 Siehe dazu u.a. *Holy Monasteries v Greece* (1998) 25 EHRR 640; *Öneryildiz v Turkey*, App No 48939/99, 30 November 2004; *Amos*, Human Rights Law, S. 468.

24 *Smith Kline and French Laboratories Ltd v Netherlands* (1990) 66 DR 70 (EGMR), *Lenzing AG v UK* [1999] EHRLR 132.

25 *Anheuser-Busch Inc. v Portugal*, App No 73049/01, 11 October 2005.

26 *Wadham* et al., Human Rights Act 1998, Rn. 8.820.

27 *Michael Barrymore v Newsgroup Newspapers Ltd* [1997] FSR 600.

28 *Ashdown v Telegraph Group Ltd* [2001] EWCA Civ 1142, [2001] 4 All ER 666.

29 *Hide Park Residence Ltd v Yelland* [2001] Ch 143.

30 *Stone*, Civil Liberties and Human Rights, S. 480.

31 Beschränkt auf den Bereich persönlicher Daten wird die Privatsphäre im *Data Protection Act 1998* geschützt, *Stone*, Civil Liberties and Human Rights, S. 483. Allerdings ist dessen Anwendungsbereich bei Copyright-Streitigkeiten i.d.R. nicht eröffnet, da nicht die persönlichen Daten des Urhebers infrage stehen.

32 *Masiyakurima*, in: Torremans (ed.), Copyright and Human Rights, S. 90.

freiheit wurde erkannt und mit Art. 12 Abs. 3 HRA ein strenger Prüfungsmaßstab für Gerichte eingeführt, der ein Veröffentlichungsverbot nur unter Einhaltung besonderer Voraussetzungen zulässt. Dabei muss das Gericht auch den Schutz der Privatsphäre des Rechtsinhabers in Betracht ziehen.[33] Obwohl der Inhalt der Meinungsfreiheit nach Art. 10 EMRK nicht nur das geschriebene und gesprochene Wort, sondern auch andere Ausdrucksformen wie Fotografien, Internetseiten oder Videos umfasst[34] und damit auch urheberrechtlich geschützte Werke in den Schutzbereich fallen,[35] wird die Diskussion über den Meinungsschutz derzeit nicht in Bezug auf die Rechtsposition des Urhebers geführt. Vielmehr wird beanstandet, dass zu weitgehender Copyright-Schutz die Meinungsfreiheit anderer beschränkt.[36]

## B. Nationale Rechtsquellen des Copyrights

Bis zur Annahme des heute geltenden Copyright, Designs and Patents Acts[37] durchlief das englische[38] Copyright seit seinen Anfängen eine bewegte Geschichte. Der erste parlamentarische Gesetzestext, der das vormals von der Buchhändlergilde geschaffene Regelwerk[39] ablöste und das Common Law auf diesem Gebiet ergänzte, war das *Statute of Anne* von 1710.[40] Das Regelwerk anerkannte erstmals ein zeitlich befristetes, ausschließliches Verwertungsrecht des Autors an seinen Werken, sofern zwei Voraussetzungen – Registrierung und Buchhinterlegung – erfüllt waren.[41] Wurde die Registrierung des Werks nicht vorgenommen, so bestimmte

33 *Bently/Sherman*, Intellectual Property Law, S. 1062.

34 *Amos*, [2002] 6 EHRLR, 750 f.

35 *Angelopoulos*, [2008] 3 IPQ 328 f.

36 *Angelopoulos*, [2008] 3 IPQ 328 f.

37 Der *Copyright, Designs and Patents Act 1988*, am 8.11.1988 verabschiedet, erhielt die königliche Zustimmung am 15.11.1988. Er trat am 1.8.1989 in Kraft.

38 Zum Begriff des englischen Rechts: Wird in dieser Arbeit von englischem Recht gesprochen, so ist unter dem Terminus nicht die Rechtslage im gesamten Vereinigten Königreich, sondern nur das Recht von England und Wales gemeint, es sei denn, die jeweilige gesetzliche Regelung ist auch in Schottland oder Nordirland anwendbar. Denn Schottland zählt im Gegensatz zu England, Wales und Nordirland nicht zu den Ländern des Common Law und auch in Nordirland gelten häufig Sonderregelungen. Zwar erstreckt sich der Anwendungsbereich des CDPA auch auf Schottland und Nordirland, allerdings können für diese Bereiche prozessuale und vertragsrechtliche Besonderheiten gelten.

39 *Phillips/Durie/Karet,* Whale on Copyright, S. 3 ff.

40 *Bently/Sherman*, Intellectual Property Law, S. 33; *Rehbinder*, Urheberrecht, S. 11 Rn. 21 f.

41 Dazu mussten zwei Voraussetzungen erfüllt sein: Eintrag in das Register der Buchhändlergilde, wofür nicht mehr eine Mitgliedschaft in der Gilde erforderlich und damit das Copyright nicht mehr ein Privileg der Buchhändler war. Hinterlegung von neun gedruckten Exemplaren in Universitäten und Bibliotheken; *Phillips/Durie/Karet*, Whale on Copyright, S. 5 f.

Teil II des Gesetzes, dass kein Strafverfahren gegen einen möglichen Rechtsverletzer angestrebt werden konnte.[42] Das normierte Gesetz verdrängte bezüglich veröffentlichter Werke die bisherigen Common-Law-Rechte, was in dem Urteil *Donaldson v Beckett*[43] entschieden wurde. Hingegen blieben die Common-Law-Rechte des Urhebers bezüglich unveröffentlichter Werke unangetastet.[44] In den 200 Jahren nach Erlass des Statute of Anne wurden bis zu 40 Gesetze[45] verabschiedet, die den Schutzbereich des Copyrights erweiterten. Mit wenigen Ausnahmen wurden diese Regelwerke durch den *Copyright Act 1911* aufgehoben, der das erste einheitliche und umfassende Copyright-Gesetz seit 1710 darstellte. Dieses Gesetz schaffte das *Common Law Copyright* vollends ab und verzichtete auch auf das Erfordernis der Registrierung in der Buchhändlergilde. Darüber hinaus wurde der Katalog geschützter Werkarten erweitert[46] sowie die Schutzdauer für die meisten Werke auf 50 Jahre nach dem Tod des Urhebers verlängert.[47] Der *Copyright Act 1956* war in Aufbau und Form an seinen Vorgänger angelehnt, erweiterte aber dessen Anwendungsbereich. Auch dieses Gesetz wurde vielfach geändert, hauptsächlich, um das Recht den technischen Neuerungen wie Kabelfernsehen und aufkommender Computerisierung anzupassen.[48]

Das Immaterialgüterrecht ist in England und Wales[49] durch geschriebenes Recht geregelt. Der Titel des heutigen *Copyright, Designs und Patents Act 1988* ist irreführend, weil er nicht alle Gebiete des geistigen Eigentums gleichermaßen betrifft. Er ersetzt den *Copyright Act 1956* und die *Performers' Protection Acts von 1958 und 1972*.[50] Das neue Gesetz bezweckte hauptsächlich, das bestehende Urheber-

---

42 Obgleich andere Rechtsmittel wie eine gerichtliche Unterlassungsanordnung möglich waren, *Phillips/Durie/Karet*, Whale on Copyright, S. 6.

43 *Donaldson v Beckett*, 2 Brown's Parl. Cases 129, 1 Eng. Rep. 837; 4 Burr. 2408, 98 Eng. Rep. 257 (1774).

44 Erst im Copyright Act von 1911 wurden die Common-Law-Rechte unveröffentlichter Werke abgeschafft und durch gesetzlich festgelegte Rechte ersetzt, *Phillips/Durie/Karet*, Whale on Copyright, S. 7.

45 So gab es etwa einen *Engraving Copyright Act 1734*; einen *Sculpture Copyright Act 1814*; einen *Fine Arts Copyright Act 1862*; einen *Dramatic Copyright Act 1833*.

46 Werke der Architektur, Tonaufnahmen und Filme wurden fortan geschützt.

47 Für literarische Werke sowie solche des Theaters, der Musik und Kunst (außer Fotografien) galt eine Schutzdauer von 50 Jahren ab Schaffung des Werks, *Bently/Sherman*, Intellectual Property Law, S. 33.

48 Der *Cable and Broadcasting Act 1984*, der Kabelprogramme den geschützten Werkarten hinzufügte; der *Copyright (Computer Software) Act 1985*, der den Copyright-Schutz auf Computerprogramme ausdehnte; der *Design Copyright Act 1968*, der Regelungen bezüglich des Copyright-Schutzes von Design-Werken enthielt.

49 Nach Sec. 207 CDPA ist das Gesetz auch in Schottland und Nordirland anwendbar. Dort gilt aber anderes Prozessrecht, *Cohen,* in: Campbell/Cotter (eds.), Copyright Infringement, S. 361.

50 Außerdem schuf es ein neues Recht nichteingetragener Muster und schränkte den weitreichenden Schutz gewerblicher Muster ein. Der *Registered Designs Act 1949*, der

recht sprachlich einfacher zu fassen und insbesondere die durch die technischen Neuerungen bewirkten Änderungen aufzunehmen. Das Grundprinzip, wonach das Urheberrecht des Vereinigten Königreichs automatisch mit der Schöpfung des Werks entsteht und es auch keine Kennzeichnungspflicht urheberrechtlich geschützter Werke gibt, bleibt erhalten.[51]

Einige bedeutende Änderungen betrafen die Abschaffung der Unterscheidung zwischen *Teil I: Werke* und *Teil II: Gegenstände*: Alle geschützten Gegenstände wurden fortan *Werke* genannt.[52] Weiterhin wurden die Rechte der Urheber gestärkt, insbesondere durch die Einführung eines Verbreitungs- und Vermietrechts, und die Urheberpersönlichkeitsrechte ausgeweitet.[53] Daneben wurden zivilrechtliche Maßnahmen ausgedehnt und strafrechtliche Sanktionen verschärft.[54] Schließlich wurde ein neues Gericht, das *Copyright Tribunal*, eingeführt, welches an die Stelle des *Performing Right Tribunal* trat. Es ist allgemein für Lizenztarife bezüglich der Anfertigung von Vervielfältigungsstücken zuständig und wacht über die Einhaltung wettbewerbsrechtlicher Regeln.[55] Obwohl das CDPA von 1988 heute immer noch das geltende Gesetz für das Urheberrecht im Vereinigten Königreich ist, wurde es seit seinem Inkrafttreten im August 1989 bereits mehrfach geändert. Hauptsächlich setzten diese Eingriffe Verpflichtungen um, die sich aus EG-Richtlinien ergeben.[56]

---

*Patents Act 1977* und der *Trade Marks Act 1938* wurden durch den CDPA zwar geändert, blieben jedoch weiterhin in Kraft.

51 *Durie*, GRUR Int. 1990, 832.

52 Diese einheitliche Terminologie änderte nichts an den bestehenden Unterschieden zwischen den beiden Kategorien, etwa bezüglich kürzerer Schutzfristen der ehemaligen Werke aus Teil II; *Durie*, GRUR Int. 1990, 832; *Bently/Sherman*, Intellectual Property Law, S. 34.

53 Sec. 43 des Gesetzes von 1956 enthielt bereits Vorschriften über die fälschliche Zuschreibung der Urheberschaft. Neben diesen enthält der CDPA 1988 zusätzliche Urheberpersönlichkeitsrechte, die das Urheberrecht des Vereinigten Königreichs an die Anforderungen der Berner Verbandsübereinkunft anpassen sollten. Das neu eingeführte Recht auf Anerkennung der Urheberschaft (Sec. 77) sowie das Recht auf Unversehrtheit des Werks (Sec. 80) beziehen sich allerdings nur auf Handlungen nach Inkrafttreten des Gesetzes, *Durie*, GRUR Int. 1990, 837.

54 Insbesondere wurden diese auf mittelbare Urheberrechtsverletzungen ausgedehnt, *Durie*, GRUR Int. 1990, 835 f.

55 *Durie*, GRUR Int. 1990, 836; *Bently/Sherman*, Intellectual Property Law, S. 34.

56 U.a. Richtlinie 2001/29/EG (Harmonisierungs-RL); Richtlinie 2004/48/EG (Enforcement-RL); Richtlinie 93/98/EWG (Schutzdauer-RL).

# II. Der Werkbegriff des Copyright, Designs and Patents Acts 1988 (CDPA)

## A. Die Werkkategorien des CDPA

In diesem Teil sollen die in England urheberrechtlich geschützten Werkarten dargestellt werden.[57] Zunächst ist hervorzuheben, dass die Auflistung der acht Werkgruppen in Sec. 1 (1) CDPA im Gegensatz zum Werkkatalog der meisten kontinentalen Urheberrechtsgesetze[58] abschließend ist. Handelt es sich also nicht um ein Werk (1) der Literatur,[59] (2) des Theaters,[60] (3) der Musik, (4) der Kunst,[61] (5) um Filme, (6) Tonaufnahmen, (7) Rundfunksendungen oder (8) veröffentlichte Ausgaben (auch Drucksatzanordnungen), können Gerichte nur äußerst schwer neue Werkarten in den Schutzbereich des Gesetzes aufnehmen.[62]

Zusätzlich zur Einordnung eines Gegenstands in eine der acht Werkkategorien[63] muss das Werk noch weitere Bedingungen erfüllen, um vollen urheberrechtlichen

---

57 Wie bereits erwähnt wurde, nennt der CDPA nun alle geschützten Gegenstände einheitlich *Werke*. Ein weiterer Unterschied zu den *Droit-d'auteur*-Rechtsordnungen ist, dass in England nicht zwischen Urheberrechten und verwandten Schutzrechten unterschieden wird. Obgleich heute eine einheitliche Terminologie für alle Werkarten genutzt wird und auch die formale Unterscheidung zwischen Urheberrechten und verwandten Schutzrechten aufgegeben wurde, bedeutet dies nicht, dass an die verschiedenen Werkarten dieselben rechtlichen Bedingungen, dieselbe Rechtsnatur und dieselbe Schutzdauer geknüpft sind. Jedes Werk muss einer der acht Werkkategorien entsprechen, wonach sich dann das Vorliegen zusätzlicher Voraussetzungen bemisst; *Bently/Sherman*, Intellectual Property Law, S. 60.

58 So etwa in Deutschland (Art. 2 Abs. 1 UrhG), Italien (Art. 1 LDA), Frankreich (Art. L-112-1 Franz. UrhG) oder auch in der Berner Konvention (Art. 6).

59 Literarische Werke sind alle Werke, die nicht in den Bereich der Theater- und Musikwerke fallen und die geschrieben, gesprochen oder gesungen werden. Dementsprechend sind auch Tabellen und Listen oder gemäß Sec. 3 CDPA Computerprogramme umfasst. *Cohen,* in: Campbell/Cotter (eds.), Copyright Infringement, S. 362.

60 Unter den Begriff der Theaterwerke werden auch Tanz und Pantomime gefasst; *Cohen,* in: Campbell/Cotter (eds.), Copyright Infringement, S. 362.

61 Darunter fallen sowohl Werke der bildenden Kunst im engeren Sinne, d.h. Plastik, Malerei und Grafik, wie auch Werke der Baukunst oder der angewandten Kunst, etwa kunsthandwerkliche Gegenstände, *Cohen,* in: Campbell/Cotter (eds.), Copyright Infringement, S. 362.

62 Dies ist im Grunde nur durch eine extensive Auslegung möglich, was in manchen Fällen zu einer Schutzlücke unter britischem Recht geführt hat im Vergleich zu anderen europäischen Staaten, die diese Werkkategorien schützen. Z.B. *Lancôme Parfums v Kecofa* [2006] ECDR (26) 363 (Niederländisches Verfassungsgericht), *Bsiri-Barbier v Haarmann & Reimer* [2006] ECDR (28) 380 (Cour de Cassation).

63 Unschädlich ist, wenn das Werk auch mehreren Werkarten zugeordnet werden kann: *Norowzian v Arks Ltd* (No. 2) [2000] FSR 363; *Torremans*, Holyoak and Torremans Intellectual Property Law, S. 170.

Schutz zu genießen. Allerdings können diese trotz der einheitlichen Benennung aller Schutzobjekte als Werke[64] zwischen den einzelnen Werkarten stark variieren.

### 1. Körperliche Fixierung

Sec. 3 (2) CDPA schreibt für Werke der Literatur, des Theaters und der Musik vor, dass diese in *schriftlicher oder anderer Form fixiert* sein müssen, um in den Schutzbereich des CDPA zu fallen.[65] In den meisten Fällen ist diese Schutzvoraussetzung unproblematisch erfüllt, auch weil es nicht erforderlich ist, dass der Urheber die Fixierung eigenhändig vornimmt[66] und es darüber hinaus ausreicht, dass eine verkörperte Form zu irgendeinem Zeitpunkt vorlag, auch wenn sie mittlerweile zerstört wurde.[67] Hinzu kommt, dass in den meisten Fällen einer Urheberrechtsverletzung eine unrechtmäßige Vervielfältigung des Werks hergestellt wurde, was eine Fixierung des Original-Werks voraussetzt.[68]

### 2. Originalität

Die zweite zusätzliche Schutzvoraussetzung, die ebenfalls nur begrenzt auf Werke der Literatur, des Theaters, der Musik und auch der Kunst gilt, ist gemäß Sec. 1 (1) CDPA das Erfordernis der *Originalität*. Obwohl dieses schon seit 1911[69] besteht, ist es bis heute nicht möglich, eine allgemeingültige Definition festzulegen.[70] Vielmehr wird über das Vorliegen des Erfordernisses auf Grundlage der

---

64 Im Gegensatz zum Vorgänger *Copyright Act 1956*, der zwischen Teil I Werke (Werke der Literatur, des Theaters, der Musik oder der Kunst) und Teil II Gegenstände (Filme, Tonaufnahmen, Rundfunksendungen und Drucksatzanordnungen) unterschied.

65 *Bently/Sherman*, Intellectual Property Law, S. 92.

66 Auch andere können diese mit oder ohne Genehmigung des Urhebers vornehmen (Sec. 3 (3) CDPA).

67 *Lucas v Williams & Sons* [1892] 2 QB 113, 116; *Wham-O Manufacturing Co. v Lincoln Industries* [1985] RPC 127, 142-5 (CANZ); *J & S Davis (Holding) v Wright Health Group* [1988] RPC 403, 409; *Bently/Sherman*, Intellectual Property Law, S. 92.

68 *Bently/Sherman*, Intellectual Property Law, S. 92.

69 Wobei es für Gemälde, Zeichnungen und Fotografien schon 1862 durch den *Fine Art Copyright Act* eingeführt wurde.

70 Erschwert wird dies heute auch dadurch, dass auf europäischer Ebene der Begriff der Originalität mit der Datenbank-RL 96/9/EG harmonisiert wurde und dieser nicht mit dem britischen Begriff übereinstimmt. Obgleich Gemeinsamkeiten vorliegen – beide befassen sich mit der Beziehung des Urhebers zu seinem Werk –, spricht die Richtlinie von einer *eigenen geistigen Schöpfung* des Urhebers und erfordert ein höheres Mindestmaß an Eigenaufwand und -arbeit des Urhebers. Dieser strengere Originalitätsbegriff wurde in das britische Recht mit Umsetzung der Datenbank-RL aufgenommen und gilt gemäß Sec. 3A nur für Datenbanken; *Torremans*, Holyoak and Torremans Intellectual Property Law, S. 174.

Umstände des Einzelfalls entschieden.[71] Grundsätzlich befasst sich diese Voraussetzung mit der Beziehung zwischen dem Urheber und seinem Werk. Dies bedeutet, dass im Werk in irgendeiner Form *Anstrengung, Fähigkeiten oder Entscheidungen*[72] des Urhebers zum Ausdruck kommen müssen. Tatsächlich müssen also zwei Bedingungen erfüllt sein, um das Vorliegen zu bejahen: Zum einen muss das Werk vom Urheber stammen. Zweitens muss der Urheber einen Mindestaufwand an Arbeit und Anstrengung aufgebracht haben.[73] Einerseits darf dabei der Aufwand nicht so trivial sein, dass er auch eine einfache mechanische Übung darstellen könnte, andererseits sind auch Kreativität, besonderer Einfallsreichtum, Neu- oder Einzigartigkeit des Werks nicht erforderlich.[74] Die Anfertigung einer Kopie von einem bestehenden Werk genügt für die Bejahung der Originalität nicht.[75] Schwierigkeiten ergeben sich insbesondere bei der Bewertung von Fotografien. Während dieses Kriterium bei künstlerischen Aufnahmen, die eines besonderen Aufwands bezüglich Wahl, Positionierung oder Belichtung des Objekts bedürfen, unschwer bejaht werden kann,[76] ist es etwa bei Schnappschüssen oder bei Fotografien anderer Kunstwerke nicht selbstverständlich erfüllt. Diese Zweifel werden durch die Einfachheit der Bedienung moderner digitaler Fotoapparate bestärkt.[77]

Bezüglich des urheberrechtlichen Schutzes von Werken, die durch den Einsatz von Computern hergestellt wurden, hat der CDPA vormals bestehende Unklarheiten z.T. gelöst: Dieser schreibt in Sec. 9 (3) vor, dass ein Werk der Literatur, des Theaters, der Musik oder Kunst auch dann urheberrechtlichen Schutz genießt, wenn es von einem Computer hergestellt wurde und es keinen menschlichen Ur-

---

71 *Macmillan v Cooper* (1923) 93 LJPC 113 (Lord Atkinson); *Bently/Sherman*, Intellectual Property Law, S. 95; *Torremans*, Holyoak and Torremans Intellectual Property Law, S. 173.

72 Auch diese Begriffe werden in der Rechtsprechung nicht einheitlich verwandt; so wird in manchen Fällen auch von Arbeit, Kapital, Anstrengung, Fleiß, Zeit, Kenntnissen, Geschmack, Genialität, Erfahrung oder Investitionen gesprochen, *Ladbroke v William Hill* [1964] 1 All ER 465, 475 per Lord Hodson (Arbeit, Anstrengung und Fähigkeiten); 478 per Lord Devlin (Fähigkeit, Fleiß oder Erfahrung); 480 per Lord Pearce (Anstrengung oder Fähigkeit oder Genialität oder Ausgaben); *Bently/Sherman*, Intellectual Property Law, S. 95.

73 *Torremans*, Holyoak and Torremans Intellectual Property Law, S. 173.

74 *Bently/Sherman*, Intellectual Property Law, S. 93.

75 *Biotrading & Financing OY v Biohit Ltd* [1998] FSR 109 at 116.

76 *Bently/Sherman*, Intellectual Property Law, S. 109.

77 Auch die Schutzdauer-Richtlinie (Richtlinie 93/98/EWG vom 29.10.1993 über die Harmonisierung der Schutzdauer von Urheberrechten und verwandten Schutzrechten (1993) OJ L 290), die in Art. 6 (1) Voraussetzungen für den Schutz von Fotografien festlegt, gibt keine klare Antwort auf diese Fragestellung: Zwar wird darin eindeutig ein *individuelles Werk gefordert, das das Ergebnis der eigenen geistigen Schöpfung des Urhebers* ist. Allerdings erlaubt Art. 6 (1) a.E., dass Mitgliedstaaten den Schutz anderer Fotografien vorsehen und damit auch nicht originale Fotografien schützen. England kann daher seine niedrigen Schutzvoraussetzungen wahren und jegliche Art von Fotografie urheberrechtlich schützen; vgl. auch *Bently/Sherman*, Intellectual Property Law, S. 110 f.

heber gab. Diese Gesetzesänderung hat insofern Klarheit gebracht, als damit feststeht, dass auch von Computern erstellte Werke urheberrechtlichen Schutz genießen. Allerdings finden sich im CDPA keine Angaben darüber, anhand welcher Kriterien die Originalität des computererzeugten Werks zu bestimmen ist.[78] Da es bei solchen Werken keinen menschlichen Urheber gibt, schlagen Autoren verschiedene Tests vor, anhand derer sich die Originalität bestimmen ließe.[79] Demnach bestünde eine Möglichkeit darin, danach zu fragen, ob das Werk durch unabhängige Abläufe des Computers entstanden ist oder ob er lediglich eine Kopie eines bestehenden Werks angefertigt hat. Alternativ könnte auch auf die Neuartigkeit des Werks abgestellt werden. Letztlich könnte man auch den Vergleich mit einem von Menschenhand geschaffenen Werk anstellen und die hypothetische Frage stellen, ob ein menschlicher Urheber eine wesentliche Anstrengung, einen wesentlichen Aufwand oder wesentliche Fähigkeiten aufbringen müsste, um ein solches Werk anzufertigen.[80]

### 3. Qualifizierung für den urheberrechtlichen Schutz

Die dritte Schutzvoraussetzung, die alle Werke für den Erhalt urheberrechtlichen Schutzes erfüllen müssen, bestimmt, dass das Werk in ausreichendem Maße mit dem Vereinigten Königreich verbunden sein muss, um sich für den Schutz durch die nationalen Vorschriften zu qualifizieren. Ist diese Bedingung gegeben, so werden die Werke ausländischer Urheber wie die Werke britischer Urheber behandelt.[81] Die Qualifizierung wird anhand dreier Faktoren gemäß Sec. 154-15 CDPA bestimmt: (1) Urheberschaft,[82] (2) Land der Erstveröffentlichung,[83] (3) Übertragungsort,[84] wobei es ausreicht, dass ein Faktor erfüllt ist.

---

78 Für Computerprogramme und Datenbanken gilt hier der gemeinschaftsrechtliche Standard, womit von Computern erstellte Werke hier keinen Schutz genießen; *Bently/ Sherman*, Intellectual Property Law, S. 107.

79 *Bently/Sherman*, Intellectual Property Law, S. 107.

80 *Bently/Sherman*, Intellectual Property Law, S. 107.

81 *Bently/Sherman*, Intellectual Property Law, S. 113.

82 Sec. 154 (1) besagt, dass ein Werk sich für urheberrechtlichen Schutz qualifiziert, sofern der Urheber in der *material time* eine *qualifying person* war. Bei der *material time* handelt es sich um den Schaffungszeitpunkt. Wurde das Werk veröffentlicht, ist der Zeitpunkt der Erstveröffentlichung entscheidend. Eine *qualifying person* ist in drei Situationen gegeben: (1) Der Urheber ist Brite oder erfüllt gewisse Voraussetzungen unter dem *Nationality Act 1981* oder ist wohnhaft im Vereinigten Königreich. (2) Der Urheber ist wohnhaft in einem Land, auf das der Geltungsbereich des Gesetzes ausgedehnt wurde. (3) Der Urheber ist Bürger von oder wohnhaft in einem Land, in dem das Gesetz angewandt wurde. *Bently/Sherman*, Intellectual Property Law, S. 113 ff.

83 Erfolgt die Erstveröffentlichung in England (oder in einem Land, auf das sich der Geltungsbereich des Gesetzes erstreckt) fällt das Werk ebenfalls in den Schutzbereich.

84 Eine TV-/Rundfunksendung ist umfasst, wenn sie in einem Ort im Vereinigten Königreich (oder in einem Land, auf das sich der Geltungsbereich des Gesetzes erstreckt) produziert oder von dort gesendet wird.

### 4. Ausschlussgrund: Public Policy

Als letzte negative Schutzvoraussetzung besteht ein Ausschlussgrund aus Gründen der öffentlichen Ordnung *(public policy)*. Obwohl ein Werk sämtliche anderen Bedingungen aufweist, kann ihm der urheberrechtliche Schutz verwehrt werden, wenn es als obszön, blasphemisch oder unmoralisch eingestuft wird.[85] Unklar ist, ob in diesen Fällen urheberrechtlicher Schutz insgesamt ausgeschlossen ist oder ob lediglich die Durchsetzung des Copyrights verhindert wird.[86]

## B. Schutz digitaler Werke

Auch digitale Werke müssen einer der Werkkategorien des CDPA[87] entsprechen und ggf. besondere Zusatzbedingungen vorweisen, um in den Schutzbereich des Gesetzes zu fallen. Während der Großteil digitaler Werke, wie etwa digitale Tonaufnahmen oder Filme, digitale Rundfunk-/TV-Sendungen, digitale Fotografien oder E-Books, einfach unter den Werkbegriff zu subsumieren sind, fehlt im CDPA eine Definition von Multimediawerken[88] oder digitalen Medien[89] als solchen. Diese Werke werden insofern durch das Copyright geschützt, als ihre einzelnen Teile geschützt werden. Es ist auch möglich, dass das Werk als Ganzes unter den weiten Filmbegriff in Sec. 5 B CDPA fällt, der eine Aufnahme auf jeglichem Trägermedium umfasst, von welchem Laufbilder abgespielt werden können, wobei auch die zugehörige Filmmusik eingeschlossen ist.

Wie bereits oben dargestellt, sind die Anforderungen an die Originalität eines Werks in England niedrig.[90] Daher wird diese Grenze durch die meisten digitalen Werke erreicht, sogar durch solch einfache Werke wie digitale Fotografien von Gemälden[91] oder anderen Kunstgegenständen.[92] Dennoch reicht die bloße Anferti-

---

85 *Bently/Sherman*, Intellectual Property Law, S. 117; *Glyn v Weston Feature Film Co.* [1916] 1 Ch 261; dass es diesen Ausschlussgrund auch trotz gewandelter Sittlichkeitsvorstellungen in der Gesellschaft weiterhin gibt, wurde in *A-G v Guardian* (No. 2) [1990] 1 AC 109 bestätigt.

86 *Bently/Sherman*, Intellectual Property Law, S. 117.

87 Sec. 1 (1) CDPA.

88 Diese können verschiedene Textteile, Bilder, Laufbilder und Musik enthalten und zeichnen sich durch ihre starke Interaktivität aus; *Stokes*, Digital Copyright, S. 23.

89 Etwa Webseiten oder Namen von Webseiten, die als literarisches Werk geschützt werden, obwohl sie dem Grundsatz nicht genügen, dass ein Werk der Literatur Information und Anleitung geben oder Lesevergnügen bereiten muss, *Shetland Times Ltd v Wills* [1997] FSR 604, sowie Hyperlinks oder Computerspiele.

90 Oft zitiert in diesem Zusammenhang: *University of London Press Ltd v University Tutorial Press Ltd* [1916] 2 Ch 601; *Stokes*, Digital Copyright, S. 24.

91 *Bently/Sherman*, Intellectual Property Law, S. 110.

92 *Stokes*, Digital Copyright, S. 25.

gung einer Kopie, auch wenn diese leicht vergrößert wurde,[93] nicht aus, um dem Begriff zu genügen. Bei von Computern hergestellten Werken wurde bereits festgestellt, dass es schwierig ist, eine Verbindung zum Urheber herzustellen. Daher ist in diesen Fällen auf die Person abzustellen, die die Vorkehrungen getroffen hat, die die Schaffung des Werks ermöglicht haben (Sec. 9 (3) CDPA). Anders verhält es sich hingegen, wenn das Werk lediglich mit Hilfe des Geräts hergestellt und der Computer als bloßes Werkzeug eingesetzt wurde. Als Beispiel kann an das Schreiben eines Buches unter Verwendung einer Textverarbeitungs-Software gedacht werden.[94]

Das Erfordernis der körperlichen Fixierung von Werken der Literatur, des Theaters oder der Musik nach Sec. 3 (2) CDPA wird durch jede Form der Aufzeichnung oder Codierung erfüllt, sei sie von Hand oder auf andere Art vorgenommen. Dabei sind gemäß Sec. 178 CDPA die eingesetzte Methode und auch das Medium, auf dem aufgezeichnet wird, unbeachtlich. Daneben müssen auch digitale Werke die qualifizierenden Faktoren erfüllen, um entsprechend dem Grundsatz *nationaler Behandlung* eine besondere Nähe zu England nachzuweisen und in den Schutzbereich des CDPA zu fallen.

## III. Sanktions- und Schutzmaßnahmen im Einzelnen

### A. Zivilrechtliche Maßnahmen

#### 1. Schutz des digitalen Werks durch das Urheberrecht

##### *a) Bedeutung des zivilrechtlichen Werkschutzes*

Das zivilrechtliche Instrumentarium ist für den Schutz urheberrechtlicher Werke seit den Anfängen des Copyrights in England von grundlegender Bedeutung. Dies ist zum einen darauf zurückzuführen, dass das Urheberrecht als privates Recht grundsätzlich mit zivilrechtlichen Mitteln durchgesetzt und geschützt wird. Außerdem steht den Inhabern des Copyrights ein breites Spektrum verfügbarer Maßnahmen zur Verfügung, die nicht nur in den Sec. 96 ff. CDPA verankert sind, sondern auch auf allgemeinen zivilprozessualen Gesetzen oder auch dem Common Law beruhen.[95] Ein großer Vorteil gerade im Vergleich zu Strafrecht und Strafprozess besteht in der Möglichkeit, Schadensersatz zu erhalten und auf einstweilige Maßnahmen zurückzugreifen, die eine schnelle Beweissicherung und Beendigung der

---

93 *The Reject Shop v Manners* [1995] FSR 870.

94 *Stokes*, Digital Copyright, S. 26. Daneben gibt es auch Vorschriften bezüglich Miturheberschaft (Sec. 10 CDPA) oder unbekannter Urheberschaft (Sec. 9 (4) CDPA).

95 So wurden Maßnahmen in die *Civil Procedure Rules* eingefügt, etwa die Bekanntmachung des Urteils und auch die Normierung eines der *Anton Piller order* ähnlichen Anspruchs. Dem Common Law entstammt die letztgenannte *Anton Piller order* selbst.

Rechtsverletzung ermöglichen. Hinzu kommt, dass die breitgefächerten zivilrechtlichen Maßnahmen sich durch eine Strenge und Härte auszeichnen, die schon an das repressive Strafrecht erinnern.[96] Man denke hier etwa an das *discovery*-Verfahren oder die einschneidende *Anton Piller order*,[97] die an einem Fall der Verletzung geistigen Eigentums entwickelt wurde und dem Rechtsinhaber weitreichende Rechte zur Hausdurchsuchung des mutmaßlichen Verletzers gewährt. Darüber hinaus gewähren zivilrechtliche Schadensersatzansprüche im Unterschied zum Strafrecht einen Ausgleich für den erlittenen wirtschaftlichen Schaden, ohne an ein besonderes Vorsatzerfordernis geknüpft zu sein.[98] Gerade bei gewerblich handelnden Tätern, die aus den Verletzungshandlungen große Profite gezogen haben, kann dies ein lohnendes Mittel sein. Weiterhin liegt ein besonderer Vorteil des Zivilverfahrens darin, dass es für den Kläger ausreicht, die überwiegende Wahrscheinlichkeit des Vorliegens der von ihm behaupteten Tatsachen zu beweisen.[99] Ist die Schuld des Täters in manchen Fällen nicht zweifelsfrei zu beweisen, so kann trotz fehlender Erfolgsaussichten eines Strafverfahrens ein Zivilverfahren, das nicht denselben hohen Beweisstandard hat, erfolgreich angestrengt werden.[100] Auch muss im Zivilprozess nicht durchgängig das Mündlichkeitserfordernis, das ein Grundpfeiler des englischen Strafverfahrens ist, eingehalten werden; schon die Vorlage von beeidigten Erklärungen reicht zur Beweiserbringung aus.[101] Hervorzuheben ist letztlich Sec. 96 (2) CDPA, die durch ihren ausdrücklichen Hinweis auf die Anwendbarkeit aller zivilrechtlichen Maßnahmen, die auch bei der Verletzung eines Eigentumsrechts eingreifen würden, die Bedeutung des zivilrechtlichen Instrumentariums zusätzlich betont und stärkt.

### *b) Materieller Schutz*

#### aa) Schutzgegenstand

Dem Inhaber des Copyrights stehen gesetzlich normierte wirtschaftliche Verwertungsrechte an dem urheberrechtlich geschützten Werk zu, deren Umfang als Reak-

---

96 *Stauder*, GRUR Int. 1982, 226.

97 Siehe unten Fünfter Teil, III.A.1.c)hh), jj).

98 Zwar gewährt auch der *Criminal Courts Act 1973* die Möglichkeit, eine Entschädigung vom Täter zu erhalten. Allerdings ist dieses Mittel auf bestimmte persönliche Schadensfälle begrenzt. Ersatz erhält das Opfer nicht für den von Dritten, insbesondere Familienangehörigen, erlittenen Schaden. Die Höhe des finanziellen Ausgleichs ist bei Verhandlung vor einem *Magistrates' Court* auf £ 1.000 gedeckelt. Die finanziellen Mittel des Täters sind bei Bemessung des Schadensersatzes zu berücksichtigen. Zudem sind auch die strengeren strafverfahrensrechtlichen Anforderungen, wie Vorsatzerfordernis und das zweifelsfreie Vorliegen der Schuld des Täters, einzuhalten.

99 Sog. *Balance of probabilities*.

100 *Blakeney/Blakeney*, [2008] EIPR 349.

101 *Harms*, [2004] EIPR, S. 483, 485.

tion auf den technischen Fortschritt stetig zugenommen hat.[102] In Sec. 16–21 CDPA sind die primären Rechte des Copyright-Inhabers geregelt. Dazu zählt das ausschließliche Recht zur Vervielfältigung (Sec. 17 CDPA), Verbreitung (Sec. 18 CDPA), öffentlichen Aufführung (Sec. 19 CDPA), Miete und Verleih (Sec. 18A CDPA), Übertragung an die Öffentlichkeit (Sec. 20 CDPA) und Bearbeitung (Sec. 21 CDPA). Jeder, der eine der in Sec. 16–21 CDPA genannten Handlungen ohne Zustimmung des Rechtsinhabers vornimmt, begeht eine primäre Verletzungshandlung.[103] Daneben kann sich der Copyright-Inhaber auch gegen sekundäre Rechtsverletzungen wehren, die in Sec. 22–26 CDPA genannt sind.[104] Im Gegensatz zu den primären Verletzungshandlungen ist dort ein vorsätzliches Handeln bei der wirtschaftlichen Verwertung des Werks erforderlich.

#### bb) Die Privatkopie

Im CDPA wird nicht zwischen der Anfertigung einer privaten Kopie oder der Vornahme anderer Vervielfältigungshandlungen unterschieden. Grundsätzlich stellt eine Vervielfältigungshandlung eine Urheberrechtsverletzung dar (Sec. 17 CDPA). Da es keine allgemeine Ausnahme für die Anfertigung von Kopien zu privatem Gebrauch gibt, ist die Herstellung einer Privatkopie grundsätzlich verboten.[105] Eine Möglichkeit bieten aber einige Schranken, die den Schutzumfang des Urheberrechts eingrenzen. Wichtig ist hier die Lehre vom *fair dealing*. Demnach liegt keine Urheberrechtsverletzung vor, solange die Werknutzung fair ist. Voraussetzung für die Anwendbarkeit dieser Schranke ist zunächst, dass ein wesentlicher Teil des Werks kopiert wurde, damit eine relevante Verletzungshandlung bejaht werden kann.[106] Der Begriff der *Fairness* wird vom Richter unter Berücksichtigung der Umstände des Einzelfalls ausgelegt.[107] Im CDPA findet sich dazu keine Definition, allerdings ist die *Fair dealing*-Schranke auf bestimmte Fallgruppen beschränkt.

Die wichtigste Ausnahme bezüglich privater Vervielfältigung gewährt Sec. 29 (1c) CDPA, die bei einem Werk der Literatur, des Theaters, der Musik oder Kunst eine nicht gewerbliche Nutzung zu Forschungszwecken oder die Nutzung für das ausschließlich private Studium gestattet. Hiervon nicht erfasst sind Filmwerke, Ton-

---

102 *Bently/Sherman*, Intellectual Property Law, S. 136.

103 Siehe unten Fünfter Teil, III.A.1.b)gg)(1).

104 Siehe unten Fünfter Teil, III.A.1.b)gg)(2).

105 Die britische Regierung hat Beratungen über die Möglichkeit der Legalisierung von Privatkopien begonnen; Lord Triesman, parlamentarischer Staatssekretär für geistiges Eigentum hat am 9.1.2009 ein Diskussionspapier zu diesem Thema vorgelegt.

106 *Torremans*, Holyoak and Torremans Intellectual Property Law, S. 256.

107 Verschiedene Faktoren sind für die Bewertung wichtig: (1) Zu welchem Zweck wurde ein wesentlicher Teil des Werks kopiert; (2) Welchen Anteil hat der kopierte Teil im Verhältnis zum ganzen Werk; (3) Aus welchem Grund wurde kopiert; (4) Welcher Art ist das kopierte Werk. *Torremans*, Holyoak and Torremans Intellectual Property Law, S. 257.

aufnahmen und Rundfunk- oder Fernsehsendungen. Daneben erlaubt Sec. 70 CDPA die Aufnahme einer Fernseh- oder Rundfunksendung im privaten Haushalt und ausschließlich zu privaten Zwecken, wenn damit lediglich der Zeitpunkt der Verwertung verschoben werden soll. Diese Ausnahme soll aber nicht die Anfertigung von Kopien zur Anlegung einer privaten Sammlung oder die Aufnahme aus anderem Grund als zur zeitversetzten Nutzung ermöglichen. Auch das Filmen oder Fotografieren von Gebäuden, Kunstwerken und anderen Kunstgegenständen auf öffentlichen Plätzen oder öffentlich zugänglichen Gebäuden stellt keine Urheberrechtsverletzung dar (Sec. 62 (2) lit. b CDPA). Zudem gilt auch für die Anfertigung einer Sicherungskopie für Computerprogramme eine Ausnahmeregelung (Sec. 296A (1) lit. a CDPA).

#### cc) Zeitliche und territoriale Grenzen

Mit der Umsetzung[108] der Schutzdauer-RL[109] wurden die in England bestehenden Schutzfristen in beträchtlichem Maße ausgedehnt. Seit dem 1. Januar 1996 gilt als Grundsatz, dass die Schutzdauer eines Werks mit Ablauf des 70. Kalenderjahres nach dem Todesjahr des Urhebers erlischt.[110] Die Fristverlängerung hat u.a. bewirkt, dass der urheberrechtliche Schutz einiger Werke, der in England bereits erloschen war, wieder auflebte.[111] Zu beachten ist auch, dass die Harmonisierung der Schutzfristen innerhalb der Europäischen Gemeinschaft einer Andersbehandlung von Drittstaaten nicht entgegensteht. Die Schutzdauer-RL macht von diesem Grundsatz Gebrauch, indem sie für Werke, die von außerhalb der EG stammen und nicht von einem EU-Bürger hergestellt wurden, an die im Ursprungsstaat geltende Frist anknüpft, die wesentlich kürzer als 70 Jahre p.m.a. sein kann.[112] Damit hält die Richtlinie an der *Vergleichbarkeit der Schutzfristen* und nicht an dem *Grundsatz der nationalen Behandlung* fest, der vormals diesbezüglich in England galt.[113]

Trotz der Harmonisierungsmaßnahmen gibt es in England immer noch unterschiedliche Schutzfristen je nach Art des Werks, und auch der Anknüpfungszeitpunkt für den Fristbeginn kann divergieren.[114] Werke der Literatur, des Theaters,

---

108 Die Umsetzung erfolgte durch die *Duration of Copyright and Rights in Performance Regulation 1995,* Statutory Instrument 1995/3297.

109 Richtlinie 93/98/EWG vom 29.10.1993 über die Harmonisierung der Schutzdauer von Urheberrechten und verwandten Schutzrechten, (1993) OJ L 290.

110 Sec. 12 und 13 B CDPA. Davor galt eine 50-jährige Schutzfrist p.m.a.

111 *Torremans*, Holyoak and Torremans Intellectual Property Law, S. 205.

112 So enthalten etwa das kanadische und australische Recht nur eine 50-jährige Schutzfrist.

113 Art. 7, Erwägungsgrund 22 Schutzdauer-RL; *Bently/Sherman*, Intellectual Property Law, S. 162.

114 *Bently/Sherman*, Intellectual Property Law, S. 161.

der Musik und Kunst sowie auch Filme[115] genießen den 70-jährigen Schutz p.m.a. Hingegen gilt für computererzeugte Werke, die keinen menschlichen Urheber haben, an dessen Todesjahr angeknüpft werden könnte, eine 50-jährige Schutzfrist, die mit Ablauf des Kalenderjahres, in dem das Werk geschaffen wurde, beginnt.[116] Auch für Tonaufnahmen besteht eine maximale Schutzdauer von 50 Jahren ab Ablauf des Kalenderjahres, in dem das Werk geschaffen wurde.[117] Bei von mehreren geschaffenen Werken berechnet sich die Frist vom Tode des am längsten lebenden Miturherbers an (Sec. 12 (8) CDPA). Für anonyme oder unter einem Pseudonym veröffentlichte Werke berechnet sich die 70-jährige Schutzfrist ab der rechtmäßigen Veröffentlichung[118] des Werks (Sec. 12 (5) CDPA).

Der räumliche Geltungsbereich des englischen Copyrights ist auf das nationale Staatsgebiet beschränkt, was auf das Territorialitätsprinzip zurückzuführen ist, das auch heute noch das internationale Urheberrecht beherrscht. Danach kann ein inländisches Schutzrecht nur im Inland, ein ausländisches nur im jeweiligen Ausland verletzt werden.[119]

#### dd) Inhaber des Copyrights

Im englischen Copyright-System wird eine wichtige Unterscheidung zwischen Urheberschaft und originärer Inhaberschaft des Copyrights getroffen. Grundsätzlich ist der Urheber[120] eines Werks nach Sec. 11 (1) CDPA auch der erste Inhaber

---

115 Das Verständnis von Filmen hat sich in England gewandelt. Wurden sie früher als unternehmerische Werke eingestuft, werden sie heute aufgrund ihres künstlerischen Gehalts in der Nähe der *originalen Werke* angesiedelt, auch wenn das Originalitätserfordernis für sie noch nicht gilt. Die 70-jährige Schutzfrist beginnt für Filme nach Ablauf des Todesjahrs der längstlebenden im Folgenden aufgezählten Personen: Hauptregisseur, Drehbuchautor, Dialogschreiber oder Filmmusikkomponist; *Torremans*, Holyoak and Torremans Intellectual Property Law, S. 206 f.

116 Sec. 12 (7) CDPA. Der urheberrechtliche Schutz computererzeugter Werke ist außerhalb des Vereinigten Königreichs in der EG unbekannt, und so enthält die Schutzdauer-RL diesbezüglich keine Vorschriften.

117 Sec. 13 A (2) lit. a CDPA; erfolgt die Veröffentlichung in den 50 Jahren nach Schaffung des Werks, beginnt die 50-jährige Schutzfrist mit Ablauf des Kalenderjahres, in dem veröffentlicht wurde, neu zu laufen (Sec. 13 A (2) lit. b CDPA).

118 Die rechtmäßige Veröffentlichung muss innerhalb von 70 Jahren nach Ablauf des Schaffungsjahrs des Werks erfolgen. Hat keine rechtmäßige Veröffentlichung stattgefunden, so gilt die 70-jährige Frist ab dem Schaffungsjahr (Sec. 12 (3) CDPA).

119 *Schack*, Urheber- und Urhebervertragsrecht, S. 433 Rn. 915; BGHZ 126, 252, 256 = JZ 1995, 354.

120 Der Urheber eines Werks ist nach Sec. 9 (1) CDPA Schöpfer des Werks. Besondere Vorschriften gelten bezüglich einer Miturheberschaft (jede Person, die einen gleichwertigen Beitrag erbracht hat) nach Sec. 10 (1) CDPA; bei Tonaufnahmen (Produzent) nach Sec. 9 (2) lit. aa CDPA; bei Filmen (Regisseur und Produzent) gemäß Sec. 9 (2) lit. bb CDPA oder bei computererzeugten Werken (Person, die die notwendigen Vorkehrungen für die Schöpfung des Werks trifft) nach Sec. 9 (3) CDPA.

des Copyrights. An die Eigenschaft als Urheber knüpfen wichtige Merkmale des Copyrights an, wie etwa die Bestimmung der Originalität eines Werks zur Feststellung der Werkeigenschaft, die Geltungsdauer des Copyrights, die häufig mit der Lebensdauer des Urhebers verbunden ist, und auch der Schutz von Urheberpersönlichkeitsrechten, für den der Bezug zum Urheber unverzichtbar ist. Die Inhaberschaft des Copyrights bestimmt hingegen, wem die Verwertung des geschützten Werks, also das Recht zur Wahrnehmung der in Sec. 16 (1) CDPA aufgeführten Ausschlussrechte, zusteht.[121]

Urheberschaft und Inhaberschaft des Copyrights müssen nicht zwingend in der Person des Urhebers vereint sein, denn vom Grundsatz der Sec. 11 (1) CDPA gibt es auch zahlreiche Ausnahmen. Die wohl wichtigste betrifft die Schöpfung von Werken durch Angestellte im Rahmen ihrer Anstellung (Sec. 11 (2) CDPA). Konnte der Arbeitgeber diese Tätigkeit vernünftigerweise von seinem Angestellten erwarten, so erwirbt er das Copyright mit der Schöpfung des Werks, ohne dass es dafür einer Übertragung durch den Arbeitnehmer bedarf.[122] Abweichende vertragliche Vereinbarungen können diese Regel aufheben und dem Arbeitnehmer die Inhaberschaft des Copyrights zuerkennen.[123] Daneben gibt es Ausnahmen in Bezug auf Werke, die von Angestellten des Königshauses,[124] unter Anleitung oder Kontrolle des Ober- oder Unterhauses[125] oder von Angestellten einer internationalen Organisation[126] erstellt wurden. Auch bei Auftragswerken[127] oder bei Werken, die durch einen Vertraulichkeitsbruch entstanden sind,[128] können Urheberschaft und Inhaberschaft des Copyrights auseinanderfallen. Ungeachtet dieser Ausnahmeregelungen ist immer zu prüfen, ob eine Übertragung der Inhaberschaft des Copyrights durch den Urheber an Dritte stattgefunden hat. Eine solche Übertragung kann nach Sec. 91 (1) CDPA auch bereits vor Schöpfung des Werks vorgenommen werden. Mit Werkentstehung geht in diesen Fällen das Recht auf den Bevollmächtigten über.[129]

---

121 *Bently/Sherman*, Intellectual Property Law, S. 127 ff.; der Inhaber hat das Recht zur Vervielfältigung (Sec. 17 CDPA), Verbreitung (Sec. 18 CDPA), öffentlichen Aufführung (Sec. 19 CDPA), zu Miete und Verleih (Sec. 18 A CDPA), zur öffentlichen Übertragung (Sec. 20 CDPA), zur Bearbeitung (Sec. 21 CDPA).

122 *Stevenson Jordan v MacDonnell & Evans* (1952) 69 RPC 10.

123 Sec. 11 (2) CDPA; *Bently/Sherman*, Intellectual Property Law, S. 131.

124 Sec. 163 CDPA.

125 Sec. 164 CDPA.

126 Sec. 168 CDPA.

127 Grundsätzlich steht das Copyright auch bei Auftragswerken dem Urheber zu. Allerdings können die Gerichte eine implizierte Pflicht zur Übertragung des Copyrights an den Auftraggeber feststellen, *R. Griggs Group v Raben Footwear* [2004] FSR (31) 673; *Bently/Sherman*, Intellectual Property Law, S. 132.

128 *A-G v Guardian* (No. 2) [1990] AC 109, 263, 276; *Bently/Sherman*, Intellectual Property Law, S. 133.

129 *Bently/Sherman*, Intellectual Property Law, S. 263.

### ee) Aktivlegitimation

Die Geltendmachung der Verletzung urheberrechtlicher Verwertungs- und Nutzungsrechte steht grundsätzlich nach Sec. 96 (1) CDPA dem Inhaber des Copyrights zu. Allerdings kommen dem ausschließlichen Lizenznehmer[130] dieselben Rechte und Rechtsbehelfe zu, die er aber nicht gegen den Inhaber des Copyrights geltend machen kann (Sec. 101 (1) CDPA). Hingegen war es für den nicht ausschließlichen Lizenznehmer ursprünglich nicht möglich, seine partiellen Rechte gerichtlich durchzusetzen. Infolge einer Gesetzesänderung durch die *Copyright and Related Rights Regulations 2003*[131] hat sich die Rechtslage geändert und auch der nicht ausschließliche Lizenznehmer[132] kann nach Sec. 101A CDPA jetzt Klage erheben, wenn die Rechtsverletzung unmittelbar mit den ihm durch die Lizenz gewährten Rechten zusammenhängt und die Lizenz in Schriftform und mit Unterschrift des Copyright-Inhabers erteilt wurde, wobei auch ausdrücklich die Ermächtigung zu einer gerichtlichen Geltendmachung der Rechte gegeben worden sein muss. Die Durchsetzung der nach Sec. 94 CDPA unübertragbaren *Moral Rights* steht allein dem Urheber zu.[133]

### ff) Vermutungen

Der CDPA enthält Vorschriften bezüglich im Zivilprozess[134] anwendbarer Vermutungen der Urheberschaft.[135] In Bezug auf Werke der Literatur, des Theaters, der Musik und der Kunst stellt Sec. 104 CDPA die Vermutung auf, dass derjenige als Urheber eines veröffentlichten Werks gilt, dessen Name auf dem Werk angegeben ist. Ähnliche Vermutungen gelten im Hinblick auf Filme, Tonaufnahmen und Computerprogramme nach Sec. 105 CDPA.

---

[130] Nach Sec. 92 (1) CDPA ist eine ausschließliche Lizenz eine schriftlich durch den Inhaber des Copyrights erteilte und unterschriebene Befugnis, die den Lizenznehmer dazu ermächtigt, ein Recht auszuüben, das ansonsten ausschließlich dem Rechtsinhaber selbst zustehen würde. Dabei werden Dritte und der Copyright-Inhaber selbst von der Ausübung dieses Rechts ausgeschlossen.

[131] Eingefügt durch Statutory Instrument 2003/2498.

[132] Eine nicht ausschließliche Lizenz berechtigt den Lizenznehmer, das Werk auf die vereinbarte Art zu nutzen, wobei er dem Rechtsinhaber selbst die Ausübung dieses Rechts nicht untersagen darf, *Stokes*, Digital Copyright, S. 38.

[133] Siehe oben Fünfter Teil, III.A.1.b)ff)(2).

[134] Diese Vermutungen sind im Zivilverfahren, nicht aber im Strafverfahren anwendbar, *Davies*, Intellectual Property Law, S. 67.

[135] Auch bezüglich Ort und Zeitpunkt der Erstveröffentlichung werden in Sec. 106 CDPA Vermutungen aufgestellt.

### gg) Moral Rights

#### (1) Rechtsnatur

Obgleich das englische Copyright-System primär die materiellen und wirtschaftlichen Interessen der Verwerter schützt, wurden mit dem CDPA 1988 *Moral Rights* in das englische Copyright eingeführt, womit Verpflichtungen aus der Revidierten Berner Übereinkunft nachgekommen wurde.[136] Vor der gesetzlichen Normierung urheberpersönlichkeitsrechtlicher Befugnisse standen dem Urheber zur Wahrung seiner ideellen Interessen Klagen aus unerlaubter Handlung wegen falscher Herkunftsangabe[137] *(passing off)* oder Verleumdung[138] *(defamation)* zu.[139] Die englischen Vorschriften bestehen aus einem detaillierten Regelwerk, das eine Reihe von Bedingungen, Beschränkungen und Ausnahmen enthält.[140] Gegner der Urheberpersönlichkeitsrechte bemängelten an ihrer gesetzlichen Normierung die Beschränkung der wirtschaftlichen Verwertung der Werke und kritisierten die Aufnahme eines fremden Rechtsinstituts in das britische Common-Law-System.[141] Zu beachten ist allerdings, dass die Urheberpersönlichkeitsrechte in Form der Moral Rights kein Bestandteil des englischen Copyrights an sich sind.[142] Bei ihrer Verletzung muss der Rechtsinhaber wegen Verletzung einer gesetzlich auferlegten Verpflichtung gemäß Sec. 103 (1) CDPA Klage erheben, nicht aber wegen einer Copyright-Verletzung.[143]

Vier nicht übertragbare[144] urheberpersönlichkeitsrechtliche Befugnisse werden im CDPA genannt.[145] Dies ist zunächst das Recht auf Kenntlichmachung des Urhebers von Werken der Literatur, des Theaters, der Musik, der Kunst sowie auch

---

136 Die Einführung der Moral Rights in das englische Recht geht auf Art. 6-*bis* der Revidierten Berner Übereinkunft zurück. Darin wird England als Vertragsstaat verpflichtet, die Rechte auf Anerkennung der Urheberschaft und auf Werkintegrität auf nationaler Ebene zu gewähren, *Durie*, GRUR Int. 1990, 832, 834; *Torremans*, Holyoak and Torremans Intellectual Property Law, S. 228.

137 Siehe *Samuelson v Producers Distributing* [1932] 1 Ch 201.

138 Siehe *Humphreys v Thomson* (1908) Mac CC 148.

139 Zudem war es möglich, sich durch vertragliche Absprachen abzusichern. Diese Rechtsinstrumente des Common Law sind heute weiterhin neben dem gesetzlichen Schutz der Moral Rights einsetzbar, *Davies*, Intellectual Property Law, S. 65.

140 *Bently/Sherman*, Intellectual Property Law, S. 242.

141 *Bently/Sherman*, Intellectual Property Law, S. 243.

142 *Bently/Sherman*, Intellectual Property Law, S. 231 f.; *Cornish*, GRUR Int. 1990, 500.

143 *Cornish*, GRUR Int. 1990, 500; *Cornish*, Festgabe für Schricker, S. 650.

144 Sec. 94 CDPA.

145 Wobei nur zwei davon als vollwertige Moral Rights angesehen werden können. Die zweite Gruppe nimmt eine Zwischenstellung ein, denn sie gewähren dem Schöpfer eines Werks keine besonderen Rechte; *Torremans*, Holyoak and Torremans Intellectual Property Law, S. 219.

von Filmregisseuren gemäß Sec. 77 CDPA.[146] Allerdings muss das Recht vom Urheber ausdrücklich und in bindender Weise geltend gemacht werden.[147] Zu beachten sind auch die Ausnahmetatbestände in Sec. 79 CDPA, die u.a. Computerprogramme und von Computern erzeugte Werke aus dem Recht auf Urheberbezeichnung ausnehmen. Für eine Verletzung des Rechts auf Urheberbezeichnung müssen drei Voraussetzungen erfüllt sein: (1) Der Urheber wurde nicht in geeigneter Weise kenntlich gemacht; (2) das Werk wurde in einer Sachlage genutzt, bei der eine Urheberbezeichnung erforderlich ist; (3) kein Ausnahme-[148] oder Schrankentatbestand greift ein und der Urheber hat nicht auf sein Recht gemäß Sec. 87 (2) CDPA verzichtet.

Eine der wichtigsten Neuerungen durch das CDPA betrifft das Recht der Urheber von Werken der Literatur, des Theaters, der Musik und Kunst sowie auch Filmregisseuren, einer beeinträchtigenden Behandlung *(derogatory treatment)* ihrer Werke entgegenzutreten, sofern die Werke in den Schutzbereich des CDPA fallen.[149] Für eine Verletzung dieses Rechts ist es erforderlich, dass (1) eine beeinträchtigende Behandlung[150] des Werks stattgefunden hat; (2) das Werk in einer Sachlage genutzt wurde, in der der Urheber vor einer solchen beeinträchtigenden Behandlung geschützt ist; (3) kein Ausnahmetatbestand eingreift; (4) kein Rechtsverzicht oder Genehmigung der Tathandlung durch den Urheber stattgefunden hat.

Das Gegenstück zum Recht aus Sec. 77–79 CDPA auf Kenntlichmachung der Urheberschaft stellt das Recht gegen falsche Zuschreibung der Urheberschaft in Sec. 84 CDPA dar. Im Gegensatz zum Kennzeichnungsrecht ist dieses Recht nicht

---

146 Das sog. *paternity right* (Sec. 77–79 CDPA).

147 Art und Weise einer wirksamen Geltendmachung sowie Umfang der Bindungswirkung anderer Personen werden in Sec. 78 CDPA näher ausgeführt.

148 Das Kennzeichnungsrecht wird etwa von Sec. 79 (3) CDPA für Fälle eingeschränkt, in denen der Urheber oder der Arbeitgeber eine Vervielfältigung oder andere Verwertungen des Werks genehmigt haben. Auch Sec. 79 (4) lit. a CDPA enthält eine Fair-dealing-Beschränkung für Fälle, in denen aktuelle Geschehnisse durch Tonaufnahmen, Filme, TV-/Fernsehsendungen oder Kabelprogramme wiedergegeben werden. In Sec. 79 (4) lit. b CDPA wird das Kennzeichnungsrecht für beiläufig eingefügte Werke in künstlerische Werke, Tonaufnahmen, Filme, TV-/Rundfunksendungen oder Kabelprogramme eingeschränkt. Außerdem gelten auch Ausnahmen, wenn das Werk bei Untersuchungen, parlamentarischen oder gerichtlichen Prozessen oder Untersuchungen der Regierung gebraucht wird, *Bently/Sherman*, Intellectual Property Law, S. 248.

149 Sec. 80–83 CDPA. Dies Recht gilt nicht in Bezug auf Computerprogramme oder von Computern erzeugte Werke (Sec. 81 (2) CDPA).

150 *Behandlung* meint jede Zufügung, Entfernung, Veränderung oder Anpassung von Teilen des Werks, es muss hierbei ein Eingriff in die innere Substanz des Werks stattgefunden haben. Damit ist dieser Begriff enger als Art. 6*bis* Berner Übereinkunft gefasst, wo eine Behandlung des Werks auch dann vorliegt, wenn keine Substanzveränderung erfolgt; *Bently/Sherman*, Intellectual Property Law, S. 253. Nach Sec. 80 (2) lit. b CDPA ist eine Behandlung *nachteilig*, wenn sie zu einer Entstellung oder Verstümmelung des Werks führt oder wenn sie auf andere Weise nachteilig für das Ansehen oder die Ehre des Urhebers ist (Sec. 80 (1), (2) CDPA).

untrennbar mit der Person des Urhebers verbunden und steht damit jedermann zu, der fälschlicherweise als Urheber von literarischen. dramatischen, musikalischen oder künstlerischen Werken oder als Filmregisseur bezeichnet wurde.[151] Diese Ausnahmeregelung gilt nicht für Computerprogramme oder von Computern erzeugte Programme.

Zuletzt ist Sec. 85 CDPA zu erwähnen, die die Privatsphäre bezüglich mancher Fotografien und Filme schützt: Wer das Anfertigen von Fotografien oder Filmen zu privaten oder häuslichen Zwecken in Auftrag gibt, hat das Recht, sofern diese urheberrechtlichen Schutz genießen, über die Verbreitung, öffentliche Ausstellung, Vorführung oder Sendung derselben zu bestimmen.[152] In Abs. 2 sind sodann weitreichende Ausnahmen zu diesem Recht normiert.[153] Hier fällt auf, dass diese Vorschrift ebenso wie Sec. 84 CDPA, mit der eine Person das Unterschieben fremder Werke verhindern kann, weniger dem Schutz ideeller Interessen des Urhebers als vielmehr dem Schutz allgemeiner Persönlichkeitsrechte zugedacht ist, die unabhängig von der Stellung als Urheber geschützt werden, und damit nicht den Urheberperönlichkeitsrechten im engeren Sinn zugeschrieben werden können.[154]

### (2) Dauer, Verzicht und Durchsetzung der Moral Rights

In England erlöschen die Moral Rights grundsätzlich gemeinsam mit den Verwertungsrechten mit Ablauf des Copyrights an dem betreffenden Werk (Sec. 86 (1) CDPA). Davon weicht das Recht bei falscher Zuschreibung der Urheberschaft ab, wonach die Frist bereits 20 Jahre nach dem Tod des angeblichen Urhebers abläuft (Sec. 86 (2) CDPA). Zu beachten ist außerdem, dass die Urheberpersönlichkeitsrechte in Form der Moral Rights kein Bestandteil des englischen Copyrights an sich sind.[155] Wird der Rechtsinhaber in seinen Moral Rights verletzt, muss er wegen Verletzung einer gesetzlich auferlegten Verpflichtung gemäß Sec. 103 (1) CDPA Klage erheben, die auf eine Unterlassungsanordung oder, wenn der Richter

---

151 *Clark v Associated Newspapers* [1998] 1 All ER 959, 964.

152 Dieses Recht auf Wahrung der Privatsphäre des Auftraggebers privater Filme oder Fotografien soll das vormals im *Copyright Act 1956* bestehende Copyright des Auftraggebers an diesen Werken, das heute dem Fotografen zusteht, kompensieren und den Auftraggeber vor ungewollter Verwertung der Bilder schützen, *Durie*, GRUR Int. 1990, 832, 834, 837.

153 Die wohl wichtigste Ausnahme ist in Sec. 85 (2) lit. 1 CDPA normiert und besagt, dass das Recht auf Privatsphäre nicht verletzt ist, wenn das Werk beiläufig in ein Kunstwerk, einen Film oder eine TV-/Rundfunksendung eingefügt wird.

154 *Torremans*, Holyoak and Torremans Intellectual Property Law, S. 227 f., der vertritt, dass Sec. 85 CDPA auch das Fehlen eines allgemeinen Rechts auf Privatsphäre kompensieren solle, wobei diese Lücke durch den Erlass des *Human Rights Act 1998* teilweise gefüllt worden sei; *Schack*, Urheber- und Urhebervertragsrecht, S. 181 Rn. 361.

155 *Bently/Sherman*, Intellectual Property Law, S. 231 f.; *Cornish*, GRUR Int. 1990, 500.

es als geeignetes Mittel erachtet, auch auf eine Gegendarstellung gerichtet ist.[156] Daneben sind klassische Rechtsinstrumente des Common Law heute weiterhin neben dem gesetzlichen Schutz der Moral Rights einsetzbar.[157]

Abschließend ist festzustellen, dass die englischen Moral Rights trotz ihrer gesetzlichen Normierung nicht den Schutzstandard erfahren, der ihnen in den *Droit d'auteur*-Rechtsordnungen zukommt. Von den vier aufgezählten Rechten können nur zwei dem engeren Bereich der Urheberpersönlichkeitsrechte zugeschrieben werden. Das Recht gegen falsche Zuschreibung der Urheberschaft gemäß Sec. 84 CDPA und das Recht auf Schutz der Privatsphäre bezüglich mancher Fotografien und Filme aus Sec. 85 CDPA, die beide nicht notwendigerweise von dem Urheber selbst wahrgenommen werden müssen, spiegeln allenfalls entfernt die ideellen Interessen des Urhebers als Werkschöpfer wieder. Zudem erfahren die Rechte eine enorme Schwächung durch die Möglichkeit ihrer antizipierten uneingeschränkten Verzichtbarkeit[158] gemäß Sec. 87 (2)–(4) CDPA und durch die weitgefassten Ausnahmen innerhalb der einzelnen Befugnisse.

### hh) Rechtsverletzung

In seinen Ursprüngen war das Copyright, wie auch der Wortlaut verrät, ein ausschließliches Recht des Copyright-Inhabers, Kopien eines Werks anzufertigen.[159] Daher wurde in England eine Verletzung des Copyrights angenommen, wenn das Recht, Kopien herzustellen, durch die Anfertigung unerlaubter Vervielfältigungsstücke verletzt wurde.[160] Die Definition einer Urheberrechtsverletzung wurde im Lauf der Jahre verfeinert und so ist nicht nur der Katalog verbotener Handlungen gewachsen, auch eine Unterscheidung zwischen primären und sekundären Verletzungshandlungen wird heute vorgenommen.

#### (1) Primäre Verletzungshandlung

Wie bereits oben festgestellt, stehen dem Rechtsinhaber nach Sec. 16 ff. CDPA bestimmte ausschließliche Verwertungsrechte zu, die im Einzelnen in Sec. 16 (1) CDPA aufgezählt werden. Die darin aufgeführten Handlungen sind auf den Copyright-Inhaber beschränkt *(restricted acts)*: Demnach begeht jeder, der eine solche Handlung selbst vornimmt oder andere zur Vornahme ermächtigt, ohne vorher eine

---

156 Sec. 103 (2) CDPA.

157 Wegen *Defamation*, *Passing off* oder Verletzung vertraglicher Absprachen.

158 Zwar schreibt Sec. 87 (2) CDPA die Schriftform als zu wahrendes Formerfordernis für die Verzichtserklärung vor, allerdings wird der dadurch gewährte Schutz des Urhebers mit Abs. 4 geschwächt, der betont, dass die allgemeinen vertragsrechtlichen Grundsätze bezüglich formlosen Verzichts weiterhin Geltung haben.

159 *Torremans*, Holyoak and Torremans Intellectual Property Law, S. 231.

160 *Torremans*, Holyoak and Torremans Intellectual Property Law, S. 231.

Genehmigung des Rechtsinhabers erhalten zu haben, eine unmittelbare Urheberrechtsverletzung.[161] Hervorzuheben ist, dass bei der Prüfung einer solchen primären Verletzungshandlung die subjektive Tatseite irrelevant ist. Ungeachtet möglicher Erlaubnisirrtümer oder einer unbewussten Verwertung geschützter Werke[162] ist der Tatbestand allein bei Vorliegen der objektiven Merkmale erfüllt.[163]

Zusammenfassend ist festzuhalten, dass bei einer primären Urheberrechtsverletzung der Kläger die Beweislast für den Nachweis folgender Bedingungen trägt:[164] (1) Der Beklagte hat eine der ausschließlich dem Rechtsinhaber vorbehaltenen Handlungen ausgeführt; (2) das Werk des Beklagten wurde vom geschützten Werk abgeleitet (ein Kausalzusammenhang besteht) und (3) die Handlung wurde in Bezug auf das Werk oder eines wesentlichen Teils[165] davon vorgenommen.

– *Kausalzusammenhang*

Die eingeschränkten Handlungen, die ausschließlich dem Rechtsinhaber vorbehalten sind, wurden bereits oben besprochen[166] und so soll an dieser Stelle sogleich auf den geforderten Kausalzusammenhang zwischen dem vom Beklagten hergestellten Werk und dem Originalwerk eingegangen werden. Für das Vorliegen einer solchen Kausalkette ist es unschädlich, wenn die mutmaßliche Kopie nicht direkt auf das geschützte Werk rückführbar ist; auch die Vervielfältigung einer Kopie stellt eine Verletzungshandlung dar.[167] Dabei ist es zudem unbeachtlich, ob das erste Vervielfältigungsobjekt legal oder illegal hergestellt wurde.[168] Die Erbringung des Beweises, dass tatsächlich eine Kopie angefertigt wurde, bestimmt sich nach den Umständen des Einzelfalls und kann in manchen Fällen äußerst heikel sein: Es ist nicht immer möglich, den direkten Nachweis zu erbringen, dass ein Werk unmittelbar verwandt wurde, um die Kopie zu erstellen. So ist es gängige Rechtspraxis, eine Vermutung bezüglich einer erfolgten Vervielfältigungshandlung aufzustellen, soweit (1) zwischen beiden Gegenständen eine Ähnlichkeit besteht, die ausreichend stark, zahlreich und ausgeprägt[169] ist, um auf eine Vervielfältigungs-

---

161 Sec. 16 (2) CDPA.

162 Dazu kann es etwa bei einem Komponisten kommen, der in seiner Komposition Tonfolgen und Melodien verwendet, die er zuvor an anderer Stelle gehört hat. Gerichte haben in der Vergangenheit das Argument zugelassen, dass die Ableitung eines Werks auch unbewusst erfolgen kann; *Bently/Sherman*, Intellectual Property Law, S. 175.

163 *Torremans*, Holyoak and Torremans Intellectual Property Law, S. 234.

164 *Bently/Sherman*, Intellectual Property Law, S. 171.

165 Sec. 16 (3) CDPA.

166 Siehe oben Fünfter Teil, III.A.1.b)cc); *Bently/Sherman*, Intellectual Property Law, S. 135 ff.

167 Sec. 16 (3) lit. b CDPA.

168 Sec. 16 (3) CDPA.

169 *Designers Guild Ltd v Russell Williams Textiles Ltd* [2000] 1 WLR 2413, [2001] FSR 113.

handlung und nicht eine bloß zufällige Übereinstimmung[170] schließen zu lassen, und (2) für den Beklagten die Möglichkeit der Kenntnisnahme des älteren Originalwerks bestand.[171] Ist es dem Rechtsinhaber gelungen, einen solchen Zusammenhang zwischen beiden Werken zu beweisen, kommt es zu einer Beweislastumkehr und der Beklagte muss nachweisen, dass sein Werk unabhängig geschaffen wurde.[172]

– *Kopie wesentlicher Teile*

Zur Erfüllung dieser Voraussetzung müssen zwei Elemente vorhanden sein. Zunächst muss eine Vervielfältigungshandlung vorliegen. Dafür war nach traditionellem Verständnis erforderlich, dass ein Vervielfältigungsstück des Werks in körperlicher Form vorliegt. Allerdings musste das Vervielfältigungsrecht an die geänderten Bedingungen im digitalen Zeitalter angepasst werden und so ist heute auch elektronisches Kopieren und das Anfertigen temporärer Kopien auf digitalen Speichermedien erfasst, die bei Abruf eines Werks über das Internet oder am Computer genutzt werden.[173] Denn das Kopieren eines Werks meint die Vervielfältigung in jeglicher körperlicher Form. Dies schließt die elektronische Speicherung des Werks auf jedem Trägermedium mit ein (Sec. 17 (2) CDPA).[174] Bezüglich Filmen oder TV-Sendungen gilt, dass das Fotografieren des ganzen oder eines wesentlichen Teils eines Bildes aus dem Film bereits als Vervielfältigung anzusehen ist. Dabei ist das Anfertigen digitaler Fotografien einbegriffen.[175] Auch nur vorübergehend geschaffene oder beiläufig entstandene Kopien, die bei einer anderen Nutzung des Werks angefallen sind, fallen darunter.[176] Außerdem besteht heute keinerlei Zweifel daran, dass auch das Zugänglichmachen von Werken über das Internet eine Verletzungshandlung darstellen kann: Gesetzesänderungen durch die *2003 Regula-*

---

170 *Stephan Malmstedt v EMI Records Ltd & Per Gessle* [2003] ECDR 162.

171 *Torremans*, Holyoak and Torremans Intellectual Property Law, S. 232. Wichtig für die Bestimmung der Kenntnisnahmemöglichkeit sind Alter des geschützten Werks sowie Verbreitungsdichte, *Francis Day & Hunter v Bron* [1963] Ch 587.

172 *Designers Guild Ltd v Russell Williams Textiles Ltd* [2000] 1 WLR 2416, 2425; *Ibcos Computers v Barclays Mercantile Highland Finance* [1994] FSR 275, 297. Beispielsweise könnte der Beklagte belegen, dass beide Werke von derselben Quelle inspiriert wurden, *Harman Pictures v Osborne* [1967] 1 WLR 723, 728.

173 *Stokes*, Digital Copyright, S. 37.

174 Bereits unter dem *1956 Copyright Act* ließ es die Rechtsprechung für die Erfüllung des Erfordernisses der körperlichen Form genügen, wenn Rennsport-Ergebnisse auf einem TV- oder einem Computerbildschirm wiedergegeben wurden; *Bookmakers' Afternoon Greyhound Services Ltd v Wilf Gilbert (Staffs) Ltd* [1994] FSR 723.

175 Sec. 17 (4) CDPA.

176 Sec. 17 (6) CDPA; So wurde in *Kabushiki Kaisha Sony Computer Entertainment Inc v Ball* [2004] EWHC 1738 (ChD) in den Randnummern 15, 17 befunden, dass eine vorübergehende Kopie auf dem Arbeitsspeicher des PCs (Computer RAM) eine Vervielfältigung in körperlicher Form darstellt und dass gemäß Sec. 27 CDPA der RAM-Chip selbst eine rechtswidrige Kopie ist.

*tions*[177] haben bewirkt, dass im Fall von literarischen, dramatischen, musikalischen und künstlerischen Werken sowie bei Filmen, Tonaufnahmen und TV-/Rundfunksendungen die Übermittlung des Werks an die Öffentlichkeit eine Urheberrechtsverletzung darstellt. Dabei meint „Übermittlung an die Öffentlichkeit" eine Veröffentlichung durch elektronische Übertragung. Umfasst sind: (a) die Sendung des Werks und (b) die Zugänglichmachung des Werks für die Öffentlichkeit durch elektronische Übertragung, wobei die einzelnen Nutzer selbst Ort und Zeit der Inanspruchnahme wählen können.

Um eine rechtswidrige Vervielfältigungshandlung zu bejahen, reicht es jedoch nicht aus, nur auf die Anfertigung einer Kopie abzustellen. Das zweite, unabhängig von der Vervielfältigungshandlung erforderliche Element[178] betrifft die Frage, ob das ganze Werk oder ein wesentlicher Teil davon vervielfältigt worden sind (Sec. 16 (3) lit. a CDPA). Während Fälle, in denen das gesamte Werk vervielfältigt wurde, unschwer auf eine Verletzungshandlung schließen lassen, ist die Beantwortung der Frage bezüglich der Kopie wesentlicher Teile komplexer und erfordert grundsätzlich eine Einzelfallbetrachtung.[179] Einigkeit besteht darin,[180] dass nicht auf den Umfang des kopierten Materials, sondern auf die Qualität desselben abzustellen ist.[181] Dies wurde auch in neueren Entscheidungen bestätigt, in denen das Gericht betonte, dass das Vorliegen eines wesentlichen Teils nicht nach quantitativen, sondern nach qualitativen Gesichtspunkten zu beantworten ist.[182] Demnach kann auch ein sehr kleiner Teil des Werks als wesentlich erachtet werden. Nicht geschützt ist hingegen die bloße Idee eines Werks; lediglich ein wesentlicher Teil einer im Werk ausgedrückten Idee ist umfasst, wobei sich dieser ebenfalls nicht mengenmäßig berechnen lässt.[183] Dabei kommt einer Verwertung der wichtigsten und interessantesten Teile des geschützten Werks ein besonderes Gewicht zu.[184]

---

177 *Copyright and Related Rights Regulations 2003*, eingefügt durch Statutory Instrument 2003/2498.

178 *Nova Productons Ltd v William Hill (Football) Ltd* [1964] 1 All ER 465, [1964] 1 WLR 273.

179 *Torremans*, Holyoak and Torremans Intellectual Property Law, S. 235 f.

180 In den letzten Jahren haben manche Gerichte eine Urheberrechtsverletzung auch dann bejaht, wenn die Verwertung des geschützten Werks nicht von unbedeutendem Umfang war, und haben damit eine Art *De-minimis-Grenze* angenommen, *Designers Guild v Williams* [2000] 1 WLR 2416, 1318; auch: *Newspaper Licensing Agency v Marks & Spencer plc* [2001] Ch 257, 268. Dieser Ansatz wird aber wegen einer Ausdehnung der Rechte des Urhebers kritisiert, *Bently/Sherman*, Intellectual Property Law, S. 186.

181 *Torremans*, Holyoak and Torremans Intellectual Property Law, S. 235; *Bently/Sherman*, Intellectual Property Law, S. 188.

182 *The Newspaper Licensing Agency Ltd v Marks & Spencer plc* [2003] 1 AC 551, 559; *Designers Guild Ltd v Russell Williams Textiles Ltd* [2000] 1 WLR 2416, 2422; *Ladbroke (Football) v William Hill (Football)* [1964] 1 WLR 273, 288.

183 *Torremans*, Holyoak and Torremans Intellectual Property Law, S. 235.

184 *Torremans*, Holyoak and Torremans Intellectual Property Law, S. 235; *The Newspaper Licensing Agency Ltd v Marks & Spencer plc* [2003] 1 AC 551, 559.

Bei einem literarischen Werk sei nach der literarischen Originalität zu fragen,[185] bei einem Kunstwerk nach der visuellen Originalität, also nach der visuellen Bedeutung des kopierten Teils.[186]

Weist das neue Werk zusätzliches Material auf oder wurde es im Vergleich zum Erstwerk gekürzt, so beeinträchtigt dies grundsätzlich nicht das Kopieren wesentlicher Teile.[187] Auch die Abänderung der Kopie im Vergleich zum Erstwerk muss der Bejahung dieser Voraussetzung nicht entgegenstehen; hier ist darauf abzustellen, ob ein wesentlicher Teil des geschützten Werks im neuen Werk fortbesteht.[188] Letztlich ist auch die Kopie nicht geschützter Teile des Werks verboten, wenn sie im selben Zusammenhang wiedergegeben wird wie im Originalwerk.[189]

(2) Sekundäre Rechtsverletzung

Neben den primären Rechtsverletzungen, die sich unmittelbar auf das Vervielfältigen, Abspielen usw. des geschützten Werks beziehen, erfasst der CDPA auch sogenannte sekundäre Rechtsverletzungen. Diese beinhalten neben der wirtschaftlichen Verwertung illegaler Vervielfältigungsstücke auch das Erleichtern einer Vervielfältigungshandlung oder das Erleichtern der öffentlichen Wiedergabe. Aber nicht nur im Anwendungsbereich divergieren die beiden Arten von Rechtsverletzungen. Ein zweiter Unterschied liegt im Erfordernis eines psychologischen Elements: Die Haftung des Verletzers ist bei einer mittelbaren Verletzungshandlung davon abhängig, ob er wusste oder hätte wissen müssen, dass die infrage stehenden Handlungen widerrechtlich sind.[190] Dieses Wissenselement ist objektiv zu beurteilen, wobei darauf abgestellt wird, ob ein objektiver Dritter in der Situation des Rechtsverletzers vernünftigerweise hätte wissen müssen, dass sein Handeln eine Rechtsverletzung darstellt.[191] Ein bloßer Verdacht ist nicht ausreichend.[192]

---

185 In diesem Fall neigte das Gericht allerdings dazu, Qualität nach ästhetischen Aspekten zu beurteilen, was die Gefahr einer Diskriminierung birgt, *Bently/Sherman*, Intellectual Property Law, S. 188.

186 *Billhöfer Maschinenfabrik v T.H. Dixon & Co.* [1990] FSR 105.

187 *Hyperion Records Ltd v Lionel Sawkins* [2005] 1 WLR 3281 (CA).

188 *Schweppes Ltd v Wellington Ltd* [1984] FSR 210; *Redwood Music v Chappell & Co Ltd* [1982] RPC 109.

189 *Biotrading & Financing OY v Biohit Ltd* [1998] FSR 109, 121; *Torremans*, Holyoak and Torremans Intellectual Property Law, S. 238.

190 Sec. 22–26 CDPA.

191 Vgl. *Infabrics Ltd v Jaytex Shirt Co.* [1978] FSR 451; *Torremans*, Holyoak and Torremans Intellectual Property Law, S. 244.

192 *LA Gear Inc. v Hi-Tec Sports plc* [1992] FSR 121 at 129; *Torremans*, Holyoak and Torremans Intellectual Property Law, S. 244 f.

Es gibt zwei Kategorien von sekundären Rechtsverletzungen:[193] Zum einen werden in Sec. 22[194] und 23[195] CDPA solche zusammengefasst, die sich mit der gewerblichen Verbreitung oder Verwertung rechtswidriger Vervielfältigungsstücke befassen. Nach der Definition in Art. 27 (2) CDPA handelt es sich bei rechtswidrigen Vervielfältigungsstücken um Kopien, deren Anfertigung eine Urheberrechtsverletzung des geschützten Werks mit sich bringt.[196] Daneben werden in Sec. 24–26 CDPA Verletzungshandlungen beschrieben, die das Vervielfältigen geschützter Werke erleichtern, indem Ausrüstung oder andere Mittel zur Verfügung gestellt werden. So begeht nach Sec. 24 CDPA eine Urheberrechtsverletzung, wer ohne Genehmigung des Rechtsinhabers einen Gegenstand, der speziell zur Herstellung von Vervielfältigungsstücken entworfen oder angepasst wurde, herstellt, in das Vereinigte Königreich einführt, im Geschäftsbetrieb besitzt, verkauft oder verleiht oder zu Verkaufs- oder Verleihzwecken ausstellt. Dieser Gegenstand muss speziell für die Vervielfältigungshandlung entworfen oder angepasst worden sein. Es ist nicht ausreichend, dass er lediglich dazu geeignet ist, Kopien herzustellen, wie etwa ein Fotokopiergerät.[197] Besondere Vorschriften gelten nach Sec. 24 (2) CDPA auch für Personen, die das Werk ohne Genehmigung des Rechtsinhabers mit Hilfe von Telekommunikationssystemen, beispielsweise einem Faxgerät, übertragen. Nicht erfasst ist hiervon allerdings eine öffentliche Übertragung.[198] Das subjektive Element erfordert hier Wissen oder Wissenmüssen, dass durch den Empfang rechtswidrige Vervielfältigungsstücke angefertigt werden.

Die Verletzung von Urheberrechten an literarischen, dramatischen oder musikalischen Werken durch die Aufführung an Plätzen öffentlicher Unterhaltung[199] wird in Sec. 25 (1) CDPA beschrieben. Gibt jemand die Erlaubnis für eine solche Auf-

---

193 *Bently/Sherman*, Intellectual Property Law, S. 195.

194 Gemäß Sec. 22 CDPA ist es eine Urheberrechtsverletzung, wenn ohne Genehmigung des Rechtsinhabers ein rechtswidriges Vervielfältigungsstück in das Vereinigte Königreich zu anderem als privatem oder familiärem Gebrauch eingeführt wird.

195 Gemäß Sec. 23 CDPA begeht Urheberrechtsverletzungen, wer ohne die Genehmigung des Rechtsinhabers, (a) ein rechtswidriges Vervielfältigungsstück im Lauf des Geschäftsbetriebs besitzt, wobei *im Lauf des Geschäftsbetriebs* gemäß Sec. 178 CDPA wirtschaftlichen Handel und den Beruf umfasst; (b) ein rechtswidriges Vervielfältigungsstück verkauft, verleiht, anbietet oder zum Verkauf oder Verleih ausstellt; (c) ein rechtswidriges Vervielfältigungsstück im Lauf des Geschäftsbetriebs öffentlich ausstellt oder verbreitet; (d) ein rechtswidriges Vervielfältigungsstück anders als im Lauf des Geschäftsbetriebs verbreitet und dabei solche Ausmaße erreicht, dass der Rechtsinhaber nachteilig betroffen ist.

196 Bezüglich importierter Vervielfältigungsstücke handelt es sich auch dann um illegale Kopien, wenn diese zum Zweck der Einfuhr in das Vereinigte Königreich hergestellt wurden und ihre Herstellung in England eine Urheberrechtsverletzung darstellen würde, gemäß Sec. 27 (3) CDPA.

197 *Bently/Sherman*, Intellectual Property Law, S. 197.

198 *Bently/Sherman*, Intellectual Property Law, S. 197.

199 Die Definition für Plätze öffentlicher Unterhaltung gibt Sec. 52 (2), auch erfasst werden Örtlichkeiten, die nur gelegentlich für die öffentliche Unterhaltung genutzt werden.

führung, so stellt auch diese Handlung eine Rechtsverletzung dar, wenn vernünftigerweise nicht angenommen werden konnte, dass die Aufführung das Copyright nicht verletzen würde. Auch das Erleichtern einer öffentlichen Aufführung sowie das öffentliche Abspielen oder Zeigen eines Werks[200] wurde in Sec. 26 CDPA speziell geregelt. Ist der in Abs. 1 beschriebene Tatbestand erfüllt, so begeht derjenige, der die Gerätschaften oder einen wesentlichen Teil davon bereitstellte, eine Urheberrechtsverletzung, wenn er bei der Bereitstellung (a) wusste oder hätte wissen müssen, dass das Gerät dazu geeignet war, zur Verletzung von Urheberrechten genutzt zu werden; (b) im Fall des Vorliegens eines Geräts, dessen normaler Gebrauch eine öffentliche Aufführung mit sich bringt, vernünftigerweise davon ausgehen konnte, dass es zur Verletzung von Urheberrechten genutzt würde.[201]

Zuletzt ist kurz anzumerken, dass mit Umsetzung der Harmonisierungs-RL durch die *Copyright and Related Rights Regulations 2003* Vorschriften über die Umgehung technischer Schutzmaßnahmen in das CDPA eingeführt wurden.[202] Diese ähneln den Regelungen über sekundäre Rechtsverletzungen,[203] sollen aber weiter unten ausführlicher behandelt werden.[204]

### c) *Rechtsfolgen*

#### aa) Schadensersatz (Sec. 97 CDPA)

Bei Vorliegen einer Urheberrechtsverletzung besteht nach Sec. 97 (1) CDPA kein Anspruch auf Schadensersatz, wenn der Beklagte zum Zeitpunkt der Vornahme der Verletzungshandlung nicht wusste und auch keinen Grund zur Annahme hatte, dass der Streitgegenstand urheberrechtlich geschützt war. Jede andere verfügbare Maßnahme bleibt jedoch erhalten (Sec. 97 (2) a.E. CDPA). Die Bedeutung dieser Einschränkung bezüglich des Schadensersatzanspruchs kann aber häufig vernachlässigt werden, denn für einen Beklagten ist die Erbringung des Beweises, dass ihm der urheberrechtliche Schutz des Werks nicht bekannt war, schwer.[205]

---

200 Durch ein Gerät, das (a) zum Abspielen von Tonaufnahmen, (b) zum Vorführen von Filmen, (c) zum Empfang von Bildern oder Tonaufnahmen durch elektronische Mittel geeignet ist.

201 Des Weiteren werden in Abs. 3 Besitzer von Räumlichkeiten erfasst, die die Erlaubnis zur Heranschaffung des Geräts in die Räumlichkeiten gaben, wenn sie wussten oder hätten wissen müssen, dass das Gerät wahrscheinlich zur Verletzung von Urheberrechten genutzt werden würde. Abs. 4 macht Personen haftbar, die Kopien von Tonaufnahmen oder Filmen bereitstellen, wenn sie wussten oder hätten wissen müssen, dass die Kopie wahrscheinlich zur Verletzung von Urheberrechten genutzt werden würde.

202 Vgl. Teil VII, Sec. 296–296ZF CDPA.

203 *Bently/Sherman*, Intellectual Property Law, S. 197 f.

204 Siehe unten Fünfter Teil, III.A.3.

205 Insbesondere, wenn es sich dabei um einen Gewerbetreibenden handelt, *Phillips/Durie/Karet*, Whale on Copyright, S. 90.

Von Relevanz ist diese Passage jedenfalls für den Rechtsinhaber; dieser sollte bei Kenntniserlangung über eine Verletzungshandlung den mutmaßlichen Rechtsverletzer unverzüglich darüber informieren.

Der Schadensersatz soll nach der Grundregel in urheberrechtlichen Streitsachen einen Ausgleich für die Verluste des Klägers bilden.[206] Grundsätzlich erhält der Kläger den Schaden ersetzt, der ihm durch die aufgrund der Verletzungshandlung des Beklagten entgangenen Verkäufe entstanden ist.[207] Kann an solche Verkaufszahlen nicht angeknüpft werden, so kann mit Hilfe einer Lizenzanalogie auf die für eine solche Nutzung angemessene Lizenzgebühr abgestellt werden, insbesondere, wenn der Rechtsinhaber seine Urheberrechte durch Lizenzvergaben verwertet.[208] Als eine Alternative zum entgangenen Gewinn kann der Rechtsinhaber außerdem den vom Verletzer erzielten unrechtmäßigen Gewinn verlangen. Zu beachten ist weiterhin, dass die Höhe des Schadensersatzes eingeschränkt wird, wenn der Verletzer im Lauf des Verfahrens, nach Vornahme der Verletzungshandlung die Lizenz für die Werknutzung beantragt. Der Schadensersatz darf dann nach Sec. 98 (1) lit. c CDPA nicht höher ausfallen als die doppelte Lizenzgebühr.

#### bb) Zusätzlicher Schadensersatz (Sec. 97 (2) CDPA)

Hat der Beklagte nicht nur den allgemeinen Haftungstatbestand erfüllt, sondern zeigt er darüber hinaus ein besonders bösartiges oder rücksichtsloses Verhalten, dann kann das Gericht dem Kläger einen zusätzlichen Schadensersatz *(additional damages)* zuerkennen. Dieser bemisst sich unter Berücksichtigung der Umstände des Einzelfalls einerseits nach der Verwerflichkeit der Urheberrechtsverletzung und andererseits nach dem Umfang des Vorteils, der dem Beklagten erwachsen ist.[209]

Ungewöhnlich ist die gewählte Terminologie der Gewährung eines *zusätzlichen* Schadensersatzes in Fällen von Urheberrechtsverletzungen.[210] Die Zuerkennung eines Strafschadensersatzes (sog. *punitive damages*), bei dem Bestrafung und Ab-

---

206 *Phillips/Durie/Karet*, Whale on Copyright, S. 88; *Gerber Garment Technology v Lectra Systems* (1997) RPC 443; ebenso *Ultraframe (UK) Ltd v Eurocell Building Plastics Ltd & Another* (2006) EWHC 1344 (Pat), Rn. 47.

207 *Cohen,* in: Campbell/Cotter (eds.), Copyright Infringement, S. 385; *Garnett/Davies/Harbottle*, Copinger and Skone James on Copyright, S. 1071–1075.

208 Wurde eine Lizenzgebühr im Einzelfall nicht vertraglich festgelegt, so muss das Gericht die Höhe nach den individuellen Umständen schätzen, *General Tire & Rubber Co v Firestone Tyre & Rubber Co Ltd* [1976] RPC 197.

209 *Davies*, Intellectual Property Law, S. 66; *Redrow Homes Ltd and Another v Bett Bros plc and Another* [1998] 1 All ER; *Phillips/Durie/Karet*, Whale on Copyright, S. 90.

210 Während in den meisten anderen englischen Gesetzen zwischen Strafschadensersatz (*exemplary* oder *punitive damages*), entschädigendem Schadensersatz *(restutionary damages)* und Schadensersatz wegen seelischer Störungen *(aggravated damages)* unterschieden wird, wählte man für den CDPA einen neuen und damit unbestimmten Schadensersatzbegriff.

schreckung des Verletzers im Vordergrund stehen,[211] kann wegen des ungenauen Wortlauts zwar nicht grundsätzlich ausgeschlossen werden,[212] jedoch wurden in den *Intellectual Property (Enforcement, etc.) Regulations 2006*[213] in Sec. 3 (2) genauere Angaben zur Bemessung der Schadenshöhe bei Gewährung zusätzlichen Schadensersatzes gemacht: (a) Es sollen alle relevanten Umstände berücksichtigt werden, insbesondere (i) die negativen wirtschaftlichen Folgen, wie verlorene Gewinne des Rechtsinhabers oder unfaire Gewinne des Beklagten; (ii) nicht wirtschaftliche Faktoren wie ein vom Rechtsinhaber aufgrund der Rechtsverletzung erlittener immaterieller Schaden; (b) wenn sie geeignet sind, sollen die Tantiemen und Gebühren, die für die Lizenzierung geschuldet wären, als Bemessungsgrundlage dienen. In Abs. 3 wird sodann ausgeführt, dass andere Rechtsbehelfe und rechtsstaatliche Grundsätze von dieser Vorschrift grundsätzlich nicht berührt werden und nur wenn sie mit dieser Regel unvereinbar sind, zurücktreten müssen. Da das Institut der *punitive damages* hier nicht ausdrücklich aufgeführt wurde, folgern manche Autoren,[214] dass der Rechtsbehelf des Strafschadensersatzes bei der Bemessung des zusätzlichen Schadensersatzes unberücksichtigt bleibt.

#### cc) Rechnungslegung (Sec. 96 (2) CDPA)

Bei einer Rechnungslegung muss der Beklagte seine Gewinne aus der rechtswidrigen Verwertung des geschützten Werks offenlegen. Das Gericht kann den sich daraus ergebenden Betrag anschließend dem Kläger zusprechen. Diese Maßnahme ist insbesondere dann ratsam, wenn die aus der Verletzungshandlung gezogenen Gewinne den erlittenen Schaden übersteigen, etwa bei kostengünstig herzustellen-

---

211 In England gewährt das Institut der *punitive* oder *exemplary damages* Schadensersatz, der die Höhe des erlittenen Schadens übersteigt. Der Verletzer soll vorrangig für sein rücksichtsloses Verhalten bestraft werden. Dies bringt auch eine Genugtuung für das Opfer mit sich und hilft damit, private Racheakte zu vermeiden. Daneben soll präventiv vor künftigem sozialschädlichem Verhalten abgeschreckt werden, wenn die entstandene Pflicht zum Schadensausgleich eine solche Steuerung des Verhaltens noch nicht ausreichend gewährleistet. Außerdem soll der Geschädigte für die auf seinem Einsatz beruhende Durchsetzung des Rechts belohnt werden, die zur Stärkung der Rechtsordnung im Allgemeinen beigetragen hat; BVerfGE 91, 335, 343 f. Das Common Law gewährt dieses Institut nur bei Vorliegen besonderer Voraussetzungen, vgl. *Rookes v Barnard* [1964] AC, S. 1129. Außerdem muss der Verletzer vorsätzlich die unerlaubte Handlung begangen haben, *Laddie/Prescott/Vitoria*, The Modern Law of Copyright and Designs, S. 1798; *Torremans*, Holyoak and Torremans, Intellectual Property Law, S. 585.

212 Die britische Regierung hat eine Gesetzesänderung des CDPA vorgeschlagen, um die Möglichkeit der Gewährung von Strafschadensersatz in Fällen von Urheberrechtsverletzungen auszuschließen. Als Begründung wird angeführt, dass ein zivilrechtlicher Strafschadensersatz in Anbetracht der verfügbaren strafrechtlichen Sanktionen bei vorsätzlichem Handeln unangemessen sei, vgl. Out-Law News, UK Government Proposal to replace term *additional damages* with *aggravated* and *restitutional* damages in the CDPA, 14.5.2007, abrufbar unter: http://www.out-law.com [10.3.2009].

213 Statutory Instrument 2006/1028, in Kraft seit 29.4.2006.

214 *Smith/Wheeler/Burke*, [2006] EIPR N–125-126.

den Vervielfältigungsstücken, die mit hohem Gewinn verkauft werden können.[215] Dem Institut der Rechnungslegung liegt der Gedanke zugrunde, dass der Rechtsverletzer seinen Geschäftsbetrieb auf Kosten des Rechtsinhabers ausgeführt hat und daher dazu verpflichtet ist, die durch die Urheberrechtsverletzung gemachten Gewinne an den Geschädigten abzuführen.[216] Die Ansprüche auf Rechnungslegung und auf Schadensersatz stehen sodann auch in einem Alternativverhältnis zueinander, weil mit der Rechnungslegung die Verletzungshandlung bereits abgegolten sein soll.[217] Der Kläger kann diesen Rechtsbehelf anstelle eines Schadensersatzanspruchs beantragen. Letztlich liegt es aber im Ermessen des Gerichts, die Rechnungslegung zuzusprechen, denn im Gegensatz zum Schadensersatzanspruch besteht für den Kläger kein Anspruch darauf.[218] Nachteilig wirken sich für die Praktikabilität dieses Instituts hohe Kosten und Schwierigkeiten bei der Aufstellung der Gewinne aus, insbesondere wenn nur ein Teil des geschützten Werks verwertet wurde.[219] Zudem ist es für den Beklagten häufig ein Leichtes, seine gemachten Gewinne herabzusetzen und zu verschleiern.[220]

Zuletzt ist anzumerken, dass dieselbe Begrenzung bezüglich des zu leistenden finanziellen Ersatzes wie bei der Höhe des Schadensersatzes gilt. Nach Sec. 98 (1) lit. c CDPA darf der zu entrichtende Betrag nicht höher ausfallen als die doppelte Lizenzgebühr, wenn der Beklagte zwischenzeitlich eine Lizenz für die Werknutzung beantragt hat.

#### dd) Unterlassungsanspruch (Sec. 96 (2) CDPA)

Nach Sec. 96 (2) CDPA stehen dem Kläger in einem Verfahren über Urheberrechtsverletzungen alle Rechtsbehelfe zur Verfügung, die ihm bei der Verletzung eines anderen Eigentumsrechts zustünden. Neben Schadensersatz und Rechnungslegung wird auch die gerichtliche Unterlassungsverfügung genannt. Es steht im Ermessen des Gerichts, die Fortführung einer Verletzungshandlung zu verbieten. Grundsätzlich wird zugunsten des Klägers entschieden, der im Hauptverfahren obsiegt hat, auch wenn dieser keinen bezifferbaren Schaden erlitten hat.[221] Nur selten wurde dieses Instrument verwehrt, etwa wenn die Verletzungshandlung unbedeutend ist oder es wahrscheinlich oder sicher ist, dass es keine Wiederholungsgefahr

---

215 *Cohen*, in: Campbell/Cotter (eds.), Copyright Infringement, S. 386.

216 *Laddie/Prescott/Vitoria*, The Modern Law of Copyright and Designs, S. 417.

217 *Phillips/Durie/Karet*, Whale on Copyright, S. 88.

218 *Laddie/Prescott/Vitoria*, The Modern Law of Copyright and Designs, S. 417.

219 *Laddie/Prescott/Vitoria*, The Modern Law of Copyright and Designs, S. 417.

220 *Cohen,* in: Campbell/Cotter (eds.), Copyright Infringement, S. 386.

221 *Laddie/Prescott/Vitoria*, The Modern Law of Copyright and Designs, S. 408; *South African Music Organisation Ltd v Trust Butchers* 1978 (1) SA 1052.

gibt.[222] Zudem kann eine Unterlassungsverfügung auch dann erlassen werden, wenn der Beklagte zu einer Zusage bereit ist, keine weiteren Verletzungshandlungen vorzunehmen.[223]

Häufig ist das Abwarten bis zur Hauptverhandlung für die Erlangung effektiven Rechtsschutzes nicht zumutbar, und so ergehen Unterlassungsanordnungen meist schon durch einstweilige Verfügungen, um den Beklagten an der Fortführung der Verletzungshandlung zu hindern.[224] Ist in einem bestimmten Fall besondere Eile gegeben, so kann die Verfügung auch *ex parte* ergehen, in Abwesenheit der beklagten Partei. Eine solche Unterlassungsverfügung dauert i.d.R. nur wenige Tage und soll dem Beklagten ermöglichen, persönlich vor Gericht zu erscheinen und der Verfügung zu widersprechen.[225] In vielen Fällen einigen sich die Parteien aus Gründen der Kostenökonomie darauf, die Anhörung im Vorverfahren bereits als Teil der Hauptverhandlung anzuerkennen.[226]

Auch vorbeugende Unterlassungsverfügungen sind dem englischen Recht nicht fremd und können nach Common Law erlassen werden.[227] Dies ist etwa der Fall, wenn der Verletzer nur Teile des urheberrechtlich geschützten Werks verletzt hat. Das Gericht unterscheidet dann i.d.R. nicht zwischen verletzten und nichtverletzten Werkteilen, sondern wird das Werk als Ganzes vor künftigen Rechtsverletzungen schützen.[228] Schwieriger ist der Erlass einer vorbeugenden Unterlassungsverfügung, wenn nur manche Werke aus einer Gruppe ähnlicher urheberrechtlich geschützter Werke verletzt werden,[229] oder wenn eine Verletzung von erst künftig urheberrechtlich geschützten Werken droht.[230] Vom Gericht zu berücksich-

---

222 Allerdings neigen die Gerichte dazu, eine Wiederholungsgefahr zu bejahen. Selbst wenn die vorherigen Verletzungshandlungen bereits verjährt waren, so in *Nicol v Barranger* [1917–23] MCC 219; *Laddie/Prescott/Vitoria*, The Modern Law of Copyright and Designs, S. 408.

223 *Australian Performing Right Association v Koolman* [1969] NZLR 273.

224 *Phillips/Durie/Karet*, Whale on Copyright, S. 88 f.

225 *Phillips/Durie/Karet*, Whale on Copyright, S. 89.

226 *Phillips/Durie/Karet*, Whale on Copyright, S. 89.

227 *Dicker v Popham, Radford & Co* (1890) 63 LT 379; *Webb v Rose* (1732) cited in: 4 Burr 2330; *Moorhouse v University of New South Wales* [1974] 3 ALR I, [1975] RPC 454; *Laddie/Prescott/Vitoria*, The Modern Law of Copyright and Designs, S. 410.

228 *Mawman v Tregg* (1826) 2 Russ 385; *Jarrold v Houlston* (1857) 3 K & J 708; *Low v Ward* (1868) LR 6 Eq 415; *Ravenscroft v Herbert* [1980] RPC 193; *Laddie/Prescott/Vitoria*, The Modern Law of Copyright and Designs, S. 410.

229 Insbesondere, wenn die Kläger Rechtsinhaber von einer großen Anzahl an Ton- oder Filmaufnahmen sind, hat der englische High Court einen großzügigeren Ansatz gewählt, etwa *Carlin Music Corporation v Collins* [1979] FSR 548; *Laddie/Prescott/Vitoria*, The Modern Law of Copyright and Designs, S. 410.

230 Mit dem Argument, dass man eine noch nicht existierende Sache schwerlich schützen könne, wurde hier der Schutz häufig abgelehnt, etwa *Football League Ltd v Littlewoods Pools Ltd* [1959] Ch 637.

tigende wichtige Faktoren sind dabei Schwere der Verletzungshandlung und Vorliegen einer Wiederholungsgefahr bzw. Erstbegehungsgefahr.[231]

ee) Unterlassungsanspruch gegen Internet Service Provider (Sec. 97A CDPA)

Die Haftung von Internet Service Providern, also Personen oder Unternehmen, die die Hardware und die Infrastruktur für die Informationsgesellschaft bereitstellen, war sowohl auf nationaler wie auch europäischer Ebene ein umstrittenes Thema.[232] Die europäische Kommission wollte ein hohes Niveau der Integration in der Gemeinschaft sicherstellen sowie unterschiedliche nationale Kodifikationsentwicklungen verhindern und harmonisierte mit den Art. 12–15 der Richtlinie über den elektronischen Geschäftsverkehr[233] die Haftbarkeit von ISP.[234] In England wurde diese Richtlinie mit den *Electronic Commerce Regulations 2002*[235] umgesetzt. Drei Immunitätstatbestände wurden für ISP[236] eingeführt, die bei der Verletzung von Urheberrechten eingreifen sollten. Darin werden die Rechtsbehelfe des Schadensersatzes oder jedes anderen finanziellen Mittels sowie jegliche strafrechtliche Haftung ausgeschlossen.[237] Allerdings wird ein Unterlassungsanspruch gegen ISP nicht ausgeschlossen (Sec. 20 (1) lit. b Electronic Commerce VO).

---

231 *Laddie/Prescott/Vitoria*, The Modern Law of Copyright and Designs, S. 410.

232 *Bently/Sherman*, Intellectual Property Law, S. 157.

233 Richtlinie 2000/31/EG des Europäischen Parlaments und des Rates vom 8.6.2000 über bestimmte rechtliche Aspekte der Dienste der Informationsgesellschaft, insbesondere des elektronischen Geschäftsverkehrs, im Binnenmarkt. Die Richtlinie zielt darauf ab, einen wirklichen Raum ohne Binnengrenzen für die Dienste der Informationsgesellschaft zu schaffen, damit der elektronische Geschäftsverkehr den Binnenmarkt voll nutzen kann, Erwägungsgrund 3.

234 Die Kommission wählte nicht den Weg über die Harmonisierungs-RL, denn Haftungsgründe für ISP ergeben sich nicht nur aus Urheberrechtsverletzungen. Auch ehrverletzende Delikte können einschlägig sein.

235 *Electronic Commerce (EC Directive) Regulations 2002*, Statutory Instrument 2002/2013, in Kraft seit dem 21.8.2002.

236 Die Begünstigten dieser Immunitätsgründe sind sog. *Service Provider* der Informationsgesellschaft. Umfasst ist also jeder Dienst, der regelmäßig gegen Bezahlung erfolgt und der durch elektronische Mittel auf eine persönliche Anfrage des Dienstleistungsempfängers über eine Entfernung ausgeführt wird. Die meisten gewerblich handelnden ISP sind von diesem Begriff umfasst, nicht aber die Inhaber von Internet-Cafés, deren Dienste nicht über eine Enfernung angeboten werden.

237 Von diesen Immunitätsgründen sind drei Tathandlungen erfasst: Bloße Weiterleitung *(mere conduit)*, bei der lediglich über ein Kommunikationsnetzwerk Zugang zu Informationen, die vom Empfänger der Dienstleistung bereitgestellt werden, gewährt wird oder diese Informationen nur übertragen werden, Reg. 17 Electronic Commerce Verordnung; (2) *Caching*, also Übertragung von Inhalten des Dienstleistungsempfänger, die nur zeitweise gespeichert werden und weitere besondere Voraussetzungen erfüllen, Reg. 18 Electronic Commerce VO; (3) *Hosting*, also das Aufbewahren von vom Empfänger der Dienstleistung bereitgestellten Informationen, Reg. 19 Electronic Commerce Verordnung.

Sec. 97A CDPA[238] ermächtigt den *High Court* zum Erlass einer Unterlassungsverfügung gegen den ISP,[239] wenn dieser weiß, dass ein Empfänger der von ihm erbrachten Dienste diese zur Vornahme von Urheberrechtsverletzungen nutzt. Bei der Beurteilung des aktuellen Wissens des ISP muss das Gericht alle Umstände berücksichtigen, die von Relevanz erscheinen. Dabei muss insbesondere untersucht werden, ob der ISP von dem Rechtsverletzer kontaktiert wurde, welchen Inhalt eine solche Mitteilung hatte und ob Kenntnis des Namens und der Adresse des Absenders aufseiten des ISP bestand, Abs. 2.

#### ff) Überlassung (Sec. 99 CDPA)

Der Inhaber des Copyrights an einem Werk kann gemäß Sec. 99 CDPA beim Gericht einen Antrag auf Überlassung eines rechtswidrigen Vervielfältigungsstücks oder anderen Gegenstands an sich selbst oder eine andere vom Gericht bestellte Person stellen. Voraussetzung dafür ist, dass (a) eine Person ein rechtswidriges Werk im Lauf des Geschäftsbetriebs in ihrem Besitz, ihrer Obhut oder Verfügungsgewalt hat oder dass (b) eine Person einen Gegenstand in ihrem Besitz, ihrer Obhut oder Verfügungsgewalt hat, der speziell dazu entworfen oder verändert wurde, Kopien eines bestimmten urheberrechtlich geschützten Werks herzustellen, und dabei wusste oder wissen musste, dass der Gegenstand in der Vergangenheit zur rechtswidrigen Vervielfältigung eingesetzt wurde oder dazu bestimmt ist. Damit werden alle rechtswidrigen Vervielfältigungsstücke von der Vorschrift erfasst, auch wenn sie sich nur im Besitz Dritter befinden. Bezüglich der Gegenstände, die zur Vornahme von Verletzungshandlungen entworfen wurden, fällt auf, dass keine Grenze bezüglich einer vorwiegenden oder ausschließlichen Nutzung zu rechtswidrigen Verletzungshandlungen normiert wurde. Allerdings lässt der Wortlaut darauf schließen, dass eine zumindest vorwiegende Nutzung zu diesem Zwecke gefordert wird.

Eine zeitliche Einschränkung erfährt dieser Anspruch in Abs. 2, wonach nach Ablauf der in Sec. 113 CDPA genannten Sechs-Jahres-Frist[240] kein Antrag auf Auslieferung mehr gestellt werden darf, außer das Gericht stellt einen solchen Antrag selbst oder das Gericht bestimmt nach Sec. 114 CDPA, dass ein rechtswidriges Vervielfältigungsstück oder ein anderer Gegenstand übergeben werden muss.

---

238 Eingeführt durch die Copyright and Related Rights Regulations 2003, Nr. 2498.

239 Der Begriff des Service Providers in Sec. 97A CDPA entspricht dem des Reg. 2 Electronic Commerce Regulation, gemeint ist also jede Person, die einen Dienst der Informationsgesellschaft erbringt.

240 Sec. 113 CDPA schreibt vor, dass ein Antrag nach Sec. 99 CDPA grundsätzlich nicht nach Ablauf einer Frist von sechs Jahren, die von der Vornahme der Verletzungshandlung an zu berechnen ist, gestellt werden darf. Ausnahmen werden bei Unvermögen der Fristeinhaltung, etwa wegen Minderjährigkeit oder Geisteskrankheit, oder in Betrugsfällen zugelassen.

Hervorzuheben ist, dass die Auslieferung von Vervielfältigungsstücken oder Gegenständen nach Sec. 99 CDPA[241] dem Inhaber des Copyrights kein Verfügungsrecht oder Recht zur Zerstörung einräumt. Solange eine Anordnung nach Sec. 114 CDPA nicht vorliegt, müssen die Sachen beim Rechtsinhaber aufbewahrt werden, was häufig zu Lagerungsschwierigkeiten führt.[242] Anordnungen nach Sec. 114 CDPA sind sowohl in zivilrechtlichen wie auch in strafrechtlichen Verfahren möglich.[243] Demnach kann der Kläger infolge einer Anordnung auf Auslieferung nach Sec. 99 CDPA die Überlassung an den Rechtsinhaber, die Zerstörung oder eine andere vom Gericht gewählte Maßnahme beantragen. Bei der Wahl der Maßnahme muss das Gericht nach Abs. 2 berücksichtigen, ob die anderen verfügbaren Rechtsbehelfe den Rechtsinhaber angemessen entschädigen und seine Interessen schützen würden.

In England ist es für die Durchsetzung einer Überlassungsanordnung grundsätzlich unbeachtlich, ob sich die Ware noch im Besitz des Rechtsverletzers befindet oder ob er diese bereits an Dritte weitergegeben hat. Die gerichtliche Anordnung ist ungeachtet der Belegenheit und der Besitzverhältnisse an den fraglichen Produkten durchzusetzen. Allerdings können sich je nach Besitzer unterschiedliche Schwierigkeiten ergeben: Während die Erlangung der rechtsverletzenden Ware von Händlern und Großhändlern relativ einfach ist, nachdem diese identifiziert wurden, ist das Verfahren gegenüber privaten Verbrauchern zeit- und kostenintensiv.

#### gg) Beschlagnahmerecht (Sec. 100 CDPA)

Die Langwierigkeit von Verfahren bei Urheberrechtsstreitigkeiten bedingt, dass die Beschlagnahme von rechtswidrig angefertigten Werkkopien erst nach Verfahrensende keinen effektiven Schutz der Interessen des Rechtsinhabers bietet. In vielen Fällen verschwanden nach Zustellung der gerichtlichen Ladung sowohl die gelagerten rechtswidrigen Vervielfältigungsstücke als auch die zu ihrer Herstellung verwandten Gerätschaften. Dem Rechtsinhaber entstanden daraus nicht nur Schäden aus den Verkäufen der rechtswidrigen Ware, sondern auch Schwierigkeiten bei der Beweisführung im Verfahren behinderten die Durchsetzung seiner Rechte. Um dem zu begegnen, wurde mit Sec. 100 CDPA ein Beschlagnahmerecht eingeführt, das dem Rechtsinhaber[244] gestattet, ohne Vorliegen eines gerichtlichen Beschlusses

---

241 Im Gegensatz zur Rechtslage unter dem 1956 Act, der rechtswidrige Vervielfältigungsstücke dem Eigentum des Inhabers des Copyrights zuführte.

242 Regelmäßig binden allerdings die Gerichte die Überlassung an den Rechtsinhaber nach Sec. 99 (2) mit Sec. 114 CDPA.

243 *Phillips/Durie/Karet,* Whale on Copyright, S. 90.

244 Daneben kann die Beschlagnahme auch von einer vom Rechtsinhaber ermächtigten Person durchgeführt werden (Sec. 100 (1) CDPA).

*rechtswidrige Vervielfältigungsstücke*,[245] die in öffentlich zugänglichen Örtlichkeiten[246] unmittelbar zum Verkauf oder zum Verleih angeboten werden, zu beschlagnahmen und einzubehalten. Diese Maßnahme zur Selbsthilfe greift nicht unerheblich in die Freiheitsrechte des mutmaßlichen Verletzers ein, was einige Einschränkungen bei den Schutzvoraussetzungen erforderlich macht. Zunächst muss vor Ausübung dieses Rechts die örtliche Polizeibehörde nach Abs. 2 über Ort und Zeit der geplanten Beschlagnahme informiert werden. Es darf nach Abs. 3 *zu keinem Gewalteinsatz* kommen und *Güter dürfen nur von Plätzen beschlagnahmt werden, zu denen die Öffentlichkeit Zugang hat*, nicht aber von Räumlichkeiten, in denen der Händler seinen *gewöhnlichen Geschäftsbetrieb*[247] ausübt. Dies schmälert allerdings den Anwendungsbereich der Vorschrift erheblich, denn das Beschlagnahmerecht greift damit letztlich nur, wenn der Rechtsverletzer beim Verkauf rechtswidriger Vervielfältigungsstücke außerhalb der Räumlichkeiten seines gewöhnlichen Geschäftsbetriebs betroffen wird. Nachdem eine Beschlagnahme stattgefunden hat, muss nach Abs. 4 zudem entsprechend einer vorgeschriebenen Form am Beschlagnahmeort ein Schriftstück hinterlegt werden, aus dem die Person, durch die die Beschlagnahme durchgeführt wurde, und auch der Beschlagnahmegrund hervorgehen. Nach Durchführung der Beschlagnahme gemäß Sec. 100 CDPA kann der Rechtsinhaber einen Antrag nach Sec. 114 CDPA[248] auf Überlassung oder Zerstörung der rechtsverletzenden Ware stellen.

#### hh) Anton Piller order

Vor Einführung von Sec. 100 CDPA griffen die Gerichte vornehmlich auf die sogenannte *Anton Piller order*[249] zurück, die ebenso wie Sec. 100 CDPA eine Be-

---

[245] Hierbei reicht eine bloße Vermutung, dass es sich um Vervielfältigungsstücke handelt, nicht aus, der Rechtsinhaber sollte daher bei der Ausübung dieses Beschlagnahmerechts nicht unbedacht handeln.

[246] Der Begriff der Räumlichkeiten beinhaltet nach Abs. 5: Grundstücke, Gebäude, bewegliche Bauten, Fahrzeuge, Schiffe, Flugzeuge und Luftkissenfahrzeuge.

[247] Ob Marktstände ein Ort gewöhnlichen Geschäftsbetriebs darstellen, ist eine Frage des Einzelfalls. Verkaufsstände außerhalb eines Pop-Konzerts oder Fußballspiels fallen jedenfalls nicht unter diesen Ausschlussgrund, *Phillips/Durie/Karet,* Whale on Copyright, S. 89.

[248] Sec. 114 CDPA wird oben, innerhalb des Überlassungsanspruchs gemäß Sec. 99 CDPA behandelt.

[249] Die *Anton Piller order* ist ein Verfahren im einstweiligen Rechtsschutz, das in einem Urheberrechtsfall, nach dem sie benannt ist, entwickelt wurde: *Anton Piller KG v Manufacturing Processes Ltd* [1976] Ch 55. Schnell hat das scharfe Instrument der *Anton Piller order* große Bedeutung für das gesamte Immaterialgüterrecht erlangt, vgl. *Rank Film Distributors Ltd v Video Information Centre* [1981] 2 All ER 76 (HL) = GRUR Int. 1982, 262. In der Kommissionsbegründung für den Entwurf der Enforcement-RL wurde die Effektivität der englischen Beweissicherungsansprüche/Durchsuchungsansprüche bei der Bekämpfung urheberrechtlicher Verletzungshandlungen besonders hervorgehoben. Die

weissicherungsfunktion verfolgt,[250] also die Zerstörung und Beseitigung von Beweismitteln verhindern soll. Danach kann ein englisches Gericht auf Antrag des Rechtsinhabers ohne Anhörung des Antragsgegners[251] erlauben, Räumlichkeiten des Gegners zu betreten und dort alle rechtswidrigen Vervielfältigungsstücke und für die Beweiserbringung der Verletzungshandlung relevanten Dokumente zu beschlagnahmen.[252] Aufgrund der hohen Eingriffsintensität in die Rechte des Antragsgegners[253] und wegen eines großzügigen Einsatzes der *Anton Piller order* in der Vergangenheit, der die Verfügung nicht mehr nur auf dringende und außergewöhnliche Fälle von Urheberrechtsverletzungen beschränkte, stellen Gerichte heute strenge Anforderungen an ihre Anwendung. Drei Voraussetzungen müssen für den Erlass der Anordnung vorliegen: Die Umstände des Falls müssen *prima facie* auf eine Verletzungshandlung des Beklagten deuten, der mögliche oder eingetretene Schaden muss für den Antragsteller sehr schwer sein. Drittens muss der Beweis vorliegen, dass der Antragsgegner inkriminierende Schriftstücke oder Gegenstände in seinem Besitz hat und dass eine tatsächliche Wahrscheinlichkeit besteht, dass er dieses Material vernichtet, bevor ein Antrag im kontradiktorischen Verfahren gestellt werden kann.[254] Mittlerweile ist diese Maßnahme in den *Civil Procedure Rules 1998* Section 25, Rule 25.1 Abs. 1 lit. f–h geregelt.

#### ii) Freezing order

Durchsuchungsbefehle wie die *Anton Piller order* werden häufig mit einer sogenannten *freezing order*[255] kombiniert. Dies ist eine besondere Form des einstweiligen Rechtsschutzes, mit der der Beklagte daran gehindert werden soll, über Gegenstände zu verfügen oder sie aus dem Zuständigkeitsbereich des Gerichts zu

---

Vorschriften der Richtlinie sollen nach dem Muster englischer Ansprüche entworfen worden sein; COM(2003) 46 endgültig S. 21; *Huniar*, [2006] EIPR 95 f.

250 *Schack*, Internationales Zivilverfahrensrecht, S. 155 Rn. 428.

251 Das Besondere an der *Anton Piller order* liegt im Erlass der gerichtlichen Verfügung ohne Anhörung des Gegners, *Stauder*, GRUR Int. 1982, 227.

252 *Schack*, Internationales Zivilverfahrensrecht, S. 155 Rn. 428.

253 Insbesondere das Problem strafrechtlicher Selbstbelastung durch Auskunfts- und Offenbarungspflichten drängt sich aufgrund der Rigorosität der *Anton Piller order* auf. Bald nach Verkündung des *Anton-Piller*-Urteils wurde die umfangreiche Sec. 72 in den Supreme Court Act 1981 eingefügt, der die Möglichkeit der Aussageverweigerung in einem Zivilverfahren wegen Immaterialgüterverletzungen und passing-off-Klagen aufgrund straftechtlicher Selbstbelastung einschränkt. Die Auskunft der Betroffenen ist aber ein unzulässiges Beweismittel in einem Strafverfahren gegen den Betroffenen selbst oder seinen Ehegatten, abgesehen aber von Verfahren wegen Meineids oder *Contempt of Court*; *Stauder*, GRUR Int. 1982, 228 f.

254 *Anton Piller KG v Manufacturing Processes Limited* [1976] Ch 55; [1976] 93 RPC 719.

255 Auch *Mareva order*, benannt nach dem Präzedenzfall, *Mareva Cia Naviera SA v International Bulkcarriers SA* [1980] 1 All ER 213.

entfernen.[256] Diese Verfügungsverbote werden nur auf Antrag bei der *Queen's Bench*, der *Chancery Division* des *High Courts* oder auch bei einem *County Court*[257] erlassen. Der Antragsteller muss dem Gericht alle relevanten Informationen vorlegen und anhand dieser Dokumente eine hohe Wahrscheinlichkeit für das Vorliegen der von ihm vorgetragenen Sachlage darlegen. Das Gericht berücksichtigt auch für Dritte und den Beklagten selbst durch die Anordnung entstehende Nachteile. Zudem muss der Kläger Sicherheiten für den Fall leisten, dass sich seine Behauptungen als unrichtig erweisen.[258] Aufgrund der Härte und insbesondere geschäftsschädigenden Wirkung dieser Maßnahme wird sie nur in wenigen Fällen unter Einhaltung eines strengen Prüfungsmaßstabes gewährt.

#### jj) Discovery und Norwich Pharmacal order

Das englische Recht und insbesondere der CDPA gewähren keine materiellen Auskunftsansprüche wie sie nach deutschem Recht bekannt sind. Den Anforderungen des Art. 8 Enforcement-RL[259] kommt England mit dem bereits verfügbaren Instrumentarium zur Informationserlangung nach.[260]

Über die prozessualen Regeln der *discovery* wird die Einsichtnahme in Dokumente, die sich bei der Gegenseite befinden, gestattet.[261] Wurde eine solche Anordnung erlassen, so muss der mutmaßliche Rechtsverletzer einem unabhängigen Sachverständigen, begleitet vom Rechtsanwalt des Klägers, Zugang zu seinen Räumlichkeiten gewähren, damit dieser nach den in der Anordnung aufgelisteten Gegenständen suchen kann.[262] Das in der Anordnung aufgeführte Material muss ausgehändigt werden und der Beklagte muss Auskünfte zu nicht aufgefundenen Artikeln, Namen und Adressen von Kunden und Lieferanten sowie dem Belegenheitsort von anderen Gegenständen geben. Beschlagnahmte Materialien müssen sicher aufbewahrt werden und sind dem Beklagten innerhalb von zwei Werktagen zurückzugeben.[263] Zu beachten ist, dass der Kläger nicht öffentlich über die Durchführung der Durchsuchung sprechen darf und die erlangten Informationen

---

256 Civil Procedure Rules, Rule 25. 1 lit. f betrifft *freezing injunctions*.

257 Sofern dort ein Richter des *High Court* oder des *Appeals Court* sitzt. Daneben können auch Richter in Handelssachen und bei Patentstreitigkeiten solche *freezing orders* erlassen: *County Courts Remedies Regulations 1991* (Statutory Instrument 1991/1222) reg. 3.

258 *Huniar*, [2006] EIPR 95.

259 Bei Vorliegen bestimmter Voraussetzungen müssen die Mitgliedstaaten einen Auskunftsanspruch über Ursprung und Vertriebswege von rechtsverletzenden Waren oder Dienstleistungen gewähren.

260 *Huniar*, [2006] EIPR 94.

261 *Dannemann*, Die ungewollte Diskriminierung in der internationalen Rechtsanwendung, S. 292.

262 *Thermosensors Ltd v Hibben* [1992] 1 WLR 840; *Huniar*, [2006] EIPR 95.

263 *Huniar*, [2006] EIPR 96.

nicht für andere als das anhängige Verfahren nutzbar sind.[264] Im englischen Recht wird kein Unterschied zwischen Verletzungshandlungen in gewerblichem Umfang und minder schweren Rechtsverletzungen gemacht. Der Umfang des Anspruchs bleibt derselbe, was dazu führt, dass die Freigabe von Finanz- und Handelsunterlagen auch von privaten Nutzern gefordert werden kann.[265]

Zu einem großen Teil übernimmt das Institut der *discovery* die Funktion der im deutschen Recht materiellrechtlich konzipierten Ansprüche auf Auskunft und Urkundenvorlage.[266] Ein Antrag darauf wird vom Rechtsinhaber i.d.R. gestellt, wenn ihm eine Rechtsverletzung auf zivilrechtlichem Gebiet widerfahren ist und der Rechtsverletzer unbekannt ist. Die Anordnung einer *discovery* steht im Ermessen des Gerichts. Sie ist von großer Bedeutung, wenn aufgrund der fehlenden Informationen andernfalls keine anderen Rechtsbehelfe verfügbar sind. Neben der Aufklärung von Urheberrechtsverletzungen dient die *discovery* mittelbar auch dem Geheimnisschutz vertraulicher Informationen. So können Personen, die in unberechtigter Weise vertrauliche Informationen weitergeben, mit Hilfe der *discovery* identifiziert werden.[267]

Auch über die *Anton Piller order*[268] können im einstweiligen Rechtsschutz Informationen über den Rechtsverletzer erlangt werden. In ihrer Beweissicherungsfunktion sind diese Durchsuchungsbefehle durchaus dem deutschen Auskunftsanspruch verwandt, obwohl die Konzeption der beiden Institute grundverschieden ist.[269]

Zudem besteht die Möglichkeit, auf der Grundlage einer *Norwich Pharmacal order*[270] einen potentiellen Klagegegner über einen *qualifizierten Dritten* zu identifizieren. Die notwendigen Informationen über Schädiger, Tathergang und den Verbleib von Vermögensgegenständen können von jeder Person, die in eine schädigende Handlung verwickelt ist oder diese erleichtert hat und nicht bloß Zeuge des Geschehens ist *(mere witness rule)*, verlangt werden. Dabei muss der Antragsteller ein berechtigtes Interesse an der Informationserlangung haben, was i.d.R. gegeben ist, wenn ein gerichtliches Verfahren angestrengt werden soll. Die Entscheidung

---

264 *Crest Homes Plc v Marks* [1987] AC 829; *Huniar*, [2006] EIPR 95.

265 *In EMI Ltd v Sarwar and Haidar* [1977] FSR 146 wurden die Beklagten dazu verpflichtet, alle Belege, die Buchhaltung und eingegangene Bestellungen offenzulegen, *Huniar*, [2006] EIPR 95.

266 *Schack*, Internationales Zivilverfahrensrecht, S. 238 Rn. 740.

267 *British Steel v Granada Film Television Ltd* [1981] 1 AC 1096.

268 Siehe oben Fünfter Teil, III.A.1.c)hh).

269 *Schack*, Internationales Zivilverfahrensrecht, S. 381 Rn. 791.

270 Diese Klagemöglichkeit wurde in der Entscheidung *Norwich Pharmacal Co. v Customs and Excise Commissioners* [1974] AC 133 entwickelt und seitdem durch Gerichte häufig eingesetzt. Teil 31.18 *Cicil Procedure Rules* erkennt das Bestehen der *Norwich Pharmacal*-Rechtsprechung an.

über eine solche Anordnung steht im Ermessen des Gerichts.[271] Bei der Ermessensausübung findet besondere Berücksichtigung, ob die Informationen dem Antragsteller auf anderem Wege zugänglich sind[272] und ob der Dritte unzumutbar belastet wird.[273] An die Rechtsnatur der Rechtsverletzung werden keine besonderen Anforderungen gestellt.[274]

Schließlich ist zu beachten, dass, wie soeben dargestellt, den Rechtsinhabern in England zwar kein gesetzlich normierter Auskunftsanspruch gegen Internet Service Provider zusteht, diese aber nach ständiger Rechtsprechung[275] dazu verpflichtet werden können, Namen und Adressen ihrer Kunden zu nennen.[276]

### kk) Bekanntmachung des Urteils

Im Zuge der Umsetzung von Art. 15 Enforcement-RL wurde das aus Kontinentaleuropa stammende Konzept der Bekanntmachung des Urteils in das englische Recht übernommen. Die Rechtsgrundlage wurde dafür allerdings nicht innerhalb des CDPA geschaffen, sondern in Teil 63 der *Civil Procedure Rules* eingefügt.[277]

---

271 *Dannemann*, Die ungewollte Diskriminierung in der internationalen Rechtsanwendung, S. 377.

272 Etwa durch eine Offenlegung vor Verfahrensbeginn *(pre-trial disclosure)* nach CPR 1316 oder durch eine *non-party disclosure* nach CPR 3117. Die Anordnung soll das letzte verfügbare Mittel sein, vgl. *Mitsui & Co Ltd v Nexen Petroleum UK Ltd* [2005] EWHC 625 (Ch), [2005] 3 All ER 511.

273 *Dannemann*, Die ungewollte Diskriminierung in der internationalen Rechtsanwendung, S. 377.

274 Es kann sich dabei um deliktisches Unrecht, wie bei Verletzung geistigen Eigentums (*Norwich Pharmacal Co. v Customs and Excise Commissioners* [1974] AC 133) handeln, ebenso wie um Vertragsverletzungen (*Ashworth Hospital Authority v MGN Ltd* [2002] UKHL 29, 1 WLR 2033), Vertraulichkeitsbruch (*British Steel v Granada Film Television Ltd* [1981] 1 AC 1096), Verleumdung (*Totalise plc v The Motley Fool Ltd & Interactive Investor Ltd* [2001] EWHC (QB)) oder die Verletzung einer gesetzlichen Pflicht handeln (*Hughes v Carratu International plc* [2006] EWHC 1791 (QB)).

275 So entschied der *High Court* in London am 30.1.2006 zugunsten der *Federation Against Software Theft* (Fast) in einem Streit gegen zehn große ISP, die daraufhin persönliche Daten von 150 Kunden preisgeben mussten. Der High Court bestätigte damit seine bisherige Rechtsprechung: Bereits im März und April 2004 sowie im Oktober 2004 waren entsprechende Anordnungen zugunsten der *British Phonographic Industry* erlassen worden.

276 Allerdings scheint die Rolle und Rechtsstellung der ISP bei der Aufklärung von Urheberrechtsverletzungen noch nicht abschließend geklärt zu sein: Darauf deuten einerseits Forderungen, einen gesetzlichen Auskunftsanspruch zu normieren, wie sie auch in Regierungsberatungen seit Juli 2008 über gesetzliche Möglichkeiten, dem rechtswidrigen *Peer-to-Peer Filesharing* beizukommen, ausgesprochen wurden. Abzuwarten bleibt auch, wie sich die durch den im April 2010 verabschiedeten Digital Economy Act eingeführten Mitwirkungspflichten der ISP bei der Verfolgung von online begangenen Urheberrechtsverletzungen in der Praxis auswirken wird.

277 Sec. IV, 29.2 Practice Directions for Patents and other IP Claims, Anhang zu Teil 63 der *Civil Procedure Rules*, eingeführt durch Statutory Instrument 2005/3515 (L. 32). In

Danach kann ein Gericht bei Vorliegen einer Urheberrechtsverletzung auf Antrag des Rechtsinhabers *geeignete Maßnahmen* für die Verbreitung und Veröffentlichung des Urteils auf Kosten des Rechtsverletzers anordnen.

### 2. Zivilrechtlicher Schutz von DRM-Systemen

#### *a) Technische Schutzmaßnahmen*

In Umsetzung der Harmonisierungs-RL durch die *Copyright and Related Rights Regulations 2003*[278] wurden in den Sec. 296 ff. CDPA Regeln zu Nutzung und Schutz technischer Schutzmaßnahmen eingeführt.[279] Diese Schutzmechanismen waren anfänglich dazu entwickelt worden, die durch die Digitalisierung geschaffene Möglichkeit, qualitativ hochwertige Kopien mit geringem Aufwand schon am privaten PC herstellen zu können, kontrollierbar zu machen. Der private Nutzer sollte dazu gebracht werden, das Werk auf legalem Weg käuflich zu erwerben und es entsprechend den eingegangenen vertraglichen Absprachen zu nutzen.[280] Gesetzlicher Schutz technischer Schutzmaßnahmen sollte einerseits Lücken schließen, die durch technische Schwachstellen entstanden sind, und andererseits auch einen Anreiz zur Entwicklung besserer und genauer nutzbarer Schutzmechanismen schaffen.

Das CDPA unterscheidet zwischen einer Umgehung technischer Maßnahmen, die an Computerprogrammen[281] und solchen, die an sonstigen Werken[282] angebracht wurden.

#### *b) Umgehung technischer Maßnahmen (Sec. 296ZA CDPA)*

Der Anwendungsbereich der Sec. 296ZA CDPA ist eröffnet, wenn wirksame technische Maßnahmen an ein urheberrechtlich geschütztes Werk angebracht wurden und eine Person diese umgeht, wobei ihr bekannt ist oder nach den Umständen bekannt sein muss, dass sie dieses Ziel verfolgt. Eine Ausnahmeregelung hierzu trifft Abs. 2: Demnach ist eine Umgehung nach Abs. 1 nicht verboten, wenn sie zu Forschungszwecken erfolgt und dadurch oder durch die Ausgabe von Informa-

---

Schottland wurde dieses Recht direkt durch die Intellectual Property (Enforcement, etc.) Regulations 2006 eingeführt.

278 Eingefügt durch Statutory Instrument 2003/2498.

279 Zum Schutz verschlüsselter Dienste wurden in England die Sec. 297A und 298 CDPA in Umsetzung der Richtlinie 1998/84/EG des Europäischen Parlaments und des Rates über den rechtlichen Schutz von Zugangskontrollierten Diensten und von Zugangskontrolldiensten vom 20.11.1998 (ABl. EG Nr. L 320 S. 54) eingeführt. Danach stehen dem Verwender solcher Dienste dieselben Rechte wie dem Urheber zu, insbesondere die Auslieferungs- und Beschlagnahmerechte aus Sec. 99 und 100 CDPA.

280 *Bently/Sherman*, Intellectual Property Law, S. 273.

281 Sec. 296 CDPA.

282 Sec. 296ZA CDPA.

tionen an die Öffentlichkeit der Inhaber des Copyrights nicht nachteilig betroffen wird. Nach Sec. 296ZF (1) CDPA sind technische Maßnahmen alle Technologien, Vorrichtungen oder Bestandteile, die im normalen Betrieb dazu bestimmt sind, urheberrechtlich geschützte Werke, außer Computerprogramme, zu schützen. Technische Maßnahmen sind gemäß Sec. 296ZF (2) CDPA wirksam, soweit die Nutzung des Werks durch den Rechtsinhaber kontrolliert wird durch (a) eine Zugangskontrolle oder einen sonstigen Schutzmechanismus wie Verschlüsselung, Verzerrung oder sonstige Umwandlung des Werks oder durch (b) einen Mechanismus zur Kontrolle der Vervielfältigung, der den angestrebten Schutz gewährleistet. Dieser Schutz bezieht sich nach Sec. 296ZF (3) lit. a CDPA auf die Verhinderung oder Einschränkung von Handlungen, die nicht durch den Inhaber des Copyrights genehmigt wurden und durch das Urheberrecht eingeschränkt sind. Allerdings beinhaltet die Nutzung des Werks keine Nutzung, die nicht vom CDPA eingeschränkt und damit außerhalb seines Anwendungsbereichs liegt (Sec. 296ZF (3) lit. b CDPA). Daher erstreckt sich der Schutz technischer Maßnahmen nicht auch auf erlaubte Handlungen.[283] Neben dem Inhaber des Copyrights stehen gemäß Abs. 3 lit. a die Rechte aus Sec. 296ZA CDPA gegen den Verletzer auch Personen zu, die Werkexemplare veröffentlichen oder der Öffentlichkeit mitteilen.[284]

#### *c) Rechte und Rechtsbehelfe bezüglich Vorrichtungen und Dienstleistungen zur Umgehung technischer Maßnahmen (Sec. 296ZD CDPA)*

Der Anwendungsbereich von Sec. 296ZD CDPA entspricht Art. 6 Abs. 2 Harmonisierungs-RL. Er ist eröffnet, wenn wirksame technische Maßnahmen an einem urheberrechtlich geschützten Werk angebracht wurden[285] und eine Person eine Vorrichtung, ein Erzeugnis oder einen Bestandteil herstellt, einführt, verbreitet, verkauft oder vermietet, zu Verkaufs- oder Vermietzwecken anbietet, ausstellt oder bewirbt, der der Umgehung dieser Maßnahme dient, oder einen solchen Gegenstand zu geschäftlichen Zwecken besitzt. Daneben wird auch die Erbringung von Dienstleistungen erfasst, (i) die Gegenstand einer Verkaufsförderung, Werbung oder Vermarktung mit dem Ziel der Umgehung sind; (ii) die abgesehen von der Umgehung wirksamer technischer Maßnahmen nur einen begrenzten wirtschaftlichen Zweck oder Nutzen haben oder (iii) die hauptsächlich dazu entworfen, hergestellt, angepasst oder erbracht werden, um die Umgehung wirksamer technischer Maßnahmen zu ermöglichen oder zu erleichtern. Ebenso wie in Sec. 196ZA CDPA stehen dieselben Rechte aus einer Rechtsverletzung gegen den Rechtsverletzer auch Personen zu, die Werkexemplare, an die wirksame technische Maßnahmen

---

283 Hindern technische Maßnahmen die erlaubte Nutzung geschützter Werke, so gilt Sec. 296 ZE CDPA, eingeführt durch die Copyright and Related Rights Regulations 2003.

284 Handelt es sich dabei nicht um einen ausschließlichen Lizenznehmer, so stehen die Rechte daneben auch dem Inhaber des Copyrights zu (Sec. 296ZA (3) lit. b CDPA).

285 Ausgenommen sind Computerprogramme.

angebracht wurden, veröffentlichen oder der Öffentlichkeit mitteilen.[286] Bei Verletzung der Sec. 296ZD CDPA stehen dem Rechtsinhaber zivilrechtliche Rechtsbehelfe der Sec. 96 ff. CDPA zur Verfügung.[287]

#### *d) Technische Schutzmaßnahmen und fair dealing*

Das vom Urheberrecht angestrebte Gleichgewicht zwischen den Interessen der Urheber an der wirtschaftlichen Verwertung ihres geistigen Eigentums und den Interessen der Allgemeinheit an einer möglichst umfangreichen und ungehinderten Nutzung des Werks wird durch den umfassenden Schutz durch technische Maßnahmen beeinträchtigt. Der umfangreiche Einsatz technischer Schutzmaßnahmen verhindert nicht nur den unrechtmäßigen Gebrauch geschützter Werke, sondern schränkt auch die legale Verwertung des Werks ein. Die Frage, ob ein privater Nutzer rechtmäßig einen Schutzmechanismus umgehen kann, wenn ihm der Zugang zur legalen Nutzung des Werks verwehrt wird, hat der britische Gesetzgeber bisher klar verneint.[288] Die *Copyright and Related Rights Regulation 2003* hat zwar eine neue Möglichkeit geschaffen, gegen einen zu weitreichenden Einsatz technischer Schutzmaßnahmen vorzugehen, der eine legale Nutzung geschützter Werke verhindert. Allerdings sieht die neue Sec. 296ZE lediglich vor, dass einzelne Personen oder Personengruppen eine Beschwerde an den Staatsminister *(Secretary of State)* einreichen können. Dieser wird dann überprüfen, ob es sich um freiwillig eingesetzte Maßnahmen handelt, und weist die Rechtsinhaber dazu an, den Beschwerdeführern wirksame Mittel zur Umgehung der Schutzmaßnahmen bereitzustellen. Verhindert der Rechtsinhaber die rechtmäßige Nutzung des Werks, so handelt es sich um die Verletzung einer gesetzlich auferlegten Pflicht. Es bleibt abzuwarten, ob die Einführung dieser Norm ein wirksames Mittel für die Gewährleistung einer ungehinderten legalen Werknutzung darstellt.[289] Allerdings ist anzunehmen, dass dieses Mittel wegen des damit verbundenen hohen Aufwands und der Langwierigkeit von vielen privaten Nutzern nicht gewählt wird.

#### *e) Schutz von Informationen zur Rechtewahrnehmung (Sec. 296ZG CDPA)*

Die technische Entwicklung, die die digitale Verbreitung von Werken über das Internet erleichtert hat, erfordert für eine sachgerechte Wahrnehmung der mit dem Werk verbundenen Rechte die genaue Angabe des Schutzgegenstands, des Urhebers oder sonstigen Leistungsschutzberechtigten sowie Informationen über die ge-

---

286 Handelt es sich dabei nicht um einen ausschließlichen Lizenznehmer, so stehen die Rechte daneben auch dem Inhaber des Copyrights zu (Sec. 296ZA (3) lit. b CDPA).

287 *Davies*, Intellectual Property Law, S. 78. Zu beachten sind auch die konkurrierenden Rechte der Lizenznehmer (Sec. 296ZD Abs. 3–5 CDPA).

288 *Bently/Sherman*, Intellectual Property Law, S. 200.

289 *Davies*, Intellectual Property Law, S. 79.

nauen Nutzungsbedingungen auf dem Werk. In Umsetzung von Art. 7 Harmonisierungs-RL wurde Sec. 296ZG CDPA zum Schutz der Informationen zur Rechtewahrnehmung eingeführt. Sec. 296ZG (1) CDPA ist verletzt, wenn eine Person wissentlich und unbefugt Informationen zur Rechtewahrnehmung entfernt oder ändert, wobei ihr bewusst ist oder nach den Umständen bewusst sein muss, dass sie dadurch eine Urheberrechtsverletzung veranlasst, ermöglicht, erleichtert oder verschleiert. Daneben greift Abs. 2 ein, wenn jemand wissentlich oder unerlaubt das Vervielfältigungsstück eines urheberrechtlich geschützten Werks, von dem Informationen zur Rechtewahrnehmung verändert oder entfernt worden sind, verbreitet, zur Verbreitung einführt oder der Öffentlichkeit zugänglich macht, wenn dieser Person bewusst ist oder nach den Umständen bewusst sein muss, dass dies eine Urheberrechtsverletzung veranlasst, ermöglicht, erleichtert oder verschleiert. Dieselben Ansprüche gegen den Rechtsverletzer haben bei einer Rechtsverletzung nach Abs. 3 auch Personen, die Werkexemplare veröffentlichen oder der Öffentlichkeit zugänglich machen.[290]

## B. Strafrechtliche Maßnahmen

### 1. Bedeutung des Urheberstrafrechts

Das Copyright ist in England ein privates Recht. Durchsetzung und Schutz der urheberrechtlichen Rechtspositionen werden i.d.R. über das zivilrechtliche Instrumentarium verfolgt, das weitreichende und bisweilen einschneidende Maßnahmen bereithält.[291] Allerdings können vorsätzliche Urheberrechtsverletzungen, insbesondere bei einer Begehung in gewerblichem Ausmaß, auch Straftatbestände erfüllen. Zwar wurden in den letzten Jahren Strafmaße erhöht[292] und auch neue Straftatbestände geschaffen,[293] dennoch ist die Zahl strafrechtlich verfolgter Urheberrechtsverletzungen in England noch sehr niedrig.[294] Einige Organisationen bemän-

[290] Handelt es sich dabei nicht um einen ausschließlichen Lizenznehmer, so stehen der Person die Rechte daneben auch zu (Sec. 296ZG (4) CDPA).

[291] Man denke hier beispielsweise an die *Anton Piller order*.

[292] Die Höchstgrenze für Freiheitsstrafen in Sec. 107 (4) lit. b CDPA wurde von früher zwei Jahre auf heute zehn Jahre erhöht durch den Copyright, etc. and Trade Marks (Offences and Enforcement) Act 2002.

[293] Die Absätze 2A und 4A in Sec. 107 CDPA wurden durch Statutory Instrument 2003/2498 hinzugefügt.

[294] Die aktuellen Richtlinien zu Verurteilungen an *Magistrates' Courts* enthalten zwar Vorgaben für Verletzungen von Markenrechten, haben aber wegen der geringen Anzahl strafrechtlich verfolgter Fälle von einer Aufnahme der Urheberrechtsverletzungen abgesehen. So wurden im Jahre 2006 an *Magistrates' Courts* nur 69 Täter von Urheberrechtsdelikten nach Sec. 107 und 198 CDPA verurteilt. Im Vergleich dazu kam es zu Verurteilungen in 604 Fällen bei Markenrechtsdelikten. Dieser Unterschied bezüglich der

geln bereits, dass die niedrigen Geldstrafen bei Begehung von Urheberrechtsdelikten außer Verhältnis zu den durch Internetpiraterie erzielten hohen Gewinnen und der Schwere der Tat stehen.[295] So erwägt die Regierung mittlerweile auch die Einführung von besonderen gesetzlichen Höchstgrenzen, die die aktuell verfügbaren Geldstrafen an Magistrates' Courts bis auf £ 50.000 anheben, um den Gerichten ein wirksames Mittel zur Bekämpfung gewerblicher Urheberrechtsdelikte an die Hand zu geben.[296] Dass eine stärkere Gewichtung der Straftatbestände stattfindet, zeigt auch das Inkrafttreten[297] der Sec. 107A und 198A CDPA, die den örtlichen Eichämtern eine Durchsetzungspflicht der Sec. 107 und 198 CDPA auferlegen. Es hat sich gezeigt, dass die Vorteile eines Strafverfahrens nicht unerheblich sind: Zunächst ist die Prozessdauer im Vergleich zu Zivilverfahren wesentlich kürzer.[298] Zudem steht das Anklagerecht jedermann zu und ist nicht nur vom Rechtsinhaber oder Staat zu tragen. Des Weiteren besteht in England die Besonderheit der persönlichen Haftbarkeit von Vorstands- und Aufsichtsratsmitgliedern, wenn nachgewiesen werden kann, dass die Straftat mit ihrer Zustimmung oder ihrem stillschweigendem Einverständnis erfolgt ist.[299] Dies verstärkt zusätzlich die dem Strafverfahren eigene Abschreckungswirkung. Letztlich sind auch die Kosten nicht von einer privaten Partei zu tragen, sondern werden unabhängig vom Verfahrensausgang aus einem zentralen Fonds beglichen.[300] Diesen aufgezählten Vorzügen kann jedoch entgegengehalten werden, dass die strafverfahrensrechtlichen Aufklärungs- und Beweiserbringungsmöglichkeiten nicht an die umfangreichen Rechte der zivilrechtlichen *discovery* heranreichen und damit zusätzlich die Erfüllung der hohen strafrechtlichen Standards bezüglich der Beweislast erschweren.[301] Auch gibt es im Strafverfahren keine Möglichkeit, eine gütliche außergerichtliche Eini-

---

Anzahl von Urheberrechtsdelikten und Markenrechtsdelikten ergibt sich möglicherweise daraus, dass ein Markenrecht einfacher durchzusetzen ist, insbesondere wegen der obligatorischen Anmeldung, die die Beweisführung bei einer Rechtsverletzung erleichtert; Beratungsdokument des Intellectual Property Office, Taking Forward the Gowers Review of Intellectual Property, Increasing Penalties for Copyright Infringement, S. 9, vgl. http://www.ipo.gov.uk/consult-gowers36.pdf [8.8.2009].

295 *Gowers, Andrew*, The Gowers Review of Intellectual Property, London, HM Treasury, December 2006; verfügbar unter: www.hmtreasury.gov.uk/independent_reviews/gowers_review_intellectual_property/gowersreview_index.cfm [7.8.2009].

296 Government to increase online copyright penalty tenfold, Out-Law News, vom 12.8.2008, vgl. http://www.out-law.com/page-9341 [7.8.2009].

297 Diese Vorschriften sind bereits 1994 durch den Criminal Justice and Public Order Act 1994 formuliert worden, aber erst am 6.4.2007 in Kraft getreten.

298 Strafverfahren finden an einem *Magistrates' Court* regelmäßig bereits zwei Monate und an einem Crown Court etwa fünf bis sechs Monate nach Erhebung der Anklage statt. Zivilprozessuale Verhandlungen können demgegenüber von 18 Monaten bis zu zwei Jahren andauern, *Fry,* [2002] EIPR 524.

299 Siehe unten Sec. 110 CDPA.

300 Vgl. Prosecution of Offences Act 1985.

301 *Fry,* [2002] EIPR 523.

gung herbeizuführen, was in einigen Fällen als wirksames Mittel zur Wiederherstellung des Rechtsfriedens ausreicht. Hinzu kommt, dass Strafrichter i.d.R. nicht das Fachwissen für die Bearbeitung urheberrechtlicher Fälle vorweisen können, und das Strafrecht nicht über Schadensersatz- und Ausgleichsmöglichkeiten verfügt, wie sie das Zivilrecht bereithält.[302]

## 2. Schutz des urheberrechtlichen Werks

### *a) Überblick über allgemeine Fragen*

In subjektiver Hinsicht erfordern die Urheberrechtsdelikte des CDPA Wissen oder Grund zur Annahme hinsichtlich der Begehung einer urheberrechtlichen Verletzungshandlung.[303] Damit wird vorsätzliches Handeln für die Tatbestandserfüllung verlangt.

Bei den Urheberrechtsstraftatbeständen handelt es sich um Straftatbestände, die sowohl am *Magistrates' Court*[304] wie auch am *Crown Court* verhandelt werden können (sog. *offences triable either way*). Nach dem jeweils zuständigen Gericht richtet sich die Obergrenze des Strafmaßes im Einzelnen. Ein Urteil des *Magistrates' Court* wird in einem summarischen Verfahren über eine *summary offence*[305] gefällt. Die gesetzliche Obergrenze für Geldstrafen an *Magistrates' Courts* im Fall von Urheberstrafrechtstatbeständen liegt bei £ 5.000. Diese können alternativ oder kumulativ zur Freiheitsstrafe, die höchstens sechs Monate betragen darf, verhängt werden. Wurde das Urteil hingegen von einem *Crown Court* gefällt, so gibt es keine gesetzlich festgelegte Höchstgrenze für die Geldstrafe und die alternative oder kumulative Freiheitsstrafe darf bis zu zehn Jahre betragen.

Im CDPA werden keine Angaben zu den Voraussetzungen, die die Verfolgbarkeit von Straftaten bedingen, gemacht. Strafverfahren wurden bereits von der Polizei, Wirtschaftsunternehmen, Privatpersonen, Handels- und Genehmigungsbehör-

---

302 Es gibt zwar Entschädigungsvorschriften im Strafrecht, allerdings waren Richter bisher zurückhaltend bei der Festlegung genauer Gebühren- oder Gewinnsätze.

303 Sec. 107 CDPA.

304 Der *Magistrates' Court* ist das unterste Gericht in England. Zu den Kompetenzen gehört beispielsweise der Erlass von Hausdurchsuchungs- und Haftbefehlen, die Einberufung von Be-/Angeklagten, die Entscheidung über Kautionen. I.d.R. sitzen zwischen zwei und vier Magistrates einer Verhandlung vor, wobei es sich meist um juristische Laien handelt. Diese werden in Rechts- und prozessualen Fragen von Assistenten beraten.

305 Straftaten werden in England in drei Kategorien unterteilt: (1) *Summary offences* fallen in die alleinige Zuständigkeit der *Magistrates' Courts*; (2) Straftaten, die auf beide Arten verfolgbar sind *(Offences triable either way)*, können sowohl in die Zuständigkeit des *Magistrates' Court* als in die des *Crown Court* fallen; (3) Straftaten, die nur auf Anklage verfolgt werden können *(Offences triable only on indictment)*, fallen in die Zuständigkeit des *Crown Court*. Die Verfolgung aller Straftaten beginnt in den *Magistrates' Courts*, auch wenn der Fall letztlich vor dem Crown Court verhandelt wird, *Holtam*, Criminal Litigation, S. 1 ff.

den sowie Wirtschaftunternehmen initiiert. Um eine staatliche Durchsetzung der Rechte voranzutreiben, wurden durch den *Criminal Justice und Public Order Act 1994* die Sec. 107A[306] und 198A CDPA eingeführt, die das örtliche Eichamt dazu verpflichten sollten, die Sec. 108 und 198 durchzusetzen. Wegen des mit dieser Verfolgungsverpflichtung verbundenen hohen Kosten- und Personalaufwands sind diese Vorschriften erst am 6. April 2007 in Kraft getreten.[307] Dennoch gilt bezüglich der Delikte des Urheberstrafrechts weiterhin der allgemeine Grundsatz,[308] dass jedermann ein Strafverfahren initiieren kann, unabhängig davon, ob ein rechtliches Interesse daran besteht, eine Rechtsverletzung erlitten wurde oder eine sonstige Verbindung zu der Straftat besteht.[309]

In Sec. 107 Abs. 6 CDPA wird ausdrücklich festgelegt, dass die Vermutungen der Sec. 104–106 CDPA nicht anwendbar sind bei strafrechtlichen Verfahren unter diesem Abschnitt. Allerdings wird eine Ausnahme für eine Anordnung nach Sec. 108 gemacht.

#### *b) Strafbarkeit wegen Herstellung von und Handel mit rechtsverletzenden Gegenständen (Sec. 107 CDPA)*

Sec. 107 CDPA folgt einem kasuistischen Aufbau. In den Absätzen 1–3 werden verschiedene Tatbestände genannt, die jeweils mehrere mögliche Tatalternativen aufzählen. Abs. 1 erfasst denjenigen, der ohne Genehmigung durch den Rechtsinhaber wissentlich eine rechtswidrige Kopie eines urheberrechtlichen Werks (a) zum Verkauf oder zur Vermietung herstellt; (b) in das Vereinigte Königreich einführt, ausgenommen zu privaten Zwecken; (c) im Lauf seines Geschäftsbetriebs mit der Absicht, eine Urheberrechtsverletzung zu begehen, besitzt; (d) im Lauf des Geschäftsbetriebs verkauft oder vermietet, zum Verkauf oder zur Vermietung anbietet oder ausstellt, öffentlich ausstellt oder verbreitet; (e) in dem Maße außerhalb des Geschäftsbetriebs verbreitet, dass der Rechtsinhaber nachteilig betroffen wird.

Nach Abs. 2 begeht eine Straftat, wer (a) einen Gegenstand, der speziell zur Herstellung von Vervielfältigungsstücken eines bestimmten urheberrechtlich geschützten Werks entworfen oder angepasst wurde, herstellt. Daneben ist auch erfasst, wer

---

306 Nach Sec. 107A CDPA ist jedes örtliche Eichamt verpflichtet, in seinem Zuständigkeitsbereich den Straftatbestand der Sec. 107 CDPA durchzusetzen. Zu diesem Zweck wird es in Abs. 2 dazu ermächtigt, Testkäufe zu machen, Räumlichkeiten zu betreten und Waren zu untersuchen und zu beschlagnahmen; wegen Verlusten, die z.B. aufgrund der Beschlagnahmen entstanden sind, Entschädigung zu leisten.

307 *Fry*, [2002] EIPR 523 f., bezweifelte wegen der damit verbundenen Kostenintensität noch ein Inkrafttreten der Sec. 107A und 198A. Im Trade Marks Act galten hingegen entsprechende Strafverfolgungsverpflichtungen bereits seit Inkrafttreten des Trade Mark Acts 1994.

308 *Fry*, [2002] EIPR 523; vgl. *Gouriet v Union Post Office Workers* [1978] AC 135.

309 *Fry*, [2002] EIPR 523.

(b) einen solchen Gegenstand besitzt, wobei er wusste oder wissen musste, dass dieser zur Herstellung rechtswidriger Vervielfältigungsstücke, die zum Verkauf, zur Vermietung oder zu sonstigem Gebrauch im Geschäftsbetrieb bestimmt sind, genutzt werden wird.

Abs. 2A bestraft eine Urheberrechtsverletzung durch Übermittlung des Werks an die Öffentlichkeit, wenn dies (a) im Lauf des Geschäftsbetriebs geschieht oder (b) außerhalb des Geschäftsbetriebs geschieht, aber aufgrund des Ausmaßes den Rechtsinhaber nachteilig betrifft und der Täter dabei wusste oder hätte wissen müssen, dass er eine Urheberrechtsverletzung an jenem Werk beging.

Wo eine Urheberrechtsverletzung begangen[310] wird, durch (a) öffentliche Aufführung eines Werks der Literatur, des Theaters oder der Musik oder (b) durch das Abspielen oder Zeigen einer Tonaufnahme oder eines Films in der Öffentlichkeit, macht sich nach Abs. 3 jeder strafbar, der die Aufführung, das Abspielen oder Zeigen des Werks veranlasst hat, wenn er wusste oder wissen musste, dass eine Urheberrechtsverletzung begangen wird.

Bei einem Verstoß gegen Abs. 1 lit. a, b, d (iv) oder e[311] wird der Täter nach Abs. 4 im Fall eines summarischen Verfahrens vor einem *Magistrates' Court* zu einer Freiheitsstrafe nicht über sechs Monate und/oder einer Geldstrafe nicht über der gesetzlichen Höchstgrenze von £ 5.000 verurteilt. Bei einer Verurteilung durch einen *Crown Court* gibt es keine gesetzlich festgelegte Grenze für die Geldstrafe; die Freiheitsstrafe kann bis zu zehn Jahre betragen.

Im Fall der Übermittlung des Werks an die Öffentlichkeit nach Abs. 2A, einem wichtigen Tatbestand zur Erfassung der Online-Piraterie, gelten niedrigere Strafen als bei der Verbreitung von Vervielfältigungsstücken nach Abs. 1.[312] Bei Verletzung von Abs. 2A kann der *Magistrates' Court* zu einer Freiheitsstrafe nicht über drei Monate und/oder einer Geldstrafe nicht über der gesetzlichen Höchstgrenze von £ 5.000 verurteilen. Bei einer Zuständigkeit des *Crown Court* drohen eine Geldstrafe und/oder eine Freiheitsstrafe von nicht über zwei Jahren.

Gemäß Abs. 5 ist bei anderen strafrechtlichen Verstößen in Sec. 107 der *Magistrates' Court* zuständig, der in einem summarischen Verfahren eine Freiheitsstrafe bis zu sechs Monate und/oder eine Geldstrafe bis zu £ 5.000[313] verhängen kann.

---

310 Nicht erfasst sind die Tatalternativen des Empfangs oder der Verbreitung an die Öffentlichkeit.

311 Bei einem Verstoß gegen lit. c und lit. d (i)–(iii) ist allein der *Magistrates' Court* zuständig.

312 Dies hat zu vermehrter Kritik geführt, die insbesondere im Beratungsdokument des United Kingdom Intellectual Property Office, erstellt für das Ministerium für Innovation an Universitäten und Fähigkeiten, S. 6, geäußert wurden.

313 Im Gesetz heißt es „a fine not exceeding level 5 on the standard scale“. Level 5 auf der Standard Scale beträgt nach den *Magistrates' Court Sentencing Guidelines* £ 5.000, S. 151.

#### *c) Strafbarkeit wegen einer Tathandlung in gewerblichem Umfang*

Im englischen CDPA gibt es keine Definition eines gewerblichen Umfangs, wie er für die Erfüllung der meisten Straftatbestände vorausgesetzt wird. Er wird beispielsweise bei Anfertigung eines Werks zum Verkauf oder zur Vermietung oder bei der Einfuhr oder dem Besitz im Lauf des Geschäftsbetriebs vorausgesetzt (Sec. 107 (1) CDPA). Aus dem Gesetz geht allerdings hervor, dass ein Gegenstand die Tatbestandsvoraussetzungen erfüllt, wenn der Verletzer ihn zu gewerblichen Zwecken herstellt.[314] Das Gesetz nimmt einzig mit der Wendung *im Lauf des Geschäftsbetriebs*[315] ausdrücklich Bezug auf einen gewerblichen Vorgang. Auch hier fehlt eine Legaldefinition, obgleich dieser Ausdruck in anderen Rechtsgebieten bezüglich des Warenverkaufs und im Partnerschaftsrecht fest verankert ist.[316] Dort umfasst er Tätigkeiten in einem wirtschaftlichen Unternehmen oder solche, die fortlaufend und mit Gewinnerzielungsabsicht unternommen werden. Daraus soll sich auch die Geschäftsführungsabsicht ergeben, die bereits bejaht wurde, wenn die Anzahl der rechtsverletzenden Vervielfältigungsstücke niedrig war.[317] Aus dieser Rechtsprechung geht hervor, dass für einen gewerblichen Umfang im Lauf eines Geschäftsbetriebs bereits geringe Mengen rechtswidriger Vervielfältigungsstücke ausreichen.[318]

#### *d) Juristische Personen, Haftbarkeit von Vorstandsmitgliedern (Sec. 110 CDPA)*

Wurde eine Straftat unter Sec. 107 durch eine juristische Person mit der Zustimmung eines Direktors, Managers, Geschäftsführers, eines anderen leitenden Mitarbeiters des Unternehmens oder einer anderen Person, die über die Kompetenz zur Vornahme solcher Handlungen verfügt, begangen, machen sich beide strafbar (Sec. 110 (1) CDPA).

---

314 *Sugden*, [2009] EIPR 202 ff.

315 Engl. "In the course of a business".

316 Vgl. Sale of Goods Act 1893 und nachfolgende Gesetze: Sale of Goods Act 979 und Sale and Supply Act 1994 (UK); Partnership Act 1890 (UK) und Civil Partnership Act 2004 (UK).

317 Z.B. in *R. v Carter (Carol Dawn)* (1992) 13 Cr App R (S) 151, wo wegen der Verteilung von 219 rechtswidrigen Kopien eines Videos eine neunmonatige Freiheitsstrafe, ausgesetzt zur Bewährung, verhängt wurde. In *Halawa v Federation Against Copyright Theft* [1995] 1 Cr App R 21 ließ der Rechtsinhaber sieben Videorecorder, einen Fernsehbildschirm und 33 Videobänder beschlagnahmen und der Angeklagte wurde wegen wegen Verletzung der Sec. 21 (4A), (7A) des Copyright Act 1956 zu einer Geldstrafe i.H.v. £ 500 für jede Rechtsverletzung und zur Zahlung der Verfahrenskosten i.H.v. £ 3.650 verurteilt. In *R. v Lloyd (Grand Oaten)* [1997] 1 Cr App R (S) 208 handelte es sich um 61 Raubkopien von Computerprogrammen, die auf Speichermedien beim Angeklagten gefunden wurden.

318 *Sugden*, [2009] EIPR 202 ff.

### *e) Anordnung der Herausgabe in Strafverfahren (Sec. 108 CDPA)*

Das für eine Verurteilung wegen Verletzung von Sec. 107 CDPA zuständige Gericht kann anordnen, dass die rechtswidrigen Vervielfältigungsstücke oder Gegenstände an den Rechtsinhaber oder eine andere vom Gericht bestimmte Person herauszugegeben sind. Dafür muss der Richter davon überzeugt sein, dass der Täter bei seiner Festnahme (a) eine rechtswidrige Kopie eines urheberrechtlich geschützten Werks im Lauf des Geschäftsbetriebs in seinem Besitz, Gewahrsam oder unter seiner Kontrolle hatte oder (b) einen Gegenstand, der speziell dazu entworfen oder verändert wurde, Vervielfältigungsstücke eines bestimmten Werks herzustellen, in seinem Besitz, Gewahrsam oder seiner Kontrolle hatte.

### *f) Strafbarkeit wegen Herstellung, Handel mit oder Gebrauch von rechtswidrigen Aufnahmen (Sec. 198 CDPA)*

Bei unmittelbarer Verletzung der Aufführungsrechte des Rechtsinhabers greift der Straftatbestand in Sec. 198 CDPA. Abs. 1 erfasst den Täter, der ohne Genehmigung vorsätzlich rechtswidrige Aufnahmen (a) zu Verkaufs- oder Vermietungszwecken herstellt; (b) in das Vereinigte Königreich einführt, ausgenommen solche zu privatem Gebrauch; (c) im Lauf des Geschäftsbetriebs mit dem Ziel der Begehung künftiger Rechtsverletzungen besitzt oder (d) im Lauf des Geschäftsbetriebs eine solche Aufnahme (i) verkauft oder vermietet; (ii) anbietet oder zum Verkauf oder zur Vermietung ausstellt oder (iii) verbreitet.

Nach Abs. 1A begeht derjenige eine Straftat, der das Bereitstellungsrecht des Ausführenden (a) im Lauf des Geschäftsbetriebs oder (b) außerhalb des Geschäftsbetriebs in solchem Maße verletzt, dass der Rechtsinhaber nachteilig betroffen ist, wobei er weiß oder wissen muss, dass er durch dieses Verhalten das Bereitstellungsrecht an der Aufnahme verletzt.

Wer die Aufnahme einer Aufführung, die ohne Genehmigung angefertigt wurde (sog. *Bootleg*), (a) in der Öffentlichkeit zeigt oder abspielt oder (b) in der Öffentlichkeit verbreitet und dabei Rechte des vorliegenden Kapitels vorsätzlich verletzt, erfüllt den Straftatbestand des Abs. 2.

Bei einem Verstoß gegen Abs. 1 lit. a, b oder d (iii) ist nach Abs. 4 das Strafmaß bei Zuständigkeit des *Magistrates' Court* Freiheitsstrafe nicht über sechs Monate und/oder eine Geldstrafe nicht über der gesetzlichen Höchstgrenze von £ 5.000. Bei Zuständigkeit des *Crown Court* kann zu Geldstrafe und/oder Freiheitsstrafe von bis zu 10 Jahren verurteilt werden.

Bei Verletzung von Abs. 1A kann der *Magistrates' Court* zu einer Freiheitsstrafe nicht über drei Monate und/oder einer Geldstrafe nicht über der gesetzlichen Höchstgrenze von £ 5.000 verurteilen. Bei Zuständigkeit des *Crown Court* drohen eine Geldstrafe und/oder eine Freiheitsstrafe von bis zu zwei Jahren.

Gemäß Abs. 6 ist bei anderen strafrechtlichen Verstößen in Sec. 107 der *Magistrates' Court* zuständig, der in einem summarischen Verfahren eine Freiheitsstrafe nicht über sechs Monate und/oder eine Geldstrafe nicht über £ 5.000[319] verhängen kann.

### 3. Schutz von DRM-Systemen

Neben den Straftatbeständen der Sec. 107 und Sec. 198 CDPA, die unmittelbare Verletzungen des Urheberrechts sanktionieren, erfassen die Straftatbestände der Sec. 296ZB, 297 und 297A CDPA Urheberrechtsverletzungen, die aus dem Missbrauch von Technologien oder anderen technischen Schutzmaßnahmen resultieren.

Außer Sec. 296ZB, 297 und 297A CDPA sollen auch die sogenannten *Criminal Lifestyle*-Straftatbestände des *Proceeds of Crime Act 2002* (POCA) erwähnt werden. Danach kann eine Beschlagnahme aller Gegenstände und finanziellen Mittel, die in den sechs Jahren, die der Verurteilung wegen eines urheberstrafrechtlichen Delikts vorangehen, durch das Gericht angeordnet werden. Ist eine zweifelsfreie Bestimmung der Herkunft der Gegenstände und des Geldes nicht möglich, so wird vermutet, dass sie ein Ertrag aus kriminellen Handlungen sind. Im POCA werden die Straftatbestände der Sec. 107 (1), (2); 198 (1) und 297A CDPA *Lifestyle*-Straftatbestände genannt.[320]

#### *a) Vorrichtungen und Erbringung von Dienstleistungen zur Umgehung technischer Maßnahmen (Sec. 296ZB CDPA)*

Sec. 296ZB CDPA betrifft Vorrichtungen zur Umgehung technischer Maßnahmen und die Erbringung von entsprechenden Dienstleistungen. Danach liegt eine Rechtsverletzung vor, wenn in Bezug auf Vorrichtungen, Erzeugnisse oder Bestandteile, die vorrangig dazu entworfen, hergestellt oder angepasst wurden, die Umgehung wirksamer technischer Maßnahmen zu ermöglichen oder zu erleichtern, Folgendes geschieht: (a) Herstellung zum Zwecke des Verkaufs oder Vermietung, (b) Einfuhr zu anderen als privaten oder familiären Zwecken, (c) im Geschäftsbetrieb (i) Verkauf oder Vermietung, (ii) Angebot oder Ausstellung zum Verkauf oder zur Vermietung, (iii) Werbung zum Verkauf oder zur Vermietung oder (iv) der Besitz oder (v) die Verbreitung oder (d) eine nicht kommerzielle Verbreitung, die den Rechtsinhaber nachteilig beeinträchtigt.

Eine Rechtsverletzung liegt bei Erbringung einer Dienstleistung vor, die darauf gerichtet ist, die Umgehung wirksamer technischer Maßnahmen zu ermöglichen oder zu erleichtern, wenn diese Handlung erbracht, unterstützt, beworben oder

---

319 Level 5 auf der Standard Scale beträgt £ 5.000 nach den *Magistrates' Court Sentencing Guidelines*, S. 151

320 Vgl. Sec. 75, Schedule 2 POCA.

vermarktet wurde und dies (a) im Lauf des Geschäftsbetriebs oder (b) außerhalb des Geschäftsbetriebs geschieht, wobei der Rechtsinhaber beeinträchtigt wird.

Der Angeklagte kann sich einer Verfolgung der Rechtsverletzung entziehen, wenn er beweist, dass er weder wusste noch vernünftigerweise hätte wissen können, dass die Vorrichtungen, Erzeugnisse oder Bestandteile oder die erbrachte Dienstleistung die Umgehung wirksamer technischer Maßnahmen ermöglicht oder erleichtert hat (Sec. 296ZB (5) CDPA).[321]

Das Strafmaß bei Verletzung der Abs. 1 und 2 beträgt bei Verurteilung wegen einer *summary offence* Freiheitsstrafe nicht über drei Monate und/oder Geldstrafe nicht über der gesetzlich festgelegten Höchstgrenze von £ 5.000. Bei Zuständigkeit des *Crown Court* kann eine Geldstrafe und/oder eine Freiheitsstrafe nicht über zwei Jahren verhängt werden.

### b) *Hausdurchsuchungen und Einziehung (Sec. 296ZC CDPA)*

Sec. 296ZC CDPA erklärt, dass Hausdurchsuchungen gemäß Sec. 297B CDPA und Einziehung unerlaubter Decoder gemäß Sec. 297C CDPA auch bei Verletzung des Sec. 296ZB anwendbar sind.[322] Für eine Hausdurchsuchung nach Sec. 297B (1) CDPA ist es erforderlich, dass der Friedensrichter aufgrund eidesstattlicher Erklärungen von Polizisten vernünftigerweise zu der Annahme kommt, dass (a) eine Verletzung von Sec. 296ZB (1) oder (2) in den Räumlichkeiten stattgefunden hat oder unmittelbar bevorsteht und (b) Beweise für eine solche Rechtsverletzung in diesen Räumlichkeiten vorliegen. Während der Hausdurchsuchung kann der Polizist gemäß Sec. 297B (4) CDPA einen Gegenstand beschlagnahmen, wenn er vernünftigerweise annehmen kann, dass eine Rechtsverletzung des 296ZB (1) oder (2) CDPA stattgefunden hat oder unmittelbar bevorsteht. Der Hausdurchsuchungsbefehl ist drei Monate ab seinem Erlass wirksam (Sec. 297B (3) lit. b CDPA).

Eine Einziehung unerlaubter Decoder kann vom Gericht angeordnet werden, wenn es davon überzeugt ist, dass eine relevante Rechtsverletzung[323] in Bezug auf diese Gegenstände begangen wurde (Sec. 297C (4) CDPA). Jede Person, die im

[321] Zudem schreibt Sec. 296ZB Abs. 3 CDPA vor, dass Sec. 296ZB Abs. 1 und 2 CDPA nicht anwendbar sind, wenn Handlungen einer Behörde der Exekutive oder eines geheimen Nachrichtendienstes infrage stehen, die im Interesse der nationalen Sicherheit oder zum Zweck der Prävention oder Aufdeckung von Straftaten, zur Ermittlungen einer Straftat oder zur Durchführung eines Strafverfahrens vorgenommen wurden.

[322] Allerdings wird der Wortlaut der Sec. 297B, 297C und 297D CDPA an Sec. 296ZB CDPA angepasst. Eine Rechtsverletzung bestimmt sich dann nach Sec. 296ZB CDPA, und Gegenstand von Beschlagnahme und Einzug sollen nicht Decoder, sondern Vorrichtungen, Erzeugnisse oder Bestandteile sein, die die Umgehung wirksamer technischer Maßnahmen bezwecken.

[323] Gemäß Sec. 296C (2) CDPA meint „relevante Rechtsverletzung" u.a. eine Verletzung der Sec. 296ZB (1) CDPA.

Lauf der Ermittlungen oder des Strafverfahrens wegen einer relevanten Rechtsverletzung in den Besitz von Decodern gelangt, die zur Umgehung wirksamer technischer Maßnahmen bestimmt sind, kann einen Antrag auf Einziehung stellen (Sec. 297C (1) CDPA).[324]

#### *c) Unrechtmäßiger Empfang von Programmen (Sec. 297 CDPA)*

Wer unrechtmäßig Programme empfängt, die Bestandteil eines TV- oder Rundfunksendedienstes mit Standort im Vereinigten Königreich sind, und dabei Gebühren, die an den Empfang geknüpft sind, umgehen will, begeht gemäß Sec. 297 (1) CDPA eine Straftat und muss mit einer Geldstrafe von bis zu £ 5.000 rechnen.

Wurde die Straftat durch eine juristische Person mit der Zustimmung eines Direktors, Managers, Geschäftsführers, eines anderen leitenden Mitarbeiters des Unternehmens oder einer anderen Person, die über die Kompetenz zur Vornahme solcher Handlungen verfügt, begangen, machen sich sowohl die leitende Person als auch die juristische Person strafbar (Sec. 297 (2) CDPA).

#### *d) Unerlaubte Decoder (Sec. 297A CDPA)*

Nach Sec. 297A CDPA macht sich strafbar, wer (a) einen unerlaubten[325] Decoder herstellt, einführt, verteilt, verkauft, vermietet oder zum Verkauf oder zur Vermietung anbietet oder ausstellt; (b) zu geschäftlichen Zwecken einen unerlaubten Decoder in seinem Besitz hat; (c) einen unerlaubten Decoder zu geschäftlichen Zwecken installiert, instand hält oder ersetzt oder (d) den Verkauf oder die Vermietung eines unerlaubten Decoders bekannt macht oder auf sonstige Weise auf geschäftlichem Wege einen unerlaubten Decoder bewirbt. Sec. 297A (2) schreibt vor, dass bei einem Verstoß gegen Abs. 1 das Strafmaß bei Zuständigkeit des *Magistrates' Court* eine Freiheitsstrafe nicht über sechs Monate und/oder eine Geldstrafe nicht über der gesetzlichen Höchstgrenze von £ 5.000 beträgt. Bei Zuständigkeit des *Crown Court* kann zu Geldstrafe und/oder Freiheitsstrafe von bis zu zehn Jahren verurteilt werden. Der Angeklagte kann sich gemäß Abs. 3 einer Verfolgung der Rechtsverletzung entziehen, wenn er nachweist, dass er weder wusste noch vernünftigerweise hätte wissen können, dass der Decoder unerlaubt war.

---

324 In Schottland richtet sich die Einziehung nach Sec. 297D CDPA.

325 „Unerlaubt" meint gemäß Sec. 297A (4) lit. b CDPA in diesem Zusammenhang, dass der Decoder dazu entworfen oder verändert wurde, eine verschlüsselte Fernseh-/Rundfunksendung oder einen sonstigen Dienst in lesbarer Form zu empfangen, ohne die Gebühren, die für den Empfang einer solchen Sendung oder Dienstes normalerweise gefordert werden, zu entrichten. Unerheblich ist, ob dabei Technologien, die den lesbaren Empfang verschlüsselter Werke von einer vorherigen Genehmigung abhängig machen *(conditional access technology)* umgangen wurden oder ob ein anderes Mittel zum Einsatz kam.

## C. Zollrechtliche Maßnahmen

Das zollrechtliche Instrumentarium teilt sich auch in England auf in Maßnahmen, die auf die Verordnung Nr. 1383/2003[326] gestützt werden, und solche, die auf nationalem Recht basieren. Da bezüglich der Durchsetzung der EG-Verordnung,[327] deren Anwendungsbereich sich auf im Binnenmarkt zirkulierende Ware beschränkt, keine Besonderheiten bestehen, soll auf die oben gemachten Ausführungen verwiesen werden.[328]

Gleichwohl besteht auch ein von der EG-Verordnung unabhängiges zollrechtliches Beschlagnahmerecht, das im CDPA verankert ist:[329] Sec. 111 CDPA gestattet ein zollrechtliches Eingreifen bei Waren, die von Drittstaaten in das Vereinigte Königreich eingeführt werden sollen, oder Waren, die zwar aus dem europäischen Wirtschaftsraum stammen, aber nicht aus Drittstaaten zur freien Zirkulation eingeführt wurden, Abs. 3A. Des Weiteren findet Sec. 111 CDPA keine Anwendung auf Güter, für die ein Antrag unter der Verordnung Nr. 1383/2003 gestellt werden kann, sowie auf Waren, die zum privaten Gebrauch eingeführt werden, und auf Waren, die bereits in das Vereinigte Königreich eingeführt worden sind.[330]

Nach Sec. 111 (1) CDPA kann der Inhaber der Rechte an einem veröffentlichten Werk der Literatur, des Theaters oder der Musik schriftlich bei der zuständigen Zollbehörde beantragen,[331] dass rechtswidrige Vervielfältigungsstücke, deren Einfuhr er in das Vereinigte Königreich erwartet, für einen Zeitraum von bis zu fünf Jahren als verbotene Ware behandelt werden.

Sec. 111 (3) schreibt vor, dass der Inhaber von Rechten an Tonaufnahmen oder Filmen die Zollbehörde in einem Schreiben über die erwartete Einfuhr von rechtswidrigen Vervielfältigungsstücken zu einem bestimmten Zeitpunkt und an einem bestimmten Ort informieren und bei der Behörde die Behandlung als verbotene Ware beantragen soll.

---

326 Verordnung (EG) Nr. 1383/2003 des Rates vom 22.7.2003 über das Vorgehen der Zollbehörden gegen Waren, die im Verdacht stehen, bestimmte Rechte des geistigen Eigentums zu verletzen, und die Maßnahmen gegenüber Waren, die erkanntermaßen solche Rechte verletzen.

327 Umgesetzt durch *Notice 34 Intellectual Property Rights, July 2004, Customs and Excise Division.*

328 Siehe oben Landesbericht Italien.

329 *Fry,* [2002] EIPR 519. Allerdings ist dieses Recht aufgrund seines eingeschränkten Anwendungsbereichs auch nur von begrenztem Nutzen.

330 Sec. 111 (3B), (4) CDPA; *Notice 34 Intellectual Property Rights, July 2004, Customs and Excise Division*, 4.2.

331 Für einen Antrag nach Sec. 111 CDPA wird eine Gebühr von £ 30 zuzüglich Mehrwertsteuer erhoben; *Notice 34 Intellectual Property Rights, Juli 2004, Customs and Excise Division*, 4.4.

Als Rechtsfolge einer verbotenen Wareneinführung hat der Importeur gemäß Sec. 111 (4) CDPA keine anderen Strafen als die Beschlagnahme der Ware zu befürchten. Beschlagnahmte Ware wird in der Regel von der Zollbehörde zerstört, soweit der Rechtsinhaber die Zerstörung nicht selbst vornehmen will. Die Kosten für die Zerstörung sind vom Rechtsinhaber zu tragen.

Letztlich ist festzustellen, dass aufgrund des Antragserfordernisses, des durch die Verordnung Nr. 1383/2003 eingeschränkten Anwendungsbereichs und auch des Ausschlusses anderer Rechtsbehelfe als dem Warenverbot und der Beschlagnahme der Ware das von Sec. 111 gewährte Recht nur von begrenztem Nutzen ist.

Auskunftsansprüche gegen die Zollbehörde sind zwar nicht ausdrücklich gesetzlich normiert, wurden aber bereits von Gerichten zugesprochen.[332] Im Fall *Norwich Pharmacal* wusste der Kläger, dass seine Patentrechte durch rechtswidrige Wareneinfuhr in das Vereinigte Königreich verletzt wurden, konnte aber den Rechtsverletzer nicht identifizieren. Daher klagte er gegen die Zollbehörde auf Auskunft über die Identität des Verletzers. Der Zoll war in Besitz der rechtswidrigen Vervielfältigungsstücke seit ihrer Einfuhr in das Vereinigte Königreich und von Dokumenten, die die Einfuhr der Ware belegten.

## D. Außerrechtliche Maßnahmen

Nachdem oben Möglichkeiten der Nutzungsregulierung digitaler Werke durch den Einsatz von DRM-Systemen aufgezeigt wurden, soll in diesem Teil vor allem auf die in England zum Schutz vor Internetpiraterie gewählten Kooperationsmodelle zwischen ISP, Rechtsinhabern und Regierung eingegangen werden.

### 1. Abschluss eines Memorandum of Understanding

Ein wichtiges Zeichen im Kampf gegen die Internetpiraterie ist das zwischen der englischen Regierung, der British Phonographic Industry (BPI)[333] und den sechs größten britischen ISP[334] am 24. Juli 2008 geschlossene *Memorandum of Understanding* (MoU).[335] Darin verpflichteten sich die Parteien, gemeinsam gegen die Internetpiraterie – insbesondere gegen Wiederholungstäter auf diesem Gebiet –

---

332 *Norwich Pharmacal Co. v Customs and Excise Commissioners* [1974] AC 133.

333 Der BPI vertritt die britische Musikindustrie: Zu den Mitgliedern zählen mehrere hundert Medien- und Musikunternehmen, darunter auch die vier größten, Warner Music Group, EMI, Sony BMG und Universal Music Group.

334 Dies sind: British Sky Broadcasting, British Telecom, Carphone Warehouse, Orange, Tiscali and Virgin Media.

335 Eine MoU ist eine Absichtserklärung, die z.T. im englischen Rechtskreis vor Abschluss eines rechtlich bindenden Vertrags abgegeben wird.

vorzugehen und hierdurch eine Verringerung des illegalen Filesharings herbeizuführen. Die Unterzeichner des Aktionsplans sollen u.a. Aufklärungskampagnen in der Öffentlichkeit intensivieren und das Angebot von Warenvertrieb und Dienstleistungen über das Internet erweitern, um die Möglichkeiten einer legalen Verwertung digitaler Werke über das Internet auszuweiten. Zudem erklärten sich die ISP dazu bereit, hunderttausende Warnbriefe an mutmaßlich gegen Urheberrechte verstoßende Filesharer zu verschicken. Diese sollten nicht nur vor den Konsequenzen der Verletzungshandlungen warnen und abschrecken, sondern auch zur Aufklärung in der Öffentlichkeit beitragen, indem das Unrechtsbewusstsein bezüglich des illegalen Filesharings geschärft wird. Der große Vorteil dieses Modells ist, dass sich über verschiedene Ebenen hinweg Regierung, Rechtsinhaber und ISP freiwillig zusammengeschlossen haben, was die Effektivität der Maßnahme stärkt. Zudem hat auch das einheitliche Auftreten der Beteiligten Signalwirkung für Industrie und private Nutzer. Hervorzuheben ist auch, dass insbesondere die Gruppe der ISP ohne rechtliche Regulierung und Zwang die mit ihrer Stellung verbundene Verantwortung erkannt und sich verpflichtet hat, das wiederholte illegale Downloaden zu bekämpfen. Letztlich sollte das MoU eine neue Grundlage im Kampf gegen die Internetpiraterie schaffen, auf der sich neue Geschäftspraktiken entfalten und die das öffentliche Bewusstsein im Umgang mit digitalen Werken verändern sollte.

### 2. Die Digital Economy Bill

Kontrovers diskutiert wurde in England die aus Frankreich stammende Idee, Internetnutzern, die online wiederholt Urheberrechtsverletzungen begehen, nach mehrfachen Verwarnungen den Internetzugang für einen bestimmten Zeitraum zu sperren.[336] Überraschend schnell erhielt daher am 12. April 2010 die umstrittene *Digital Economy Act* (DEA) die königliche Genehmigung, nachdem sie im Parlament mit 189 zu 47 Stimmen im Mai 2010, kurz vor Ende der Legislaturperiode, angenommen wurde. Ihr Inkrafttreten am 12. Juni 2010 erfolgte nur ein Jahr nach der Veröffentlichung der von der Regierung vorgelegten Vorschläge zur Anpassung der digitalen Medien in England an das digitale Zeitalter im *Weißbuch Digital Britain* im Juni 2009. Mit diesem Gesetz hat England zwar nicht deckungsgleich das aus Frankreich stammende *Three-Strikes-Modell* über-

[336] Sog. *Three-Strikes-Modell*, wonach Internet-Anbieter per Gesetz gezwungen werden sollten, illegalen Downloadern in drei Schritten den Zugang zu sperren. Beim ersten illegalen Downloaden sollte der Nutzer eine Mitteilung via E-Mail erhalten, dass er einer Straftat verdächtig sei. Nach einer zweiten Urheberrechtsverletzung sollte eine vorübergehende Sperrung des Internetzugangs vorgenommen werden und bei einem dritten erfassten Verstoß sollte eine Kündigung des Vertrags durch den Provider vorgenommen werden. Eingeführt durch die sog. *Loi HADOPI*; *Loi n°2009-669 du 12 juin 2009 favorisant la diffusion et la protection de la création sur internet* (zur Förderung der Verbreitung und des Schutzes von Werken im Internet).

nommen.[337] Allerdings wurde ein abgestuftes Mahnwesen gegen illegales Downloaden eingeführt, wonach ISP auf Hinweise der Rechtsinhaber hin Mahnbriefe verschicken müssen. Finden diese keine Beachtung, so können im Einzelfall die Abhilfemaßnahmen von einer Verlangsamung der Datenübertragungsgeschwindigkeit bis zur Unterbrechung des Internetzugangs und auch die Sperrung von Internetseiten veranlasst werden.

England hat sich trotz der drohenden Eingriffe in die Informationsfreiheit der Bürger für den Weg einer *providergestützten Rechtsdurchsetzung* entschieden. Eine Schlüsselrolle kommt bei der Umsetzung dieses Gesetzes der Regulierungsbehörde OFCOM[338] zu, die als Schaltstelle zwischen Regierung, ISP und Internetnutzern wirkt. Eine weitere Besonderheit des Gesetzes liegt darin, dass es weite Spielräume für die Regulierungsbehörde bezüglich der Entwicklung von Sanktionsmaßnahmen enthält und damit im Bereich des Online-Urheberrechtsregimes als Testfeld genutzt werden kann. Im Einzelnen enthält das neue Gesetz die nachfolgend besprochenen Neuregelungen für den Bereich der Urheberrechtsverletzungen.

#### *a) Verpflichtung, Internetnutzer über Urheberrechtsverletzungen zu informieren*

Art. 3 DEA führt eine neue Vorschrift in den *Communications Act* 2003[339] ein, wonach ISP verpflichtet sind, Internetnutzer über begangene Urheberrechtsverletzungen, die von den Rechtsinhabern angezeigt wurden, zu informieren. Darüber hinaus werden das von den Rechtsinhabern zu beachtende Notifizierungsverfahren, der Inhalt eines solchen Urheberrechtsverletzungsberichts durch die Rechtsinhaber sowie das von den ISP durchzuführende Informationsverfahren gegenüber den Rechtsverletzern definiert. ISP ist es in England nicht möglich, den Rechtsinhabern den Namen der Rechtsverletzer ohne einen vorherigen Gerichtsbeschluss zu nennen. Daher müssen sie, nachdem sie von den Rechtsinhabern detaillierte Information über die Rechtsverletzung erhalten haben, dem Internetnutzer diesen Vorgang anzeigen. Die Mahnung durch die ISP muss nicht nur den Rechtsinhaber, der die

---

337 Im EU-Parlament hatte ein entsprechender Gesetzesvorschlag, der eine Internetsperre für rechtswidrig handelnde Internetnutzer vorsah, bisher keinen Erfolg. Die Abstimmung über den umstrittenen Bericht zur „Harmonisierung bestimmter Aspekte des Urheberrechts und verwandter Rechte in der Informationsgesellschaft", der vom EU-Parlamentarier *Manuel Medina Ortega* zur Neuregelung des Urheberrechts entworfen wurde, ist Anfang 2009 auf unbestimmte Zeit vertragt worden, wie der Ausschuss für bürgerliche Freiheiten, Justiz und Inneres (LIBE), in dem der Bericht zuerst zur Abstimmung kam, berichtete. Als zu groß wurden die Eingriffe in die Informationsfreiheit der Bürger und auch die Nachteile für den technischen Fortschritt durch eine zusätzliche Regulierung dieses Bereichs eingestuft.

338 OFCOM ist die englische Regulierungsbehörde für Kommunikationsindustrie, die unter dem Communications Act 2003 eingerichtet wurde. In Teil 1 Communications Act 2003 werden Aufgaben und Funktion der Behörde beschrieben.

339 Sec. 124A Communications Act 2003.

Urheberrechtsverletzung angezeigt hat, und entsprechende Beweise angeben. Der Internetnutzer muss auch auf legale Nutzungsmöglichkeiten des Internets und Online-Geschäftsmodelle sowie die Sicherung seines Internetzugangs vor Fremdzugriffen aufmerksam gemacht werden. Auch besteht eine Verpflichtung der ISP zur Aufklärung über mögliche Rechtsschutzmöglichkeiten des Internetnutzers.

#### *b) Verpflichtung der ISP, Rechtsinhabern eine Liste über Urheberrechtsverletzungen auszuhändigen*

Sec. 4 DEA fügt die neue Sec. 124B in den Communications Act ein, wonach ISP auf Antrag der Rechtsinhaber verpflichtet sind, an diese eine Liste aller von einzelnen Internetzugängen begangenen Urheberrechtsverletzungen herauszugeben, die zuvor von den Rechtsinhabern angezeigt wurden. Diese Liste ist aus Datenschutzgründen verschlüsselt und enthält nicht den Namen der Rechtsverletzer, allerdings geht daraus hervor, wie viele Verletzungshandlungen von einem einzelnen Anschluss aus begangen wurden. Dem Rechtsinhaber ist es damit möglich, nur gegen die Rechtsverletzer vorzugehen, die die meisten Verletzungshandlungen vornehmen. Die Rechtsverfolgung soll somit für die Rechtsinhaber attraktiver werden, da das Kostenrisiko für Gerichtsverfahren abgesenkt wird.

#### *c) Erlass einer Richtlinie zur Regelung der Verfolgung von Rechtsverletzungen*

Die in den Sec. 3 und 4 DEA genannten Verpflichtungen sind an den Erlass einer ergänzenden Richtlinie gebunden, die entweder von der OFCOM selbst erstellt oder von der Regulierungsbehörde genehmigt wurde. Sec. 5 DEA führt die neue Sec. 124C in den Communications Act ein, die die Voraussetzung für die Genehmigung einer solchen Richtlinie durch die OFCOM festlegt.[340] Aus der Gesetzesbegründung ergibt sich, dass die Regierung auf eine Beteilung aller Akteure (ISP, Rechtsinhaber und Internetnutzer) bei der Entwicklung einer solchen Richtlinie hofft. Auch die Adressatengruppe der mitwirkungsverpflichteten ISP wird in dieser Richtlinie bestimmt. So sollen diejenigen ISP davon ausgenommen sein, die zeigen können, dass sie unterhalb einer festzulegenden Anzahl von Urheberrechtsverletzungen in einem bestimmten Zeitraum bleiben.

#### *d) Berichte über den Fortschritt der Maßnahmen*

Die OFCOM muss entsprechend Sec. 8 DEA alle zwölf Monate einen vollständigen Bericht und alle drei Monate Zwischenberichte über Urheberrechtsverletzun-

---

340 Insbesondere das Verfahren, durch das die Rechtsverletzungen ermittelt werden; die vom Rechtsinhaber einzuhaltenden Beweisstandards, bevor eine Anzeige an ISP gemacht wird; die Form eines Urheberrechtsverletzungsberichts; Anzeigefristen sowie die Rechtsschutzmöglichkeiten der Internetnutzer.

gen von Internetnutzern erstellen. Diese Berichte sollen dem *Secretary of State*[341] helfen, Entwicklungen bei Online-Urheberrechtsverletzungen zu beobachten und die Effektivität der den ISP auferlegten Mitwirkungspflichten zu überwachen. Sie dienen auch als Informationsquelle und Maßstab für die Bewertung, ob ISP weitere Pflichten aufzuerlegen sind.

### *e) Verpflichtungen über die Begrenzung des Internetzugangs*

Die neue Sec. 124H Communications Act[342] gestattet es dem *Secretary of State*, die ISP aufzufordern, Internetseiten zu blockieren, die Datenübertragungsgeschwindigkeit von Nutzern zu verlangsamen und den Internetzugang von Nutzern zu sperren. Die OFCOM muss zunächst bewerten, ob solche Maßnahmen ein geeignetes Mittel darstellen. Stimmt die OFCOM zu, so können ISP zum Einsatz technischer Maßnahmen verpflichtet werden. Allerdings unterliegen Vorschläge für Anordnungen unter der neuen Sec. 124H einem Überprüfungszeitraum von 60 Tagen und müssen von beiden Kammern des Parlaments bestätigt werden. Solche technischen Maßnahmen dürfen nur gegenüber einem *relevanten Internetnutzer (relevant subscriber)* erlassen werden, der mit einer ausreichenden Anzahl an Online-Urheberrechtsverletzungen in Verbindung gebracht wird. Zudem ist die OFCOM unter der neuen Sec. 124H Communications Act[343] verpflichtet, ein Regelwerk zu erlassen, nach dem die technologischen Verpflichtungen, die gegenüber ISP angeordnet werden können, festgelegt sind. Die Erstellung und jede Änderung dieser Vorschrift unterliegt der Zustimmung des *Secretary of State*. Außerdem muss die Einhaltung der Kriterien in Sec. 124J Communications Act gewahrt werden. Darin ist u.a. die Verhältnismäßigkeit der Maßnahmen in Bezug auf ein verfolgtes Ziel, ein Transparenzgebot und ein Diskriminierungsverbot einzelner Personen oder Personengruppen vorgeschrieben. Auch Regelungen bezüglich der Durchsetzung können getroffen werden, insbesondere die Anordnung von Strafzahlungen sowie die Festsetzung von Schadensersatz, den die Rechtsinhaber den ISP im Fall einer Verletzung der von der OFCOM festgelegten Regeln leisten müssen.

### *f) Rechtsbehelfe der Internetnutzer*

Weiterhin müssen gemäß der neuen Sec. 124K Communications Act von der OFCOM für die Internetnutzer auch Rechtsschutzmöglichkeiten gegen die technischen Maßnahmen festgelegt werden.[344] Davon umfasst ist die Schaffung eines

---

341 Bisher handelt es sich dabei um den Wirtschaftsminister, allerdings ist eine spätere Zuweisung der Regulierungsbehörde OFCOM unter ein anderes Ministerium möglich.

342 Eingeführt durch Sec. 10 DEA.

343 Eingeführt durch Sec. 11 DEA.

344 Eingeführt durch Sec. 13 DEA.

Rechtswegs und auch die Benennung von genauen Gründen, die die Statthaftigkeit des Rechtsbehelfs begründen. Zudem muss die Beweislast für jede einzelne angezeigte Urheberrechtsverletzung sowie für den Nachweis der Nutzung eines bestimmten Internetzugangs den Rechtsinhabern und/oder ISP auferlegt werden. Gelingt dem Internetnutzer der Nachweis, dass er die Urheberrechtsverletzung nicht selbst begangen hat oder dass er die nötigen Schutzmaßnahmen, um Missbrauch zu verhindern, getroffen hat, so muss eine Exkulpationsmöglichkeit vorgesehen werden. Hat die Beschwerde des Internetnutzers Erfolg, so muss er einen Ausgleich für den erlittenen Schaden erhalten. Zudem müssen Rechtsmittel gegen die Entscheidung der ersten Beschwerdeinstanz geschaffen werden. Letztlich muss von der OFCOM festgelegt werden, dass keine technischen Maßnahmen zum Einsatz kommen, solange die Beschwerdemöglichkeiten des Internetnutzers nicht erschöpft sind, der Internetnutzer den Beschwerdeweg nicht weiter beschreiten will oder die Beschwerdefrist abgelaufen ist.

#### *g) Durchsetzung der den ISP auferlegten Verpflichtungen*

In der neuen Sec. 124L Communications Act wurden die Strafen festgelegt, die den ISP im Fall des Zuwiderhandelns gegen die neuen Verpflichtungen, technische Maßnahmen einzusetzen, sowie ISP oder Rechtsinhabern im Fall der Verletzung von Mitwirkungspflichten gegenüber der OFCOM unter der neuen Sec. 124G Communications Act drohen. Die Obergrenze der Geldstrafe soll £ 250.000 betragen, kann aber durch eine Anordnung des Secretary of State, die von beiden Kammern des Parlaments bestätigt wurde, angehoben werden.

#### *h) Erlass von gerichtlichen Verfügungen, Internetseiten zu blockieren*

Sec. 17 DEA ermächtigt den *Secretary of State* Verordnungen zu erlassen, in denen Gerichten der Erlass von Verfügungen zur Sperrung von Internetseiten durch ISP ermöglicht wird, um die Verletzung von Urheberrechten zu verhindern. Bevor der *Secretary of State* solche Regelungen erlässt, muss er davon überzeugt sein, dass online begangene Urheberrechtsverletzungen nachteilige Auswirkungen auf Geschäftsmodelle oder Verbraucher haben und dass der Erlass einer solchen Verordnung im Verhältnis zu den angestrebten Wirkungen verhältnismäßig ist. In der Verordnung muss festgelegt werden, dass solche gerichtlichen Verfügungen nur ergehen dürfen, wenn die Internetseite dazu genutzt wird oder wahrscheinlich dazu genutzt werden wird, die Begehung von Urheberrechtsverletzungen oder den Zugang zu einem beträchtlichen Umfang rechtsverletzender Ware zu ermöglichen. Das Gericht muss dabei berücksichtigen, welche Maßnahmen der Betreiber der Internetseite und der ISP ergriffen haben, um Urheberrechtsverletzungen zu verhindern. Auch trägt das Gericht den vom Rechtsinhaber unternommenen Anstrengungen Rechnung, seine Werke auf legalem Wege zugänglich zu machen. Weiterhin müssen vom Gericht die Auswirkungen der fraglichen Internetseite auf legale Angebote und die Ausübung der Meinungsfreiheit beachtet werden. ISP müssen über die angeordnete Sperrung einer Internetseite informiert werden.

#### *i) Aufteilung der Kosten*

Die neue Sec. 124M Communications Act[345] ermächtigt den Secretary of State die Aufteilung der Kosten zwischen Rechtsinhabern, ISP und im Fall von Rechtsbeschwerden auch der Internetnutzer, zu regeln. Diese Regelung muss von beiden Kammern des Parlaments bestätigt werden.

## E. Verhältnis zwischen den Schutzmaßnahmen in den verschiedenen Rechtsgebieten

### 1. Zivilrechtliche Maßnahmen

Für das englische Recht sind insbesondere die Strenge und Härte mancher zivilrechtlicher Maßnahmen bezeichnend, die in manchen Fällen schon repressive Züge, wie sie aus dem Strafrecht bekannt sind, annehmen. Man denke hier etwa an die einschneidenden Verfahren zur Hausdurchsuchung (*discovery* oder *Anton Piller order*). Außerdem wurde festgestellt, dass bezüglich des Schadensersatzanspruchs, einer der wichtigsten Rechtsfolgen bei der Verletzung von Urheberrechten, grundlegende Funktionsunterschiede zwischen den kontinentaleuropäischen und der angelsächsischen Rechtsordnung bestehen. So wird in England bei Vorliegen von besonders bösartigem und rücksichtslosem Verhalten, das über den allgemeinen Haftungstatbestand hinausgeht, ein zusätzlicher Schadensersatz gewährt.

Ein großer Vorteil besteht gerade im Vergleich zu Strafrecht und Strafprozess in der Möglichkeit, auf einstweilige Maßnahmen zurückzugreifen, die eine schnelle Beweissicherung und Beendigung der Rechtsverletzung ermöglichen. Darüber hinaus gewähren zivilrechtliche Schadensersatzansprüche im Unterschied zum Strafrecht einen Ausgleich für den erlittenen wirtschaftlichen Schaden, ohne an ein besonderes Vorsatzerfordernis geknüpft zu sein.[346] Gerade bei gewerblich handelnden Tätern, die aus den Verletzungshandlungen große Profite gezogen haben, kann dies ein effektives Mittel sein. Weiterhin liegt ein besonderer Vorteil des Zivilverfahrens darin, dass es für den Kläger ausreicht, die überwiegende Wahrscheinlichkeit des Vorliegens der von ihm aufgestellten Behauptungen zu beweisen.[347] Ist die

345 Eingeführt durch Sec. 15 DEA.

346 Zur Möglichkeit, unter dem Criminal Courts Act 1973 eine Entschädigung vom Täter zu erhalten, vgl. Fünfter Teil, Fn. 98.

347 Sog. *Balance of probabilities*.

Schuld des Täters nicht zweifelsfrei zu beweisen, so kann in manchen Fällen trotz fehlender Erfolgsaussichten eines Strafverfahrens ein Zivilverfahren, das nicht denselben hohen Beweisstandard hat, erfolgreich angestrengt werden.[348] Auch muss im Zivilprozess nicht durchgängig das Mündlichkeitserfordernis, das ein Grundpfeiler des englischen Strafverfahrens ist, eingehalten werden; schon die Vorlage von beeidigten Erklärungen reicht zur Beweiserbringung aus.[349] Hervorzuheben ist letztlich Sec. 96 (2) CDPA, die durch ihren ausdrücklichen Hinweis auf die Anwendbarkeit aller zivilrechtlichen Maßnahmen, die auch bei der Verletzung eines Eigentumsrechts eingreifen würden, die Bedeutung des zivilrechtlichen Instrumentariums zusätzlich betont und stärkt.

### 2. Strafrechtliche Maßnahmen

Durchsetzung und Schutz des Copyrights werden in England grundsätzlich über das zivilrechtliche Instrumentarium gewährleistet, das weitreichende und bisweilen einschneidende Maßnahmen bereithält.[350] Allerdings können vorsätzliche Urheberrechtsverletzungen, insbesondere bei einer Begehung in gewerblichem Ausmaß, auch Straftatbestände erfüllen. Zwar wurden in den letzten Jahren Strafmaße erhöht[351] und auch neue Straftatbestände geschaffen,[352] dennoch ist die Zahl strafrechtlich verfolgter Urheberrechtsverletzungen in England noch sehr niedrig,[353] Der englische Gesetzgeber erwägt derzeit eine stärkere Gewichtung der urheberrechtlichen Straftatbestände.[354] Es hat sich gezeigt, dass ein wichtiger Vorteil des Strafverfahrens im Vergleich zu Zivilverfahren die wesentlich kürzere Verfahrensdauer ist.[355] Zudem steht das Anklagerecht jedermann zu und ist nicht nur von Rechtsinhaber oder Staat zu tragen. Außerdem können Vorstands- und Aufsichtsratsmitglieder persönlich haftbar gemacht werden, soweit ihre Zustimmung oder ihr stillschweigendes Einverständnis zu der Straftat nachgewiesen werden kann.[356]

---

348 *Blakeney/Blakeney*, [2008] EIPR 349.

349 *Harms*, [2004] EIPR 485.

350 Man denke hier beispielsweise an die *Anton Piller order*.

351 Die Höchstgrenze für Freiheitsstrafen in Sec. 107 (4) lit. b CDPA wurde von früher zwei Jahren auf heute zehn Jahre erhöht durch den Copyright, etc. and Trade Marks (Offences and Enforcement) Act 2002.

352 Die Absätze 2A und 4A in Sec. 107 CDPA wurden durch Statutory Instrument 2003/2498 hinzugefügt.

353 Zu den Zahlen vgl. oben Fünfter Teil, Fn. 294.

354 Vgl. oben Fünfter Teil, III.B.1.

355 Das Strafverfahren findet an einem *Magistrates' Court* regelmäßig bereits zwei Monate und an einem *Crown Court* etwa fünf bis sechs Monate nach Erhebung der Anklage statt. Zivilprozessuale Verhandlungen können demgegenüber von 18 Monaten bis zu zwei Jahren andauern, *Fry,* [2002] EIPR 524.

356 Siehe unten Sec. 110 CDPA.

Dies verstärkt zusätzlich die dem Strafverfahren eigene Abschreckungswirkung. Letztlich sind auch die Kosten nicht von einer privaten Partei zu tragen, sondern werden unabhängig vom Verfahrensausgang aus einem zentralen Fonds beglichen.[357] Den aufgezählten Vorzügen kann jedoch entgegengehalten werden, dass die strafverfahrensrechtlichen Aufklärungs- und Beweiserbringungsmöglichkeiten nicht an die umfangreichen Rechte der zivilrechtlichen *discovery* heranreichen und damit zusätzlich die Erfüllung der hohen strafrechtlichen Standards bezüglich der Beweislast erschweren.[358] Zudem gibt es im Strafverfahren keine Möglichkeit, eine gütliche außergerichtliche Einigung herbeizuführen, was in einigen Fällen ein wirksames Mittel zur Wiederherstellung des Rechtsfriedens darstellt. Hinzu kommt, dass Strafrichter i.d.R. nicht das Fachwissen für die Bearbeitung urheberrechtlicher Fälle vorweisen können und das Strafrecht nicht über Schadensersatz- und Ausgleichsmöglichkeiten verfügt, wie sie das Zivilrecht bereithält.[359]

### 3. Zollrechtliche Maßnahmen

Das zollrechtliche Instrumentarium teilt sich auch in England auf in einerseits Maßnahmen, die auf die Verordnung (EG) Nr. 1383/2003[360] gestützt werden, und andererseits solche, die auf nationalem Recht basieren. Das nationale zollrechtliche Beschlagnahmerecht gemäß Sec. 111 Abs. 3A CDPA gestattet zollrechtliches Eingreifen, bei Waren, die von Drittstaaten in das Vereinigte Königreich eingeführt werden sollen, oder Waren, die zwar aus dem europäischen Wirtschaftsraum stammen, aber nicht aus Drittstaaten zur freien Zirkulation eingeführt wurden. Des Weiteren findet Sec. 111 CDPA keine Anwendung auf Güter, für die ein Antrag unter der Verordnung (EG) Nr. 1383/2003 gestellt werden kann, sowie auf Ware, die zu privatem Gebrauch eingeführt wird, und auf Ware, die bereits in das Vereinigte Königreich eingeführt worden ist.[361] Als Rechtsfolge eines Verbots der Wareneinführung hat der Einführer keine anderen Strafen als die Beschlagnahme der Ware zu befürchten, gemäß Sec. 111 (4) CDPA. Beschlagnahmte Ware wird in der Regel von der Zollbehörde zerstört, soweit der Rechtsinhaber die Zerstörung nicht selbst vornehmen will. Die Kosten für die Zerstörung sind vom Rechtsinhaber zu tragen. Die Bedeutung des in Sec. 111 gewährten Beschlagnahmerechts ist wegen des

---

357 Vgl. Prosecution of Offences Act 1985.

358 *Fry,* [2002] EIPR 523.

359 Es gibt zwar Entschädigungsvorschriften im Strafrecht, allerdings waren Richter bisher zurückhaltend bei der Gewährung genauer Gebühren- oder Gewinnsätze.

360 Verordnung (EG) Nr. 1383/2003 des Rates vom 22.7.2003 über das Vorgehen der Zollbehörden gegen Waren, die im Verdacht stehen, bestimmte Rechte des geistigen Eigentums zu verletzen, und die Maßnahmen gegenüber Waren, die erkanntermaßen solche Rechte verletzen.

361 Sec. 111 (3B), (4) CDPA; *Notice 34 Intellectual Property Rights, Juli 2004, Customs and Excise Division*, 4.2.

Antragserfordernisses, des durch die Verordnung (EG) Nr. 1383/2003 eingeschränkten Anwendungsbereichs und auch des Ausschlusses anderer Rechtsbehelfe neben einem Warenverbot nur gering.

Auskunftsansprüche gegen die Zollbehörde sind zwar nicht ausdrücklich gesetzlich normiert, wurden aber bereits von Gerichten zugesprochen.[362]

---

362 *Norwich Pharmacal Co. v Customs and Excise Commissioners* [1974] AC 133.

*Sechster Teil*

# Vergleich

## I. Gegenstand und Ziel

Die Digitalisierung urheberrechtlich geschützter Werke stellt das Urheberrecht vor eine neue Herausforderung, die es bis an die Grenzen seiner Evolutionsfähigkeit bringt. Denn durch die Umwandlung von Sprach-, Musik- und Bildwerken in Bits lässt sich das Informationsmaterial mit geringem technischem Aufwand und ohne Qualitätsverlust wiedergeben, weiterverarbeiten und über das Internet verbreiten. Angesichts der hohen Kapazität gängiger Speichermedien ist dies selbst im privaten Umfeld möglich. Vor diesem Hintergrund stellt sich die Frage, ob angesichts der neuen und komplexen Problemstellungen nicht auch flexiblere rechtliche Instrumente und eine veränderte juristische Problembetrachtung erforderlich sind, um den Schutz digitaler Güter vor der globalen Produkt- und Dienstleistungspiraterie weiterhin gewährleisten zu können und ein Abdriften des Urheberrechts in die Bedeutungslosigkeit zu verhindern.

Übergeordnetes Ziel des Vergleichs ist es, auf der Grundlage der in den einzelnen Landesberichten erstellten Bestandsaufnahme der rechtlichen und außerrechtlichen Instrumente herauszuarbeiten, welche Unterschiede zwischen den nationalen Rechtsordnungen Deutschlands, Italiens und Englands trotz internationaler und europarechtlicher Harmonisierungsvorgaben weiterhin bestehen. Daneben soll untersucht werden, in welchem Verhältnis zivilrechtliche, strafrechtliche, verwaltungsrechtliche, zollrechtliche und außerrechtliche Lösungen zueinander stehen. Dabei ist besonders darauf zu achten, ob die einzelnen nationalen Maßnahmen ein in sich schlüssiges und abgestimmtes System bilden oder ob mit Blick auf Entwicklungen in anderen Ländern gegebenenfalls Anpassungsbedarf besteht.

## II. Verfassungsrechtlicher Schutz des Urhebers

Eine ausdrückliche Erwähnung fehlt sowohl im deutschen Grundgesetz wie auch in der italienischen Verfassung, dennoch genießt das Urheberrecht in beiden Rechtsordnungen verfassungsrechtlichen Schutz. Ungeachtet der fehlenden Normierung ist in Deutschland eine indirekte Verbürgung des Urheberrechts in der Eigentumsgarantie des Art. 14 GG zu finden, was das Bundesverfassungsgericht in einer Reihe von Entscheidungen bestätigt hat.[1] Grundsätzlich fällt somit der Vermögenswert eines urheberrechtlich geschützten Werks unter den Eigentumsbegriff des Art. 14 Abs. 1 GG.[2] Im Unterschied dazu wird in Italien das Urheberrecht dem Zivil- und Arbeitsrecht zugeordnet.[3] Aus dieser gesetzessystematischen Einordnung und der rechtlichen Klassifizierung des Urheberrechts als besonderem Ausdruck einer geistigen Arbeit ergibt sich auch der verfassungsrechtliche Schutz des Urheberrechts, der schwerpunktmäßig auf dem Schutz der Arbeit nach Art. 4 ital. Verfassung basiert. Daneben wird der Urheber sowohl in Deutschland als auch in Italien während des Schaffungsprozesses und bei Ausstellungen, Darbietungen oder sonstigen Verbreitungen des Werks in der Öffentlichkeit durch die Meinungsfreiheit[4] und die Kunst- und Wissenschaftsfreiheit[5] geschützt. Eine weitere Besonderheit in Italien stellt das verfassungsrechtlich verbürgte Recht auf Kulturförderung in Art. 9 ital. Verfassung dar.[6] Der Persönlichkeitsschutz des Urhebers wird in Deutschland durch den Schutz des allgemeinen Persönlichkeitsrechts in Art. 1 Abs. 1, Art. 2 Abs. 1 GG mitumfasst, während in Italien vorrangig ein zivilrechtlicher Schutz des in den Art. 20–24 LDA geregelten *droit moral* gewährt wird.[7]

Im Unterschied zu den kontinentaleuropäischen Verfassungstraditionen verfügte das Vereinigte Königreich bis zur Annahme des *Human Rights Acts 1998*[8] (HRA) über keinen geschriebenen Menschenrechtskatalog. Bis dahin wurden Grundrechte durch den Legalitätsgrundsatz[9] geschützt und von den Gerichten anerkannt. Daneben wachte der EuGH bei Fällen mit Gemeinschaftsrechtsbezug über die Ein-

---

1 *Schack*, Urheber- und Urhebervertragsrecht, S. 45 Rn. 91; *Fechner*, Geistiges Eigentum und Verfassung, S. 61 ff.; BVerfGE 31, 229, 239; BVerfGE 49, 382, 392.

2 *Schack*, Urheber- und Urhebervertragsrecht, S. 45 Rn. 91; *Poeppel*, Die Neuordnung der urheberrechtlichen Schranken im digitalen Umfeld, S. 134; *Rehbinder*, Urheberrecht, S. 62 Rn. 139; BVerfGE 31, 229, 239; BVerfGE 49, 382, 392.

3 *Fuchs*, Der Werkbegriff, S. 13.

4 Art. 5 Abs. 1 GG; Art. 21 ital. Verfassung.

5 Art. 5 Abs. 3 Satz 1 1. und 2. Alt. GG; Art. 33 ital. Verfassung.

6 Darin wird erklärt, dass die italienische Republik die Entwicklung von Kultur und wissenschaftlicher sowie technischer Forschung unterstützt.

7 Die italienische Rechtsprechung hat das Recht auf persönliche Identität *(diritto alla personalità individuale)* wie auch andere besondere Persönlichkeitsrechte aus der Generalklausel des Art. 2 ital. Verfassung entwickelt. Es ist anzunehmen, dass entsprechend der von Rechtsprechung und Lehre genutzten Methode, eventuell erforderliche künftige Aspekte des Persönlichkeitsschutzes unmittelbar aus Art. 2 ital. Verfassung herzuleiten, auch auf den urheberrechtlichen Persönlichkeitsschutz anzuwenden ist. Diese extensive Auslegung des Art. 2 ital. Verfassung wurde durch den italienischen Kassationshof gebilligt, in: Cost 3.2.1994 n. 13, Foro it. 1994 I 1668, 1670. Zusätzlich wird häufig der Gleichheitssatz herangezogen, der es verbiete, individuell Besonderes zu nivellieren (Art. 3 Abs. 1 ital. Verfassung). Die Persönlichkeitsrechte sollen demnach einen einheitlichen Schutz erfahren. *Pfeifer*, Individualität im Zivilrecht, S. 231.

8 In Kraft getreten am 2.10.2000.

9 Demnach war es nur dem Parlament durch ausdrückliche Äußerung möglich, in Grundrechte einzugreifen, *Wadham* et al., Human Rights Act 1998, Rn. 1.08.

haltung der Menschenrechte. Internationale Menschenrechtskonventionen gaben zumindest wichtige Leitlinien für die Gerichte, den Gesetzgeber und die Exekutive vor.[10] Mit Inkrafttreten des HRA wurde die EMRK[11] zentraler Bestandteil der Rechtspraxis in England. Auch im HRA gibt es keine ausdrückliche Erwähnung des geistigen Eigentums oder des Copyrights. Nicht zuletzt wegen der Zuordnung des Copyrights zu den Eigentumsrechten, die in Sec. 1 (1) CDPA hervorgehoben wird, erfährt das Copyright seinen verfassungsrechtlichen Schutz primär durch den Eigentumsschutz der EMRK.[12] Der weite Eigentumsbegriff des Art. 1 Abs. 1 im ersten Zusatzprotokoll zur EMRK umfasst nach der Rechtsprechung des EGMR nicht nur materielle Güter und Grundstücke, sondern auch Rechte an geistigem Eigentum wie Patente[13] oder Markenrechte.[14] Daneben fallen urheberrechtlich geschützte Werke in den Schutzbereich der Meinungsfreiheit nach Art. 10 EMRK, die nicht nur das geschriebene und gesprochene Wort, sondern auch andere Ausdrucksformen wie Fotografien, Internetseiten oder Videos umfasst.[15] Klagen aufgrund von Copyright-Verletzungen werden im Vereinigten Königreich außerdem dazu genutzt, die Privatsphäre und die Vertraulichkeit von Dokumenten zu schützen. So kann beispielsweise das Copyright an Fotos, an einem privaten Briefwechsel,[16] Sitzungsprotokollen[17] oder an Aufnahmen einer Überwachungskamera[18] dazu genutzt werden, deren Veröffentlichung zu verhindern. Das Recht auf Privatsphäre ist in England noch nicht als eigenständiges Recht anerkannt worden, auch wenn manche Autoren dies für die nahe Zukunft voraussagen.[19] Bisher wird es auf Art. 8 EMRK zurückgeführt, der ein Recht auf Achtung des Privat- und Familienlebens gewährt.[20]

---

10 *Amos*, Human Rights Law, S. 3. Die EMRK hatte schon vor Inkrafttreten des HRA Auswirkungen auf das englische Recht: Das konnte sowohl indirekt geschehen, durch Urteile des EGMR in Straßburg gegen das Vereinigte Königreich, als auch unmittelbar durch den Rückgriff auf die EMRK durch englische Gerichte, *Wadham* et al., Human Rights Act 1998, Rn. 1.11.

11 Der HRA verleiht nur den in Sec. 1 aufgeführten Konventionsrechten Rechtskraft. Dies sind Art. 2–12 und 14 EMRK, Art. 1–3 des ersten Zusatzprotokolls zur EMRK und Art. 1–2 des sechsten Zusatzprotokolls zur EMRK.

12 *France 2 v France*, App No 30262/96, 15.1.1997 (EGMR); *Ashdown v Telegraph Group Ltd* [2001] EWCA Civ 1142, [2001] 3 WLR 1368; *Wadham* et al., Human Rights Act 1998, Rn. 8.822; *Amos*, Human Rights Law, S. 469.

13 *Smith Kline and French Laboratories Ltd v Netherlands* (1990) 66 DR 70 (EGMR), *Lenzing AG v UK* [1999] EHRLR 132 (EGMR).

14 *Anheuser-Busch Inc v Portugal*, App No 73049/01, 11 October 2005.

15 *Amos*, [2002] EHRLR 750f.

16 *Michael Barrymore v Newsgroup Newspapers Ltd* [1997] FSR 600.

17 *Ashdown v Telegraph Group Ltd* [2001] EWCA Civ 1142, [2001] 4 All ER 666.

18 *Hide Park Residence Ltd v Yelland* [2001] Ch 143.

19 *Stone*, Civil Liberties and Human Rights, S. 480.

20 Beschränkt auf den Bereich persönlicher Daten wird die Privatsphäre im Data Protection Act 1998 geschützt, *Stone*, Civil Liberties and Human Rights, S. 483. Allerdings ist dessen Anwendungsbereich bei Copyright-Streitigkeiten i.d.R. nicht eröffnet, da nicht die persönlichen Daten des Urhebers infrage stehen.

Zusammenfassend ist festzustellen, dass in allen drei Rechtsordnungen der Schutz des Urheberrechts verfassungsrechtlich verbürgt ist. Dabei wird er in Deutschland und England über den Eigentumsschutz der Art. 14 GG und Art. 1 Abs. 1 des ersten Zusatzprotokolls zur EMRK, auf den der *Human Rights Act* verweist, gewährleistet. In Italien basiert er auf dem Schutz der Arbeit nach Art. 4 ital. Verfassung. Daneben wird der Urheber in Deutschland, Italien und England während des Schaffungsprozesses und seinen sonstigen Aktivitäten in der Öffentlichkeit durch die Meinungsfreiheit[21] und nur im GG der deutschen und der italienischen Verfassung über die Kunst- und Wissenschaftsfreiheit[22] geschützt.

## III. Grundlagen für die Begründung und Ausgestaltung des urheberrechtlichen Schutzes

### A. Werkbegriff

Eine umfassende Harmonisierung des urheberrechtlichen Werkbegriffs durch internationale Vorgaben hat bisher noch nicht stattgefunden.[23] Zwar listet Art. 2 Abs. 1 RBÜ einen Katalog geschützter Werkarten auf, jedoch bestimmt sich nach dem Recht des Ursprungslandes, ob darüber hinaus weitere Werkarten geschützt werden.[24] Auf gemeinschaftsrechtlicher Ebene zeichnet sich hingegen eine partielle Harmonisierung des Werkbegriffs durch den Erlass von Sekundärrechtsakten ab; so gehen insbesondere die Software-RL[25] (Art. 1 Abs. 3) und später auch die Datenbank-RL[26] (Art. 3 Abs. 1) von einem einheitlichen Verständnis der Originalität (Individualität) aus. Dabei folgen die Richtlinien einem reduzierten Originalitätsbegriff, in Anlehnung an das aus dem britischen Recht stammende Verständnis dieses Merkmals.[27] Diese Entwicklungen haben das nationale Urheberrecht zumindest insoweit beeinflusst, als in manchen Teilbereichen bestimmter Werkarten, z.B. Computerprogrammen gemäß § 69a Abs. 3 UrhG, kein qualitatives Kriterium gefordert werden darf, was dort zu niedrigeren Voraussetzungen als bei den übrigen Werkarten führt.[28]

---

21 Art. 5 Abs. 1 GG; Art. 21 ital. Verfassung; Art. 10 EMRK.

22 Art. 5 Abs. 3 Satz 1 1. und 2. Alt. GG; Art. 33 ital. Verfassung.

23 *Walter,* Europäisches Urheberrecht, S. 1117; *Ellins*, Copyright Law, S. 257 ff.

24 *Schack*, Urheber- und Urhebervertragsrecht, S. 484 Rn. 1031.

25 Richtlinie 91/250/EWG.

26 Richtlinie 96/9/EG.

27 So hebt etwa Erwägungsgrund 8 der Software-RL hervor, dass qualitative oder ästhetische Vorzüge nicht als Kriterium für die Beantwortung der Frage der Originalität verwandt werden dürfen.

28 *Schack*, Urheber- und Urhebervertragsrecht, S. 98 Rn. 182.

Das deutsche Urheberrechtsgesetz enthält in § 2 Abs. 2 eine ungenaue Definition des Werkbegriffs und ermöglicht somit Interpretationsspielräume. Nach der von der höchstrichterlichen Rechtsprechung entwickelten Formel müssen in Deutschland jedenfalls vier Schutzvoraussetzungen vorliegen:[29] Danach ist ein Werk eine *persönliche* und *geistige Schöpfung* mit einer *wahrnehmbaren Formgestaltung*, die außerdem *Ausdruck der Individualität des Urhebers* ist.[30] Auch in Italien ist der urheberrechtliche Schutz an die Werkeigenschaft geknüpft. Der Werkbegriff in Art. 2575 C.C. und Art. 1 LDA verlangt wie in Deutschland, dass das Werk eine *persönliche Schöpfung* ist, in Italien wird dieses Merkmal durch den *schöpferischen Gehalt* des Werks definiert, der ebenso wie in Deutschland darauf abstellt, dass der Entstehungsprozess vom Urheber beherrscht wird, also ein Gegenstand nicht in der Natur vorgefunden oder vollautomatisch von Maschinen erstellt wurde. Daher muss bei Vorliegen digitaler Werke bezüglich dieses Erfordernisses genau geprüft werden, ob ein menschlicher Wille den Schaffensprozess steuert und der Mensch nur steuernd Maschinen einsetzt oder ob die Maschinen selbst ein Zufallsprodukt erstellen. Daneben muss das Werk nach beiden Rechtsordnungen einen *geistigen Inhalt* aufweisen, also Ergebnis und Ausdruck einer geistigen Tätigkeit sein und eine konkrete Form im Sinn einer *wahrnehmbaren Formgestaltung* haben. In allen drei untersuchten Rechtsordnungen besteht kein bloßer Ideenschutz. Die Idee muss durch den Urheber eine bestimmte Form erhalten haben.

In Bezug auf die Wahrnehmbarkeit digitaler Werke ist anzumerken, dass es unerheblich ist, ob ein Werk unmittelbar wahrgenommen werden kann oder ob dies nur mittelbar durch Einsatz technischer Hilfsmittel möglich ist.[31] Daher nehmen bei Zuhilfenahme von technischen Hilfsmitteln wie Monitoren, Lautsprechern oder Druckern auch digitale Werke eine menschlich wahrnehmbare Formgestaltung an. Die letzte Voraussetzung der *Individualität* nach deutschem Recht findet keine genaue Entsprechung in Italien; dort muss der schöpferische Gehalt des Werks anhand der subjektiv zu bestimmenden *Originalität* und der objektiven *Neuheit* des Werks ermittelt werden.[32] Der Begriff der Originalität umschreibt dabei die Erkennbarkeit eines persönlichen Faktors in dem Werk – es muss also erkennbar sein, dass es von einer individualisierbaren Person stammt – und ähnelt damit dem deutschen Individualitätsbegriff, der eine eigenständige Schöpfung fordert, die nicht nach vorgegebenen Regeln entstanden sein darf.[33] Während Originalität subjektiv bestimmt wird, ist die Neuheit objektiv bestimmbar. Zusätzlich zu den genannten Voraussetzungen muss das Werk in Deutschland nach § 1 UrhG den Bereichen der Literatur, Wissenschaft und Kunst entstammen, während Italien ein weiteres Spekt-

---

29 *Erdmann*, FS für von Gamm, S. 389–396.; Schricker-*Loewenheim*, § 2 Rn. 9.

30 Dreier/Schulze-*Schulze*, § 2 Rn. 2; Schricker-*Loewenheim*, § 2 Rn. 9; *Erdmann*, FS für von Gamm, S. 389, 396 ff.

31 Schricker-*Loewenheim*, § 2 Rn. 21.

32 *Sirotti Gaudenzi*, Nuovo diritto d'autore, S. 51.

33 BGH GRUR 1995, 673, 675 – *Mauer-Bilder*.

rum an Kategorien in Art. 1 LDA bereithält: Neben Literatur, Musik und darstellender Kunst werden auch Architektur, Theater und Film genannt. In beiden Ländern wurde zudem vom Gesetzgeber ein offener Werkbegriff gewählt, die Werkkataloge von § 2 Abs. 1 UrhG sowie von Art. 2 LDA sind daher nicht abschließend. Dies soll Schutzlücken vermeiden und die Aufnahme neuer, durch technischen Fortschritt entwickelte Werkarten in den Schutzbereich des Gesetzes ermöglichen.[34]

Im Gegensatz zu dieser offenen Auflistung der Werkarten in Deutschland und Italien ist in England die Aufzählung der acht Werkgruppen in Sec. 1 (1) CDPA abschließend: Handelt es sich also nicht um ein Werk der Literatur, des Theaters, der Musik, der Kunst, um Filme, Tonaufnahmen, Rundfunksendungen oder veröffentlichte Ausgaben (auch Drucksatzanordnungen), können Gerichte nur äußerst schwer neue Werkarten in den Schutzbereich des Gesetzes aufnehmen.[35] Zusätzlich zu dieser Einordnung muss das Werk noch weitere Bedingungen erfüllen, um vollen urheberrechtlichen Schutz zu genießen. Allerdings können diese trotz der einheitlichen Benennung aller Schutzobjekte als Werke[36] zwischen den einzelnen Werkarten stark variieren.[37] So schreibt Sec. 3 (2) CDPA für Werke der Literatur, des Theaters und der Musik vor, dass diese in *schriftlicher oder anderer Form fixiert* sein müssen, um in den Schutzbereich des CDPA zu fallen.[38] Ebenfalls nur begrenzt für Werke der Literatur, des Theaters, der Musik und auch der Kunst gilt das Erfordernis der *Originalität*, gemäß Sec. 1 (1) CDPA. Obgleich eine allgemeingültige Definition für diesen Begriff schwer fällt, können doch zwei Voraussetzungen festgelegt werden: zum einen muss das Werk vom Urheber stammen. Zweitens muss der Urheber einen Mindestaufwand an Arbeit, Anstrengung und

---

34 Ensthaler/Bosch/Völker-*Ensthaler*, Kapitel 2, II, S. 62; Wandtke/Bullinger-*Bullinger*, § 2 Rn. 2; für Italien: *Fuchs*, Der Werkbegriff, S. 302.

35 Dies ist im Grunde nur durch eine extensive Auslegung möglich, was in manchen Fällen zu einer Schutzlücke unter britischem Recht geführt hat im Vergleich zu anderen europäischen Staaten, die diese Werkkategorien schützen. Z.B. *Lancôme Parfums v Kecofa* [2006] ECDR (26) 363 (Niederländisches Verfassungsgericht), *Bsiri-Barbier v Haarmann & Reimer* [2006] ECDR (28) 380 (Cour de Cassation).

36 Im Gegensatz zum Vorgänger Copyright Act 1956, der zwischen Teil I Werke (Werke der Literatur, des Theaters, der Musik oder der Kunst) und Teil II Gegenstände (Filme, Tonaufnahmen, Rundfunksendungen und Drucksatzanordnungen) unterschied.

37 Der CDPA nennt nun alle geschützten Gegenstände einheitlich *Werke*. Ein weiterer Unterschied zu den *Droit d'auteur*-Rechtsordnungen ist, dass in England nicht zwischen Urheberrechten und verwandten Schutzrechten unterschieden wird. Obgleich heute eine einheitliche Terminologie für alle Werkarten genutzt wird und auch die formale Unterscheidung zwischen Urheberrechten und verwandten Schutzrechten aufgegeben wurde, bedeutet dies nicht, dass an die verschiedenen Werkarten dieselben rechtlichen Bedingungen, dieselbe Rechtsnatur und dieselbe Schutzdauer geknüpft sind. Jedes Werk muss einer der acht Werkkategorien entsprechen, wonach sich dann das Vorliegen zusätzlicher Voraussetzungen bemisst; *Bently/Sherman*, Intellectual Property Law, S. 60.

38 *Bently/Sherman*, Intellectual Property Law, S. 92.

Fähigkeiten aufgebracht haben.[39] Einerseits darf dabei der Aufwand nicht so trivial sein, dass er auch eine einfache mechanische Übung darstellen könnte, andererseits sind Kreativität, besonderer Einfallsreichtum, Neu- oder Einzigartigkeit des Werks auch nicht unbedingt erforderlich.[40] Dieser Begriff der Originalität ist keinesfalls deckungsgleich mit der in Deutschland geforderten Individualität, die zumindest einen Gestaltungsspielraum fordert, in dem sich die schöpferische Persönlichkeit des Urhebers entfalten kann.[41] Eine Besonderheit im englischen Copyright ist außerdem der in Sec. 9 (3) CDPA eingeführte gesetzliche Schutz von Werken, die durch den Einsatz von Computern hergestellt wurden. Allerdings finden sich im CDPA keine Angaben darüber, anhand welcher Kriterien die Originalität des computererzeugten Werks zu bestimmen ist, wenn der menschliche Urheber fehlt.[42] Darüber hinaus bestehen zwei weitere dem englischen Recht eigene Schutzvoraussetzungen. Zum einen muss das Werk in ausreichendem Maße mit dem Vereinigten Königreich verbunden sein, um sich für den Schutz durch die nationalen Vorschriften zu *qualifizieren*. Zum anderen wird zum Erhalt der öffentlichen Ordnung als negatives Erfordernis die Beachtung eines Ausschlussgrundes gefordert: Wird ein Werk als obszön, blasphemisch oder unmoralisch eingestuft,[43] ist ihm kein urheberrechtlicher Schutz zu gewähren.

## B. Schutz des Urheberpersönlichkeitsrechts

### 1. Stellung in der nationalen Rechtsordnung

In den kontinentaleuropäischen Rechtsordnungen Deutschlands und Italiens kommt dem Urheberpersönlichkeitsrecht eine wichtige Bedeutung zu. Dass im Zentrum des Urheberrechts die schöpferische Persönlichkeit des Urhebers steht, zeigt bereits die gesetzliche Normierung des Urheberpersönlichkeitsrechts an herausgehobener Stelle weit vorn in den Urheberrechtsgesetzen.[44] Das Verhältnis der persönlichkeitsrechtlichen zu den vermögensrechtlichen Befugnissen ist in

39 *Torremans*, Holyoak and Torremans Intellectual Property Law, S. 173.

40 *Bently/Sherman*, Intellectual Property Law, S. 93.

41 *Schack*, Urheber- und Urhebervertragsrecht, S. 102 Rn. 191 f.

42 Für nähere Ausführungen siehe oben im englischen Landesbericht, Fünfter Teil, II.A.2. Für Computerprogramme und Datenbanken gilt hier der gemeinschaftsrechtliche Standard, womit von Computern erstellte Werke keinen Schutz genießen; *Bently/Sherman*, Intellectual Property Law, S. 107.

43 *Bently/Sherman*, Intellectual Property Law, S. 117; *Glyn v Weston Feature Film Co.* [1916] 1 Ch 261; dass es diesen Ausschlussgrund auch trotz gewandelter Sittlichkeitsvorstellungen in der Gesellschaft weiterhin gibt, wurde in *A-G v Guardian* (No. 2) [1990] 1 AC 109 bestätigt.

44 In Deutschland hat der Gesetzgeber das Urheberpersönlichkeitsrecht den Verwertungsrechten vorangestellt und regelt es in den §§ 12–14 UrhG. In Italien ist es in den Art. 20–24 LDA normiert.

Deutschland und Italien unterschiedlich geregelt: Anders als das deutsche Urheberrecht folgt das italienische der dualistischen Theorie,[45] wonach unabhängig neben dem Urheberrecht als Vermögensrecht das allgemeine Persönlichkeitsrecht steht.[46] Das italienische Urheberrecht ist demzufolge nicht wie das deutsche ein einheitliches Recht, in welchem persönlichkeits- und vermögensrechtliche Befugnisse untrennbar miteinander verwoben sind und eine Übertragung des Urheberrechts als Ganzes oder auch die Abtretung von Verwertungsrechten nicht möglich ist.[47] Während das *droit moral* in Italien gemäß Art. 20 ff. LDA aufgrund des engen Bandes zwischen Urheber und Werk nicht übertragen werden kann, ist dies bei wirtschaftlichen Verwertungsrechten möglich. Die beiden Theorien führen auch hinsichtlich der Schutzfrist zu unterschiedlichen Ergebnissen: Die genannte Abkoppelung zwischen Vermögensrechten und Persönlichkeitsrecht in der dualistischen Auffassung ermöglicht in Italien die Einräumung eines ewig währenden Schutzes des Persönlichkeitsrechts nach Art. 23 LDA.[48]

Die Einführung der *Moral Rights* in das englische Recht geht auf Art. 6-*bis* der Revidierten Berner Übereinkunft zurück. Darin wird England als Vertragsstaat verpflichtet, das Recht auf Anerkennung der Urheberschaft und das Recht auf Werkintegrität auf nationaler Ebene zu gewähren.[49] Gegen den Widerstand vieler Kritiker wurden schließlich mit dem CDPA 1988 vier nicht übertragbare[50] urheberpersönlichkeitsrechtliche Befugnisse in das englische Copyright aufgenommen,[51] obgleich das Copyright-System primär den ökonomischen Aspekt fördert und die hergestellten Werke und getätigten Investitionen schützen soll. Diese Moral Rights erlöschen grundsätzlich gemeinsam mit den Verwertungsrechten mit Ablauf des Copyrights an dem betreffenden Werk (Sec. 86 (1) CDPA).[52] Zu beachten ist, dass die Urheberpersönlichkeitsrechte in Form der Moral Rights kein Bestandteil des

---

45 Die dualistische Theorie herrscht auch in anderen kontinentaleuropäischen Rechtsordnungen, so etwa in Frankreich, Belgien oder in der Schweiz; *De Angelis*, La tutela giuridica, S. 113 ff.; *Dietz*, FS für Erdmann, S. 63–71.

46 *Aliprandi*, Capire il copyright, S. 52 Nr. 4.

47 Das deutsche UrhG beruht auf der monistischen Theorie, wie auch § 11 UrhG zeigt; *Schack*, Urheber- und Urhebervertragsrecht, S. 170 Rn. 343. Das Urheberrecht als Ganzes ist demnach schon wegen seiner persönlichkeitsrechtlichen Befugnisse nicht übertragbar, § 29 Abs. 1 UrhG. Auch die Abtretung seiner Verwertungsrechte ist dem Urheber nicht gestattet, lediglich die Einräumung von Nutzungsrechten.

48 Das Urheberpersönlichkeitsrecht wird nach Ablauf der Schutzfrist von den Angehörigen und letztlich von staatlichen Stellen wahrgenommen (Art. 23 LDA); *De Angelis*, La tutela giuridica, S. 113 ff.

49 *Durie*, GRUR Int. 1990, 834; *Torremans*, Holyoak and Torremans Intellectual Property Law, S. 228.

50 Sec. 94 CDPA.

51 *Durie*, GRUR Int. 1990, 834; *Torremans*, Holyoak and Torremans Intellectual Property Law, S. 228.

52 Davon weicht das Recht gegen falsche Zuschreibung der Urheberschaft ab, das bereits 20 Jahre nach dem Tod des angeblichen Urhebers abläuft (Sec. 86 (2) CDPA).

englischen Copyrights an sich sind.[53] Die englischen Vorschriften bestehen aus einem detaillierten Regelwerk, das eine Reihe von Bedingungen, Beschränkungen und Ausnahmen enthält, die vor allem eine ungestörte Verwertung des Werks sichern sollen.[54] Trotz der in Sec. 94 CDPA normierten Unübertragbarkeit der Moral Rights können die Urheberpersönlichkeitsrechte bei Aufkommen von Verwertungshindernissen aufgrund der gesetzlichen, weitgefassten Ausnahmen und Beschränkungen und insbesondere der Möglichkeit ihrer antizipierten uneingeschränkten Verzichtbarkeit[55] gemäß Sec. 87 (2)–(4) CDPA abgeschafft werden.

Während in Deutschland und Italien das Urheberpersönlichkeitsrecht eine zentrale Rolle für das Urheberrecht spielt, wurden gesetzlich normierte Moral Rights erst nachträglich in den CDPA eingeführt, wobei sie aufgrund der Möglichkeit ihrer Übertragbarkeit und Verzichtbarkeit insgesamt einen niedrigeren Schutzstandard im Vergleich zu den kontinentalen *Droit d'auteur*-Rechtsordnungen genießen.

## 2. Schutzmaßnahmen

Bei Verletzung des Urheberpersönlichkeitsrechts, eines absoluten Rechts i.S.v. § 97 UrhG, stehen dem Urheber in Deutschland die Rechtsfolgen der § 97 ff. UrhG zu. Auch in Italien wird in Art. 168 LDA ausdrücklich festgelegt, dass die zivilrechtlichen Maßnahmen der Art. 156 und 167 LDA ebenso auf eine Verletzung des Urheberpersönlichkeitsrechts Anwendung finden, soweit sie nicht dessen Natur entgegenlaufen. Zusätzliche Ansprüche in Bezug auf das Urheberpersönlichkeitsrecht gewähren außerdem Art. 169 und 170 LDA, die einen Beseitigungs- und Vernichtungsanspruch einräumen, sofern die Verletzung nicht in angemessener Weise durch Anbringung oder Entfernung von Angaben in Bezug auf die Urheberschaft beseitigt werden kann (Art. 169 LDA) oder wenn die Wiederherstellung des Werks in seiner ursprünglichen Form nicht mit einem erträglichen finanziellen Aufwand möglich ist (Art. 170 LDA). Im deutschen Urheberrechtsgesetz findet sich zusätzlich auf strafrechtlichem Gebiet eine spezielle Norm bezüglich der unzulässigen Anbringung der Urheberbezeichnung in § 107 UrhG.

In England muss der Rechtsinhaber bei Vorliegen einer Rechtsverletzung seiner Moral Rights wegen Verletzung einer gesetzlich auferlegten Verpflichtung gemäß Sec. 103 (1) CDPA Klage erheben, die auf eine Unterlassungsanordung oder, wenn der Richter es als geeignetes Mittel erachtet, auch auf eine Gegendarstellung

---

[53] Das englische Copyright folgt insofern der *dualistischen Theorie*; *Bently/Sherman*, Intellectual Property Law, S. 231 f.; *Cornish*, GRUR Int. 1990, 500.

[54] *Bently/Sherman*, Intellectual Property Law, S. 242.

[55] Zwar schreibt Sec. 87 (2) CDPA die Schriftform als zu wahrendes Formerfordernis für die Verzichtserklärung vor, allerdings wird der dadurch gewährte Schutz des Urhebers mit Abs. 4 geschwächt, der betont, dass die allgemeinen vertragsrechtlichen Grundsätze bzgl. formlosen Verzichts weiterhin Geltung haben.

gerichtet ist.[56] Daneben sind klassische Rechtsinstrumente des Common Law heute weiterhin neben dem gesetzlichen Schutz der Moral Rights einsetzbar.[57]

Während in Deutschland und Italien dem Urheber zum Schutz seines Urheberpersönlichkeitsrechts die zivilrechtlichen Rechtsfolgen wie auch bei einer Urheberrechtsverletzung zur Verfügung stehen, muss der Rechtsinhaber in England wegen Verletzung einer gesetzlichen Verpflichtung Klage erheben.

## C. Schranke: Kopien zum privaten Gebrauch

Schranken des Urheberrechts sind wichtig für die Herstellung eines gerechten Gleichgewichts und Ausgleichs zwischen einer rechtmäßigen Nutzung des Werks in der Öffentlichkeit einerseits und dem notwendigen urheberrechtlichen Schutz des Werks andererseits.[58] In dieser Arbeit wurde aus dem langen Schrankenkatalog der verschiedenen nationalen Urheberrechtsgesetze lediglich die Schranke der Vervielfältigung zum privaten Gebrauch besprochen, da dieses Problem von besonderer gesellschaftspolitischer Bedeutung und auch für den Schutz digitaler Werke von Relevanz ist. Der vom Urheberrecht erstrebte gerechte Ausgleich zwischen den miteinander konfligierenden Interessen von Urhebern, Werkverwertern und letztlich den Werknutzern steht insbesondere bei der Anfertigung einer privaten digitalen Kopie von einem rechtmäßig erworbenen Werk im Vordergrund. Der heutige technische Stand ermöglicht mühelos die Erstellung qualitativ hochwertiger Kopien von Werken und macht den Einsatz privater Vervielfältigungsgeräte unkontrollierbar. So muss einerseits schon der Sinn eines Verbots von Privatkopien, das in der Praxis kaum durchsetzbar wäre, hinterfragt werden. Daneben würde die Akzeptanz des Urheberrechts weiterhin geschwächt, wenn man dem Käufer eines legal erworbenen Werks den rechtmäßigen Gebrauch desselben verwehren würde, indem man ihm etwa die Anfertigung einer Sicherungskopie zum Schutz vor eventuellen Beschädigungen verbieten würde.

Sowohl in Deutschland als auch in Italien ist die Vervielfältigung für private Zwecke von urheberrechtlich geschützten Werken unter besonderen Voraussetzungen erlaubt. So räumt § 53 Abs. 1 UrhG die Befugnis ein, Vervielfältigungen vorzunehmen. Diese müssen im engen Familien- oder Freundeskreis und ohne die Verfolgung irgendwelcher Erwerbszwecke angefertigt werden. Dabei ist zu beachten, dass § 53 UrhG keinen Anspruch des Nutzers gegen den Urheber begründet, ein kopierfähiges Exemplar zu erhalten. In Italien bestimmt Art. 71-*sexies* Abs. 1 LDA, dass private Vervielfältigungen von Musikwerken oder Filmwerken auf be-

---

[56] Sec. 103 (2) CDPA.

[57] Siehe oben Fünfter Teil, III.A.1.b)ff), wegen Defamation, Passing off oder Verletzung vertraglicher Absprachen.

[58] *Schack*, Urheber- und Urhebervertragsrecht, S. 256 Rn. 534.

liebigen Trägern zulässig sind, solange sie von einer natürlichen Person für einen ausschließlichen privaten Gebrauch hergestellt wurden. Zudem muss jegliche Gewinnabsicht fehlen und die Vervielfältigungsstücke dürfen weder direkt noch indirekt zu kommerziellen Zwecken genutzt werden. Allerdings dürfen in Italien gemäß Art. 71-*sexies* Abs. 2 LDA Vervielfältigungsstücke nicht durch Dritte angefertigt werden, während nach deutschem Recht § 53 Abs. 1 Satz 2 UrhG das Zugeständnis enthält, dass nicht nur der zur Vervielfältigung Befugte, sondern auch Dritte Vervielfältigungsstücke herstellen können, sofern dies unentgeltlich geschieht.[59]

Die legale Privatkopie findet in Deutschland und Italien aber ihre Grenze, wo die Rechtsinhaber ihre Werke durch technische Maßnahmen selbst schützen.[60] Denn das schon durch EG-Recht vorgegebene Verbot, Kopierschutz zu umgehen, bleibt erhalten.[61] Diese Grundregel erfährt in Italien eine Lockerung durch Art. 71-*sexies* Abs. 4 LDA, wonach einer Privatperson, die auf rechtmäßige Weise in den Besitz eines geschützten Werks gelangt ist oder Zugang dazu erlangt hat, die Anfertigung einer Privatkopie zumindest in analoger Form ungeachtet des Einsatzes technischer Schutzmaßnahmen gestattet sein muss.[62] Durch Verabschiedung dieser Norm hat Italien die den Mitgliedstaaten von Art. 6 Abs. 4 Harmonisierungs-RL gewährte Möglichkeit, eine Pflicht zur Entfernung technischer Schutzmaßnahmen zur Ermöglichung der Anfertigung von Privatkopien einzuführen, zumindest teilweise genutzt.[63]

England und Irland sind die einzigen Mitgliedstaaten, die nicht von der Möglichkeit Gebrauch gemacht haben, bezüglich des Vervielfältigungsrechts eine Ausnahme bei Kopien zum privaten Gebrauch vorzusehen.[64] Der CDPA unterscheidet nicht zwischen der Anfertigung einer privaten Kopie oder der Vornahme anderer Vervielfältigungen: Grundsätzlich stellt eine Vervielfältigungshandlung eine Urheberrechtsverletzung dar nach Sec. 17 CDPA; die Herstellung einer Privatkopie ist damit verboten. Dennoch bieten einige Schranken, insbesondere die Lehre vom *fair dealing*, in einigen Fällen einen Ausweg. Die wichtigste Ausnahme bezüglich privater Vervielfältigung gewährt Sec. 29 (1c) CDPA, die bei einem literarischen,

---

59 So folgt die Neuregelung nicht der Forderung, Kopien durch Dritte zu verbieten; dazu stellt die Begründung des Gesetzentwurfs fest: „Es wäre nicht nachvollziehbar, warum ein Nutzer die CD eines Freundes ausleihen und für sich kopieren darf, jedoch die Vornahme der Kopie durch den Freund selbst unzulässig sein sollte", *Hucko*, Zweiter Korb, S. 7.

60 *Arlt*, CR 2005, 646; *Nolte*, CR 2006, 254; *Schack*, Urheber- und Urhebervertragsrecht, S. 267 Rn. 554; vgl. Art. 102-*quater* LDA.

61 Art. 6 Richtlinie 2001/29/EG sowie deren Erwägungsgründe 48 und 49.

62 Allerdings ist eine Umgehung technischer Schutzmaßnahmen grundsätzlich nur zur Anfertigung einer analogen Kopie gestattet, eine digitale Kopie soll bei Umgehung der Schutzvorrichtungen nur möglich sein, wenn diese für eine gewöhnliche Nutzung des Werks erforderlich ist. *De Angelis*, La tutela giuridica, S. 161, m.w.N.

63 *De Angelis*, La tutela giuridica, S. 161, m.w.N.

64 Gemäß Art. 5 Abs. 2 lit. b Harmonisierungs-RL.

dramatischen, musikalischen oder künstlerischen Werk eine nicht gewerbliche Nutzung zu Forschungszwecken oder die Nutzung für das ausschließlich private Studium gestattet. Hiervon nicht erfasst sind Filmwerke, Tonaufnahmen und Rundfunk- oder Fernsehsendungen. Daneben erlaubt Sec. 70 CDPA die Aufnahme einer Fernseh- oder Rundfunksendung im privaten Haushalt und ausschließlich zu privaten Zwecken, wenn damit lediglich der Zeitpunkt der Verwertung verschoben werden soll. Diese Ausnahme soll aber nicht die Anfertigung von Kopien zur Anlegung einer privaten Sammlung oder eine Aufnahme aus anderem Grund als zur zeitversetzten Nutzung ermöglichen. Zudem gilt auch für die Anfertigung einer Sicherungskopie für Computerprogramme eine Ausnahmeregelung (Sec. 296A (1) lit. a CDPA).

## D. Rechtsinhaber

### 1. Verletzung von Verwertungs- und Nutzungsrechten

Wenngleich die Inhaberschaft des Urheberrechts noch nicht generell harmonisiert wurde, so ist bei der Verletzung von Vermögens- und Nutzungsrechten in Deutschland und Italien grundsätzlich der Urheber[65] als Schöpfer des Werks aktivlegitimiert.[66] Kommt es allerdings zu einer Übertragung von Nutzungsrechten, ist zu unterscheiden: In Italien kann jeder Nutzungsberechtigte seine erworbenen Rechte gemäß Art. 167 lit. a) LDA selbst durchsetzen. Gleichzeitig ist es dem Urheber bei einem Streit um wirtschaftliche Verwertungs- oder Nutzungsrechte möglich, einem vom Lizenznehmer initiierten Rechtsstreit gemäß Art. 165 LDA beizutreten. Unbeachtlich ist hierbei, dass bereits eine Übertragung der Rechte stattgefunden hat. Hingegen muss nach deutschem Recht aufgrund des Umfangs der übertragenen Rechte unterschieden werden: Steht dem einfachen Nutzungsberechtigten[67] noch kein eigenes Klagerecht zu, so ist bei Übertragung ausschließlicher Nutzungsrechte aktivlegitimiert, wer Inhaber der Rechte ist. Der ausschließliche Nutzungsberechtigte, dem gemäß § 31 Abs. 3 UrhG das Recht zur alleinigen Werknutzung unter Ausschluss aller anderen Personen zusteht, ist demnach selbst klagebefugt. Der Urheber als ursprünglicher Rechtsinhaber ist allerdings nur aus den ihm verbliebenen Verwertungsrechten anspruchsberechtigt. Wurden Nutzungsrechte vollständig übertragen, so erlischt die Aktivlegitimation des Urhebers.[68]

---

[65] Der Urheber als Schöpfer des Werks wird in § 7 UrhG und Art. 7 LDA genannt.

[66] Wandtke/Bullinger-*v. Wolff*, § 97 Rn. 8.

[67] Der einfache Nutzungsberechtigte ist nach § 31 Abs. 2 UrhG nur befugt, das Werk im Rahmen der vertraglichen Vereinbarung zu nutzen.

[68] OLG Köln, GRUR-RR 2005, S. 179; Wandtke/Bullinger-*v. Wolff*, § 97 Rn. 9; Schricker-*Wild*, § 97 UrhG Rn. 48.

Im englischen Copyright-System ist es notwendig, zwischen *Urheberschaft* und originärer *Inhaberschaft* des Copyrights zu unterscheiden. Grundsätzlich ist der Urheber[69] eines Werks nach Sec. 11 (1) CDPA auch der erste Inhaber des Copyrights. Urheberschaft und Inhaberschaft des Copyrights stellen Anknüpfungspunkte für wichtige Vorfragen dar: Die Urheberschaft ist etwa für die Bestimmung der Originalität eines Werks zur Feststellung der Werkeigenschaft, für die Geltungsdauer des Copyrights und auch für den Schutz von Urheberpersönlichkeitsrechten wichtig, während die Inhaberschaft des Copyrights bestimmt, wem die Verwertung des geschützten Werks, also das Recht zur Wahrnehmung der in Sec. 16 (1) CDPA aufgeführten Ausschlussrechte, zusteht.[70] Urheberschaft und Inhaberschaft des Copyrights sind nicht untrennbar in der Person des Urhebers vereint, denn vom Grundsatz der Sec. 11 (1) CDPA gibt es auch zahlreiche Ausnahmen.[71] Die wohl wichtigste betrifft die Schöpfung von Werken durch Angestellte im Lauf ihrer Anstellung gemäß Sec. 11 (2) CDPA. Konnte der Arbeitgeber diese Tätigkeit vernünftigerweise vom Angestellten erwarten, so erwirbt er das Copyright mit der Schöpfung des Werks, ohne dass es dafür einer Übertragung durch den Arbeitnehmer bedarf.[72] Für die Geltendmachung der Verletzung urheberrechtlicher Verwertungs- und Nutzungsrechte gilt grundsätzlich nach Sec. 96 (1) CDPA, dass der Inhaber des Copyrights aktivlegitimiert ist. Wurden Nutzungsrechte übertragen, so kommen dem ausschließlichen Lizenznehmer[73] dieselben Rechte und Rechtsbehelfe zu, die er aber nicht gegen den Inhaber des Copyrights geltend machen kann (Sec. 101 (1) CDPA). Seit einer Gesetzesänderung durch die *Copyright and*

---

[69] Der Urheber eines Werks ist nach Sec. 9 (1) CDPA Schöpfer des Werks. Besondere Vorschriften gelten bezüglich einer Miturheberschaft (jede Person, die einen gleichwertigen Beitrag erbracht hat) nach Sec. 10 (1) CDPA; bei Tonaufnahmen (Produzent) nach Sec. 9 (2) lit. aa CDPA; bei Filmen (Regisseur und Produzent) gemäß Sec. 9 (2) lit. bb CDPA oder bei computererzeugten Werken (Person, die die notwendigen Vorkehrungen für die Schöpfung des Werks trifft) nach Sec. 9 (3) CDPA.

[70] *Bently/Sherman*, Intellectual Property Law, S. 127 ff.; der Inhaber hat das Recht zur Vervielfältigung (Sec. 17 CDPA), Verbreitung (Sec. 18 CDPA), öffentlichen Aufführung (Sec. 19 CDPA), Miete und Verleih (Sec. 18 A CDPA), Übertragung an die Öffentlichkeit (Sec. 20 CDPA), Bearbeitung (Sec. 21 CDPA).

[71] Siehe oben Fünfter Teil, III.A.1.b)cc) und dd). Ungeachtet dieser Ausnahmeregelungen ist auch immer zu prüfen, ob eine Übertragung der Inhaberschaft des Copyrights durch den Urheber an Dritte stattgefunden hat. Eine solche Übertragung kann nach Sec. 91 (1) CDPA auch bereits vor Schöpfung des Werks vorgenommen werden. Mit Werkentstehung geht in diesen Fällen das Recht auf den Bevollmächtigten über, *Bently/Sherman*, Intellectual Property Law, S. 263.

[72] *Stevenson Jordan v MacDonnell & Evans* [1952] 69 RPC 10.

[73] Nach Sec. 92 (1) CDPA ist eine ausschließliche Lizenz eine schriftlich durch den Inhaber des Copyrights erteilte und unterschriebene Befugnis, die den Lizenznehmer dazu ermächtigt, ein Recht auszuüben, das andernfalls ausschließlich dem Rechtsinhaber selbst zustehen würde. Dabei werden Dritte und der Copyright-Inhaber selbst von der Ausübung dieses Rechts ausgeschlossen.

*Related Rights Regulations 2003*[74] ist nun auch der nicht ausschließliche Lizenznehmer[75] nach Sec. 101A CDPA klagebefugt, wenn die Rechtsverletzung unmittelbar mit den ihm durch die Lizenz gewährten Rechten zusammenhängt und die Lizenz in Schriftform und mit Unterschrift des Copyright-Inhabers erteilt wurde, wobei auch ausdrücklich die Ermächtigung zu einer gerichtlichen Geltendmachung der Rechte gegeben worden sein muss.

Zusammenfassend ist festzustellen, dass bei der Verletzung von Vermögens- und Nutzungsrechten in Deutschland und Italien grundsätzlich der Urheber[76] als Schöpfer des Werks aktivlegitimiert ist.[77] Fand eine Übertragung von Nutzungsrechten statt, so kann in Italien jeder Nutzungsberechtigte seine erworbenen Rechte gemäß Art. 167 lit. a) LDA selbst durchsetzen, wohingegen nach deutschem Recht nur der ausschließliche und nicht schon der einfache Nutzungsberechtigte aktivlegitimiert ist. In England steht die Geltendmachung der Verletzung urheberrechtlicher Verwertungs- und Nutzungsrechte grundsätzlich dem Rechtsinhaber zu, dieser muss nicht zwingend mit der Person des Urhebers identisch sein. Wurden Nutzungsrechte übertragen, so können diese sowohl vom ausschließlichen als auch vom nicht ausschließlichen Lizenznehmer geltend gemacht werden.

## 2. Verletzung des Urheberpersönlichkeitsrechts

Auf die Implementierung von Art. 6*bis* RBÜ geht die einheitlich geregelte Aktivlegitimation bei Verletzung des Urheberpersönlichkeitsrechts zurück: So steht in allen drei Rechtsordnungen dem Urheber zu Lebzeiten die Verfolgung von Verletzungen seines Urheberpersönlichkeitsrechts zu. Bei der postmortalen Geltendmachung ist zu unterscheiden: Während sie in Deutschland auf die Erben, Miterben oder Vermächtnisnehmer übergeht, treten in Italien an die Stelle des Urhebers nicht die Erben, sondern seine Eltern oder Abkömmlinge.[78] In England überträgt Sec. 95 CDPA die Moral Rights des Urhebers nach dessen Tod ebenfalls den Erben und, falls es keine Erbeinsetzung gab, demjenigen, auf den das Copyright an den Verwertungs- und Nutzungsrechten übergeht.

---

74 Eingefügt durch *Statutory Instrument* 2003/2498.

75 Eine nicht ausschließliche Lizenz berechtigt den Lizenznehmer das Werk auf die vereinbarte Art zu nutzen, wobei er dem Rechtsinhaber selbst die Ausübung dieses Rechts nicht untersagen darf, *Stokes*, Digital Copyright, S. 38.

76 Der Urheber ist in § 7 UrhG und Art. 7 LDA definiert.

77 Wandtke/Bullinger-*v. Wolff*, § 97 Rn. 8.

78 Vgl. § 29 Abs. 1 UrhG; *Mondini/Carabelli*, in: Campbell/Cotter (eds.), Copyright Infringement, S. 209.

## E. Schutzfrist

Im europäischen Urheberrecht beträgt die urheberrechtliche Regelschutzfrist nach Harmonisierung durch die Schutzdauer-RL einheitlich 70 Jahre p.m.a.[79] Daneben ist der Zeitpunkt des Fristbeginns wie der Tod des Urhebers oder der Schaffenszeitpunkt des Werks[80] von der Harmonisierung umfasst, was für die Erreichung einer Harmonisierung der Schutzfristen erforderlich war.[81]

# IV. Zivilrechtliche Maßnahmen

## A. Schutzbereich

Der Schutzgegenstand ist in allen drei Rechtsordnungen das urheberrechtlich geschützte Werk. Ob ein solches vorliegt, ist als wichtige Vorfrage zu prüfen. Bei den geschützten Rechten handelt es sich um die nach dem Urheberrechtsgesetz dem Urheber, den Leistungsschutzberechtigten oder (ausschließlichen) Lizenznehmern vorbehaltenen Verwertungsrechte. Für nähere Erläuterungen soll an dieser Stelle auf die obigen Ausführungen verwiesen werden.[82]

## B. Rechtsfolgen bei Urheberrechtsverletzung an einem digitalen Werk

### 1. Ansprüche

#### *a) Schadensersatzanspruch*

Spätestens mit Umsetzung von Art. 13 Enforcement-RL wurde sichergestellt, dass die Gerichte in den Mitgliedstaaten auf Antrag der geschädigten Partei einen angemessenen Schadensersatz anordnen müssen, wenn der Verletzer wusste oder vernünftigerweise hätte wissen müssen, dass er eine Verletzungshandlung vornahm. Bei der Festsetzung des Betrages sollen die Gerichte alle infrage kommen-

---

79 Richtlinie 93/98/EWG des Rates vom 29.10.1993 zur Harmonisierung der Schutzdauer des Urheberrechts und bestimmter verwandter Schutzrechte.

80 In England gilt für für computererzeugte Werke ohne menschlichen Urheber, an dessen Todesjahr angeknüpft werden kann, eine 50-jährige Schutzfrist, die mit Ablauf des Kalenderjahres, in dem das Werk geschaffen wurde, beginnt (Sec. 12 (7) CDPA). Der urheberrechtliche Schutz computererzeugter Werke ist außerhalb des Vereinigten Königreichs in der EG unbekannt, und so trifft die Schutzdauer-RL diesbezüglich keine Vorschriften.

81 *Walter,* Europäisches Urheberrecht, S. 1124.

82 Siehe Landesberichte für Deutschland, Italien und England sowie Sechster Teil, III.

den Aspekte berücksichtigen, wie etwa die negativen wirtschaftlichen Auswirkungen, einschließlich der Gewinneinbußen für die geschädigte Partei und der zu Unrecht erzielten Gewinne des Verletzers. Alternativ dazu können die Gerichte in geeigneten Fällen den Schadensersatz als Pauschalbetrag festsetzen, und zwar auf der Grundlage von Faktoren wie mindestens dem Betrag der Vergütung oder Gebühr, die der Verletzer hätte entrichten müssen, wenn er die Erlaubnis zur Nutzung des betreffenden Rechts des geistigen Eigentums eingeholt hätte.

So steht dem Rechtsinhaber nach deutschem, italienischem und englischem Recht bei Vorliegen einer widerrechtlichen Urheberrechtsverletzung ein Schadensersatz zu. Dabei muss in Deutschland und Italien nach § 97 Abs. 2 UrhG[83] bzw. Art. 158 LDA die Verletzungshandlung vorsätzlich oder fahrlässig erfolgen.[84] In England darf der Verletzer zum Zeitpunkt der Vornahme der Handlung nicht wissen und auch keinen Grund zu der Annahme haben, dass der Streitgegenstand urheberrechtlich geschützt war, Sec. 97 (1) CDPA.[85]

Auf Rechtsfolgenseite können sich bei Vorliegen von Urheberrechtsverletzungen für die Berechnung des Schadensumfangs Beweisschwierigkeiten beim Kausalitätsnachweis der Verletzungshandlung für etwaige Umsatzrückgänge oder entgangene Gewinne ergeben. Zwar gelten in Deutschland auch im Immaterialgüterrecht der Grundsatz der Naturalrestitution und die allgemeinen Regeln des Schadensrechts, doch ist bei einer Urheberrechtsverletzung die Wiederherstellung des ursprünglichen Zustands nicht möglich. Auch bei einer Entschädigung in Geld gemäß § 251 BGB ist die Berechnung des konkreten Schadens aufgrund der genannten Beweisprobleme bei Darlegung von Art und Umfang der Nutzung sowie einer nur hypothetischen Gewinnentwicklung trotz der Beweiserleichterung des § 252 Satz 2 BGB i.V.m. § 287 ZPO schwierig.[86] Um dieser Problematik entgegenzutreten, steht

---

83 In Deutschland wurde § 101b UrhG in Umsetzung von Art. 9 Abs. 2 Satz 2 Enforcement-RL eingeführt. Er bezweckt die Sicherung von Schadensersatzansprüchen des Verletzten: Der Verletzte kann bei einer in gewerblichem Ausmaß begangenen Rechtsverletzung nach § 97 Abs. 2 UrhG vom Verletzer auch die Vorlage von Bank-, Finanz- oder Handelsunterlagen oder einen geeigneten Zugang zu den entsprechenden Unterlagen verlangen.

84 In Art. 158 LDA wird zwar nicht ausdrücklich das Vorliegen eines subjektiven Elements beim Verletzer gefordert, jedoch muss dieser Schadensersatzanspruch im Lichte des Art. 2043 C.C. ausgelegt werden. Dieser schreibt vor, dass das schadensbegründende Ereignis vorsätzlich und schuldhaft erfolgt sein muss. Demnach muss auch der Verletzer eines Urheberrechts vorsätzlich oder zumindest fahrlässig gehandelt haben, *Ragonesi*, Dir. Aut. 2006, 464.

85 Die Bedeutung dieser Einschränkung bezüglich des Schadensersatzanspruchs kann aber häufig vernachlässigt werden, denn für einen Beklagten ist die Erbringung des Beweises, dass ihm der urheberrechtliche Schutz des Werks nicht bekannt war, schwer – insbesondere, wenn es sich dabei um einen Gewerbetreibenden handelt, *Phillips/Durie/Karet,* Whale on Copyright, S. 90. Von Relevanz ist diese Passage allerdings für den Rechtsinhaber; dieser sollte bei Kenntniserlangung über eine Verletzungshandlung den mutmaßlichen Rechtsverletzer in jedem Fall unverzüglich informieren.

86 *Schack*, Urheber- und Urhebervertragsrecht, S. 373 Rn. 778.

dem Geschädigten in Deutschland die *dreifache Art der Schadensberechnung* zur Verfügung.[87] Der Geschädigte kann also entweder wie bisher seinen *konkreten Schaden* berechnen, was aber möglicherweise die soeben aufgezeigten Schwierigkeiten birgt. Daneben besteht nach § 97 Abs. 2 Satz 2 UrhG die Möglichkeit, die übliche *Lizenzgebühr* zu verlangen, die die Parteien bei Abschluss eines Lizenzvertrags in Kenntnis der wahren Rechtslage als angemessene Lizenzgebühr vereinbart hätten.[88] Außerdem kann der Verletzte gemäß § 97 Abs. 2 Satz 3 UrhG die Herausgabe des Gewinns, der kausal auf die verletzende Tätigkeit zurückgeht, verlangen.[89] Auch in Italien und England wird im Immaterialgüterrecht bei Vorliegen von Beweisschwierigkeiten von der Grundregel abgewichen, den erlittenen Schaden zu ersetzen.[90] Kann an einen konkreten Schadensbetrag etwa durch Bezifferung des Gewinnausfalls und rückläufiger Verkaufszahlen nicht angeknüpft werden, so ist mit Hilfe einer Lizenzanalogie auf die für eine solche Nutzung angemessene Lizenzgebühr abzustellen.[91]

In Italien wird die zu entrichtende Lizenzgebühr bei der Festsetzung einer Pauschalsumme für den Schadensbetrag durch den Richter zum Maßstab gemäß Art. 158 Abs. 2 Satz 2 LDA; außerdem kann der Rechtsinhaber anstelle des ihm entgangenen Gewinns auch die Herausgabe des Verletzergewinns verlangen, wenn dieser höher als der zu erwartende reguläre Gewinn ausfällt.

In England nehmen die Gerichte zur Bemessung des Schadensbetrages ebenfalls die vom Rechtsinhaber erlittenen Verluste als Grundlage, insbesondere, wenn der Rechtsinhaber ein Hersteller ist und die Verletzungshandlung gesunkene Verkaufszahlen bewirkt hat.[92] Auch eine angemessene Lizenzgebühr ist eine Möglichkeit

---

[87] Das heißt, dass dem Verletzten ein Wahlrecht zwischen drei verschiedenen Arten der Schadensberechnung zusteht. Er kann dabei selbst noch während des Prozesses auf eine andere Art der Schadensberechnung umsteigen, solange er die Berechnungsarten nicht derart miteinander vermischt, dass einzelne Schadenspositionen doppelt abgegolten werden, Wandtke/Bullinger-*v. Wolff*, § 97 Rn. 59; *Schack*, Urheber- und Urhebervertragsrecht, S. 373 Rn. 778; siehe auch Urteile des BGH zur Schadensberechnung, Dritter Teil, Fn. 153; zudem ist die *doppelte GEMA-Lizenzgebühr* zu erwähnen. Der GEMA ist die doppelte Lizenzgebühr zu entrichten, um einen gebotenen Ausgleich für die beträchtlichen Kosten des von der GEMA zu unterhaltenden Überwachungsapparats zu erreichen, BGHZ 59, 286 f.; BGHZ 97, 37, 50 f.; *Schack*, Urheber- und Urhebervertragsrecht, S. 375 Rn. 782.

[88] Dreier/Schulze-*Dreier*, § 97 Rn. 61; vgl. auch BGH GRUR 1990, 1008, 1009.

[89] Der andernfalls über § 687 Abs. 2, § 681, § 667 BGB bei vorsätzlicher unberechtigter Eigengeschäftsführung gewährte Gewinnherausgabeanspruch besteht im Urheberrecht schon bei einer fahrlässigen Urheberrechtsverletzung.

[90] Für England: *Cohen*, in: Campbell/Cotter (eds.), Copyright Infringement, S. 385. In Italien berechnet sich der erlittene Schaden nach Art. 158 Abs. 2 LDA i.V.m. Art. 1223, 1226, 1227 und 2056 C.C.

[91] Wurde eine Lizenzgebühr im Einzelfall nicht vertraglich festgelegt, so muss das englische Gericht die Höhe nach den individuellen Umständen schätzen, *General Tire & Rubber Co v Firestone Tyre & Rubber Co Ltd* [1976] RPC 197.

[92] *Garnett/Davies/Harbottle*, Copinger & Skone James on Copyright, S. 1071–1075.

zur Schadensberechnung, insbesondere, wenn der Rechtsinhaber seine Urheberrechte durch Lizenzvergaben verwertet. Als eine Alternative zum entgangenen Gewinn kann der Rechtsinhaber außerdem den vom Verletzer erzielten unrechtmäßigen Gewinn herausverlangen. Zudem besteht in England die Möglichkeit, die Höhe des Schadensersatzes zu senken, wenn der Verletzer im Laufe des Verfahrens wegen der Verletzungshandlung die Lizenz für die Werknutzung beantragt. Der Schadensersatz darf dann nach Sec. 98 (1) lit. c CDPA nicht höher ausfallen als die doppelte Lizenzgebühr.[93]

Zusammenfassend ist festzuhalten, dass dem Rechtsinhaber nach deutschem, italienischem und englischem Recht bei Vorliegen einer widerrechtlichen Urheberrechtsverletzung ein Schadensersatzanspruch zusteht. Auf Rechtsfolgenseite ist es in allen drei Rechtsordnungen möglich, bei Beweisschwierigkeiten von der Grundregel abzuweichen, den erlittenen Schaden zu ersetzen. In solchen Fällen kann entweder ein Betrag aufgrund einer sogenannten Lizenzanalogie festgesetzt werden oder die Herausgabe des erworbenen Verletzergewinns verlangt werden.

### *b) Zusätzlicher Schadensersatz (Sec. 97 (2) CDPA)*

Das englische Urheberrecht gewährt im Unterschied zum deutschen und italienischen Recht bei Vorliegen von besonders bösartigem oder rücksichtslosem Verhalten, das über den allgemeinen Haftungstatbestand hinausgeht, einen zusätzlichen Schadensersatz *(additional damages)*. Dieser bemisst sich unter Berücksichtigung der Umstände des Einzelfalls einerseits nach der Verwerflichkeit der Urheberrechtsverletzung und andererseits nach dem Umfang des Vorteils, der dem Beklagten erwachsen ist.[94] Ungewöhnlich ist die gewählte Terminologie der Gewährung eines *zusätzlichen* Schadensersatzes in Fällen von Urheberrechtsverletzungen,[95] die nicht gleichlautend ist mit dem aus dem angelsächsischen Rechtskreis bekannten Strafschadensersatz, sogenannte *punitive damages*, bei dem Bestrafung und Ab-

---

[93] Nach Sec. 98 Abs. 1 lit. c CDPA ist es für den Rechtsverletzer möglich, nur die niedrigere Lizenzgebühr für die Kabelübertragung zu entrichten, wenn er die Rechtsverletzung ohne die erforderliche Lizenz begangen hat. Zudem hat das Justizministerium festgestellt, dass es heute möglich ist, Softwarelizenzen zu erwerben, nachdem eine Rechtsverletzung festgestellt wurde, ohne dass zusätzlich eine Strafe erginge. Dabei wurde kritisch hervorgehoben, dass die Regierung dies als eine Ermutigung dazu ansieht, keine vorherige Lizenz zu erwerben; *UK Ministry of Justice*, The Law on Damages, Response to Consultation, 1 July 2009, S. 56, http://www.justice.gov.uk/consultations/docs/law-damages-response.pdf.

[94] *Davies*, Intellectual Property Law, S. 66; *Redrow Homes Ltd and Another v Bett Bros plc and Another* [1998] 1 All ER; *Phillips/Durie/Karet,* Whale on Copyright, S. 90.

[95] Während in den meisten anderen englischen Gesetzen zwischen Strafschadensersatz (*exemplary* oder *punitive damages*), entschädigendem Schadensersatz *(restutionary damages)* und Schadensersatz wegen seelischer Störungen *(aggravated damages)* unterschieden wird, wählte man für den CDPA einen neuen und damit unbestimmten Schadensersatzbegriff.

schreckung des Verletzers im Vordergrund stehen.[96] Bezüglich der Frage, ob das Institut der *punitive damages* neben den *additional damages* anwendbar ist, besteht Unklarheit. Der ungenaue Wortlaut der Sec. 97 (2) CDPA hilft hier nicht weiter.[97] Manche Autoren folgern aus Sec. 3 (2), (3) *Intellectual Property (Enforcement, etc.) Regulations 2006*[98] und der dort fehlenden ausdrücklichen Erwähnung der *punitive damages*, dass der Strafschadensersatz bei der Bemessung des zusätzlichen Schadensersatzes unberücksichtigt bleibt und neben diesem weiterbesteht.[99]

Die deutsche und die italienische Rechtsordnung kennen demgegenüber nur einen kompensatorischen Schadensersatz, nicht aber einen Strafschadensersatzanspruch, wie er im angelsächsischen Rechtskreis vorkommt. Eine Straffunktion des Schadensersatzes würde grundlegenden Prinzipien des deutschen und italienischen Zivilrechts entgegenlaufen. Danach wird Schadensersatz nur zur Kompensation des eingetretenen Schadens gewährt.[100] Die Vermengung von zivil- und strafrechtlichen Komponenten ist diesen Rechtssystemen fremd. Zudem besteht die Gefahr, dass verfassungsrechtlich abgesicherte strafrechtliche und strafprozessuale Maxime unterlaufen werden.[101] Im Übrigen ist auch nach gemeinschaftsrechtlichen

---

96 In England gewährt das Institut der *punitive* oder *exemplary damages* Schadensersatz, der die Höhe des erlittenen Schadens übersteigt. Der Verletzer soll vorrangig für sein rücksichtsloses Verhalten bestraft werden. Dies bringt auch eine Genugtuungsfunktion für das Opfer mit sich und hilft damit, private Racheakte zu vermeiden. Daneben soll präventiv vor künftigem sozialschädlichen Verhalten abgeschreckt werden, wenn die entstandene Pflicht zum Schadensausgleich eine solche Steuerung des Verhaltens noch nicht ausreichend gewährleistet. Außerdem soll der Geschädigte für die auf seinem Einsatz beruhende Durchsetzung des Rechts belohnt werden, die zur Stärkung der Rechtsordnung im Allgemeinen beigetragen hat; BVerfGE 91, 335, 343 f. Das Common Law gewährt dieses Institut nur bei Vorliegen besonderer Voraussetzungen, vgl. *Rookes v Barnard* [1964] AC 1129. Außerdem muss der Verletzer vorsätzlich die unerlaubte Handlung begangen haben, *Laddie/Prescott/Vitoria*, The Modern Law of Copyright and Designs, S. 1798; *Torremans*, Holyoak and Torremans Intellectual Property Law, S. 585.

97 Die britische Regierung hat eine Gesetzesänderung des CDPA vorgeschlagen, um die Möglichkeit der Gewährung von Strafschadensersatz in Fällen von Urheberrechtsverletzungen auszuschließen. Als Begründung wird angeführt, dass ein zivilrechtlicher Strafschadensersatz in Anbetracht der verfügbaren strafrechtlichen Sanktionen bei vorsätzlichem Handeln unangemessen sei; vgl. Out-Law News, UK Government Proposal to replace term *additional damages* with *aggravated* and *restitutional* damages in the CDPA, 14.5.2007, abrufbar unter: http://www.out-law.com [abgerufen am 10.3.2009].

98 Statutory Instrument 2006 No. 1028, In Kraft seit 29.4.2006. Diese machen Vorgaben bezüglich der Berechnung der Schadenshöhe und erklären, dass andere Rechtsbehelfe und rechtsstaatliche Grundsätze von dieser Vorschrift grundsätzlich nicht berührt werden und nur wenn sie mit dieser Regel unvereinbar sind, zurücktreten müssen.

99 *Smith/Wheeler/Burke*, [2006] EIPR N–125 f.

100 *Frassi*, in: Sena (ed.), Il risarcimento del danno da illecito concorrenziale e da lesione della proprietà intelletuale, S. 337; *Ebert*, Pönale Elemente im deutschen Privatrecht, S. 248; BGHZ 118, 312 [340].

101 *Hildebrandt*, Die Strafvorschriften des Urheberrechts, S. 504; *Weber*, Der strafrechtliche Schutz, S. 399.

Vorgaben mit der Enforcement-RL nicht die einheitliche Einführung eines Strafschadensersatzes in der EU bezweckt worden, wie Erwägungsgrund 26, letzter Satz belegt.

### *c) Entschädigung*

Im Fall einer unverschuldeten Verletzungshandlung kann der Verletzer in Deutschland zur Abwendung der Ansprüche aus §§ 97 und 98 UrhG in Geld entschädigen, wenn ihm andernfalls durch Erfüllung der Ansprüche ein unverhältnismäßig großer Schaden entstehen würde und ihm die Zahlung einer Entschädigung zumutbar ist. Als Rechtsfolge bestimmt die Norm, dass der Betrag zu zahlen ist, der im Fall einer vertraglichen Einräumung des Rechts als Vergütung angemessen wäre.[102] Diese Regelung entspricht weitgehend Art. 12 der Enforcement-RL, war aber bereits vor deren Umsetzung in § 101 Abs. 1 UrhG a.F im deutschen Urheberrecht vorhanden. Der italienische und englische Gesetzgeber haben von der durch Art. 12 Enforcement-RL eingeräumten Möglichkeit, eine solche Ersatzmaßnahme vorzusehen, keinen Gebrauch gemacht.

### *d) Unterlassungsanspruch gegen den Rechtsverletzer*

Der Unterlassungsanspruch ist auf die Beseitigung des rechtswidrigen Zustands gerichtet. Als negatorischer Anspruch unterscheidet er sich damit vom Schadensersatzanspruch, da er nicht Wiederherstellung des ursprünglichen Zustands und Schadensausgleich bezweckt. Durch Art. 9 Abs. 1 lit. a) Enforcement-RL wurde zumindest die Verpflichtung zur Einführung eines Unterlassungsanspruchs gegen die Fortsetzung vermutlicher Urheberrechtsverletzungen im einstweiligen Rechtsschutz normiert.

Ein Unterlassungsanspruch auch im Hauptsacheverfahren besteht in allen drei untersuchten Rechtsordnungen als ein bewährtes Mittel im Kampf gegen Urheberrechtsverletzungen. Voraussetzung ist sowohl in § 97 Abs. 1 Satz 1 UrhG als auch in Art. 156 Abs. 1 LDA und in Sec. 96 Abs. 2 CDPA, dass eine rechtswidrige Verletzung der Rechte des Anspruchsstellers vorliegt, die kausal durch eine Handlung des Verletzers bewirkt wurde, und dass bezüglich der rechtsverletzenden Handlung Wiederholungsgefahr besteht. Ein Verschuldensnachweis ist nicht erforderlich. Auch wenn eine Rechtsverletzung erstmalig begangen wurde, werden an die Bejahung der Wiederholungsgefahr i.d.R. keine hohen Anforderungen gestellt. Nur selten wird diese Maßnahme verwehrt, in England wird allerdings das Überschreiten einer Mindestgrenze bezüglich der Schwere der Verletzungshandlung ver-

---

[102] Mit Zahlung der Entschädigung gilt zudem die Einwilligung des Verletzten zur Verwertung im üblichen Umfang als erteilt, § 100 Satz 3 UrhG.

langt.[103] Dort kann zudem eine Unterlassungsverfügung auch dann gewährt werden, wenn der Beklagte eine Zusage abzugeben bereit ist, keine weiteren Verletzungshandlungen vorzunehmen.[104] Auch in Deutschland reicht eine einfache Verpflichtung des Verletzers, künftige Rechtsverletzungen zu unterlassen, nicht aus. Vielmehr muss eine ernsthafte, unbefristete, vorbehaltlose und insbesondere strafbewehrte Unterlassungserklärung abgegeben werden, in der sich der Betroffene unter Annahme einer ausreichend hohen Vertragsstrafe verpflichtet, künftige Zuwiderhandlung zu unterlassen.[105] Da es für den Rechtsinhaber nicht zumutbar ist, erst die Begehung einer Rechtsverletzung abwarten zu müssen, um dann den Unterlassungsanspruch mit der bestehenden Wiederholungsgefahr begründen zu können, ist auch das Institut des vorbeugenden Unterlassungsanspruchs von großer Relevanz. Mit der Novellierung des Urheberrechtsgesetzes[106] wurde er in § 97 Abs. 1 Satz 2 UrhG erstmals im Urheberrechtsgesetz kodifiziert.[107] In Italien ist er in Art. 156 Abs. 1 LDA normiert. Auch dem englischen Recht sind vorbeugende Unterlassungsansprüche nicht fremd und sie können nach dem Common Law gewährt werden.[108] Das Vorliegen einer Wiederholungsgefahr ist in diesen Fällen durch eine konkret drohende Erstbegehungsgefahr zu ersetzen.[109]

In Italien sind außerdem nach Art. 156 Abs. 1 LDA zwei Rechtsfolgen möglich: Neben dem bereits erwähnten Unterlassungsanspruch kann der Rechtsinhaber, der eine Verletzung seiner Rechte durch einen Dritten beklagt oder fürchtet, seine Rechtsstellung gerichtlich feststellen lassen. In Verbindung mit dem Unterlassungsanspruch kann der Richter zudem einen Geldbetrag festsetzen, der für jede fortan festgestellte Rechtsverletzung, sonstige Missachtung oder verspätete Umsetzung vom Beklagten zu entrichten ist, nach Art. 156 Abs. 1 Satz 2 LDA.[110] Des Weiteren ist in Italien der vorbeugende Unterlassungsanspruch gesetzlich normiert nach Art. 163 Abs. 1 LDA i.V.m zivilprozessualen Vorschriften des einstweiligen

---

103 Allerdings neigen die Gerichte dazu, eine Wiederholungsgefahr zu bejahen, selbst wenn die vorherigen Verletzungshandlungen bereits verjährt waren, so in *Nicol v Barranger* [1917-23] MCC 219; *Laddie/Prescott/Vitoria*, The Modern Law of Copyright and Designs, S. 408.

104 *Australasian Performing Right Association v Koolman* [1969] NZLR 273.

105 Schricker-*Wild*, § 97 Rn. 128; Dreier/Schulze-*Dreier*, § 97 Rn. 42; *Schack*, Urheber- und Urhebervertragsrecht, S. 383 Rn. 798.

106 Gesetz zur Verbesserung der Durchsetzung von Rechten des geistigen Eigentums, BT-Drucks. 16/5048.

107 Vor der Kodifizierung dieses vorbeugenden Anspruchs wurde er der gefestigten Rechtsprechung entnommen; Schricker-*Wild*, § 97 Rn. 128; Wandtke/Bullinger-*v. Wolff*, § 97 Rn. 41.

108 *Dicker v Popham, Radford & Co* [1890] 63 LT 379; *Webb v Rose* [1732] cited in 4 Burr 2330; *Moorhouse v University of New South Wales* [1974] 3 ALR I, [1975] RPC 454; *Laddie/Prescott/Vitoria*, The Modern Law of Copyright and Designs, S. 410.

109 *Schack*, Urheber- und Urhebervertragsrecht, S. 383 Rn. 798; BGH GRUR 1984, 54 f.; *Laddie/Prescott/Vitoria*, The Modern Law of Copyright and Designs, S. 410.

110 Im vorläufigen Rechtsschutz nach Art. 163 Abs. 2 LDA.

Rechtsschutzes. Diesen kann der Inhaber eines wirtschaftlichen Nutzungsrechts gegen jede rechtswidrige Handlung richten, das gilt auch für solche, die von Mittelspersonen vorgenommen wurden. In Art. 157 LDA findet sich ferner ein besonderer Unterlassungsanspruch, der auf das *Verbot der Aufführung* eines zur öffentlichen Darbietung oder Aufführung geeigneten Werks gerichtet ist.[111] Eine besondere Form des Unterlassungsanspruchs stellt in Italien das Verbot der Aufführung eines zur öffentlichen Darbietung oder Aufführung geeigneten Werks nach Art. 157 LDA dar. Obwohl diese Maßnahme zwischen den zivilrechtlichen Instrumenten aufgeführt ist, steht sie dem verwaltungsrechtlichen Instrumentarium nahe: So ist ein Antrag dafür an den *Prefetto* zu stellen, der in einer italienischen Provinz als Vertreter des Staates auftritt und verwaltungsrechtliche Aufgaben wahrnimmt.

#### *e) Unterlassungsanspruch gegen den Internet Service Provider*

Sowohl in Italien als auch in England besteht neben den Drittauskunftsansprüchen auch ein gesetzlich normierter Unterlassungsanspruch gegen Diensteanbieter.

Damit haben die Gesetzgeber in den beiden Ländern von der in Art. 9 Abs. 1 lit. a) Enforcement-RL eingeräumten Möglichkeit Gebrauch gemacht, die Unterlassung von Rechtsverletzungen auch von einer Mittelsperson zu verlangen, deren Dienste zur Verletzung eines Rechts des geistigen Eigentums in Anspruch genommen werden.[112] In Italien gewährt Art. 156 Abs. 1 LDA diesen Anspruch gegen

---

[111] Obwohl diese Maßnahme zwischen den zivilrechtlichen Instrumenten aufgeführt ist, steht sie dem verwaltungsrechtlichen Instrumentarium nahe: So ist ein Antrag dafür an den *Prefetto* zu stellen, der in einer italienischen Provinz als Vertreter des Staates auftritt und verwaltungsrechtliche Aufgaben wahrnimmt.

[112] Es sind verschiedene Arten von Diensteanbietern im Internet zu unterscheiden. Laut Erwägungsgrund 14 der Enforcement-RL bleiben die Bestimmungen der E-Commerce-RL 2000/31/EG unberührt. Darauf wird im Folgenden für die Begriffsbestimmungen zurückgegriffen:

1. *Content Provider.* Dieser stellt eigene Informationen zur Nutzung bereit. Keine Erwähnung „eigener Informationen" in E-Commerce-RL; allerdings gilt keine Haftungsprivilegierung der Diensteanbieter, soweit der Service Provider etwa die übermittelten Informationen selbst auswählt oder verändert (Art. 12 Abs. 1 lit. c). Der Content Provider unterliegt grundsätzlich einer vollen Haftung, da er i.d.R. den Inhalt der zur Nutzung bereitgehaltenen Informationen kennt.

2. *Access Provider.* Dieser veranlasst die reine Durchleitung der eingegebenen Informationen. Er vermittelt Zugang zu einem Kommunikationsnetzwerk. Grundsätzlich trifft den Access Provider keine Haftung, sofern er die Übermittlung nicht veranlasst, den Adressaten der übermittelten Informationen nicht auswählt und die übermittelten Informationen nicht auswählt oder verändert (vgl. Art. 12 E-Commerce-RL 2000/31/EG).

3. *Host Provider.* Beim Hosting handelt es sich um einen Dienst der Informationsgesellschaft, der in der Speicherung von durch einen Nutzer eingegebenen Informationen besteht. Der Host Provider ist grundsätzlich nicht für die Informationen verantwortlich, sofern er keine tatsächliche Kenntnis von der rechtswidrigen Tätigkeit oder der rechtswidrigen Information hat und sich in Bezug auf Schadensersatzansprüche keiner Umstände bewusst ist, aus denen die rechtswidrige Tätigkeit oder Information offensichtlich wird,

Mittelspersonen.[113] Im englischen Recht sieht Sec. 97A CDPA[114] einen Unterlassungsanspruch gegen einen ISP vor, wenn dieser weiß, dass seine Dienste zur Begehung einer Urheberrechtsverletzung genutzt werden.[115] Dabei ist insbesondere von Bedeutung, ob der ISP über das Vorliegen einer Urheberrechtsverletzung informiert wurde (Sec. 97A (2) CDPA).

In Deutschland ist hingegen ein Unterlassungsanspruch gegen den ISP nicht gesetzlich normiert, sondern wird insbesondere aus den Grundsätzen der Störerhaftung[116] bei Nichteinhaltung der zumutbaren Prüfungspflichten hergeleitet.[117] Die gesetzlichen Telemedienvorschriften (§§ 7–10 Telemediengesetz, TMG) gewähren den Diensteanbietern Haftungsprivilegien.[118] Dennoch bestehen für die ISP Prüfungs- und Kontrollpflichten, die gerade bei Kenntnis der Handlungspflichten für

---

oder sofern er, sobald er diese Kenntnis oder dieses Bewusstsein erlangt, unverzüglich tätig wird, um die Information zu entfernen oder den Zugang zu ihr zu sperren. Diese Haftungsprivilegierungen lassen die Möglichkeit unberührt, dass nationale Gesetzgeber oder nationale Gerichte/Verwaltungsbehörden die Unterlassung der Rechtsverletzung anordnen (Art. 14 E-Commerce-RL 2000/31/EG).

113 Geändert durch das Gesetzesdekret 35/2005 in Umsetzung der Enforcement-RL, wodurch die Liste der möglichen Beklagten erweitert wurde: Nicht mehr nur der Rechtsverletzer selbst, auch Mittelspersonen, deren Dienste zur Rechtsverletzung genutzt wurden, sind nun mögliche Adressaten der Norm.

114 Eingeführt durch die Copyright and Related Rights Regulations 2003, Nr. 2498.

115 Dieser ist auch nicht von den drei Immunitätstatbeständen für ISP erfasst, die bei der Verletzung von Urheberrechten eingreifen. Zwar sind Schadensersatzansprüche sowie jegliche strafrechtliche Haftung von ISP ausgeschlossen worden, ein Unterlassungsanspruch gegen ISP wird jedoch zugelassen (Sec. 20 (1) lit. b Electronic Commerce (EC Directive) Regulations 2002).

116 Nach den Grundsätzen der Störerhaftung gemäß § 1004 BGB kann grundsätzlich auch derjenige, der, ohne Täter oder Teilnehmer zu sein, in irgendeiner Weise willentlich und adäquat kausal zur Verletzung eines geschützten Gutes beiträgt, als Störer für eine Urheberrechtsverletzung auf Unterlassung in Anspruch genommen werden (vgl. BGHZ 148, 13, 17 – *ambiente.de*; BGH, Urteil vom 18.10.2001 – I ZR 22/99, GRUR 2002, 618, 619 – *Meißner Dekor*; BGH, Urteil vom 19.4.2007, Az. I ZR 35/04, in BGHZ 158, 236, 251 – *Internet-Versteigerung II*). Diese Grundsätze der Störerhaftung sind im Fall der Verletzung von Immaterialgüterrechten, die als absolute Rechte auch nach § 823 Abs. 1, § 1004 BGB Schutz genießen, uneingeschränkt anzuwenden, vgl. BGH, Urteil vom 11.3.2004, Az. I ZR 304/01 – *Internet-Versteigerung I Urteil.*

117 Um die Störerhaftung nicht über Gebühr auf Dritte zu erstrecken, die nicht selbst die rechtswidrige Beeinträchtigung vorgenommen haben, setzt die Haftung nach ständiger Rechtsprechung die Verletzung von Prüfungspflichten voraus. Deren Umfang bemisst sich danach, ob und inwieweit dem als Störer in Anspruch Genommenen nach den Umständen eine Prüfung zumutbar ist (BGH, Urteil vom 10.10.1996 – I ZR 129/94, GRUR 1997, 313, 315 f. – *Architektenwettbewerb*; Urteil vom 15.10.1998 – I ZR 120/96, GRUR 1999, 418, 419 f. – *Möbelklassiker*; BGHZ 148, 13, 17 f. – *ambiente.de*; BGHZ 158, 236, 251 – *Internet-Versteigerung II.*

118 Im TMG werden ebenfalls Haftungsprivilegierungen für die verschiedenen Arten von Diensteanbietern normiert. In § 7 TMG steht die allgemeine Haftung des *Content Providers* für eigene Informationen, die er zur Nutzung bereithält. In § 8 TMG wird die Durchleitung von Informationen durch den *Access Provider* geregelt. § 10 TMG bestimmt die Speicherung fremder Informationen durch den *Host Provider*.

den Diensteanbieter i.d.R. zumutbar sind. So tendiert der BGH zu einer Beschränkung der Haftungsprivilegierung der ISP im Rahmen ihrer zumutbaren Prüfungs- und Kontrollpflichten und bejaht im Einzelfall eine weitreichende Störerhaftung.[119] Allerdings muss der Diensteanbieter nicht jeden erdenklichen Aufwand betreiben, um die Nutzung rechtswidriger Inhalte zu vermeiden, vielmehr müssen die Bedeutung des Einzelfalles und der erforderliche technische und wirtschaftliche Aufwand sowie die Auswirkungen auf andere Teile des Dienstes gesehen werden.[120] Schließlich dürfen dem ISP keine Anforderungen auferlegt werden, die sein von der Rechtsordnung an sich gebilligtes Geschäftsmodell gefährden oder seine Tätigkeit unverhältnismäßig erschweren.[121]

### *f) Abmahnung*

Mit § 97a UrhG wurde in Deutschland das außergerichtliche Instrument der urheberrechtlichen Abmahnung gesetzlich geregelt. Diese Norm wurde zwar anlässlich der Umsetzung der Enforcement-RL in das Urheberrechtsgesetz eingeführt, geht aber nicht auf gemeinschaftsrechtliche Vorgaben zurück. Die Abmahnung[122] dient dazu, den Verletzer eines Urheberrechts auf die begangene Verletzung aufmerksam zu machen und zur Unterlassung aufzufordern. Durch Abgabe einer strafbewehrten Unterlassungserklärung wird in den meisten Fällen das Ziel der Abmahnung erreicht, aufwändige Gerichtsverfahren zu vermeiden und eine außergerichtliche Streitbeilegung zu bewirken. Grund für die gesetzliche Normierung war für den Gesetzgeber einerseits die Verbesserung der bestehenden Regelun-

---

[119] Wichtig sind hier die Grundsätze und Abwägungsmaßstäbe des sog. *Internet-Versteigerung-I*-Urteils des Bundesgerichtshofs, BGH, Urteil vom 11.3.2004, Az. I ZR 304/01, vgl. oben Dritter Teil, Fn. 2. Siehe dazu auch: OLG Brandenburg, Urteil vom 16.11.2005, Az. 4 U 5/05. Für vorbeugende Unterlassungsansprüche vgl. BGH, Urteil vom 19.4.2007, Az. I ZR 35/04 *(Internet-Versteigerung II)*.

[120] Zur erhöhten Prüfungspflicht des Diensteanbieters, der vom Rechtsinhaber auf eine klare Rechtsverletzung hingewiesen worden ist, vgl. OLG Düsseldorf, Urteil vom 15.10.2008 – I-20 U 196/07 und BGH, Urteil vom 11.3.2004, Az. I ZR 304/01. Zu den Prüfpflichten auch OLG Düsseldorf, Urteil vom 24.2.2009, Az. I-20 U 204/02; LG Düsseldorf Urteil vom 13.12.2007, Az. 12 O 550/07; zur Darlegungs- und Beweislast für technische Möglichkeit und Zumutbarkeit der Verhinderung der Rechtsverletzung, BGH, Urteil vom 10.4.2008, Az. I ZR 227/05 – *Namensklau im Internet*; zur Zumutbarkeit von Überprüfungspflichten: OLG Hamburg, Urteil vom 30.7.2009, Az. 3 U 214/07; zu Überprüfungspflichten des Verpächters einer Domain: OLG Köln, Urteil vom 19.3.2010, Az. 6 U 167/09; zur Haftung des Access Providers: OLG Frankfurt a.M., Beschluss vom 22.1.2008, Az. 6 W 10/08; LG Hamburg, Urteil vom 12.11.2008, Az. 308 O 548/08, ZUM 2009, 587.

[121] OLG Düsseldorf, Urteil vom 15.10.2008 – I-20 U 196/07; BGH GRUR 2007, 890.

[122] Ihre Rechtsnatur ist umstritten, überwiegend wird von einer geschäftsähnlichen Handlung mit eigenen Regeln ausgegangen, vgl. *Ewert/Hartz*, ZUM 2007, 450; laut st. Rspr. ist die Abmahnung ein Antrag i.S.d. § 145 BGB auf Abschluss eines Unterwerfungsvertrags, vgl. BGH GRUR 2002, 824 f.

gen[123] und andererseits den Missbrauch anwaltlicher Abmahnungen als zusätzliche Einnahmequelle einzudämmen, etwa bei Massenabmahnungen für im Internet begangene Rechtsverletzungen. Demgegenüber ist in England und Italien ein solcher Anspruch nicht gesetzlich normiert.

### *g) Beseitigung*

Neben dem Unterlassungsanspruch ist auch der Anspruch auf Beseitigung der durch die verletzende Handlung eingetretenen Beeinträchtigungen wichtig, der in allen drei untersuchten Rechtsordnungen vorzufinden ist. In Deutschland steht er in § 97 Abs. 1 UrhG und ähnelt in seinen Voraussetzungen dem in derselben Norm geregelten Unterlassungsanspruch. Allerdings besteht hier nicht das besondere Erfordernis einer Wiederholungsgefahr und aufgrund der Auferlegung einer Handlungspflicht, die den möglicherweise schuldlosen Verletzer erheblich gravierender belasten kann, muss die auferlegte Beseitigungspflicht nach Art und Umfang stets verhältnismäßig sein.[124] Eine bestimmte Beseitigungsmaßnahme kann daher nur verlangt werden, wenn keine andere infrage kommt und sie außerdem geeignet, erforderlich und zumutbar ist.[125] Die Kosten der Beseitigung sind vom Verletzer zu tragen; sofern ihm aber dadurch ein zu großer Schaden entsteht, kann er nach § 101 Abs. 1 UrhG den Verletzten ausnahmsweise in Geld entschädigen.

In Italien gewährt Art. 158 Abs. 1 LDA neben Ansprüchen auf Vernichtung und Rückruf auch einen Beseitigungsanspruch auf Kosten des Verletzers, der nicht allgemein wie in Deutschland auf die Beseitigung eines durch die rechtswidrige Handlung geschaffenen Zustands gerichtet ist, sondern konkret nur die rechtswidrig hergestellten Kopien des Werks oder die Geräte selbst, die zur Vervielfältigung oder Verbreitung dieser Waren gedient haben und nicht vorwiegend zu anderen Zwecken genutzt werden können, umfasst (Art. 159 LDA). Des Weiteren ist gemäß Art. 159 Abs. 7 LDA auch in Italien auf die Verhältnismäßigkeit dieser Abhilfemaßnahme bezüglich der Schwere der Verletzungshandlung zu achten, wobei auch Interessen Dritter Berücksichtigung finden müssen. Diese erst kürzlich eingeführte Vorschrift soll Schutzmaßnahmen, die zu exzessiven Eingriffen aufseiten des Rechtsverletzers führen können, eindämmen.[126] Eingeschränkt werden Beseitigungs- und Vernichtungsanspruch in Italien durch Art. 160 LDA, der eine zeitliche Begrenzung der Geltendmachung dieser Ansprüche für das letzte Jahr der Geltungsdauer des urheberrechtlichen Schutzes festlegt.[127] Außerdem sind gemäß

---

123 Gesetzentwurf der Bundesregierung vom 26.1.2007, BR-Drucks. 64/07, Begründung, S. 114; § 97a.

124 Wandtke/Bullinger-*v. Wolff*, § 97 Rn. 45; Schricker-*Wild*, § 97 Rn. 133.

125 Schricker-*Wild*, § 97 Rn. 133.

126 *Ragonesi*, Dir. Aut. 2006, 472.

127 Stattdessen ist eine Beschlagnahme anzuordnen, die bis zum Ablauf der Schutzfrist des Urheberrechts andauert. Diese Beschlagnahme kann außerdem auch schon zu einem

Art. 159 Abs. 6 LDA die Ansprüche auf Beseitigung und Vernichtung aus Art. 158 LDA ausgeschlossen, soweit die Vervielfältigungsstücke oder Geräte gutgläubig zum eigenen Gebrauch erworben wurden.[128]

In England ist die Rechtsfolge der Beseitigung über eine Anordnung nach Sec. 114 CDPA zu erwirken, die die tatbestandliche Erfüllung von Sec. 99, 100 oder 108 CDPA voraussetzt.[129] Ist ein Grundtatbestand erfüllt, so kann der Kläger nach Sec. 114 CDPA beantragen, dass ein rechtswidriges Vervielfältigungsstück oder ein anderer Gegenstand dem Rechtsinhaber überlassen oder zerstört oder in sonstiger Weise beseitigt wird, wobei die passende Maßnahme vom Gericht zu bestimmen ist.[130] Bei der Wahl der Maßnahme muss das Gericht nach Sec. 114 Abs. 2 CDPA berücksichtigen, ob andere verfügbare Rechtsbehelfe den Rechtsinhaber ebenso angemessen entschädigen und seine Interessen schützen würden. Es wird also anders als bei der deutschen und italienischen Verhältnismäßigkeitsprüfung nicht auf den Rechtsverletzer, sondern auf den Rechtsinhaber abgestellt.

Zusammenfassend ist festzustellen, dass in den drei untersuchten Urheberrechtsgesetzen ein Beseitigungsanspruch normiert ist. In Deutschland ist er allgemein auf die Beseitigung eines durch die rechtswidrige Handlung geschaffenen Zustands gerichtet, während in Italien und England nur die Beseitigung der rechtswidrig hergestellten Kopien des Werks oder auch der Vervielfältigungsgeräte Anspruchsgegenstand ist. Die Abhilfemaßnahme muss nach allen drei Rechtsordnungen verhältnismäßig sein. Dabei wird in Deutschland und Italien vorwiegend auf die Seite des Rechtsverletzers und seine Verletzungshandlung abgestellt, wohingegen in England die Interessen des Rechtsinhabers vorrangig berücksichtigt werden.

### *h) Vernichtung der Vervielfältigungsstücke und Vorrichtungen*

Art. 10 Abs. 1 lit. c) Enforcement-RL erwähnt als mögliche Abhilfemaßnahme, die auf Antrag des Rechtsinhabers ergehen kann, die Vernichtung der rechtsverletzenden Waren oder der Geräte, die zu ihrer Herstellung genutzt wurden.

---

früheren Zeitpunkt erfolgen, sofern die aus der Verletzungshandlung entstandenen Schäden beglichen wurden.

128 Des Weiteren trifft Art. 159 LDA besondere Regelungen: bzgl. einer nur zeitlich befristeten Entfernung der Gegenstände, soweit sie sich auch zum rechtmäßigen Gebrauch eignen (Abs. 2); bzgl. der Abtrennung bestimmter anderweitig nutzbarer Teile der Geräte auf eigene Kosten (Abs. 3); bzgl. der Verbringung von Werken von künstlerischem oder wissenschaftlichen Interesse in öffentliche Museen (Abs. 4); bzgl. des Erwerbs der Vervielfältigungsstücke und Geräte durch den geschädigten Rechtsinhaber (Abs. 5).

129 Anordnungen nach Sec. 114 CDPA sind sowohl in zivilrechtlichen wie auch in strafrechtlichen Verfahren möglich; *Phillips/Durie/Karet,* Whale on Copyright, S. 90.

130 Der Terminus „Beseitigung“ ergibt sich insbesondere aus der Überschrift der Norm, die lautet: Anordnung der Beseitigung eines rechtsverletzenden Vervielfältigungsstücks oder eines anderen Gegenstands *(Order as to disposal of infringing copy or other article).*

Im deutschen und italienischen Urheberrecht wird dieser Vernichtungsanspruch nach § 98 Abs. 1 UrhG bzw. Art. 158 Abs. 1 LDA gewährt. Dieser setzt in Deutschland eine rechtswidrige Urheberrechtsverletzung, in Italien die Verletzung eines wirtschaftlichen Nutzungsrechts voraus. Der Rechtsnatur nach handelt es sich um einen Beseitigungsanspruch mit generalpräventivem Charakter, der nicht begangene Rechtsverletzungen sanktionieren, sondern vorrangig künftige Verletzungshandlungen verhindern soll.[131] Nach beiden Rechtsordnungen ist die Verhältnismäßigkeit zwischen der Rechtsverletzung einerseits und Beseitigungsmaßnahmen andererseits zu wahren, wobei bei der Prüfung auch berechtigte Interessen Dritter zu berücksichtigen sind, § 98 Abs. 4 UrhG bzw. Art. 158 Abs. 7 LDA.[132]

Der Vernichtungsanspruch des § 98 Abs. 1 UrhG umfasst die bisher getrennt geregelten Vernichtungsansprüche von rechtswidrigen Vervielfältigungsstücken und Vorrichtungen. Die rechtswidrig hergestellten, verbreiteten oder zur rechtswidrigen Verbreitung bestimmten Vervielfältigungsstücke i.S.d. § 16 UrhG müssen sich im Besitz oder Eigentum des Verletzers befinden. Bezüglich der Vorrichtungen, die vorwiegend der Herstellung von Vervielfältigungsstücken gedient haben,[133] werden nur diejenigen erfasst, die im Eigentum des Verletzers stehen.[134] Eine Zweitverwertung der rechtsverletzenden Ware, die als milderes Mittel der Vernichtung vorzuziehen wäre, ist grundsätzlich auch im deutschen Urheberrecht möglich, aber eher unüblich.[135]

Auch in Italien betrifft die Norm rechtswidrig hergestellte Vervielfältigungsstücke des Werks sowie Geräte, die zur Vervielfältigung und Verbreitung der Waren gedient haben und nicht vorwiegend zu anderen Zwecken genutzt werden können (Art. 159 Abs. 1 LDA). In Bezug auf die Eigentumsverhältnisse der rechts-

---

131 Schricker-*Wild*, § 98 Rn. 1; *Schack*, Urheber- und Urhebervertragsrecht, S. 384 Rn. 801; Dreier/Schulze-*Dreier*, § 98 Rn. 1, 12.

132 Andernfalls droht in Deutschland der Ausschluss der Ansprüche auf Vernichtung, Rückruf und Entfernung. Der Ausschluss ist zwar so nicht in der Richtlinie geregelt, kann aber als spezielle Ausprägung des Grundsatzes der Verhältnismäßigkeit als richtlinienkonform angesehen werden; Gesetzentwurf der Bundesregierung vom 26.1.2007, BR-Drucks. 64/07, S. 117, § 98.

133 Bis vor Umsetzung der Enforcement-RL wurde keine *vorwiegende*, sondern eine *ausschließliche oder nahezu ausschließliche Verwendung* zu Verletzungszwecken gefordert.

134 Miteinbegriffen sind auch handelsübliche Geräte, die anderweitig eingesetzt und grundsätzlich einer rechtmäßigen Benutzung zugeordnet werden können, wie Kopiergeräte, CD-Brenner und Videorecorder. Entscheidend ist lediglich die Verwendung zur Herstellung von Vervielfältigungsstücken, was konkrete Tatfrage ist; Schricker-*Wild*, § 98 Rn. 11; Wandtke/Bullinger-*Bohne*, § 98 Rn. 32; a.A.: *Schack*, Urheber- und Urhebervertragsrecht, S. 385 Rn. 803 mit Verweis auf BGH GRUR 1988, 301 f.

135 Als anderweitige Möglichkeiten der Beseitigung könnte hier die Schwärzung von urheberrechtsverletzenden Textpassagen oder die Entfernung oder Ersetzung von Seiten aus einem Buch in Betracht kommen. Jedenfalls ist dem Rechtsinhaber eine solche Maßnahme nicht zumutbar, wenn sie von dritter Seite wieder rückgängig gemacht werden kann, Dreier/Schulze-*Dreier*, § 98 Rn. 24 f.

widrig hergestellten Vervielfältigungsstücke oder der bei Begehung der Verletzungshandlung eingesetzten technischen Geräte äußert sich die Vorschrift nur indirekt: Ein Eigentumserfordernis der Ware wird nicht ausdrücklich gefordert.[136] Lediglich Art. 159 Abs. 6 LDA legt fest, dass Beseitigungs- und Vernichtungsansprüche nicht die Gegenstände und rechtswidrig hergestellten Kopien betreffen, die in gutem Glauben zum Eigengebrauch erworben wurden.[137] Grundsätzlich ist es daher anders als nach deutschem Recht für die Durchsetzung des Vernichtungsanspruchs unbeachtlich, ob sich die Gegenstände im Eigentum oder Besitz des Verletzers selbst oder in dem von Dritten befinden.[138] Das italienische Gesetz enthält daneben besondere Regelungen bezüglich Zweitverwertung von Teilen der betroffenen Werke, sofern sie einer anderen Nutzung zuführbar sind oder von besonderem künstlerischem oder wissenschaftlichem Wert sind (Art. 159 Abs. 3 und 4 LDA). Ausschlussgründe für den Anspruch sind ein gutgläubiger Erwerb der rechtswidrigen Vervielfältigungsstücke zu privatem Gebrauch sowie die Geltendmachung des Anspruchs im letzten Jahr vor Ablauf der urhebrrechtlichen Schutzfrist (gemäß Art. 159 Abs. 6 und Art. 160 LDA).

In England ist für die Vernichtung der Ware ebenso wie für den Beseitigungsanspruch eine Anordnung nach Sec. 114 CDPA erforderlich. Bei Erfüllung eines der Grundtatbestände der Sec. 99,[139] 100 oder 108 CDPA[140] kann der Kläger nach Sec. 114 CDPA beantragen, dass ein rechtswidriges Vervielfältigungsstück oder ein anderer Gegenstand dem Rechtsinhaber überlassen oder zerstört oder in sonstiger Weise *beseitigt* werden, wobei die passende Maßnahme vom Gericht zu bestimmen ist. Sec. 99 CDPA fordert hier, dass sich die Ware im Besitz, in der Obhut oder unter Kontrolle des Rechtsverletzers befindet. Damit sind zumindest auch Gegenstände im Besitz Dritter erfasst, die sich im Herrschaftsbereich des Rechtsverletzers befinden. Bei der Wahl der Maßnahme muss das Gericht nach Sec. 114 Abs. 2 CDPA berücksichtigen, ob andere verfügbare Rechtsbehelfe den Rechtsinhaber ebenso angemessen entschädigen und seine Interessen schützen würden. Es wird also, anders als bei der deutschen und italienischen Verhältnis-

---

136 Auch mit Blick auf die allgemeinen Regeln des *Codice Civile* ergibt sich, dass Eigentums- und Besitzverhältnisse an den rechtsverletzenden Waren für die Durchsetzung eines Vernichtungsanspruchs unbedeutend sind: Nach Art. 2933 C.C. kann der Rechtsinhaber die Vernichtung von Gegenständen, die durch Rechtsverletzungen entstanden sind, anordnen.

137 Innerhalb des strafrechtlichen Instrumentariums bestimmt Art. 171-*sexies* Abs. 3 LDA, dass die Zerstörung beschlagnahmten Materials von dem Richter angeordnet werden kann, wobei die Eigentumsverhältnisse der betreffenden Ware ausdrücklich unberücksichtigt bleiben, wenn der Besitzer zumindest im Interesse des Eigentümers gehandelt hat.

138 *Savorani,* Danno e responsabilità 2007, 500 ff.

139 Wird der Antrag auf Sec. 99 CDPA gestützt, ist die Wahrung der Sechs-Jahres-Frist nach Sec. 99 Abs. 2, 113 CDPA zu beachten.

140 Anordnungen nach Sec. 114 CDPA sind sowohl in zivilrechtlichen wie auch in strafrechtlichen Verfahren möglich; *Phillips/Durie/Karet,* Whale on Copyright, S. 90.

mäßigkeitsprüfung, nicht auf den Rechtsverletzer, sondern auf den Rechtsinhaber abgestellt. Eine Möglichkeit, rechtsverletzende Ware einer Zweitverwertung zuzuführen, besteht nach englischem Recht nicht.

Im Ergebnis halten alle drei Rechtsordnungen in Fällen von Urheberrechtsverletzungen einen Vernichtungsanspruch bereit. Während in Deutschland Eigentums- und Besitzverhältnisse an rechtsverletzenden Waren und Kopiervorrichtungen zu berücksichtigen sind, ist es für die Durchsetzung des Anspruchs in Italien unbeachtlich, ob sich die Gegenstände im Eigentum oder Besitz des Rechtsverletzers oder von Dritten befinden. Im englischen Urheberrechtsgesetz kann auch auf Gegenstände im Besitz Dritter zugegriffen werden, soweit sie noch der Kontrollsphäre des Rechtsverletzers zuzurechnen sind. Bei der Verhältnismäßigkeitsprüfung stellen deutsches und italienisches Recht auf die Seite des Rechtsverletzers und seine Verletzungshandlung ab, wohingegen in England vorrangig die Interessen des Rechtsinhabers berücksichtigt werden. Außerdem wird in Italien gesetzlich die Möglichkeit einer Zweitverwertung der (ursprünglich) rechtsverletzenden Ware eingeräumt. In Deutschland könnte man diese eher unübliche Maßnahme unter Verhältnismäßigkeitsgesichtspunkten als milderes Mittel erreichen; in England besteht eine solche Option hingegen nicht.

### *i) Rückruf und endgültiges Entfernen*

Ebenfalls in Art. 10 Enforcement-RL[141] ist als Abhilfemaßnahme der Rückruf und das endgültige Entfernen von rechtsverletzenden Waren sowie Geräten und Materialien, die vorwiegend zu ihrer Herstellung gedient haben, vorgesehen.[142] Dazu werden im Folgenden zwei Fragestellungen behandelt: Nach Untersuchung der allgemeinen materiellrechtlichen Voraussetzungen des Anspruchs wird auf Schwierigkeiten bei der Durchsetzung desselben eingegangen.

Ein Anspruch auf Rückruf und endgültiges Entfernen war vor Umsetzung der Enforcement-RL[143] im deutschen Recht nur anerkannt, wenn Gefahren für Leben oder Gesundheit der Konsumenten bestanden.[144] Heute ist er in § 98 Abs. 2 UrhG geregelt. Alternativ zum Rückruf kann der Anspruchsteller nach Abs. 2 a.E. UrhG auch das endgültige Entfernen der Vervielfältigungsstücke anordnen.[145] Nach herr-

---

[141] Dort in Abs. 1 lit. a und lit. b.

[142] Die Maßnahmen des Rückrufs und des endgültigen Entfernens beziehen sich auf Ware, die sich bereits in den Vertriebswegen befindet. Sie unterscheiden sich durch die zeitliche Komponente: Bei einem Rückruf kann die Ware an den ursprünglichen Besitzer zurückgegeben werden. Das Entfernen ist hingegen endgültig.

[143] Vorgabe in Art. 10 sowie Erwägungsgrund 7 und 8 der Enforcement-RL.

[144] Solche Pflichten ergeben sich vorwiegend aus dem öffentlich-rechtlichen Gefahrenabwehrrecht, *Peukert/Kur*, GRUR Int. 2006, 295.

[145] Für nähere Ausführungen zur Rechtspraxis in Deutschland siehe oben Dritter Teil, III.A.1.c)dd).

schender Meinung kommt in Deutschland allerdings dem endgültigen Entfernen keine unabhängige Bedeutung neben dem Rückruf aus den Vertriebswegen zu.[146]

In Italien gewährt Art. 158 Abs. 1 LDA nur einen sehr allgemeinen Rückrufsanspruch, wonach auf Kosten des Rechtsverletzers der die Rechtsverletzung begründende Zustand beseitigt oder vernichtet werden kann. Art. 159 Abs. 2 LDA gibt ein zeitlich begrenztes Rückrufsrecht hinsichtlich der in Abs. 1 genannten rechtswidrig hergestellten und verbreiteten Vervielfältigungsstücke und der zur Vervielfältigung und Verbreitung verwandten technischen Geräte. Voraussetzung dafür ist, dass die rechtswidrige Ware nach Vornahme von Veränderungen auch für eine rechtmäßige Nutzung geeignet ist. Wurden solche Änderungsarbeiten zur Gewährleistung der Einhaltung des urheberrechtlichen Schutzes vorgenommen, besteht die Möglichkeit der Rückführung der Ware in die Vertriebswege.

Den Verpflichtungen aus der Richtlinie ist England durch Einsatz der bereits vorher bestehenden Herausgabeanordnung *(delivery up)* nachgekommen.[147] Es wurde keine neue Vorschrift bezüglich des Rückrufs rechtswidriger Ware normiert. Wohl auch wegen der ungewohnten Terminologie findet in der Praxis keine Unterscheidung zwischen Rückruf und endgültigem Entfernen aus den Vertriebswegen statt. Um eine Herausgabe der rechtsverletzenden Ware zu erreichen, muss der Rechtsinhaber bei Gericht einen Antrag darauf stellen. Es steht im Ermessen des Gerichts, die geeignete Abhilfemaßnahme zu wählen. In der Regel werden solche Auslieferungsanordnungen vom Gericht nur in Verbindung mit einer Vernichtungsanordnung oder einer Anordnung nach Sec. 114, Sec. 99 Abs. 2 CDPA zur Überlassung an den Rechtsinhaber getroffen.

Im Hinblick auf die zweite oben genannte Fragestellung, die Durchsetzung des Rückrufs- und Entfernungsanspruchs, stellt sich die Rechtslage in den drei untersuchten Rechtsordnungen ebenfalls unterschiedlich dar.

In Deutschland ist das Erfordernis der Verfügungsgewalt des Verletzers an den Gegenständen eine Erschwernis bei der Rechtsverfolgung. Befinden sie sich nicht mehr in dem vom Verletzer kontrollierbaren Bereich, so wird er sich die Sachen schwerlich aus der Verfügungsgewalt Dritter eigenmächtig verschaffen oder einen Anspruch auf Aushändigung der Ware geltend machen können.[148] Ebenso ist es in Fällen von Produktpiraterie größeren Ausmaßes kaum vorstellbar, dass der Verletzer, wie im Geschäftsbetrieb sonst üblich, sämtliche Abnehmer über seine Verpflichtung informiert, rechtsverletzende Ware auf seine Kosten zurückzurufen, und

---

146 *Spindler/Weber*, ZUM 2007, 259; *Peukert/Kur*, GRUR Int. 2006, 295; Fromm/Nordemann-*Jan Bernd Nordemann*, § 98 Rn. 26; Stroebele/Hacker-*Hacker*, Markenrecht, Art. 18 Rn. 57.

147 Zum Einsatz kommen kann auch die Anordnung zur Überlassung in Strafverfahren nach Sec. 108 CDPA sowie eine Beschlagnahme nach Sec. 100 CDPA.

148 *Peukert/Kur*, GRUR Int. 2006, 295.

sie um die Aushändigung der Ware bittet.[149] Ist der Rückrufsanspruch nicht mit einem Unterlassungsanspruch verbunden und kann er daher auch nicht im einstweiligen Rechtsschutz durchgesetzt werden, ist es für den Rechtsinhaber sinnvoller, vom Rechtsverletzer Auskunft über Namen und Adressen der Abnehmer zu verlangen und dann in einem separaten Verfahren gegen diese vorzugehen.

Auch in Italien ist es problematisch, wenn sich die Ware nicht mehr im Besitz des Rechtsverletzers selbst befindet. Nach der herrschenden Meinung in der Lehre kann die Ware zumindest noch dann vom Rechtsverletzer gefordert werden, wenn er darüber verfügen kann, und zwar auch noch, wenn die Gegenstände dafür von anderen angefordert werden müssten. Andernfalls müssen die jeweiligen Besitzer separat verklagt werden.[150]

In England ist es für die Durchsetzung einer Überlassungsanordnung grundsätzlich unbeachtlich, ob sich die Ware noch im Besitz des Rechtsverletzers befindet oder ob er diese bereits an Dritte weitergegeben hat. Die gerichtliche Anordnung ist ungeachtet der Belegenheit und der Besitzverhältnisse an den fraglichen Produkten durchzusetzen. Allerdings können sich je nach Besitzer unterschiedliche Schwierigkeiten ergeben. Während die Erlangung der rechtsverletzenden Ware von Händlern und Großhändlern relativ einfach ist,[151] ist das Verfahren gegenüber privaten Verbrauchern zeit- und kostenintensiv.

Abschließend ist festzuhalten, dass mit Umsetzung von Art. 10 der Enforcement-RL nach allen drei Urheberrechtsgesetzen die Abhilfemaßnahme des Rückrufs und des endgültigen Entfernens besteht. Die Unterscheidung zwischen Rückruf und endgültigem Entfernen hat die Enforcement-RL den nationalen Rechtsordnungen überlassen. Nach deutschem und englischem Recht wird nicht zwischen den beiden Maßnahmen unterschieden. Im italienischen Urheberrechtsgesetz ergibt sich eine Differenzierung daraus, dass bei Möglichkeit der Entfernung der rechtsverletzenden Merkmale auch nur ein zeitlich begrenzter Rückruf anstelle sonstiger endgültiger Maßnahmen erfolgen kann. Bei der Duchsetzung des Anspruchs ergeben sich in Deutschland aufgrund des Erfordernisses der Verfügungsgewalt des Rechtsverletzers an den Waren Schwierigkeiten. In England wird auf ein solches Erfordernis ganz verzichtet, während in Italien zumindest auch Gegenstände im Besitz Dritter umfasst sind, solange sie noch im Kontrollbereich des Rechtsverletzers sind.

#### *j) Überlassung der Vervielfältigungsstücke*

Deutsches und italienisches Urheberrecht räumen dem Verletzten ein Wahlrecht ein, alternativ anstelle der Vernichtung die Überlassung der Vervielfältigungs-

---

149 *Peukert/Kur*, GRUR Int. 2006, 296.

150 *Savorani*, Danno e responsabilità 2007, 500 ff.

151 Nachdem die Namen der Betroffenen identifiziert wurden, kümmern sich hierum regelmäßig die örtlichen Handelsaufsichtsbehörden.

stücke gegen eine angemessene Vergütung[152] zu verlangen. Dabei ist für Deutschland zu beachten, dass der Anspruch nur für die Vervielfältigungsstücke gilt, die im Eigentum des Verletzers stehen (§ 98 Abs. 3 UrhG), wobei in Italien das Gesetz keine Regelungen bezüglich der Eigentumsverhältnisse an den Gegenständen trifft. Zudem können nach dem italienischen Urheberrechtsgesetz auch die vom Vernichtungsanspruch betroffenen technischen Geräte herausverlangt werden (Art. 159 Abs. 5 LDA). Der Überlassungsanspruch wird in der Praxis im Vergleich zum Vernichtungsanspruch weniger genutzt. Dies liegt wohl zum einen an der minderen Qualität von Pirateriewaren und zum anderen an der Vergütung, die der Rechtsinhaber dem Verletzer für die Ware entrichten muss.

Nach englischem Recht kann der Inhaber des Copyrights an einem Werk beim Gericht einen Antrag auf Überlassung eines rechtswidrigen Vervielfältigungsstücks oder anderen Gegenstands an sich selbst oder eine andere vom Gericht bestellte Person stellen (Sec. 99 CDPA). Zu beachten ist allerdings, dass die Auslieferung von Vervielfältigungsstücken oder Gegenständen nach Sec. 99 CDPA dem Inhaber des Copyrights kein Verfügungsrecht oder Recht zur Zerstörung darüber einräumt. Solange eine Anordnung nach Sec. 114 CDPA nicht vorliegt, müssen die Sachen beim Rechtsinhaber aufbewahrt werden, was häufig zu Lagerungsschwierigkeiten führt. Danach kann der Kläger infolge einer Anordnung auf Auslieferung nach Sec. 99 CDPA die Überlassung an den Rechtsinhaber, die Zerstörung oder eine andere vom Gericht gewählte Maßnahme beantragen. Bei der Wahl der Maßnahme muss das Gericht berücksichtigen, ob die anderen verfügbaren Rechtsbehelfe den Rechtsinhaber angemessen entschädigen und seine Interessen schützen, Abs. 2.

### *k) Bekanntmachung des Urteils*

Mit Art. 15 Enforcement-RL wurde einheitlich auf Gemeinschaftsebene die Möglichkeit der Veröffentlichung von Gerichtsentscheidungen auf Antrag des verletzten Rechtsinhabers und auf Kosten des Verletzers eröffnet. Diese Regelung dient vorrangig der Begrenzung oder Verhinderung von Imageschäden und Umsatzeinbußen. Auch können im Vorfeld der Verhandlung erhobene Vorwürfe öffentlich widerlegt werden.[153] Die Veröffentlichungsbefugnis dient der Beseitigung fortwirkender Störungen[154] und ist somit mit dem Beseitigungsanspruch verwandt.

---

[152] Nach dem deutschen § 98 Abs. 3 UrhG darf diese die Herstellungskosten nicht übersteigen.

[153] Zwar kann eine private Bekanntmachung des Urteils ohne gerichtliche Erlaubnis effizienter sein, sie birgt aber auch das Risiko, wegen der damit verbundenen Herabsetzung des Gegners als sittenwidrig und persönlichkeitsverletzend eingestuft zu werden, *Rehbinder*, Urheberrecht, S. 357 Rn. 934; *Schack*, Urheber- und Urhebervertragsrecht, S. 395 Rn. 827.

[154] *Schack*, Urheber- und Urhebervertragsrecht, S. 395 Rn. 827; vgl. OLG Hamburg, ZUM 1995, 430, 434; BGH GRUR 1998, 568, 570.

Nach dem deutschen § 103 UrhG ist für die Bekanntmachungsbefugnis die Darlegung eines berechtigten Interesses erforderlich.[155] Dieses Erfordernis ist wegen der Gefahr der Entstehung erheblicher Nachteile für die unterliegende Partei aus der Bekanntmachung erforderlich.[156] Zudem erlischt die Befugnis nach § 103 Satz 3 UrhG kraft Gesetzes, wenn der Berechtigte das Urteil nicht innerhalb von drei Monaten nach Eintritt der Rechtskraft bekannt macht. Das italienische Urheberrechtsgesetz ermöglicht die Bekanntmachung des Urteils in einer oder mehreren Zeitungen, gegebenenfalls auch zu wiederholtem Male, auf Kosten der unterlegenen Partei nach Art. 166 LDA. Dies kann auf Antrag einer Partei oder von Amts wegen durch den Richter erfolgen.

Das englische Recht hat erst mit Umsetzung von Art. 15 Enforcement-RL das aus Kontinentaleuropa stammende Konzept der Bekanntmachung des Urteils übernommen. Die Rechtsgrundlage wurde dafür allerdings nicht innerhalb des CDPA geschaffen, sondern befindet sich in Teil 63 der Civil Procedure Rules.[157] Danach kann ein Gericht bei Vorliegen einer Urheberrechtsverletzung auf Antrag des Rechtsinhabers *geeignete Maßnahmen* für die Verbreitung und Veröffentlichung des Urteils auf Kosten des Rechtsverletzers anordnen. Hiernach räumt der englische Gesetzgeber den Gerichten einen Spielraum bezüglich des im Einzelfall zu wählenden Veröffentlichungsmittels ein und nutzt die in Art. 15 Satz 2 Enforcement-RL eröffnete Option, auch andere angemessene Zusatzmaßnahmen wählen zu können.

Nach allen drei untersuchten Rechtsordnungen kann mit Umsetzung von Art. 15 Enforcement-RL die Bekanntmachung des Urteils verlangt werden.

### 2. Maßnahmen zur Erleichterung der Rechtsdurchsetzung

#### *a) Informationsbeschaffung vom Rechtsverletzer*

Möchte der Rechtsinhaber einer Urheberrechtsverletzung entgegentreten, wird dies häufig durch ein Informationsdefizit bezüglich Rechtsverletzer und Umfang der Verletzungshandlung erschwert. Ansprüche zur Informationserlangung sind daher eine wichtige Voraussetzung zur Gewährleistung der Effektivität des zivilrechtlichen Instrumentariums. Ihre Notwendigkeit wurde auch auf internationaler[158]

---

155 Entsprechend kann nach einer strafrechtlichen Verurteilung die Befugnis zur Bekanntmachung des Urteils zugesprochen werden, § 111 UrhG; vgl. auch §§ 165, 200 StGB.

156 *Lettl*, Urheberrecht, S. 301.

157 Section IV, 29.2 Practice Directions for Patents and other IP Claims, Anhang zu Teil 63 der Civil Procedure Rules. Eingeführt durch Statutory Instrument 2005/3515 (L.32). In Schottland wurde dieses Recht direkt durch die Intellectual Property (Enforcement, etc.) Regulations 2006 eingeführt.

158 Die neuen nationalen Vorschriften und auch die EU-Richtlinie wurzeln in Art. 47 TRIPS. Allerdings hat Art. 8 Enforcement-RL den Anwendungsbereich des Art. 47 TRIPS

und europäischer Ebene erkannt, so hat die Enforcement-RL[159] durch ihre Vorgaben das Vorliegen von Ansprüchen sowohl gegen Rechtsverletzer als auch gegen dritte Personen sowie den Mindestumfang der Ansprüche vereinheitlicht. Ansprüche zur Informationsbeschaffung sind zwar erst auf der Ebene der Rechtsdurchsetzung von Bedeutung, dennoch werden sie in Deutschland und Italien traditionell dem materiellen Recht zugeordnet, wohingegen das englische Recht sie als prozessuale Handhabe begreift.[160]

Das Spektrum der in Deutschland verfügbaren Auskunftsansprüche[161] und auch der Informationsansprüche nach italienischem Recht[162] wurde mit der Umsetzung der Enforcement-RL erweitert, so ist insbesondere in beiden Rechtsordnungen ein unmittelbar gegen unbeteiligte Dritte bestehender Auskunftsanspruch normiert worden. Die in § 101 UrhG und Art. 156-*ter* LDA[163] geregelten Ansprüche weisen aufgrund der Implementierung der Richtlinie Gemeinsamkeiten bezüglich der Personengruppen der Anspruchsgegner[164] und auch des Anspruchsumfangs[165] auf. Eine Einschränkung erfährt der Anspruch in beiden Ländern durch das in § 101 Abs. 4 UrhG bzw. Art. 156-*ter* Abs. 1 LDA vorgeschriebene Gebot der Verhältnismäßigkeit.[166]

Eine wichtige Begrenzung erfährt der deutsche Auskunftsanspruch nach § 101 UrhG durch das Erfordernis einer Rechtsverletzung in gewerblichem Ausmaß, welches sowohl bei Informationserlangung vom Rechtsverletzer selbst als auch von

ausgedehnt, indem er einen Drittauskunftsanspruch normiert, der sich nicht nur gegen den Rechtsverletzer, sondern auch gegen Dritte wendet, die nicht Teil des Rechtsstreits sind.

159 Insbesondere in Art. 8 und 6.

160 *Schack*, Urheber- und Urhebervertragsrecht, S. 379 Rn. 788; *McGuire*, GRUR Int. 2005, 15.

161 Neben den spezialgesetzlich normierten Auskunftsansprüchen bezüglich geistiger Schutzrechte gilt ergänzend § 242 BGB als Grundlage des akzessorischen Auskunftsanspruchs und des gewohnheitsrechtlichen Anspruchs auf Drittauskunft. Daneben besteht ein zollrechtlicher Auskunftsanspruch bei Grenzbeschlagnahme durch die Zollbehörde gemäß § 111b Abs. 2 Satz 2 UrhG.

162 Vor Umsetzung der Enforcement-RL gab es im ital. UrhG lediglich Art. 171-*novies*, der durch Legge 18 agosto 2000, n. 248, eingeführt worden war. Dieser sah einen Strafmilderungsgrund vor, wenn ein Täter vor seiner Anklage von sich aus Auskunft über alle ihm verfügbaren Informationen erteilte. Dieser Strafmilderungsgrund ist zwar nicht mit dem zivilrechtlichen Auskunftsanspruch verwandt, ermöglichte aber ein ähnliches Ergebnis, *Cunegatti*, Dir. Aut. 2006, 194.

163 Neben Art. 156-*ter* LDA regelt in Italien auch Art. 156-*bis* Abs. 1 Satz 1 LDA einen Auskunftsanspruch zur Beweissicherung, wenn eine Partei stichhaltige Beweismittel zur hinreichenden Begründung ihres Antrags vorgelegt hat. Dieser ist aber beschränkt auf die Person des Rechtsverletzers.

164 Vgl. Art. 8 Abs. 1 Enforcement-RL; § 101 Abs. 1, 2 UrhG; Art. 156-*ter* Abs. 1 LDA.

165 Vgl. Art. 8 Abs. 2 Enforcement-RL; § 101 Abs. 3 UrhG; Art. 156-*ter* Abs. 1, 2 LDA.

166 Das Gebot, die Verhältnismäßigkeit zu wahren, geht auch auf Art. 8 Abs. 1 der Enforcement-RL zurück. Vor ihrer Umsetzung galt es in Deutschland bereits nach § 101a Abs. 2 UrhG a.F.

dritten,[167] an der Rechtsverletzung unbeteiligten Personen gilt. In Italien ist im Gegensatz dazu keine Gewerblichkeit der Verletzungshandlung erforderlich, wenn sich der Auskunftsanspruch gegen den Rechtsverletzer selbst richtet. Auch die Auslegung des Begriffs des gewerblichen Ausmaßes unterscheidet sich in den beiden Rechtsordnungen:[168] Während in Deutschland auch private Aktivitäten von dem Begriff erfasst sein können, wenn die Verletzungshandlung schwer genug ist,[169] so herrscht in Italien doch zumindest Einigkeit darüber, dass die Tätigkeit im Laufe des Handelsbetriebs erfolgen muss; d.h. dass lediglich Hersteller und gewerbsmäßige Handelstreibende das Merkmal erfüllen können.[170] In England gibt es bei Auskunftsansprüchen kein Erfordernis einer Verletzungshandlung in gewerblichem Ausmaß.[171]

Nicht auf die EG-Richtlinie gehen in Deutschland der Schadensersatzanspruch in § 101 Abs. 5 UrhG bei vorsätzlicher oder grob fahrlässiger Falschaussage und der Haftungsausschluss in § 101 Abs. 6 UrhG bei Auskunftserteilung trotz fehlender Verpflichtung zurück. In Italien macht sich der Rechtsverletzer bei Falschaussage oder Auskunftsverweigerung zwar nicht schadensersatzpflichtig, doch greift der Straftatbestand des Art. 171-*octies-bis* LDA. Zudem enthält das deutsche Urheberrechtsgesetz die Möglichkeit einer einstweiligen Verfügung in Fällen einer offensichtlichen Rechtsverletzung, die nun in § 101 Abs. 7 UrhG geregelt ist.[172] Im italienischen Auskunftsanspruch des Art. 156-*ter* LDA wurden außerdem verfahrensrechtliche Erfordernisse, die bei der Erlangung der Informationen zu beachten sind, normiert.[173] Auffallend ist, dass nach beiden Rechtsordnungen keine Rücksicht auf

---

167 Die nach der Rechtsprechung zusätzlich ebenfalls in gewerblichem Ausmaß handeln müssen, vgl. Dritter Teil, Fn. 247.

168 Obgleich sowohl in Deutschland als auch in Italien keine gesetzliche Begriffsbestimmung vorliegt und der Begriff durch Rechtsprechung und Lehre ausgelegt wird, siehe oben für Deutschland: Dritter Teil, III.A.1.d)aa)(3); für Italien: Vierter Teil, III.A.1.)aa).

169 Etwa wenn das Werk einen bedeutenden wirtschaftlichen Wert aufweist. Zudem ist die Bejahung des Kriteriums wahrscheinlicher, je näher die Verletzungshandlung am Veröffentlichungsdatum des Werks liegt; vgl. Oben Dritter Teil Fn. 242.

170 Siehe oben Vierter Teil, III.A.1.d)aa).

171 Den Anforderungen des Art. 8 Enforcement-RL kam England mit dem bereits verfügbaren Instrumentarium zur Informationserlangung nach. Art. 8 Enforcement-RL besagt, dass die Mitgliedstaaten bei Vorliegen bestimmter Voraussetzungen einen Auskunftsanspruch über Ursprung und Vertriebswege von rechtsverletzenden Waren oder Dienstleistungen gewähren müssen.

172 Ohne eine gesetzliche Normierung wäre eine einstweilige Verfügung nach § 935, § 940 ZPO kaum möglich, da Auskunftserteilungen nicht vorläufig und damit rücknehmbar sind, sondern einen Vorgriff auf das Hauptsacheverfahren darstellen.

173 Danach muss der Rechtsinhaber die zu vernehmenden Personen und den Gegenstand der Vernehmung genau bezeichnen (Abs. 4). Außerdem werden die Informationen in einer Vernehmung der in Abs. 1 bezeichneten Personen erlangt (Abs. 3). Diese Verfahrensregeln sind im Wesentlichen an die Regeln über die Zeugenaussage angelehnt und nähern damit den Auskunftsanspruch an das Institut der Zeugenaussage an. In Abs. 6 wird sogar direkt

das legitime Interesse des Auskunftsverpflichteten genommen wurde, seine Kundenbeziehungen vor Wettbewerbern nicht aufdecken zu müssen.[174] Zuletzt soll auf das Bestehen einer Regelung zur Verwertbarkeit der Auskunft in anderen Verfahren in Deutschland hingewiesen werden,[175] wohingegen in Italien eine Klärung der Rechtsnatur und der Verwendung der unter Art. 156-*ter* LDA erlangten Informationen in anderen Verfahren noch aussteht.[176]

Das englische Recht und insbesondere der CDPA gewähren, wie oben erwähnt, keine materiellen Auskunftsansprüche nach deutschem Verständnis. Den Anforderungen des Art. 8 Enforcement-RL[177] kommt England mit dem bereits verfügbaren Instrumentarium zur Informationserlangung nach.[178] Zu einem großen Teil übernimmt das Institut der *discovery* die Funktion der im deutschen Recht materiellrechtlich konzipierten Ansprüche auf Auskunft und Urkundenvorlage.[179] Ein Antrag darauf wird vom Rechtsinhaber i.d.R. gestellt, wenn ihm eine Rechtsverletzung auf zivilrechtlichem Gebiet widerfahren und der Rechtsverletzer unbekannt ist. Wenn aufgrund der fehlenden Informationen andernfalls keine anderen Rechtsbehelfe verfügbar sind, ist diese Maßnahme von großer Bedeutung, denn sie gestattet die Einsichtnahme in Dokumente, die sich bei der Gegenseite befinden:[180] So muss der mutmaßliche Rechtsverletzer einem unabhängigen Sachverständigen, begleitet vom Rechtsanwalt des Klägers, Zugang zu seinen Räumlichkeiten verschaffen, damit diese nach den in der Anordnung aufgelisteten Gegenständen suchen können.[181] Neben der Aufklärung von Urheberrechtsverletzungen dient die *discovery* mittelbar auch dem Geheimnisschutz vertraulicher Informationen. So können Personen, die in unberechtigter Weise vertrauliche Informationen weitergeben, mit Hilfe der *discovery* identifiziert werden.[182] Zudem wird im englischen

---

auf die Art. 249, 250, 252, 255 und 257 *Codice di Pocedura Civile* (ital. Zivilprozessordnung) verwiesen, die die Zeugenaussage regeln.

174 Der Geheimnisschutz beschränkt sich in beiden Ländern auf den Anspruch auf Vorlage und Besichtigung von Beweisen nach § 101a UrhG bzw. Art. 156-*bis* LDA.

175 In § 101 Abs. 8 UrhG ist das Zustimmungserfordernis des Verpflichteten für eine Verwertung der Auskunft in einem Strafverfahren oder Verfahren nach OwiG geregelt.

176 *Ragonesi*, Dir. Aut. 2006, 459.

177 Bei Vorliegen bestimmter Voraussetzungen müssen die Mitgliedstaaten einen Auskunftsanspruch über Ursprung und Vertriebswege von rechtsverletzenden Waren oder Dienstleistungen gewähren.

178 *Huniar*, The Enforcement Directive – Its Effects on UK Law, S. 94.

179 *Schack*, Internationales Zivilverfahrensrecht, S. 238 Rn. 740.

180 *Dannemann*, Die ungewollte Diskriminierung in der internationalen Rechtsanwendung, S. 292.

181 Das in der Anordnung aufgeführte Material muss ausgehändigt werden und der Beklagte muss Auskünfte zu nicht aufgefundenen Artikeln, Namen und Adressen von Kunden und Lieferanten sowie dem Belegenheitsort von anderen Gegenständen geben; *Thermosensors Ltd v Hibben* [1992] 1 WLR 840; *Huniar*, The Enforcement Directive – Its Effects on UK Law, S. 95 f.

182 *British Steel Corp v Granada Film Television Ltd* [1981] 1 AC 1096.

Recht kein Unterschied zwischen Verletzungshandlungen in *gewerblichem Umfang* und minder schweren Rechtsverletzungen gemacht.[183] Der Umfang des Anspruchs bleibt derselbe, was dazu führt, dass die Freigabe von Finanz- und Handelsunterlagen auch von privaten Nutzern gefordert werden kann.[184] Letztlich ist anzumerken, dass im Gegensatz zum deutschen Recht die erlangten Informationen nicht für andere als das anhängige Verfahren genutzt werden dürfen.[185]

Neben der *discovery* besteht auch die Möglichkeit, über die einschneidende Maßnahme der *Anton Piller order* Informationen im einstweiligen Rechtsschutz über den Rechtsverletzer zu erlangen. In ihrer Beweissicherungsfunktion ähneln diese Durchsuchungsbefehle dem deutschen Auskunftsanspruch, obwohl die Konzeption der beiden Institute grundverschieden ist.[186] So handelt es sich bei *discovery* und *Anton Piller order* nicht um materiellrechtliche, sondern um prozessuale Regeln, die Einsichtnahme und Beschlagnahme von Dokumenten, die sich bei der Gegenseite befinden, in weitem Umfang gestatten.[187]

Im Ergebnis sind spätestens seit Umsetzung der Enforcement-RL in den untersuchten Rechtsordnungen Auskunftsansprüche gegen den Rechtsverletzer und auch gegen dritte Personen enthalten. Diese werden in Deutschland und Italien traditionell dem matieriellen Recht zugeordnet, wohingegen das englische Recht sie als prozessuale Handhabe einstuft. Eine wichtige Einschränkung erfährt der Anspruch in Deutschland und Italien durch das Gewerblichkeitserfordernis der Rechtsverletzung, wobei die Auslegung dieses Begriffs in den beiden Ländern unterschiedlich erfolgt. In England werden zur Informationserlangung die weitreichenden Institute der *discovery* oder der *Anton Piller order* eingesetzt.

#### *b) Rechnungslegung*

In England steht das Institut der Rechnungslegung in einem Alternativitätsverhältnis zum Schadensersatzanspruch: Mit ihr soll die Verletzungshandlung bereits abgegolten sein.[188] Bei einer Rechnungslegung muss der Beklagte seine Gewinne

---

183 Dies erklärt sich auch damit, dass es keine Ausnahmeregelung für die legitime Anfertigung von Privatkopien gibt.

184 In *EMI Ltd v Sarwar and Haidar* [1977] FSR 146 wurden die Beklagten dazu verpflichtet, alle Belege, die Buchhaltung und eingegangene Bestellungen offenzulegen, *Huniar*, The Enforcement Directive – Its Effects on UK Law, S. 95.

185 *Crest Homes Plc v Marks* [1987] AC 829; *Huniar*, The Enforcement Directive – Its Effects on UK Law, S. 95.

186 *Schack*, Urheber- und Urhebervertragsrecht, S. 381 Rn. 791.

187 *Dannemann*, Die ungewollte Diskriminierung in der internationalen Rechtsanwendung, S. 292.

188 Letztlich liegt es aber im Ermessen des Gerichts, die Rechnungslegung zuzusprechen, denn im Gegensatz zum Schadensersatz besteht für den Kläger kein Anspruch darauf; *Laddie/Prescott/Vitoria*, The Modern Law of Copyright and Designs, S. 417; *Phillips/Durie/Karet,* Whale on Copyright, S. 88.

aus der rechtswidrigen Verwertung des geschützten Werks offenlegen. Das Gericht kann den sich daraus ergebenden Betrag anschließend dem Kläger zusprechen. Diese Maßnahme ist insbesondere dann ratsam, wenn die aus der Verletzungshandlung gezogenen Gewinne den erlittenen Schaden übersteigen, etwa bei kostengünstig herzustellenden Vervielfältigungsstücken, die mit hohem Gewinn verkauft werden können.[189] Allerdings darf nach Sec. 98 (1) lit. c CDPA der zu entrichtende Betrag nicht höher ausfallen als die doppelte Lizenzgebühr, wenn der Beklagte zwischenzeitlich eine Lizenz für die Werknutzung beantragt hat. Nachteilig wirken sich für die Praktikabilität dieses Instituts hohe Kosten und Schwierigkeiten bei der Aufstellung der Gewinne aus, insbesondere, wenn nur ein Teil des geschützten Werks verwertet wurde.[190] Auch ist es für den Beklagten häufig ein Leichtes, seine Gewinne herabzusetzen und zu verschleiern.[191]

In Deutschland war bisher in § 97 Abs. 1 Satz 2 UrhG auch ein Auskunftsanspruch bezüglich der Rechnungslegung[192] über den herauszugebenden Gewinn ausdrücklich normiert. Mit dem Urheberrechtsreformgesetz vom 7. Juli 2008[193] wurde dieser Rechnungslegungsanspruch beim Verletzergewinn gestrichen. Dies bezweckt aber laut Regierungsentwurf[194] keine inhaltliche Änderung, da dieser Anspruch ganz allgemein für die Berechnung des Schadensersatzanspruchs im Urheberrecht und im gewerblichen Rechtsschutz gewohnheitsrechtlich anerkannt ist.[195] Im italienischen Urheberrechtsgesetz fehlt eine Erwähnung dieses Rechtsbehelfs.

### c) *Vorsorgliche Beschlagnahme*

Das italienische und englische Urheberrecht sehen beide die Möglichkeit einer vorsorglichen Beschlagnahme vor.[196] Allerdings ist der Zweck der in den nationalen Rechtsordnungen normierten Maßnahmen nicht derselbe: In Italien dient die

---

189 *Cohen*, in: Campbell/Cotter (eds.), Copyright Infringement, S. 386.

190 *Laddie/Prescott/Vitoria*, The Modern Law of Copyright and Designs, S. 417.

191 *Cohen*, in: Campbell/Cotter (eds.), Copyright Infringement, S. 386.

192 Rechnungslegung erklärt sich aus § 259 BGB und bedeutet die Erteilung einer übersichtlichen, in sich verständlichen Zusammenstellung der Einnahmen und Ausgaben.

193 Urheberrechtsreformgesetz vom 7.7.2008 (BGBl. I S. 1191).

194 Gesetzentwurf der Bundesregierung vom 26.1.2007, BR-Drucks. 64/07, S. 114 § 97.

195 *Ulmer*, Urheber- und Verlagsrecht, § 131 IV; dem liegt der Rechtsgedanke aus den §§ 666, 681, 687 Abs. 2 BGB zugrunde, dass, wer fremde Geschäfte besorgt, auf Verlangen über Stand und Ergebnis des Geschäfts Auskunft und Rechenschaft abzulegen hat. Die Rechtsprechung stützt den Anspruch auf § 259 BGB i.V.m. § 242 BGB für den Fall, dass der Verletzte in entschuldbarer Weise über das Bestehen oder den Umfang seines Rechts im Ungewissen ist und der Verpflichtete unschwer zur Aufklärung beitragen kann. So BGHZ 10, 385, 387; BGH GRUR 1980, 227, 232; verfassungsrechtlich bestätigt in: BVerfG, GRUR 1997, 124.

196 Im deutschen UrhG ist hingegen keine materiellrechtliche Beschlagnahme vorgesehen, sie erfolgt über strafprozessuale oder zollrechtliche Befugnisse.

Beschlagnahme beweglichen und unbeweglichen Vermögens einschließlich der Sperrung der Bankkonten des mutmaßlichen Rechtsverletzers der Sicherung etwaiger Schadensersatzforderungen (Art. 162-*ter* LDA).[197] Hingegen verfolgt Sec. 100 CDPA[198] eine Beweissicherungsfunktion: Um Schwierigkeiten bei der Beweisführung in einem gerichtlichen Verfahren einzudämmen, wurde ein Beschlagnahmerecht eingeführt, das dem Rechtsinhaber gestattet,[199] ohne Vorliegen eines gerichtlichen Beschlusses rechtswidrige Vervielfältigungsstücke, die in öffentlich zugänglichen Räumlichkeiten unmittelbar zum Verkauf oder zum Verleih angeboten werden, zu beschlagnahmen und einzubehalten. Aufgrund des nicht unerheblichen Eingriffs in Freiheitsrechte des mutmaßlichen Verletzers bei der Ausübung dieses Rechts müssen einige Bedingungen beachtet werden – so ist beispielsweise die örtliche Polizeibehörde über die geplante Durchführung der Maßnahme zu informieren und es darf zu keinem Gewalteinsatz während der Beschlagnahme kommen.[200] Nach Durchführung einer Beschlagnahme gemäß Sec. 100 CDPA kann der Rechtsinhaber einen Antrag nach Sec. 114 CDPA[201] auf Überlassung oder Zerstörung der rechtsverletzenden Ware stellen, andernfalls ist beschlagnahmte Ware innerhalb von zwei Werktagen an den Beklagten zurückzugeben.[202]

### *d) Beweisermittlung: Vorlage und Besichtigung*

Auf Art. 6 Enforcement-RL gehen in Deutschland und Italien § 101a UrhG bzw. Art. 156-*bis* LDA zurück, die den in der Richtlinie normierten Vorlageanspruch umsetzen. Beide nationalen Ansprüche gestatten es den Gerichten auf Antrag einer Partei, die Vorlage der in der Verfügungsgewalt der gegnerischen Partei befindlichen Beweismittel anzuordnen. Besteht die hinreichende Wahrscheinlichkeit einer in gewerblichem Ausmaß begangenen Rechtsverletzung, kann sich der Anspruch nach § 101a Satz 2 UrhG bzw. Art. 156-*bis* Abs. 2 LDA auch auf die Vorlage von Bank-, Finanz- oder Handelsunterlagen erstrecken. Soweit der Verletzer geltend

---

197 Diese Vorschrift ist in Umsetzung von Art. 9 Abs. 2 Enforcement-RL entstanden. Der italienische Gesetzgeber ist über die Mindestanforderungen der Richtlinie hinausgegangen; so ist eine vorsorgliche Beschlagnahme in allen Fällen von Urheberrechtsverletzungen möglich und nicht an die Bedingung der Begehung in gewerblichem Ausmaß geknüpft.

198 Vor Einführung von Sec. 100 CDPA griffen die Gerichte auf die *Anton Piller order* zurück, die gleichermaßen eine Beweissicherungsfunktion verfolgt, also die Zerstörung und Beseitigung von Beweismitteln verhindern soll. Aufgrund der hohen Eingriffsintensität und Missbrauchsgefahr wird sie heute nur unter Einhaltung strenger Voraussetzungen angewandt; *Civil Procedure Rules 1998* Section 25, Rule 25.1 in Abs. 1 lit. f–h.

199 Daneben kann die Beschlagnahme auch von einer vom Rechtsinhaber ermächtigten Person durchgeführt werden (Sec. 100 (1) CDPA).

200 Sec. 100 Abs. 2–4 CDPA.

201 Sec. 114 CDPA wird oben, innerhalb des Überlassungsanspruchs gemäß Sec. 99 CDPA, behandelt.

202 *Huniar*, The Enforcement Directive – Its Effects on UK Law, S. 96.

macht, dass es sich um vertrauliche Informationen handelt, muss in beiden Ländern[203] das Gericht die erforderlichen Maßnahmen treffen, um den gebotenen Schutz zu gewährleisten.[204] Auch wurde in Deutschland und Italien kein rechtlicher Rahmen normiert, der den Schutz der Vertraulichkeit gewährleistet, wie dies etwa nach englischem Recht der Fall ist: Dort sehen Beweissicherungs- und Beweisvorlageansprüche rechtliche Mechanismen zum Schutz der Vertraulichkeit vor, die zum Teil im allgemeinen Prozessrecht, zum Teil aber auch in den Standesordnungen verankert sind.[205] Im Übrigen ist der deutsche Gesetzgeber über die Anforderungen der Richtlinie hinausgegangen, insofern er gemäß § 101a Abs. 3 UrhG die Verhältnismäßigkeit der Inanspruchnahme fordert und außerdem einstweilige Verfahren nicht nur zur Sicherung von Beweisen vorsieht, sondern auch den Vorlageanspruch im Wege der einstweiligen Verfügung gewährt.[206] Zudem wurde ein Schadensersatzanspruch für ungerechtfertigte Beweisermittlung von dem vermeintlichen Verletzer eingeführt, der die Rechte des Besichtigungsschuldners stärken soll.

In England kam es wiederum nicht zu einer separaten Umsetzung der in der Enforcement-RL geforderten Maßnahme: Den Vorgaben des Vorlageanspruchs aus Art. 6 Enforcement-RL wurde, wie schon bei den oben besprochenen Ansprüchen zur Informationserlangung, über das bereits nach nationalem Recht verfügbare Instrumentarium der Informationsansprüche und Durchsuchungsbefehle, wie *Anton Piller order* und *discovery*, nachgekommen, die häufig mit Verfügungsverboten kombiniert werden.[207] Wichtig ist, dass die erlangten Informationen nicht für andere als das anhängige Verfahren, in dessen Rahmen die Durchsuchung stattfand, nutzbar sind.[208]

---

203 In Deutschland gemäß § 101a Abs. 1 Satz 3 UrhG; in Italien gemäß Art. 156-*bis* Art. 3 LDA.

204 Zu bemängeln ist, dass weder die Richtlinie noch die nationalen Urheberrechtsgesetze Regelungen der Konsequenzen für den Fall der nachfolgenden Aufhebung der Entscheidung aufweisen. Wie der Besichtigungsgläubiger mit den erlangten geheimen Informationen zu verfahren hat, bleibt daher offen. Von Teilen der Literatur wurde die Auferlegung eines Beweisverwertungsverbots für den Besichtigungsgläubiger gefordert, *Frank/Wiegand*, CR 2007, 485 und auch *Tilmann*, GRUR 2005, 739.

205 *Peukert/Kur*, GRUR Int. 2006, 302. Des Weiteren gibt es im deutschen Zivilprozess nicht die Möglichkeit, effektiven Geheimnisschutz über ein *in camera*-Verfahren zu erreichen. Bei einem solchen Verfahren legt die Partei, gegen die die Beweisanordnung ergangen ist, nur dem Gericht das Betriebsgeheimnis offen, damit der Richter über die Schutzwürdigkeit des Geheimnisses entscheiden kann, ohne dass die Gegenseite etwas davon erfährt; *Kraayvanger/Hilgard*, NJ 2003, 575.

206 Ein einstweiliges Verfahren ist in der Richtlinie nach Maßgabe von Art. 7 Abs. 1 Satz 1 nur zur Sicherung von Beweisen vorgesehen.

207 Diese Durchsuchungsbefehle werden oft mit Verfügungsverboten, sog. *Freezing orders*, kombiniert. Diese sind eine besondere Form einstweiligen Rechtsschutzes, der den Beklagten daran hindern soll, über Gegenstände zu verfügen oder sie aus dem Zuständigkeitsbereich des Gerichts zu entfernen.

208 *Crest Homes Plc v Marks* [1987] AC 829; *Huniar*, The Enforcement Directive – Its Effects on UK Law, S. 95.

### *e) Informationsbeschaffung von Dritten*

Bei der Bekämpfung von Online-Piraterie steht der verletzte Rechtsinhaber häufig in einer Dreiecksbeziehung (Verletzer – Vermittler/Provider – Berechtigter/Verletzter), die ihm die Identifizierung des Verletzers und den Zugriff auf diesen erschwert. Mit Implementierung von Art. 8 Enforcement-RL sollte dem Rechtsinhaber eine Ermittlung des Rechtsverletzers ermöglicht werden:[209] Erstmalig wurden in das deutsche und das italienische Urheberrechtsgesetz Auskunftsansprüche eingeführt, die sich nicht nur an den Rechtsverletzer selbst, sondern auch an nichtverletzende Dritte richten. So ist heute nach § 101 Abs. 2 UrhG bzw. Art. 156-*ter* Abs. 1 LDA in fast wortgetreuer Umsetzung der Richtlinie der Auskunftsanspruch auch gegen jede Person zu richten, die rechtsverletzende Vervielfältigungsstücke in ihrem Besitz hatte; rechtsverletzende Dienstleistungen in Anspruch nahm; für rechtsverletzende Tätigkeiten genutzte Dienstleistungen erbrachte und/oder nach den Angaben einer vorgenannten Person an der Herstellung, Erzeugung oder am Vertrieb solcher Vervielfältigungsstücke, sonstigen Erzeugnisse oder Dienstleistungen beteiligt war. Zusätzlich ist in beiden Ländern das Erfordernis des Handelns in gewerblichem Ausmaß bezüglich der Rechtsverletzung zu beachten.[210] In Deutschland wurde sogar ein *doppeltes Gewerbsmäßigkeitserfordernis* von der Rechtsprechung entwickelt, das sich zum einen auf die Rechtsverletzung und zum anderen auch auf die Mitwirkungshandlung des Dritten bezieht.[211] Als zusätzliche Voraussetzung ist zu beachten, dass der Auskunftsanspruch in Deutschland nur besteht, wenn der Verletzte gegen den Verletzer Klage erhoben hat, oder in Fällen offensichtlicher Rechtsverletzung.

Auch in Italien ist erforderlich, dass der Anspruch in einem Hauptsacheverfahren oder einem Verfahren im einstweiligen Rechtsschutz geltend gemacht wird. Diese Bedingungen ergeben sich aus der Forderung des Art. 8 Enforcement-RL, der einen Zusammenhang mit einem Verfahren wegen Verletzung eines Rechts des geistigen Eigentums fordert und die ungerechtfertigte Belastung des Dritten ausschließt. Der Umfang des Auskunftsanspruchs gegen Dritte entspricht demjenigen gegen den Rechtsverletzer.[212] Schließlich soll erwähnt werden, dass in Deutschland der Dritte von dem verletzten Rechtsinhaber den Ersatz der für die Auskunftserteilung erforderlichen Aufwendungen verlangen kann, § 101 Abs. 2 Satz 3 UrhG.

---

209 Gesetzentwurf der Bundesregierung vom 20.4.2007, BR-Drucks. 64/07, S. 118 § 101.

210 Auch mit Normierung dieser Voraussetzung wurde der Enforcement-RL Rechnung getragen, vgl. Erwägungsgrund 14.

211 *Spindler/Weber*, ZUM 2007, 262 f.; demnach ist aus dem Wortlaut des Erwägungsgrundes „acts carried out", der einen neutraleren Terminus als die vom deutschen Gesetzgeber gewählte „Rechtsverletzung" darstellt, nicht erwiesen, dass sich das Erfordernis lediglich auf die Tätigkeit des Auskunftspflichtigen bezieht.

212 Der Auskunftsumfang wurde ebenfalls von Art. 8 Abs. 2 Enforcement-RL vorgegeben. Außerdem gelten für Deutschland die bereits beim Auskunftsanspruch gegen den Rechtsverletzer besprochenen § 101 Abs. 4–10 UrhG entsprechend.

Im englischen Recht steht den Rechtsinhabern zwar kein gesetzlich normierter Auskunftsanspruch gegen Dritte zu, jedoch können nach ständiger Rechtsprechung[213] ISP dazu verpflichtet werden, Namen und Adressen ihrer Kunden zu nennen. Zudem besteht in England die Möglichkeit, auf der Grundlage einer *Nordic Pharmacal order*[214] einen potentiellen Klagegegner über einen *qualifizierten Dritten* zu identifizieren. Die notwendigen Informationen über Schädiger, Tathergang und den Verbleib von Vermögensgegenständen können von jeder Person, die in eine schädigende Handlung verwickelt ist oder diese erleichtert hat und nicht bloß Zeuge des Geschehens ist *(mere witness rule)*, verlangt werden. Dabei muss der Antragsteller ein berechtigtes Interesse an der Informationserlangung haben, was i.d.R. gegeben ist, wenn ein gerichtliches Verfahren angestrengt werden soll. Die Entscheidung über eine solche Anordnung steht im Ermessen des Gerichts.[215] Bei der Ermessensausübung findet besondere Berücksichtigung, ob die Informationen dem Antragsteller auf anderem Wege zugänglich sind[216] und ob der Dritte unzumutbar belastet wird.[217] An die Rechtsnatur der Rechtsverletzung werden keine besonderen Anforderungen gestellt.[218]

## C. Zivilrechtlicher Schutz technischer Maßnahmen

Die Entwicklung und der Einsatz technischer Maßnahmen sind auf die erschwerte Rechtsdurchsetzung im Zeitalter von Digitalisierung und Internet zurückzufüh-

---

213 So entschied der High Court in London am 30.1.2006 zugunsten der *Federation Against Software Theft* (FAST) in einem Streit gegen zehn große ISP, die daraufhin persönliche Daten von 150 Kunden preisgeben mussten. Der High Court bestätigte damit seine bisherige Rechtsprechung: Bereits im Oktober 2004 sowie im März und April 2004 wurden entsprechende Anordnungen zugunsten der British Phonographic Industry erlassen.

214 Diese Klagemöglichkeit wurde in der Entscheidung *Norwich Pharmacal Co. v Customs and Excise Commissioners* [1974] AC 133 entwickelt und seitdem durch Gerichte häufig genutzt. Teil 31.18 *Civil Procedure Rules* erkennt das Bestehen der *Norwich Pharmacal*-Rechtsprechung an.

215 *Dannemann*, Die ungewollte Diskriminierung in der internationalen Rechtsanwendung, S. 377.

216 Etwa durch eine Offenlegung vor Verfahrensbeginn *(pre-trial disclosure)* nach CPR 13. 16 oder durch eine *non-party disclosure* nach CPR 31. 17. Die Anordnung soll das letzte verfügbare Mittel sein, vgl. *Mitsui & Co Ltd v Nexen Petroleum UK Ltd* [2005] EWHC 625 (Ch), [2005] 3 All ER 511.

217 *Dannemann*, Die ungewollte Diskriminierung in der internationalen Rechtsanwendung, S. 377.

218 Es kann sich dabei um deliktisches Unrecht, wie bei Verletzung geistigen Eigentums (*Norwich Pharmacal Co. v Customs and Excise Commissioners* [1974] AC 133), handeln, ebenso wie um Vertragsverletzungen (*Ashworth Hospital Authority v MGN Ltd* [2002] UKHL 29, 1 WLR 2033), Vertraulichkeitsbruch (*British Steel v Granada Film Television Ltd* [1981] 1 AC 1096), Verleumdung (*Totalise plc v The Motley Fool Ltd & Interactive Investor Ltd* [2001] EWHC (QB)) oder die Verletzung einer gesetzlichen Pflicht (*Hughes v Carratu International plc* [2006] EWHC 1791 (QB)).

ren: Neue Vervielfältigungs- und Nutzungsmöglichkeiten, die ohne großen technischen und finanziellen Aufwand schon am privaten PC genutzt werden können, sollten für die Rechtsinhaber kontrollierbar gemacht werden. Der gesetzliche Schutz dieser Selbsthilfemechanismen sollte einerseits Schutzlücken schließen, die durch den Einsatz technischer Maßnahmen entstanden, aber auch Anreiz zur Entwicklung effektiverer und genauerer Schutzmechanismen bieten. Die nationalen Rechtsnormen zum Schutz technischer Maßnahmen sind auf internationale Vorgaben zurückzuführen, die auf internationaler Ebene ähnliche Schutzstandards herstellen sollten: So gehen in Deutschland und England die neu eingeführten §§ 95a–95c UrhG und Sec. 296 ZA ff. CDPA auf die Umsetzung der Art. 6 und 7 Harmonisierungs-RL zurück, die ihrerseits auf den Vorgaben der WIPO-Abkommen[219] beruhen.

Wichtig sind hier drei Fragestellungen: Dies sind auf materieller Ebene der Schutz vor Umgehung wirksamer technischer Maßnahmen und der Schutz der zur Rechtewahrnehmung erforderlichen Informationen sowie auf prozessualer Ebene die Durchsetzung der Umgehungsverbote technischer Maßnahmen.

Aufgrund der nahezu wortgetreuen Implementierung von Art. 6 Harmonisierungs-RL in deutsches und englisches Recht entsprechen sich § 95a UrhG und Sec. 296 ZA (1), 296 ZD (1), (2) CDPA weitgehend. Die Umgehung wirksamer technischer Maßnahmen durch eine Person, der bekannt ist oder nach den Umständen bekannt sein muss, dass sie dieses Ziel verfolgt, ist danach verboten. Die erfassten Begehungsformen entsprechen dabei in beiden Ländern[220] Art. 6 Abs. 2 Harmonisierungs-RL, und auch die Definition wirksamer technischer Maßnahmen[221] wurde Abs. 3 der Richtlinie entnommen. In Italien werden technische Maßnahmen hingegen nur über das strafrechtliche Instrumentarium geschützt.

Auch der Schutz der zur Rechtewahrnehmung erforderlichen Informationen aus § 95c UrhG und Sec. 296ZG CDPA ist auf die Harmonisierungs-RL zurückzuführen. Danach sind die Enfernung oder Änderung elektronischer Informationen zur Rechtewahrnehmung sowie die Verbreitung, Einfuhr zur Verbreitung, Sendung, öffentliche Wiedergabe oder öffentliche Zugänglichmachung von Werken, bei denen elektronische Informationen zur Rechtewahrnehmung unbefugt entfernt oder geändert worden sind, verboten. Diese Handlungen müssen wissentlich vorgenommen worden sein, wobei dem Handelnden bekannt ist oder nach den Umständen bekannt sein muss, dass er dadurch eine Urheberrechtsverletzung oder eine Verletzung verwandter Schutzrechte veranlasst, ermöglicht, erleichtert oder verschleiert.

---

219 Genau: Art. 11 WCT und Art. 18 WPPT.

220 Vgl. § 95a Abs. 3 UrhG und Sec. 296ZD (1) CDPA.

221 Vgl. § 95a Abs. 2 UrhG; Sec. 296ZF CDPA.

Zur Durchsetzung der Umgehungsverbote technischer Maßnahmen kann sich der Rechtsinhaber in Deutschland auf das zivilrechtliche Instrumentarium der §§ 97 ff. UrhG stützen. In England stehen bei Verletzung der Sec. 296ZD CDPA die zivilrechtlichen Rechtsbehelfe der Sec. 96 ff. CDPA zur Verfügung. Daneben können auch strafrechtliche Normen einschlägig sein.

Letztlich ist bezüglich des Verhältnisses der Umgehungsverbote technischer Maßnahmen zu den urheberrechtlichen Schrankenbestimmungen anzumerken, dass sowohl nach deutschem als auch nach englischem Recht auch ein in Einklang mit den Schrankenbestimmungen rechtmäßiger Nutzer die technischen Schutzvorrichtungen nicht umgehen darf. Um aber ein Leerlaufen der Schranken zu vermeiden, hat der deutsche Gesetzgeber zur Durchsetzung der Interessen der Werknutzer § 95b UrhG eingeführt, der dem Berechtigten der genannten Schrankennormen einen Anspruch gegen den Hersteller einräumt, ihm die zur Wahrnehmung seiner Rechte erforderlichen Mittel zur Verfügung zu stellen.[222] In England eröffnet die neue Sec. 296ZE CDPA die Möglichkeit, eine Beschwerde an den Staatsminister *(Secretary of State)* einzureichen. Dieser wird dann überprüfen, ob es sich um freiwillig eingesetzte Maßnahmen handelt, und kann die Rechtsinhaber anweisen, den Beschwerdeführern wirksame Mittel zur Umgehung der Schutzmaßnahmen bereitzustellen.[223]

# V. Strafrechtliche Maßnahmen

## A. Überblick

### 1. Internationale Harmonisierungsvorgaben

Die erst in jüngerer Zeit eingesetzte Stärkung strafrechtlicher Normen zum Schutz von Immaterialgüterrechten auf nationaler Ebene geht auch auf internationale Harmonisierungsbemühungen zurück. Vorrangig sind dabei die Verpflichtungen des TRIPS-Abkommens, das die Vertragsparteien nicht nur zur Schaffung zivilrechtlicher Maßnahmen,[224] sondern in Art. 61 auch zur Gewährleistung abschreckender strafrechtlicher Sanktionen zumindest bei vorsätzlicher unerlaubter *Herstellung* von Kopien urheberrechtlich geschützter Waren in *gewerbsmäßigem*

---

222 Ein Recht auf Selbsthilfe besteht hingegen nicht, *Ernst*, CR 2004, 41 f.

223 Verhindert der Rechtsinhaber die rechtmäßige Nutzung des Werks, so handelt es sich um die Verletzung einer gesetzlich auferlegten Pflicht. Ob private Nutzer diese Möglichkeit künftig wahrnehmen werden, bleibt vor dem Hintergrund des damit verbundenen Aufwands und der Langwierigkeit der Rechtsdurchsetzung abzuwarten.

224 Vgl. Art. 42 TRIPS.

*Umfang* anhält.[225] Im November 2001 wurde außerdem das *Cybercrime-Abkommen* des Europarats unterzeichnet, ein bindender internationaler Rechtsakt.[226] Darin nimmt Art. 10 auf die Verletzung von Urheberrechten und verwandten Schutzrechten vor dem Hintergrund der raschen Entwicklung der Cyberspace-Technologien Bezug: So sollen Verletzungen von Immaterialgüterrechten, die in der Konvention genannt werden, strafrechtlich geahndet werden, wenn sie vorsätzlich in gewerblichem Umfang und mit Hilfe eines Computer-Systems vorgenommen wurden.[227]

Auf europäischer Ebene gibt es bisher nur zaghafte Vereinheitlichungsbemühungen bezüglich einer strafrechtlichen Erfassung von Urheberrechtsverletzungen. Art. 8 Abs. 1 Harmonisierungs-RL bestimmt, dass die Mitgliedstaaten bei Verletzungen der in der Richtlinie festgelegten Rechte und Pflichten angemessene Sanktionen und Rechtsbehelfe vorsehen und alle notwendigen Maßnahmen treffen müssen, um deren Anwendung sicherzustellen. Obgleich die betreffenden Sanktionen wirksam, verhältnismäßig und abschreckend sein müssen, wird nicht gesagt, in welchem Rechtsgebiet die Maßnahmen zu erlassen sind. Darüber hinaus hat die Enforcement-RL, anders als zunächst vorgesehen, gänzlich auf die Harmonisierung der Strafrechtsfolgen bei Immaterialgüterrechtsverletzungen verzichtet.[228]

Im Juli 2005 legte die Kommission ein *Gesetzespaket* vor, das den strafrechtlichen Schutz des Urheberrechts stärken sollte. Es bestand aus einem Vorschlag für eine Richtlinie und einem Vorschlag für einen Rahmenbeschluss des Rates zur Verstärkung des strafrechtlichen Instrumentariums zur Ahndung der Verletzung geistigen Eigentums.[229] Damit sollten die Mitgliedstaaten verpflichtet werden, alle vorsätzlichen Urheberrechtsverletzungen, die in gewerblichem Ausmaß vorgenommen wurden, als Straftaten zu behandeln. Zudem sollten auch Versuch, Beihilfe und Anstiftung strafrechtlich erfasst und auf Rechtsfolgenseite Mindeststandards bezüglich der Sanktionen eingeführt werden. Das Gesetzgebungsverfahren wurde durch ein Urteil des EuGH vom 13. September 2005 beeinträchtigt, durch das der Rahmenbeschluss 2003/80/JI des Rates vom 27. Januar 2003 über den Schutz der Umwelt durch das Strafrecht[230] für nichtig erklärt wurde. Der EuGH stellte darin fest, dass Strafrecht und Strafprozessrecht grundsätzlich nicht in die Zuständigkeit der Gemeinschaft fallen. Dem fügte er hinzu:

---

225 An dieser Vorschrift fällt auf, dass nur die Herstellung von Waren erfasst ist, wohingegen keine Verpflichtung zu einer strafrechtlichen Sanktionierung anderer Verwertungshandlungen besteht.

226 Ratifikation in Deutschland am 9.3.2009, in Kraft getreten am 1.7.2009; Ratifikation in Italien am 5.6.2008, in Kraft getreten am 1.10.2008; Ratifikation in England am 25.5.2011, Inkrafttreten am 1.9.2011 [Stand 1.7.2011].

227 Auch durch Inbezugnahme auf andere internationale Abkommen.

228 Vgl. Art. 2 Abs. 3 lit. c Enforcement-RL.

229 KOM(2005) 276 endgültig.

230 ABl. L 29 vom 5.2.2003, S. 55.

„Dies kann den Gemeinschaftsgesetzgeber jedoch nicht daran hindern, Maßnahmen in Bezug auf das Strafrecht der Mitgliedstaaten zu ergreifen, die seiner Meinung nach erforderlich sind, um die volle Wirksamkeit der von ihm erlassenen Rechtsnormen zu gewährleisten, wenn die Anwendung wirksamer, verhältnismäßiger und abschreckender Sanktionen durch die zuständigen nationalen Behörden eine zur Bekämpfung schwerer Beeinträchtigungen unerlässliche Maßnahme darstellt.“[231]

Am 2. Mai 2006 legte die Kommission einen überarbeiteten Vorschlag für eine Richtlinie über strafrechtliche Maßnahmen zur Durchsetzung der Rechte des geistigen Eigentums vor, der das EuGH-Urteil vom 13. September 2005 berücksichtigte. Danach sollte Art. 95 EGV *(Errichtung und Funktionieren des Binnenmarktes)* Rechtsgrundlage für die Richtlinie sein. Diese Bemühungen wurden durch ein zweites Urteil des EuGH vom 23. Oktober 2007 (Rs. C-440/05) über strafrechtliche Sanktionen gegen Verschmutzungen im Seeverkehr gestoppt. Darin spricht der EuGH der EG jedenfalls eine strafrechtliche Annexkompetenz zu: Der EG wird die Zuständigkeit für den Erlass strafrechtlicher Maßnahmen zuerkannt, wenn dies für die effiziente Durchführung einer Gemeinschaftspolitik erforderlich ist. Allerdings beschränkt der EuGH die Zuständigkeit der EG insoweit, als Art und Maß der anzuwendenden strafrechtlichen Maßnahmen von den Mitgliedstaaten bestimmt werden müssen. Das Gericht schloss damit die Möglichkeit aus, strafrechtliche Maßnahmen unter der ersten Säule anzunehmen, und verwies dafür auf die dritte Säule.

Mit dem Inkrafttreten des Vertrags von Lissabon wurde nun eine Rechtsgrundlage für die Zuständigkeit der EU bei Rechtsangleichung im Bereich des Strafrechts geschaffen:[232] Danach können das Europäische Parlament und der Rat gemäß dem ordentlichen Gesetzgebungsverfahren durch Richtlinien Mindestvorschriften zur Festlegung von Straftaten und Strafen in Bereichen besonders schwerer Kriminalität bestimmen, die aufgrund der Art oder der Auswirkungen der Straftaten oder aufgrund einer besonderen Notwendigkeit, sie auf einer gemeinsamen Grundlage zu bekämpfen, eine grenzüberschreitende Dimension haben (Art. 83 Abs. 1 AEUV). Zudem können nach Art. 83 Abs. 2 AEUV durch Richtlinien Mindestvorschriften für die Festlegung von Straftaten und Strafen auf dem betreffenden Gebiet bestimmt werden, wenn sich die Angleichung der strafrechtlichen Rechtsvorschriften der Mitgliedstaaten als unerlässlich für die wirksame Durchführung der Politik der Union auf einem Gebiet erweist, auf dem Harmonisierungsmaß-

---

231 Vgl. Rn. 48 des Urteils.

232 Es bleibt abzuwarten, wie sich das Urteil des BVerfG zum Lissaboner Vertrag (BVerfG, 2 BvE 2/08 vom 30.6.2009) auf die Zuständigkeit der EU bei Rechtsangleichung im Bereich des Strafrechts und Strafverfahrensrechts auswirkt. Jedenfalls hat das Gericht ausdrücklich festgestellt, dass Entscheidungen über das Strafrecht als besonders sensibel für die demokratische Selbstgestaltungsfähigkeit eines Verfassungsstaates gelten (Abs. 252) und dass eine Übertragung von Hoheitsrechten über die intergouvernementale Zusammenarbeit hinaus in diesem grundrechtsbedeutsamen Bereich nur für bestimmte grenzüberschreitende Sachverhalte unter restriktiven Voraussetzungen zu einer Harmonisierung führen darf; wobei grundsätzlich substantielle mitgliedstaatliche Handlungsfreiräume erhalten bleiben müssen (Abs. 253, vgl. auch BVerfGE 113, 273, 298 f.).

nahmen erfolgt sind. Nach den gescheiterten Harmonisierungsbemühungen der Kommission bei Einführung eines strafrechtlichen Rahmens zur Ahndung der Verletzung geistigen Eigentums ist zu erwarten, dass auf Grundlage der neuen Zuständigkeitsregel in Art. 83 Abs. 2 AEUV in nächster Zeit ein erneuter Anlauf zur strafrechtlichen Gesetzgebung in diesem Bereich unternommen wird. Diese Vermutung stützt auch die Entschließung des Rates vom 1. März 2010 zur Verbesserung der Durchsetzung von Rechten des geistigen Eigentums im Binnenmarkt.[233] Darin wird die gemeinsame Verantwortung der Kommission und der Mitgliedstaaten anerkannt, dafür zu sorgen, dass der Binnenmarkt effektiver funktioniert, insbesondere auf dem Gebiet des Schutzes von geistigem Eigentum (20.). Außerdem werden die Mitgliedstaaten dazu aufgerufen, nationale Strategien zur Bekämpfung von Marken- und Produktpiraterie zu entwickeln und auf diesem Gebiet transparente Koordinierungsstrukturen zu schaffen (26.), und es wird betont, wie wichtig es im Zusammenhang mit der Schaffung und dem Funktionieren des Binnenmarkts ist, alle geeigneten Mittel zu nutzen, um in der gesamten Union die effiziente Durchsetzung der Rechte des geistigen Eigentums im Einklang mit dem geltenden Besitzstand der Union zu gewährleisten (29.). Ausdrücklich wird die Kommission darum ersucht, zu prüfen, ob es angezeigt ist, einen geänderten Vorschlag für eine Richtlinie über strafrechtliche Maßnahmen zur Bekämpfung von Marken- und Produktpiraterie vorzulegen (32.).

## 2. Geschützte Rechtsgüter

Im Urheberstrafrecht wird nicht etwa wie bei den zivilrechtlichen Maßnahmen das Urheberrecht schlechthin geschützt, sondern nur bestimmte, in den einzelnen Strafvorschriften aufgezählte Rechtsgüter.[234] Bei der Definition von Tatobjekten und Tathandlungen im Urheberstrafrecht ist zu beachten, dass die urheberstrafrechtlichen Normen Ausfüllungstatbestände sind, d.h. dass die Normen in aller Regel nicht losgelöst von dem ihnen zugrunde liegenden Rechtsgebiet erfasst und umfassend gewürdigt werden können. Daher ist für die Auslegung einzelner Tatbestandsmerkmale, etwa bezüglich des urheberrechtlich geschützten Werks oder der Verletzung von Verwertungs-, Nutzungs- und Urheberpersönlichkeitsrechten, ein Rückverweis auf die zivilrechtlichen Vorschriften des Urheberrechts erforderlich.

---

233 Entschließung des Rates vom 1.3.2010 zur Verbesserung der Durchsetzung der Rechte des geistigen Eigentums im Binnenmarkt (2010/C 56/01).

234 Diese Begrenzungen sind etwa in Deutschland wegen des geltenden Analogieverbots (Art. 103 Abs. 2 GG, § 1 StGB) und des aus Art. 103 Abs. 2 GG und dem Rechtsstaatsprinzip (Art. 20 Abs. 3 GG) abgeleiteten verfassungsrechtlichen Bestimmtheitsgebots streng zu beachten.

# B. Allgemeine Fragen

## 1. Gesetzgebungstechnik

Bereits Aufbau und äußere Form der urheberstrafrechtlichen Normen lassen bei einer ersten Würdigung deutliche Unterschiede erkennen: Während in Deutschland die Straftatbestände der §§ 106 ff. UrhG sprachlich kurz gefasst und allgemein formuliert sind, was genug Auslegungsspielraum für Gerichte und Rechtswissenschaft lässt, fällt bei dem italienischen und englischen Gesetzestext die Länge und Komplexität der Vorschriften auf. Das italienische und englische Regelwerk folgen einem kasuistischen Aufbau; anhand der Einzelfallillustration wird eine vollständige und lückenlose Erfassung der Begehungsformen angestrebt. Demgegenüber wirkt in Deutschland insbesondere der Grundtatbestand der unerlaubten Verwertung urheberrechtlich geschützter Werke in § 106 UrhG aufgrund seiner Kürze beinahe schon generalklauselartig.

## 2. Strafverfolgungsvoraussetzungen

Für die Strafverfolgung gelten in den geprüften Rechtsordnungen unterschiedliche Bedingungen. In Deutschland sind die Urheberrechtsdelikte der §§ 106–108, 108 b relative Antragsdelikte und werden daher grundsätzlich nur auf Antrag verfolgt.[235] Fehlt es an einem Antrag, so kann die Staatsanwaltschaft bei Vorliegen eines besonderen öffentlichen Interesses von Amts wegen die Strafverfolgung einleiten, § 109 UrhG.[236] Hingegen gilt in Italien bei Urheberrechtsdelikten die Offizialmaxime: Die Straftaten können von jedermann jederzeit zur Anzeige gebracht werden und die Behörden müssen solchen Anzeigen von Amts wegen nachgehen.[237] Im englischen CDPA werden keine Angaben zu den Voraussetzungen der Strafverfolgung gemacht. Strafverfahren wurden bereits von der Polizei, Wirtschaftsunternehmen, Privatpersonen, Handels- und Genehmigungsbehörden sowie Wirtschaftunternehmen initiiert. Um eine staatliche Durchsetzung der Rechte voranzutreiben, wurden durch den *Criminal Justice und Public Order Act 1994* die

---

235 Beim Zusammenfallen mit Offizialdelikten in Handlungseinheit ist auch stets Klage bezüglich des Urheberrechtsdelikts zu erheben, ein besonderes öffentliches Interesse ist dann irrelevant, *Hildebrandt*, Strafvorschriften, S. 335 m.w.N.

236 Umstritten ist das Verhältnis der Begriffe des „besonderen öffentlichen Interesses" in § 109 UrhG und des „öffentlichen Interesses" in § 376 StPO, siehe m.w.N. *Hildebrandt*, Die Strafvorschriften, S. 336 f.; wie die Staatsanwaltschaft diesen Begriff auszulegen hat, bestimmt sich nach RiStBV Nr. 86 Abs. 2, 261.

237 Die Offizialmaxime wäre in Italien im Fall des Vorliegens eines Antragsdelikts einschränkbar. Allerdings hat der Gesetzgeber das Antragserfordernis nicht ausdrücklich im Gesetzestext normiert und sich somit bei Urheberrechtsdelikten für eine Verfolgung von Amts wegen entschieden.

Sec. 107A[238] und 198A CDPA eingeführt, die das örtliche Eichamt dazu verpflichten sollten, die Sec. 108 und 198 durchzusetzen. Wegen des mit dieser Verfolgungsverpflichtung verbundenen hohen Kosten- und Personalaufwands sind diese Vorschriften erst am 6. April 2007 in Kraft getreten.[239] Dennoch gilt bezüglich der Delikte des Urheberstrafrechts weiterhin der allgemeine Grundsatz,[240] dass jedermann ein Strafverfahren initiieren kann, unabhängig davon, ob ein rechtliches Interesse daran besteht, eine Rechtsverletzung erlitten wurde oder eine sonstige Verbindung zu der Straftat besteht.

### 3. Vorsatz

Die Urheberrechtsdelikte erfordern in den untersuchten Rechtsordnungen vorsätzliches Handeln. In Italien müssen außerdem in einigen Fällen besondere subjektive Merkmale vorliegen.[241] Zudem kann dort, anders als in Deutschland und England, auch eine fahrlässige Tatbegehung strafbar sein.[242]

### 4. Strafmaß

Gemeinsam ist den urheberstrafrechtlichen Strafmaßen, dass sie durch Gesetzesänderungen in den letzten Jahren, die die Bedeutung des Strafrechts stärken sollten, verschärft wurden. Dennoch bestehen weiterhin Unterschiede zwischen den nationalen Vorschriften. In Deutschland beträgt das Höchstmaß bei einer gewerbsmäßigen unerlaubten Verwertung gemäß § 108a UrhG Freiheitsstrafe von *bis zu fünf Jahren*, während in Italien die Höchstgrenze ebenfalls bei gewerbsmäßigem Handeln Freiheitsstrafe von einem *bis zu vier Jahren* beträgt (Art. 171-*ter* Abs. 2

---

238 Nach Sec. 107A CDPA ist jedes örtliche Eichamt verpflichtet, in seinem Zuständigkeitsbereich den Straftatbestand der Sec. 107 CDPA zu ahnden. Dazu wird es in Abs. 2 ermächtigt: Testkäufe zu machen; Räumlichkeiten zu betreten und Waren zu untersuchen und zu beschlagnahmen; wegen Verlusten, die z.B. aufgrund der Beschlagnahmen entstanden sind, Entschädigung zu leisten.

239 *Fry*, [2002] EIPR 523 f., bezweifelte wegen der damit verbundenen Kostenintensität noch ein Inkrafttreten der Sec. 107A und 198A. Im Trade Marks Act galten hingegen entsprechende Strafverfolgungsverpflichtungen bereits seit seit Inkrafttreten des Gesetzes im Jahr 1994.

240 *Fry*, [2002] EIPR 523, vgl. *Gouriet v Union of Post Office Workers* [1978] AC 135.

241 Vgl. Gewinnabsicht in Art. 171-*ter* und Art. 171-*quater* LDA oder die Täuschungsabsicht in Art. 171-*octies* LDA.

242 Dies sind Art. 171-*quater* und 171-*quinquies* LDA, bei denen es sich um sog. *contravvenzioni a sanzione alternativa* handelt und die daher nach Art. 42 Abs. 4 C.P. sowohl vorsätzlich als auch fahrlässig begangen werden können. Der Begriff *contravvenzione* entspricht nach der Zweiteilung der Straftaten in *delitti* und *contravvenzioni* nach Art. 39 C.P. etwa einem Vergehen im deutschen Strafrecht. Der Terminus *sanzione alternativa* betrifft die alternative Strafe (Freiheitsstrafe oder Geldstrafe).

UrhG).[243] In England können Urheberrechtsstraftatbestände sowohl am *Magistrates' Court*[244] wie auch am *Crown Court* verhandelt werden (sog. *offences triable either way*). Nach dem jeweils zuständigen Gericht richtet sich die Obergrenze des Strafmaßes im Einzelnen. Während die Freiheitsstrafe am *Magistrates' Court* höchstens *sechs Monate* betragen darf, kann am Crown Court eine Freiheitsstrafe von *bis zu zehn Jahren* verhängt werden. Bezüglich der Geldstrafe ist anzumerken, dass die Beträge in Deutschland und England nicht vom Gesetzgeber konkretisiert wurden und die genaue Festsetzung den Gerichten überlassen ist, während in Italien der Gesetzgeber einen Rahmen für das Gericht vorgegeben hat. Hervorzuheben ist auch, dass in Deutschland Freiheits- und Geldstrafe stets in einem Alternativitätsverhältnis zueinander stehen, wobei sie in Italien und England auch kumulativ vorkommen können.

## C. Straftatbestände zum Schutz des Rechtsinhabers

### 1. Straftaten gegen die Verwertungsbefugnisse des Urhebers

#### *a) Strafnormen*

Während in Deutschland und England Straftaten gegen die Verwertungsbefugnisse des Urhebers in einer Zentralnorm geregelt sind, muss man danach in Italien innerhalb der Tatalternativen verschiedener Vorschriften suchen.

In Deutschland gewährt § 106 UrhG unter wirtschaftlichen Gesichtspunkten einen nahezu umfassenden Schutz.[245] Sein Tatbestand stellt die praktisch wichtigsten Formen von Urheberrechtsverletzungen unter Strafe, nämlich das Vervielfältigen, das Verbreiten und die öffentliche Wiedergabe eines urheberrechtlich geschützten Werks.[246] Schutzgut der Vorschrift sind das Verwertungsrecht des Urhebers sowie die eingeräumten Nutzungsrechte.[247] Als besonderer, nicht gesetzlich normierter Unterfall der Vervielfältigung ist der Download urheberrechtlich geschützter

---

243 Hier fällt außerdem auf, dass in Italien bei Freiheitsstrafen im Unterschied zum deutschen und englischen Recht auch Untergrenzen normiert sind.

244 Der *Magistrates' Court* ist das unterste Gericht in England. Zu den Kompetenzen gehört beispielsweise das Herausgeben von Hausdurchsuchungsbefehlen oder Haftbefehlen, die Einberufung von Be-/Angeklagten, die Entscheidung über Kautionen. I.d.R. sitzen zwischen zwei und vier *Magistrates* einer Verhandlung vor, wobei es sich meist um juristische Laien handelt. Diese werden in Rechts- und prozessualen Fragen von Assistenten beraten.

245 Dreier/Schulze-*Dreier*, § 106 Rn. 5.

246 Diese Tathandlungen beziehen sich auf die §§ 16–20b UrhG und die dort genannten Konkretisierungen.

247 Die zivilrechtlichen und strafrechtlichen Handlungsbegriffe sind daher insoweit identisch; Schricker-*Haß*, § 106 Rn. 5.

Werke aus dem Internet hervorzuheben. Hierdurch findet eine Vervielfältigung innerhalb des Datenspeichers statt.[248] Solange diese dem privaten Gebrauch dient, ist sie gemäß § 53 Abs. 1 Satz 1 UrhG rechtmäßig. Werden aber offensichtlich rechtswidrige Vorlagen verwendet, ist dieser Vorgang nicht mehr zulässig. Offensichtlichkeit ist zumindest dann anzunehmen, wenn dem unbefangenen Nutzer Bedenken kommen müssen, ob die diesbezüglichen Rechte vorhanden sind.[249] Zusätzlich ist für Deutschland zu beachten, dass die Rechtsverletzung ohne Einwilligung des Rechtsinhabers[250] und in anderen als den gesetzlich zugelassenen Fällen erfolgen muss, also nicht unter die Schrankenbestimmungen der §§ 44a ff., 87c UrhG fallen darf.

Auch in Italien werden die ausschließlichen wirtschaftlichen Verwertungs- und Nutzungsrechte des Rechtsinhabers strafrechtlich geschützt, wobei die relevanten Verletzungshandlungen in verschiedenen Vorschriften normiert sind.[251] Art. 171 Abs. 1 lit. a) LDA erfasst Verletzungen der ausschließlichen Rechte des Urhebers nach Art. 12–18 f) LDA. Auch wenn der italienische Gesetzestext eine detaillierte Aufzählung der Tatalternativen vornimmt, fällt bei einem Vergleich mit dem deutschen Gesetzestext auf, dass lediglich die strafrechtliche Erfassung einer rechtswidrigen Veröffentlichung und der rechtswidrigen Transkription[252] über den Schutzbereich der deutschen Norm hinausgehen. Insbesondere ist das erfasste Erstveröffentlichungsrecht des Urhebers auch für den Urheberpersönlichkeitsschutz relevant,[253] wobei die deutsche Norm des § 106 UrhG das Urheberpersönlichkeitsrecht ungeschützt lässt.[254] Des Weiteren stellt Art. 171 Abs. 1 lit. a-*bis*)[255] LDA die Zugänglichmachung eines geschützten Werks für die Öffentlichkeit durch Bereitstellung in einem Netzwerk unter Strafe.[256] Lit. d) sanktioniert die Vervielfältigung

---

248 BGH NJW 2001, 3558.

249 Loewenheim-*Flechsig*, § 90 Rn. 16; Schricker-*Haß*, § 106 Rn. 9; *Heghmanns*, MMR 2004, 15 f.

250 Die Einordnung dieses Merkmals in den Verbrechensaufbau ist umstritten. Einige Autoren fassen die Einwilligung als tatbestandliches Einverständnis auf, wonach der zivilrechtlich Berechtigte schon nicht tatbestandsmäßig handle; Schricker-*Haß*, § 106 Rn. 27; Wandtke/Bullinger-*Hildebrandt*, § 106 Rn. 24; die herrschende Literatur sieht darin hingegen einen strafrechtlichen Rechtfertigungsgrund; Dreier/Schulze-*Dreier*, § 106 Rn. 8; Fromm/Nordemann-*Ruttke/Scharringhausen*, § 106 Rn. 25; Möhring/Nicolini-*Spautz*, § 106 Rn. 5.

251 Vgl. Art. 171 Abs. 1 lit. a), a-*bis*) und d), Art. 171-*ter* Abs. 1 lit. b) und c) LDA.

252 Vgl. für die Definitionen dieser Tathandlungen Art. 12 und 14 LDA.

253 Beispielsweise, wenn sich der Urheber nicht mehr mit politischen oder religiösen Äußerungen, die in einem frühen, nicht zur Veröffentlichung bestimmten Werk enthalten sind, identifiziert; *Dibenedetto*, Responsabilità penale, S. 26, 34.

254 Vgl. *Schack*, Urheber- und Urhebervertragsrecht, S. 405 Rn. 848.

255 Eingeführt von Decreto legge 31 gennaio 2005, n. 7.

256 Art. 171 Abs. 2 LDA gewährt im Fall einer Rechtsverletzung nach lit. a-*bis*) die Möglichkeit einer Straftilgung durch Zahlung der Hälfte des Höchstbetrags der in Abs. 1 genannten Geldstrafe neben den Verfahrenskosten.

von mehr Exemplaren und die Durchführung von mehr Vorstellungen und Aufführungen als ursprünglich mit dem Urheber vereinbart. Neben dem ehemals einzigen urheberrechtlichen Straftatbestand des Art. 171 LDA stellt Art. 171-*ter* LDA die zweite wichtige Vorschrift für den strafrechtlichen Schutz von Urheberrechten dar.[257] Die Tatalternativen in Abs. 1 lit. b) richten sich gegen die Piraterie im Video-, Musik- und Buchsektor. Die Verletzungshandlung kann durch rechtswidrige Anfertigung einer Kopie,[258] Vervielfältigung, Ausstrahlung oder Verbreitung in der Öffentlichkeit durch jedes Mittel und Vorgehen erfolgen.[259] Weiterhin ist in Art. 171-*ter* Abs. 2 lit. a) LDA ein Qualifikationstatbestand normiert, wenn durch die in Abs. 1 genannten Verletzungshandlungen mehr als 50 Kopien geschützter Werke betroffen sind. Abs. 2 lit. a-*bis*) bezweckt vor allem die Bekämpfung der Produktpiraterie über das Internet und sanktioniert die Veröffentlichung eines geschützten Werks oder von Teilen davon über telematische Technologien und Netzwerke, unter Verletzung des von Art. 16 LDA geschützten Senderechts, wenn bei Vornahme der Handlung Gewinnabsicht vorlag. Auch im italienischen Recht werden Up- und Download geschützter Video- oder Musikwerke strafrechtlich geahndet.[260] Allerdings ist straffrei, wer den Download für den eigenen Gebrauch vornimmt und wer bei einem Upload keine weitergehende Gewinnabsicht verfolgt. Um auf den Schwarzmarkt, der sich aus der Produkt- und Dienstleistungspiraterie ergibt, zugreifen zu können, hat der italienische Gesetzgeber außerdem Art. 171-*ter* Abs. 1 lit. c) LDA eingeführt. Dieser umfasst verschiedene Tathandlungen von Personen, die, obwohl sie nicht selbst die rechtswidrige Anfertigung einer Kopie oder Vervielfältigung gemäß lit. b) vornehmen, geschützte Werke verteilen[261] oder vermieten.[262]

---

[257] Ursprünglich sollte Art. 171-*ter* LDA nur dem Schutz der Tonträgerhersteller dienen; durch Änderung von Abs. 1 lit. b) werden nun aber auch Urheber durch die Norm geschützt; *Terracina*, Riv. Pen. 2000, 1090, 1093.

[258] *Duplicare*, die Verdoppelung oder Anfertigung einer Kopie, ist nur in lit. a) erwähnt. Allerdings wird diese Tathandlung nicht im LDA definiert, insbesondere fehlt eine Abgrenzung zur „Vervielfältigung" des Werks. In der Lehre wurde unter *duplicazione* die Anfertigung einer mit dem Original identischen Kopie verstanden (z.B. die Kopie eines Tonbands auf ein anderes Tonband). Eine *Vervielfältigung* soll hingegen vorliegen, wenn ein Werk auf einem anderen Trägermedium festgehalten wird (z.B. die Aufnahme einer Rundfunksendung auf ein Tonband, Aufnahme von TV-Sendungen auf ein Trägermedium), so *Dibenedetto*, Responsabilità penale, S. 58.

[259] Tatobjekt in Art. 171-*ter* Abs. 1 lit. b) LDA sind Werke oder Teile von literarischen, dramatischen, wissenschaftlichen oder musikalischen Werken ebenso wie Multimediawerke.

[260] Das Verbot einer rechtswidrigen (auch nur teilweisen) Herstellung einer Kopie oder sonstigen Vervielfältigung von Videos und Musikwerken durch jedes Mittel und Vorgehen erfasst das rechtswidrige Downloaden von geschützten Musik- und Filmwerken oder anderen audiovisuellen Werken aus dem Internet. Das Uploaden als Gegenstück hierzu, welches beispielsweise beim *Filesharing* erfolgt, liegt vor, wenn geschützte Werke im Internet verbreitet oder unrechtmäßig zugänglich gemacht werden.

[261] Das Verteilen kann erfolgen durch Einfuhr, Besitz zum Verkauf oder sonstiger Verteilung, Einleiten in den Wirtschaftskreislauf, Vermietung oder sonstige Überlassung,

In England dient Sec. 107 CDPA dem Schutz der Verwertungsbefugnisse des Urhebers. Auch in dieser Vorschrift werden die Vervielfältigung, Verbreitung und öffentliche Wiedergabe strafrechtlich erfasst, wenn bestimmte Voraussetzungen erfüllt sind. Sec. 107 CDPA folgt einem kasuistischen Aufbau und nennt in den drei Absätzen verschiedene Tatalternativen: Nach Abs. 1 macht sich derjenige strafbar, der ohne Genehmigung durch den Rechtsinhaber wissentlich eine rechtswidrige Kopie eines urheberrechtlichen Werks zum Verkauf oder zur Vermietung herstellt (lit. a), in das Vereinigte Königreich einführt, ausgenommen zu privaten Zwecken (lit. b), in einem solchen Maße außerhalb des Geschäftsbetriebs verbreitet, dass der Rechtsinhaber nachteilig betroffen wird (lit. e). Abs. 2A bestraft eine Urheberrechtsverletzung durch Übermittlung des Werks an die Öffentlichkeit, wenn dies (lit. b) außerhalb des Geschäftsbetriebs geschieht, aber aufgrund des Ausmaßes den Rechtsinhaber nachteilig betrifft und der Täter dabei wusste oder hätte wissen müssen, dass er eine Urheberrechtsverletzung an jenem Werk beging.

Die Verwertungsrechte des Urhebers und des Inhabers verwandter Schutzrechte werden in allen drei untersuchten Rechtsordnungen umfänglich geschützt. Während in Deutschland und England Straftaten gegen die verschiedenen Rechtsinhaber in separaten Vorschriften geregelt sind, vermischt das italienische Urheberstrafrecht die unterschiedlichen Rechtsträger in den Tatalternativen derselben Normen. Für den digitalen Bereich wichtig ist die strafrechtliche Erfassung von Up- und Downloads als besondere Unterfälle der Vervielfältigung urheberrechtlich geschützter Werke. Diese werden in allen drei Rechtsordnungen strafrechtlich verfolgt. In Deutschland und Italien bestehen hierbei Ausnahmen bei Kopien zum privaten Gebrauch: Nach deutschem Recht sind diese rechtmäßig, solange keine offensichtlich rechtswidrigen Vorlagen aus dem Internet verwendet werden. Auch in Italien wird nicht bestraft, wer die Vervielfältigung für den eigenen Gebrauch vornimmt und außerdem keine weitere Gewinnabsicht verfolgt.[263]

### *b) Strafmaß*

Die Strafmaße der Vorschriften zum Schutz der Verwertungsbefugnisse des Urhebers sind unterschiedlich ausgestaltet. § 106 UrhG bestraft mit Freiheitsstrafe bis zu drei Jahren oder mit Geldstrafe. Art. 171 LDA sieht hingegen lediglich eine Geldstrafe von 51 € bis 2.065 € vor, wohingegen für alle Verletzungshandlungen des Art. 171-*ter* Abs. 1 LDA dasselbe Strafmaß der Freiheitsstrafe von sechs Monaten bis zu drei Jahren und einer Geldstrafe von 2.582 € bis zu 15.493 € gilt. In

öffentliche Ausstrahlung durch Fernsehen, Radio oder andere Mittel oder die in lit. a) und b) genannten rechtswidrigen Vervielfältigungen.

262 Bei den Werken handelt es sich um Musik- und Videoaufnahmen von Musik- oder Filmwerken und sonstigen audiovisuellen Werke, ebenso wie Abfolgen von Laufbildern.

263 In England bestehen keine Ausnahmen für die Privatkopie.

England wird bei einem Verstoß gegen Sec. 107 Abs. (1) lit. a, b oder e CDPA der Täter im Fall eines summarischen Verfahrens vor einem *Magistrates' Court* zu einer im Vergleich zu Deutschland und Italien geringen Freiheitsstrafe von nicht über sechs Monaten und/oder einer Geldstrafe nicht über der gesetzlichen Höchstgrenze von £ 5.000 verurteilt.[264] Im Fall der Übermittlung des Werks an die Öffentlichkeit nach Abs. 2A, was ein wichtiger Tatbestand zur Erfassung der Online-Piraterie ist, gelten sogar niedrigere Strafen als bei der Verbreitung von Vervielfältigungsstücken nach Abs. 1.[265] Bei Verletzung von Abs. 2A kann der *Magistrates' Court* zu einer Freiheitsstrafe nicht über drei Monaten und/oder einer Geldstrafe nicht über der gesetzlichen Höchstgrenze von £ 5.000 verurteilen.[266]

#### *c) Gewerbsmäßige unerlaubte Verwertung*

Bei gewerbsmäßiger unerlaubter Verwertung sehen deutsches und italienisches Recht einen separaten Qualifikationstatbestand vor, wohingegen in England bei dieser Begehungsform nicht von den anderen Verletzungshandlungen unterschieden wird. § 108a UrhG bestimmt, dass die Strafe Freiheitsstrafe bis zu fünf Jahre und Geldstrafe beträgt, wenn der Täter in den Fällen der §§ 106–108 UrhG gewerbsmäßig handelt. In Italien ist in Art. 171-*ter* Abs. 2 lit. b) LDA normiert, dass mit Freiheitsstrafe von einem bis zu vier Jahren und einer Geldstrafe von 2.582 € bis zu 15.493 € bestraft wird, wer gewerbsmäßig urheberrechtlich geschützte Werke vervielfältigt, verteilt, verkauft, vermarktet oder einführt. Im englischen CDPA fehlt der Ausdruck *in gewerblichem Ausmaß*. Der englische Gesetzgeber nimmt einzig mit dem Wortlaut *im Lauf des Geschäftsbetriebs* Bezug auf den gewerblichen Vorgang. Innerhalb der Sec. 107 wird in Abs. 1 lit. c und d sowie Abs. 2a lit. a CDPA für die Verletzungshandlung verlangt, dass sie im Lauf des Geschäftsbetriebs erfolgt ist. Im Strafmaß unterscheiden sich diese Tatbestände nicht von den übrigen Tatalternativen in Sec. 107 CDPA.

### 2. Straftaten gegen die Verwertungsbefugnisse der Inhaber von verwandten Schutzrechten

Die Verletzung verwandter Schutzrechte steht in allen drei untersuchten Rechtsordnungen unter Strafe. Ähnlich wie beim Schutz der Verwertungsbefugnisse des

---

264 Bei einer Verurteilung durch einen *Crown Court* gibt es keine gesetzlich festgelegte Grenze für die Geldstrafe und die Freiheitsstrafe kann bis zu zehn Jahre betragen.

265 Dies hat zu vermehrter Kritik geführt, die insbesondere im Beratungsdokument des United Kingdom Intellectual Property Office, erstellt für das Department for Business, Innovation and Skills (BIS), S. 6, geäußert wurden.

266 Bei Zuständigkeit des *Crown Courts* drohen eine Geldstrafe und/oder eine Freiheitsstrafe von nicht über zwei Jahren.

Urhebers[267] wurde in Deutschland und England ein Einzeltatbestand normiert, der die verschiedenen strafbewehrten Verletzungshandlungen zusammenfasst.[268] In Italien sind die Tathandlungen wie bei der Strafrechtssanktion für die Verletzung von Urheberrechten in verschiedenen Strafnormen geregelt.[269] Das Strafmaß bei Verletzung verwandter Schutzrechte entspricht nach deutschem,[270] italienischem[271] und englischem[272] Recht demjenigen der Straftatbestände zum Schutz des Urhebers. Demnach bleibt es bei der Geltung milderer Strafen bei Verletzung der Verwertungsbefugnisse der Inhaber verwandter Schutzrechte in England im Vergleich zu Deutschland und Italien.

Ohne auf die Liste der strafrechtlich relevanten Verwertungshandlungen im Einzelnen einzugehen, sollen hier vor allem die für den digitalen Bereich wichtigen Handlungen hervorgehoben werden. Im deutschen Recht sind aus dem Katalog in § 108 Abs. 1 UrhG die Ziff. 4 und 5 hervorzuheben,[273] die mit der Bekämpfung von Raubkopien von Musikwerken und von unzulässigen Filmmitschnitten,[274] sogenannte *Bootlegs*,[275] praktische Bedeutung erlangt haben.[276] In Italien ist bezüg-

---

267 Vgl. § 106 UrhG und Sec. 107 CDPA.

268 Vgl. § 108 UrhG und Sec. 198 CDPA.

269 Vgl. Art. 171 Abs. 1 lit. b) und f); Art. 171-*ter* Abs. 1 lit. a) und c); Art. 171-*quater* lit. a) und b) LDA.

270 Das Strafmaß für § 108 UrhG beträgt Freiheitsstrafe bis zu drei Jahre oder Geldstrafe.

271 Art. 171 LDA sieht hingegen lediglich eine Geldstrafe von 51 € bis 2.065 € vor, wohingegen für alle Verletzungshandlungen des Art. 171-*ter* Abs. 1 LDA dasselbe Strafmaß einer Freiheitsstrafe von sechs Monaten bis zu drei Jahren und einer Geldstrafe von 2.582 € bis zu 15.493 € gilt. Das Strafmaß für Art. 171-*quater* LDA ist Freiheitsstrafe bis zu einem Jahr oder Geldstrafe von 516 € bis 5.164 €.

272 Bei einem Verstoß gegen Abs. 1 lit. a, lit. b oder lit. d (iii) liegt das Strafmaß bei Zuständigkeit des *Magistrates' Court* bei Freiheitsstrafe nicht über sechs Monaten und/oder einer Geldstrafe nicht über der gesetzlichen Höchstgrenze von £ 5.000. Bei Zuständigkeit des *Crown Courts* kann zu Geldstrafe und/oder Freiheitsstrafe von bis zu zehn Jahren verurteilt werden. Bei Verletzung von Abs. 1A kann der *Magistrates' Court* zu einer Freiheitsstrafe nicht über drei Monaten und/oder einer Geldstrafe nicht über der gesetzlichen Höchstgrenze von £ 5.000 verurteilen. Bei Zuständigkeit des *Crown Courts* drohen eine Geldstrafe und/oder eine Freiheitsstrafe von nicht über zwei Jahren. Gemäß Abs. 6 ist bei anderen strafrechtlichen Verstößen in Sec. 107 der *Magistrates' Court* zuständig, der in einem summarischen Verfahren eine Freiheitsstrafe von nicht über sechs Monaten und/oder eine Geldstrafe nicht über £ 5.000 verhängen kann.

273 § 108 Ziff. 4 UrhG erfasst die unerlaubte Verwertung von Darbietungen ausübender Künstler entgegen § 77 Abs. 1 oder Abs. 2 Satz 1, § 78 Abs. 1. § 108 Ziff. 5 UrhG erfasst die unerlaubte Verwertung von Tonträgern entgegen § 85 UrhG.

274 Der Produzent einer Tonaufnahme hält nicht das Urheberrecht an der aufgenommenen Musik, diese hält der Urheber. Ihm steht aber ein Recht an dieser einen Aufnahme zu. Damit soll der Aufwand für das Erstellen komplexer Werke wie Musikalben oder Filmen geschützt werden.

275 Für die Begriffserklärung siehe Vierter Teil, Fn. 185.

276 Wandtke/Bullinger-*Hildebrandt*, § 108 Rn. 1; *Sternberg-Lieben*, Musikdiebstahl, S. 74; Dreier/Schulze-*Dreier*, § 108 Rn. 1.

lich unerlaubter Mitschnitte von künstlerischen Aufführungen ausübender Künstler Art. 171-*quater* lit. b) LDA einschlägig. Er soll das ausschließliche Recht der ausübenden Künstler gemäß Art. 80 LDA, ihre Darbietung auf Bild- oder Tonträger aufzunehmen, schützen.[277] Zudem ist die Anfertigung eines unerlaubten Mitschnitts nach italienischem Recht nur dann strafrechtlich relevant, wenn mit Gewinnabsicht gehandelt wurde, nicht aber, wenn die Aufnahme nur für den Eigengebrauch erfolgte. In England reicht hingegen die Aufnahme einer Aufführung ohne Genehmigung des Rechtsinhabers nicht aus, um den Straftatbestand der Sec. 198 CDPA zu erfüllen. Zusätzlich muss das Werk in der Öffentlichkeit gezeigt oder abgespielt (a) oder in der Öffentlichkeit verbreitet worden sein, wobei durch das Urheberrechtsgesetz gewährte Rechte vorsätzlich verletzt wurden (b).

### 3. Straftaten gegen das Persönlichkeitsrecht des Urhebers

Anders als die urheberrechtlichen Verwertungsrechte, die einen umfänglichen strafrechtlichen Schutz genießen, wird das Urheberpersönlichkeitsrecht, wenn überhaupt, nach nationalem Recht nur lückenhaft geschützt. So wird in England gänzlich auf strafrechtliche Sanktionen verzichtet. Auch in Italien gewährt das Urheberrechtsgesetz keinen selbstständigen strafrechtlichen Schutz des Urheberpersönlichkeitsrechts, denn die Straftatbestände des LDA schützen vorrangig Vermögensrechte, wirtschaftliche Verwertungsrechte des Urhebers und verwandte Schutzrechte.[278] Daher werden Verletzungen des Urheberpersönlichkeitsrechts auch in Italien grundsätzlich auf zivilrechtlichem Gebiet verfolgt.[279] Allerdings wird in Art. 171 Abs. 3 LDA die Verletzung des *droit moral* strafrechtlich sanktioniert, wenn diese qualifizierend zu einer Verletzung wirtschaftlicher Verwertungsrechte hinzutritt. So bedroht Art. 171 Abs. 3 LDA als Qualifikationstatbestand mit einer Freiheitsstrafe von bis zu einem Jahr oder einer Geldstrafe nicht unter 516,45 €, wenn die Verletzungshandlungen des Art. 171 Abs. 1 LDA ein Werk betreffen, das nicht zur Veröffentlichung bestimmt war, wenn sich die Urheberschaft widerrechtlich angeeignet oder wenn das Werk verändert oder modifiziert wird, sofern dies eine Verletzung der Ehre und des Ansehens des Urhebers bewirkt.[280] Nicht erfasst von der Norm ist der Fall einer anonymen Veröffentlichung des Werks, da das Merkmal der widerrechtlichen Aneignung der Urheberschaft fehlt. Ebenso nicht

---

277 Im Unterschied zu den Vorschriften des Art. 171-*ter* LDA hängt die Rechtswidrigkeit der Verletzungshandlung in Art. 171-*quater* und 171 Abs. 1 lit. f) LDA von der Genehmigung durch Urheber und ausübende Künstler ab, wohingegen eine Legitimierung der Verletzungshandlung von Art. 171-*ter* LDA durch eine Genehmigung nicht möglich ist.

278 *Terracina*, La tutela, S. 90 ff.

279 *Dibenedetto*, Responsabilità penale, S. 39.

280 Während Art. 171 Abs. 1 LDA vorrangig die wirtschaftlichen und unternehmerischen Interessen des Urhebers erfasst, schützt der Gesetzgeber in Abs. 3 das Urheberpersönlichkeitsrecht als weitergehendes Interesse.

erfasst ist die Herstellung einer Privatkopie, die keinen weiteren wirtschaftlichen Schaden mit sich bringt. Unschädlich ist aber, wenn sich die Urheberschaft an einer Bearbeitung[281] des Werks angeeignet wird, was eine der häufigsten Begehungsformen des Abs. 3 darstellt. Um den Qualifikationstatbestand zu erfüllen, muss der Täter außerdem bei Tatbegehung gewusst haben, dass das Werk nicht zur Veröffentlichung bestimmt war, oder dies in fahrlässiger Weise verkannt haben (Art. 59 Abs. 2 C.P.).

Auch in Deutschland gilt nur ein eingeschränkter Schutz des Urheberpersönlichkeitsrechts: Zum einen wurde der Schutzbereich auf Werke der bildenden Künste beschränkt. Außerdem greift § 107 UrhG lediglich bei der Verletzung des urheberpersönlichkeitsrechtlichen Namensnennungsrechts nach § 13 UrhG. Die Strafnorm erfasst neben der unerlaubten Anbringung der Urheberbezeichnung auf einem Werkoriginal und der Verbreitung eines derart bezeichneten Originals (Abs. 1 Nr. 1) auch die Anbringung der Urheberbezeichnung auf einem Vervielfältigungsstück, das den Anschein der Originalität erweckt, oder die Verbreitung eines derartigen Vervielfältigungsstücks. Der Künstler eines Werks kann mithin selbst nach § 107 Abs. 1 Nr. 2 UrhG strafbar sein, wenn er Reproduktionen fälschlicherweise als Original signiert und damit die Beweiskraft seiner Signatur missbraucht. Das Strafmaß der Vorschrift beträgt Freiheitsstrafe bis zu drei Jahren oder Geldstrafe, wobei die Norm gemäß der Subsidiaritätsklausel in § 107 Abs. 1 a.E. UrhG hinter andere Vorschriften, die mit schwererer Strafe bedroht sind, zurücktritt. In der Praxis ist § 107 UrhG insbesondere wegen der Begrenztheit seines Anwendungsbereichs von geringer Relevanz, was zu Kritik an der Regelung geführt hat.[282]

Zusammenfassend lässt sich sagen, dass – anders als die urheberrechtlichen Verwertungsrechte, die einen umfänglichen strafrechtlichen Schutz genießen – das Urheberpersönlichkeitsrecht, wenn überhaupt, nach nationalem Recht nur lückenhaft geschützt wird. So wird in England gänzlich auf strafrechtliche Sanktionen verzichtet, während das italienische Urheberrechtsgesetz zwar keinen selbstständigen strafrechtlichen Schutz des Urheberpersönlichkeitsrechts gewährt, aber eine Verletzung des *droit moral* dennoch strafrechtlich sanktioniert, wenn diese qualifizierend zu einer Verletzung wirtschaftlicher Verwertungsrechte hinzutritt.[283] Auch in Deutschland gilt nur ein eingeschränkter Schutz des Urheberpersönlichkeitsrechts: Der Schutzbereich des § 107 UrhG wurde auf Werke der bildenden Künste beschränkt und erfasst außerdem lediglich die Verletzung des urheberpersönlichkeitsrechtlichen Namensnennungsrechts nach § 13 UrhG.

---

281 I.S.v. Art. 4 LDA.

282 Dreier/Schulze-*Dreier*, § 107 Rn. 4; Wandtke/Bullinger-*Hildebrandt*, § 107 Rn. 1.

283 Vgl. Art. 171 Abs. 3 LDA.

### 4. Einzeltatbestände

Kurz sollen einige Tatbestände aufgezeigt werden, die Besonderheiten des nationalen Urheberstrafrechts darstellen und keine Entsprechung in den anderen Rechtsordnungen finden.

Während in Deutschland[284] und Italien keine Strafbarkeit von juristischen Personen oder leitenden Angestellten und Vorstandsmitgliedern im Fall einer Urheberrechtsverletzung normiert ist, ist dies nach englischem Recht möglich. So sieht Sec. 110 bei Begehung einer Straftat nach Sec. 107 durch eine juristische Person und bei Erbringung des Nachweises, dass dies mit Zustimmung eines Direktors, Managers, Geschäftsführers oder eines anderen leitenden Mitarbeiters des Unternehmens geschah, eine Strafbarkeit sowohl der juristischen wie der auch natürlichen Person vor.

Des Weiteren soll auf eine Eigenheit des italienischen Urheberrechts hingewiesen werden: Um die Legitimität der Vermarktung urheberrechtlich geschützter Werke zu gewährleisten, werden dort urheberrechtsfähige Waren mit einem Siegel der SIAE[285] markiert.[286] Das SIAE-Siegel wird auch zur Kennzeichnung digitaler Werke verwandt und wird daher auch künftig bei der Bekämpfung der Internetpiraterie von Bedeutung sein.[287] Um das Siegel zu schützen, den Handel mit nicht gekennzeichneten Gütern zu unterbinden und vor allem, um die Transparenz des Marktes und die Legalität der in Umlauf befindlichen Waren zu garantieren, wurden Strafnormen geschaffen: Werden etwa Werke verbreitet, bei denen der gesetzlich vorgeschriebenen Anbringung des SIAE-Siegels nicht nachgekommen wurde oder die ein gefälschtes oder verändertes Siegel aufweisen, so greift der Straftatbestand des Art. 171-*ter* Abs. 1 lit. d) LDA.[288] Daneben betrifft Art. 171-*septies*

---

[284] In Deutschland besteht zwar keine strafrechtliche Haftung bei Urheberrechtsdelikten, die durch juristische Personen oder deren Vorstandsmitglieder begangen wurden. Allerdings enthalten die §§ 30 und 130 OWiG wichtige Regelungen bezüglich der Verantworlichkeit von Unternehmen, vgl. *Sieber*, FS für Tiedemann, S. 464 ff. Daneben ist in § 99 UrhG eine zivilrechtliche Haftung der Inhaber eines Unternehmens normiert.

[285] Die SIAE ist die italienische Verwertungsgesellschaft zur Wahrnehmung von mechanischen Vervielfältigungsrechten und Aufführungsrechten.

[286] Die Pflicht zur Anbringung des SIAE-Siegels ist eine Besonderheit des italienischen Urheberrechts. Eine ähnliche Praxis existiert in keinem anderen Land. Durch die Anbringung des Siegels garantiert die SIAE die Legitimität der Vermarktung der gekennzeichneten Ware. Dadurch schützt die Verwertungsgesellschaft nicht nur die Interessen der eigenen Mitglieder (Urheber und Verleger), sondern auch die Inhaber verwandter Schutzrechte (ausübende Künstler und Tonträgerhersteller), die in der Regel anderen Gesellschaften angehören, *De Angelis*, La tutela giuridica, S. 172 f.

[287] Dem SIAE-Siegel wird auch künftig bei der Kennzeichnung digitaler Werke eine große Bedeutung beigemessen, *De Angelis*, La tutela giuridica, S. 173, *Di Fabio*, Dir. Aut. 2000, 42.

[288] Das Strafmaß beträgt Freiheitsstrafe von sechs Monaten bis zu drei Jahren und Geldstrafe von 2.582 bis zu 15.493 €.

LDA Hersteller und Importeure von Waren, die zwar von der Kennzeichnungspflicht ausgenommen sind, aber den verbleibenden Informationspflichten an die SIAE nicht fristgerecht nachkamen.[289] Zudem werden gemäß Art. 181-*bis* LDA auch Falschangaben über vermeintlich pflichtgetreues Verhalten sanktioniert.[290]

Außerdem sanktioniert in Italien Art. 171-*octies-bis* LDA falsche Auskunftserteilung oder Auskunftsverweigerung bei Bestehen des Auskunftsanspruchs gemäß Art. 156-*ter* LDA mit einer Freiheitsstrafe von ein bis drei Jahren. Nach deutschem und englischem Recht macht sich der Falschaussagende nicht strafbar, sondern allenfalls schadensersatzpflichtig.[291]

Zuletzt soll kurz erwähnt werden, dass der italienische Gesetzgeber mit Art. 174-*quater* LDA eine Regelung bezüglich der Verwendung der aus den Bußgeldern der Art. 174-*bis* und 174-*ter* LDA gewonnenen Einnahmen geschaffen hat. 50 Prozent der Einnahmen sollen einem Fonds des Justizministeriums zukommen, der für die Verbesserung der Strukturen und Instrumente zum Schutz und zur Ahndung der Urheberstrafrechtsdelikte bestimmt ist. Mit dem anderen Teil sollen Informationskampagnen[292] zur Schärfung des Unrechtsbewusstseins der Bevölkerung für Urheberrechtsdelikte veranstaltet und unterstützt werden.[293] Hier findet demnach eine Umverteilung von finanziellen Mitteln, die aus der Verletzung einer gesetzlichen Vorschrift stammen, zugunsten außerrechtlicher Aktionen statt.

## D. Schutz technischer Schutzmaßnahmen

### 1. Vorbemerkung

Die Implementierung von Art. 6 und 7 Harmonisierungs-RL hat zwar in allen Mitgliedstaaten zur Normierung von Vorschriften zum Schutz technischer Maßnahmen geführt, allerdings verpflichtet die Richtlinie lediglich zur Gewährung eines angemessenen Rechtsschutzes und macht keine Vorgaben dazu, in welchem

---

289 Art. 171-*septies* LDA verweist bzgl. des Strafmaßes auf Art. 171-*ter* Abs. 1 LDA.

290 Art. 181-*bis* wurde von Gesetz 248/2000 in das LDA eingeführt zum Zwecke der Beseitigung von Unklarheiten bezüglich des SIAE-Siegels. Sein Abs. 2 schreibt die Pflicht zur Anbringung des Siegels zum Schutz der Interessen des Rechtsträgers vor, sofern Letzterer zuvor alle ihm aus dem URG obliegenden Pflichten erfüllt hat.

291 Vgl. § 101 Abs. 5 UrhG für das deutsche Recht.

292 I.S.v. Art. 26 Abs. 3-*bis* Legge 23 agosto 1988, n. 400. Dieser sieht vor, dass die Abteilung für Information und das Verlagswesen *(Dipartimento per l'informazione e l'editoria)* mit den aus den Bußgeldern des Art.174-*bis* Abs. 2 lit. b) LDA Informationskampagnen über Fernsehen, Radio, Kino, Tages- und Wochenpresse veranstalten und unterstützen soll, die darauf gerichtet sind, das Unrechtsbewusstsein in der Bevölkerung bezüglich des Erwerbs unrechtmäßiger oder gefälschter Werke des geistigen Eigentums zu schärfen.

293 Art. 26 Abs. 3-*bis* und 3-*ter* Legge 23 agosto 1988, n. 400, wurden von Art. 12 Legge 18 agosto 200, n. 248, eingeführt.

Rechtsgebiet Maßnahmen einzuführen sind. So ist in den untersuchten Rechtsordnungen nicht nur eine unterschiedliche Gewichtung des zivilrechtlichen, strafrechtlichen oder verwaltungs- bzw. ordnungswidrigkeitenrechtlichen Instrumentariums zu erkennen, auch der Schutzumfang technischer Maßnahmen ist nicht deckungsgleich. Hält das englische Urheberrecht, das sich hauptsächlich auf zivilrechtliche Maßnahmen stützt, nur einen sehr eng begrenzten strafrechtlichen Schutz bereit, so wurde in Italien auf den zivilrechtlichen Schutz zugunsten strafrechtlicher Maßnahmen gänzlich verzichtet. Zudem unterscheiden sich auch die Strafmaße bei unerlaubten Eingriffen in technische Schutzmaßnahmen erheblich: In Deutschland wird bei Erfüllung des Grundtatbestands in § 108 b Abs. 1 UrhG eine Freiheitsstrafe von bis zu einem Jahr oder eine Geldstrafe verhängt, in Italien droht bei Verwirklichung einer der Alternativen des Art. 171-*ter* Abs. 1 LDA immerhin Freiheitsstrafe von sechs Monaten bis zu drei Jahren und Geldstrafe von 2.500 € bis 5.000 €. In England können je nach Zuständigkeit des *Magistrates'* oder *Crown Court* bei Sec. 296ZB CDPA Freiheitsstrafe nicht über drei Monate und/oder Geldstrafe oder Freiheitsstrafe nicht über zwei Jahre und/oder Geldstrafe anfallen.

### 2. Unerlaubte Eingriffe in technische Schutzmaßnahmen

Im deutschen Urheberrechtsgesetz wird die Umgehung wirksamer technischer Schutzmaßnahmen in § 108b Abs. 1 sanktioniert. Voraussetzung dafür ist, dass in der Absicht, sich oder einem Dritten den Zugang oder die Nutzung eines geschützten Werks zu verschaffen, eine wirksame technische Maßnahme ohne Zustimmung des Rechtsinhabers umgangen wird und dadurch wenigstens leichtfertig die Verletzung von Urheberrechten oder verwandten Schutzrechten ermöglicht wird.[294] Ein Handeln zum Privatgebrauch wird ausdrücklich vom Tatbestand des § 108b Abs. 1 UrhG ausgenommen. Handelt der Täter gewerbsmäßig, so ordnet Abs. 3 eine Straferhöhung an.[295] Ebenso wie bei Erfüllung des Abs. 1 wird gemäß § 108b Abs. 2 UrhG bestraft, wer Mittel zur Umgehung technischer Maßnahmen[296] zu gewerblichen Zwecken herstellt, damit handelt oder sie einführt. Die Strafbarkeit erstreckt sich aber nur auf die schwerwiegenden Fälle von Herstellung, Einfuhr, Verbreitung, Verkauf und Vermietung in gewerblichem Ausmaß. Demgegenüber werden die minder schweren Fälle des bloßen Besitzes zu gewerblichen Zwecken, der Werbung und Erbringung von Dienstleistungen sowie der nicht gewerbsmäßigen Verbreitung, des Verkaufs oder der Vermietung nicht als Straftat, sondern als Ordnungswidrigkeit sanktioniert.[297]

---

[294] Auch erfasst sind Veranlassung, Erleichterung und Verschleierung.

[295] Das Strafmaß wird dann auf Freiheitsstrafe bis zu drei Jahren oder Geldstrafe erhöht.

[296] Entgegen § 95a Abs. 3 UrhG.

[297] Diese sind in § 111a Abs. 1 Nr. 1 lit. a) und b) UrhG nur als Ordnungswidrigkeit ausgestaltet.

Italien und England haben keinen Straftatbestand normiert, der sich gegen die Umgehung technischer Schutzmaßnahmen richtet.[298] Strafrechtlich sanktioniert werden in beiden Ländern Herstellung und Handel mit Vorrichtungen sowie die Erbringung von Dienstleistungen, die auf die Umgehung technischer Schutzmaßnahmen gerichtet sind. Eine Unterscheidung zwischen schwerwiegenden und minder schweren Fällen der Tatbegehung findet in beiden Urheberrechtsgesetzen nicht statt.

In Italien sind in der langen Aufzählung des Art. 171-*ter* Abs. 1 lit. f-*bis* LDA Vorbereitungshandlungen[299] und die Erbringung von Diensten, die auf die Umgehung technischer Maßnahmen gerichtet sind, gemeinsam aufgeführt. Gewerbliches Handeln wird unterschiedslos von der Norm erfasst, stellt also kein strafschärfendes Merkmal dar. Wird die Handlung nur zum Privatgebrauch vorgenommen und fehlt es an einer Gewinnabsicht, so entfällt die Strafbarkeit gemäß Art. 171-*ter* Abs. 1.[300] Zudem ist die Qualifikation in Abs. 2 lit. c) bei gewerblichem Handeln zu beachten.

In England sanktioniert Sec. 296ZB CDPA in Abs. 1 Herstellung, Handel und Verbreitung[301] von Vorrichtungen zur Umgehung technischer Maßnahmen und in Abs. 2 die Erbringung von Diensten zu diesem Zweck. Außerdem umfasst der Tatbestand in gleicher Weise Handeln innerhalb oder außerhalb des Geschäftsverkehrs. Unbeachtlich ist zudem, ob der Täter ausschließlich zum Privatgebrauch gehandelt hat.[302]

### 3. Schutz von Informationen zur Rechtewahrnehmung

Während sich im englischen Recht der Schutz von Informationen zur Rechtewahrnehmung auf das Zivilrecht beschränkt,[303] wurden die Vorgaben aus Art. 7 Harmonisierungs-RL in Deutschland und Italien auf strafrechtlichem Gebiet umgesetzt. Nach § 108b Abs. 1 Nr. 2 lit. a UrhG macht sich strafbar, wer eine Information für die Rechtewahrnehmung[304] entfernt oder verändert. Daneben erfasst lit. b den Fall der Verbreitung[305] eines Werks oder sonstigen Schutzgegenstands, bei

298 In England wird die Umgehung technischer Maßnahmen auf zivilrechtlichem Gebiet verfolgt, vgl. Sec. 296ZA CDPA.

299 Umfasst sind: Herstellung, Einfuhr, Verteilung, Verkauf, Vermietung, Überlassung, Werbung zu Verkaufs- oder Vermietungszwecken, Aufbewahrung zu Handelszwecken.

300 Dann greift subsidiär die verwaltungsrechtliche Maßnahme des Art. 174-*ter* LDA.

301 Die Tathandlung umfasst: Herstellung zum Verkauf oder zur Vermietung, Import für einen anderen als den privaten Gebrauch, Verkauf oder Vermietung im Geschäftsverkehr, Angebot oder Ausstellung zum Verkauf oder zur Vermietung, Besitz oder Verteilung.

302 Vgl. oben Fünfter Teil, III.A.1.b)bb).

303 Vgl. Sec. 296ZG CDPA.

304 Entgegen § 95c Abs. 1 UrhG.

305 Weitere Tatalternativen sind die Einführung zur Verbreitung, Sendung, öffentliche Wiedergabe oder öffentliche Zugänglichmachung.

dem die Information für die Rechtewahrnehmung unbefugt entfernt oder geändert wurde. In beiden Fällen des Abs. 1 Nr. 2 muss der Täter um seine fehlende Befugnis gewusst und die Rechtsverletzung zumindest leichtfertig veranlasst[306] haben. Auch für § 108b Abs. 1 Nr. 2 gilt der Ausschlussgrund des Handelns zum privaten Gebrauch und eine Straferhöhung gemäß Abs. 3 bei gewerbsmäßigem Handeln. In Italien regelt Art. 171-*ter* Abs. 1 lit. h) LDA die Strafbarkeit der Entfernung von Informationen zur Rechtewahrnehmung sowie die Verbreitung geschützter Werke, an denen derartige Informationen entfernt oder verändert wurden. Auch hier gilt wie für die anderen Tatalternativen in Art. 171-*ter* Abs. 1 LDA, dass der Tatbestand nicht erfüllt ist, wenn die Tat ausschließlich zum privaten Gebrauch erfolgt ist, und dass eine Gewinnabsicht vorliegen muss. Zudem greift der Qualifizierungstatbestand des Abs. 2 lit. c, wenn die Tat in gewerblichem Umfang vorgenommen wurde.

### 4. Schutz verschlüsselter Dienste

Der Schutz verschlüsselter Dienste geht in den nationalen Rechtsordnungen auf die Richtlinie 1998/84/EG des Europäischen Parlaments und des Rates über den rechtlichen Schutz von Zugangskontrollierten Diensten und von Zugangskontrolldiensten zurück. So wurde in Deutschland das Zugangskontrolldiensteschutz-Gesetz erlassen, das dem Schutz von Rundfunkangeboten, Informations- und Kommunikationsdiensten dient, die zunehmend in einer unverständlichen Form (z.B. verschlüsselt) übertragen und beim Nutzer von einem Zugangskontrolldienst[307] entschlüsselt werden müssen. Es soll sichergestellt werden, dass nur zahlende Nutzer diese Dienste in Anspruch nehmen können und dass eine Sicherung der Dienste gegen das kostenlose Erschleichen der Nutzung stattfindet. In § 4 ZKDSG finden sich Strafvorschriften und in § 5 ZKDSG sind Bußgeldvorschriften normiert. In Italien schützen die Art. 171-*ter* Abs. 1 lit. e) und f) LDA den Zugang zu verschlüsselten Diensten. Zum Schutz verschlüsselter Dienste wurden in England die Sec. 297A und 298 CDPA eingeführt. Danach stehen dem Verwender solcher Dienste dieselben Rechte wie dem Urheber, insbesondere die Auslieferungs- und Beschlagnahmerechte aus Sec. 99 und 100 CDPA, zu.

---

306 Auch erfasst sind neben der Veranlassung die Ermöglichung, Erleichterung oder Verschleierung.

307 „Zugangskontrolldienste" i.S.v. § 2 Nr. 2 ZKDSG sind technische Verfahren oder Vorrichtungen, die die erlaubte Nutzung des Angebots ermöglichen. Dazu muss das unverständliche (z.B. verschlüsselte) Angebot wieder in verständliche Form gebracht werden (z.B. entschlüsselt werden). Dies bewerkstelligt z.B. ein Decoder. Hierbei sind nicht nur Geräte (Hardwarelösungen), sondern auch technische Verfahren (Softwarelösungen) erfasst, vgl. Gesetzentwurf der Bundesregierung vom 24.10.2001, BT-Drucks. 14/7229, Begründung.

# VI. Verwaltungsrechtliche und verwaltungsstrafrechtliche Maßnahmen

Sowohl das deutsche wie auch das italienische Urhebergesetz enthalten verwaltungsrechtliche Maßnahmen, die im Zuge der Umsetzung der Harmonisierungs-RL entstanden sind, und solche, die schon vorher im nationalen Recht vorhanden waren. Neben den urheberrechtlichen Vorschriften existieren im öffentlichen Wirtschaftsrecht beider Länder gewerberechtliche Normen, die bei Begehung einer Verletzungshandlung durch einen Gewerbetreibenden eingreifen.

Im Zuge der Umsetzung von Art. 6 und 7 Harmonisierungs-RL wurde § 111a UrhG als erster Bußgeldparagraf in das deutsche Urheberrechtsgesetz eingeführt. Er bezweckt eine zusätzliche Absicherung gegen die Vorbereitung der Umgehung einer wirksamen technischen Maßnahme (§ 95a Abs. 3 UrhG), gegen das Nichtzurverfügungstellen eines zur Umgehung notwendigen Mittels (§ 95b Abs. 1 UrhG) und gegen die fehlende oder unvollständige Kennzeichnung eines Schutzgegenstands (§ 95d Abs. 2 Satz 1 UrhG). In § 111a UrhG werden nicht nur Vorbereitungen zu Umgehungshandlungen als Ordnungswidrigkeit sanktioniert, auch der Rechtsinhaber wird mit einem Bußgeld belegt, wenn er die notwendigen Mittel zur Umgehung der technischen Maßnahmen nicht zur Verfügung stellt oder seinen Kennzeichnungspflichten an Werken, die mit technischen Maßnahmen versehen sind, nicht nachkommt.[308] Die Höhe des Bußgeldes soll abschreckend wirken und nachdrücklich zur Befolgung der Rechtsordnung anhalten.[309]

In Italien erfüllen die verwaltungsrechtlichen Maßnahmen des Urheberrechtsgesetzes zwei Funktionen: Einerseits stehen sie komplementär zum strafrechtlichen Instrumentarium und sollen etwaige Schutzlücken schließen, andererseits können sie subsidiär eingreifen, wenn in den Straftatbeständen (meist subjektive) Tatbestandselemente fehlen.[310] Ähnlich wie die strafrechtlichen Tatbestände wurden die verwaltungsrechtlichen Normen durch häufige Gesetzesänderungen in den letzten Jahren mehrfach modifiziert. In einem Subsidiaritätsverhältnis zu den strafrechtlichen Normen stehen Art. 172 und Art. 174-*ter* LDA. Art. 172 LDA greift bei einer nur fahrlässigen Verletzung des Art. 171 LDA ein. Hingegen ist Art. 174-*ter* LDA subsidiär zu den Art. 171 ff. LDA anwendbar und gilt damit nur, wenn Letztere nicht bereits eine Strafbarkeit für das fragliche Verhalten festlegen.[311] Im Unterschied zu den Art. 171 ff. LDA verzichtet Art. 174-*ter* LDA auf das Erfordernis einer subjektiven Gewinnabsicht. In der Norm ist ein Bußgeld i.H.v. 154 € festgelegt. Daneben ist die Beschlagnahme rechtswidrigen Materials sowie die Veröffentlichung der Verfügung in einer nationalen Tageszeitung bei unerlaubter Umgehung

---

308 Vgl. § 111a Abs. 1 Nr. 2 und 3 UrhG.

309 Gesetzentwurf der Bundesregierung vom 6.11.2002, BT-Drucks. 15/38, Begründung, S. 27; in den Fällen des Abs. 1 Nr. 1 und Nr. 2 beträgt der Bußgeldrahmen bis zu 50.000 €. Im Fall von Abs. 1 Nr. 3 kann ein Bußgeld von bis zu 10.000 € verhängt werden.

310 *Terracina*, Riv. Pen. 2000, 1089.

311 Neben Art. 171 sind das Art. 171-*bis*, 171-*ter*, 171-*quater*, 171-*quinquies*, 171-*septies* und 171-*octies* LDA.

technischer Schutzmaßnahmen und Handel mit Werken, bei denen die technischen Maßnahmen entfernt wurden, möglich. Außerdem wird in Abs. 2-*bis* die Verbreitung geschützter Filmwerke oder die Nutzung solcher Werke über Kabel, jegliche Art von Netzwerken oder sonstigen Verbindungen und auch die Förderung solcher Handlungen durch Dritte erfasst.[312] Ergänzend zu den strafrechtlichen Normen können die Art. 174-*bis*, Art. 171 Abs. 4[313] und Art. 174-*quinquies* LDA erfüllt sein. Wurde einer der urheberrechtlichen Straftatbestände erfüllt, findet daneben Art. 174-*bis* LDA Anwendung, der dem Täter ein zusätzliches Bußgeld auferlegt.[314] Er zielt darauf ab, industrielle und unternehmerische Interessen zu schützen, die mit der wirtschaftlichen Nutzung der geschützten Werke verbunden sind. Wird ein Urheberstrafrechtsdelikt im Zusammenhang mit einer gewerblichen oder erlaubnispflichtigen Tätigkeit begangen,[315] ist Art. 174-*quinquies* LDA zu beachten: Danach muss die Staatsanwaltschaft den *Questore*[316] über die Straftat in Kenntnis setzen. Dieser kann nach Auswertung der Indizien und Anhörung der Beteiligten eine zeitlich begrenzte Aussetzung der Tätigkeit oder des Betriebs anordnen.[317]

Wie bereits oben erwähnt, gibt es im italienischen Urhebergesetz mit Art. 174-*quater* LDA auch eine Regelung bezüglich der Verwendung der aus den Bußgeldern der Art. 174-*bis* und 174-*ter* LDA fließenden Einnahmen.

## VII. Zollrechtliche Maßnahmen

Das Problem der illegalen Vervielfältigung und Verbreitung digitaler Werke ist, wie schon mehrfach in dieser Arbeit hervorgehoben wurde, von internationaler Dimension. Das zollrechtliche Instrumentarium hat sich als effektives Mittel im Kampf gegen die Produktpiraterie erwiesen, denn durch Sicherstellung der Ware

---

312 Rechtsfolge ist, sofern das Verhalten nicht bereits unter Abs. 1 fällt, ein Bußgeld i.H.v. 1500 €, Beschlagnahme der Geräte und des Materials, Veröffentlichung der Anordnung in einer oder mehr nationalen Tageszeitungen und in einer Fachzeitschrift für den Bereich der Medien.

313 Bei Verletzung des zivilrechtlichen Vervielfältigungsrechts des Urhebers gemäß Art. 68 Abs. 3 und 4 LDA verhängt dieser ein einjähriges Vervielfältigungsverbot sowie ein Bußgeld von 1.000 € bis 5.000 €.

314 Die Bußgelder stehen im Verhältnis zum Verkehrswert des Tatobjekts. Bei einer Rechtsverletzung muss der doppelte Wert des Werks, welches Gegenstand der Rechtsverletzung ist, entrichtet werden, mindestens jedoch 103 €. Ist der Wert nicht leicht bestimmbar, wird ein Bußgeld zwischen 103 € und 1.032 € verhängt.

315 Der Anwendungsbereich wird in Abs. 4 auch auf die Tätigkeiten der Presse, anderer Einrichtungen, die Druckerzeugnisse vertreiben, sowie auf Fernsehanstalten ausgedehnt.

316 Die *Questura* ist das Amt der Staatspolizei mit Kompetenzen auf provinzieller Ebene, die dem Innenministerium untersteht, vgl. oben Vierter Teil, III.C.3.

317 Im Fall einer strafrechtlichen Verurteilung wird eine Aussetzung der Tätigkeit oder des Betriebs für eine Dauer von drei Monaten bis zu einem Jahr angeordnet. Liegt eine wiederholte Tatbegehung vor, erfolgt der Widerruf der Gewerbeerlaubnis oder einer sonstigen Genehmigung.

durch die Zollbehörden bereits an der Staatsgrenze kann die Einfuhr und Verteilung der rechtswidrigen Werke an die lokalen Verkäufer verhindert werden. Dies ermöglicht den Behörden die Rechtsdurchsetzung, ohne dabei die oft mühsame Lokalisierung der Ware vornehmen zu müssen.

Um nationale Divergenzen hinsichtlich der nationalen Schutzstandards urheberrechtlicher Werke zu überwinden, wurde auf gemeinschaftsrechtlicher Ebene mit der Regelung einer Grenzbeschlagnahme durch die Piraterieverordnung Verordnung (EG) Nr. 1383/2003[318] unmittelbar geltendes supranationales Recht geschaffen: In Deutschland und England ist diese Regelung ergänzend zu den nationalen zollrechtlichen Maßnahmen hinzugetreten, während sie in Italien die nationalen Vorschriften ersetzt hat.[319]

Trotz der gemeinschaftsrechtlichen Regelung der Grenzbeschlagnahme verbleibt den nationalen Vorschriften im deutschen und englischen Recht ein eigener Anwendungsbereich, soweit die Piraterieverordnung ausdrücklich auf inländisches Recht verweist oder es sich um die Einfuhr rechtsverletzender Vervielfältigungsstücke aus Drittländern und deren Ausfuhr in solche Länder handelt.[320] In Deutschland normiert § 111b UrhG sodann einen eigenen Auskunftsanspruch des Antragstellers gegen die Zollbehörde: Dieser betrifft Angaben über die Identität des Verfügungsberechtigten sowie Art, Herkunft, Menge und Lagerort der beschlagnahmten Vervielfältigungsstücke. In England wird die illegale Ware von den Zollbehörden beschlagnahmt, sofern die Voraussetzungen für ein Verbot der Wareneinführung nach Sec. 111 CDPA erfüllt sind.[321] Auskunftsansprüche gegen die Zollbehörde sind zwar im CDPA nicht ausdrücklich gesetzlich normiert, wurden aber bereits von Gerichten zugesprochen.[322]

---

318 Für nähere Ausführungen zur Piraterieverordnung vgl. oben Vierter Teil III.D.1.

319 Die Kodifizierung eines Grenzbeschlagnahmeverfahrens ist auch eine Verpflichtung, die sich aus den Art. 51 ff. TRIPS-Abkommen ergibt, welche jedoch für den Schutzrechtsinhaber kein unmittelbar geltendes Recht darstellen, da lediglich die Mitglieder verpflichtet werden, ggf. ihr nationales Recht entsprechend zu gestalten. Die Vorschriften des TRIPS-Abkommens entsprechen weitgehend der alten Piraterie-Verordnung (Verordnung (EG) Nr. 3295/1994).

320 Auch Parallelimporte, also Originalwaren, die ohne Zustimmung des Rechtsinhabers und somit unter Umgehung vertraglich festgelegter Vertriebswege aus Drittländern ein- oder ausgeführt werden, fallen unter nationale Regelungen.

321 Vgl. Sec. 111 Abs. 4 CDPA. Beschlagnahmte Ware wird in der Regel von der Zollbehörde zerstört, soweit der Rechtsinhaber die Zerstörung nicht selbst vornehmen will. Kosten für die Zerstörung sind vom Rechtsinhaber zu tragen.

322 *Norwich Pharmacal Co. v Customs and Excise Commissioners* [1974] AC 133; im Fall *Norwich Pharmacal* wusste der Kläger, dass seine Patentrechte durch rechtswidrige Wareneinfuhr in das Vereinigte Königreich verletzt wurden, konnte aber den Rechtsverletzer nicht identifizieren. Daher klagte er gegen die Zollbehörde auf Auskunft über die Identität des Verletzers. Der Zoll war in Besitz der rechtswidrigen Vervielfältigungsstücke seit ihrer Einfuhr in das Vereinigte Königreich und von Dokumenten, die die Einfuhr der Ware belegten.

*Siebter Teil*

# Fazit

## I. Internationale und europarechtliche Vorgaben

Der Abschluss völkerrechtlicher Verträge zur Etablierung eines internationalen Mindeststandards beim Urheberrechtsschutz wurde durch die Digitalisierung in der Informationsgesellschaft, in der ein müheloses Überschreiten von Staatsgrenzen im Internet möglich ist, verstärkt notwendig. Bis heute wurde eine Vielzahl multi- und bilateraler Staatsverträge geschlossen, die auf das nationale Recht einwirken. In dieser Arbeit wurden die wichtigsten mehrseitigen Abkommen untersucht: Revidierte Berner Übereinkunft, Welturheberrechtsabkommen, Rom-Abkommen, TRIPS, WIPO-Urheberrechtsvertrag und WIPO-Vertrag über Darbietungen und Tonträger. Von besonderer Bedeutung für das behandelte Thema sind die in Teil III des TRIPS-Abkommens aufgeführten Vorschriften zur Durchsetzung von Immaterialgüterrechten.[1] Darin werden die Vertragsparteien u.a. zur Schaffung zivilrechtlicher Maßnahmen[2] und auch zur Gewährleistung abschreckender strafrechtlicher Sanktionen zumindest bei vorsätzlicher unerlaubter *Herstellung* urheberrechtlich geschützter Waren in *gewerbsmäßigem Umfang* angehalten.[3] Auch Zollbehörden können danach eingeschaltet werden, um die Einfuhr rechtsverletzender Ware zu verhindern.[4] Ebenso wird in den WIPO-Verträgen der Sorge der Rechtsinhaber gegenüber den neuen Informations- und Kommunikationstechnologien Rechnung getragen: So gewährt der WIPO-Urheberrechtsvertrag Urhebern von literarischen und künstlerischen Werken das ausschließliche Recht, die öffentliche Wiedergabe

[1] Auf die einzelnen Vorschriften wird im Rahmen des jeweilig verfügbaren nationalen Instrumentariums eingegangen. Zu beachten ist, dass nach herrschender Ansicht die Vorschriften des TRIPS-Übereinkommens nicht unmittelbar anwendbar sind, sondern lediglich Verpflichtungen für die Vertragsstaaten enthalten, bestimmte Regelungen einzuführen oder vorzusehen, vgl. Gesetzentwurf der Bundesregierung vom 15.4.1994, BT-Drucks. 12/7655, 347; *Rehbinder*, Urheberrecht, S. 377 Rn. 992.

[2] Vgl. Art. 42–48 TRIPS, danach werden etwa Schadensersatz- (Art. 45), Auskunfts- (Art. 47) und Beweisvorlageansprüche (Art. 43) gewährt; Piraterieware ist zu vernichten (Art. 46) und vorsorgliche Maßnahmen sind zur Verfügung zu stellen (Art. 50). Sofern nationales Recht verwaltungsrechtliche Maßnahmen zur Erreichung der aufgeführten zivilrechtlichen Standards erfordert, sollen diese anwendbar sein, vgl. Art. 49 TRIPS.

[3] Vgl. Art. 61 TRIPS. Auffallend ist, dass dieser nur die Herstellung von Waren erfasst. Eine Verpflichtung zu einer strafrechtlichen Sanktionierung anderer Verwertungshandlungen besteht nicht.

[4] So geht die nationale Kodifizierung des Grenzbeschlagnahmeverfahrens auch auf eine Verpflichtung aus den Art. 51–60 TRIPS zurück.

ihrer Werke zu erlauben sowie über Ort und Zeit der Zugänglichmachung zu entscheiden (Art. 8 WCT). Neu sind außerdem Schutzpflichten in Bezug auf technische Maßnahmen (Art. 11) und Informationen über die Rechtewahrnehmung (Art. 12).[5]

Das geplante ACTA[6] setzt diese Entwicklung fort und soll in den Vertragsstaaten eine weitere Maßnahme im Kampf gegen Produktpiraterie und Urheberrechtsverletzungen bilden, die den internationalen Handel sowie Entwicklung und Fortschritt behindern. Geplant ist insbesondere, Mindeststandards[7] bezüglich zivilrechtlicher, strafrechtlicher und zollrechtlicher Maßnahmen einzuführen. Der Bedeutung der Durchsetzung geistigen Eigentums im digitalen Umfeld wird durch die Einführung eines eigens darauf bezogenen Abschnitts Rechnung getragen.[8]

Die Bedeutung des Urheberrechts als Wirtschaftsgut und das freie Zirkulieren urheberrechtlich geschützter Werke im europäischen Binnenmarkt haben auch bald zu einer gemeinschaftsrechtlichen Einlassung auf das Gebiet des Urheberrechts geführt. Aufgrund des Fehlens einer gesetzlichen Handlungsermächtigung der EG zur Gesetzgebungstätigkeit in diesem Bereich wurden die bestehenden Rechtsakte und Initiativen auf die allgemeinen Kompetenzgrundlagen, insbesondere Art. 47 Abs. 2, Art. 55 und 95 EG, gestützt. Die unterschiedlichen nationalen Urheberrechtsordnungen haben unausweichlich zu Rechtsstreitigkeiten vor dem EuGH geführt. In seinen Urteilen brachte das Gericht die gemeinschaftsrechtlichen Vorschriften über Binnenmarkt und Wettbewerb mit dem Bestand national gewährter Immaterialgüterrechte in Einklang. Daneben wurden auf gemeinschaftsrechtlicher Ebene bis heute insgesamt acht Richtlinien zur Harmonisierung des Urheberrechts in Europa erlassen, die in den Jahren 1991 bis 2004 verabschiedet wurden.[9] Mit der Harmonisierungs-RL, der sechsten verabschiedeten Urheberrechts-RL der EG, begann ein neues Kapitel im europäischen Urheberrecht.[10] Im Unterschied zu den anderen Urheberrechts-RL wurden hier keine Randfragen geregelt, Schwerpunkt bildete vielmehr die Vereinheitlichung der zentralen Verwertungsrechte, des Vervielfältigungs- und Verbreitungsrechts sowie des Rechts zur öffentlichen Wieder-

---

5 Beschränkt auf Rechte der ausübenden Künstler und der Tonträgerhersteller normiert daneben der WPPT das Recht auf Zugänglichmachung (Art. 8 WPPT) sowie Erfordernisse in Bezug auf technische Schutzmaßnahmen und Informationen zur Rechtewahrnehmung (Art. 11 und 12 WPPT).

6 Siehe oben Zweiter Teil, I.D.

7 Der Anwendungsbereich wird durch zwei Faktoren bestimmt: Einerseits dürfen die Regelungen keinen geringeren Schutz bieten, als im TRIPS-Abkommen vereinbart wurde, andererseits gilt nach oben eine Begrenzung durch den *EU-Acquis*, also die gemeinschaftsrechtlich geschaffenen Mindestregelungen in diesem Bereich.

8 Siehe *Section 4, Special Measures Related to Technological Enforcement of Intellectual Property in the Digital Environment*, in der vorläufigen Fassung, veröffentlicht im April 2010: http://trade.ec.europa.eu/doclib/docs/2010/april/tradoc_146029.pdf [15.7.2010].

9 Vgl. Zweiter Teil, II.D.

10 Ebenso wie es zuvor auf internationaler Ebene durch die WIPO-Verträge geschehen war.

gabe und die Neuordnung der Schrankenregelungen. Ein Novum waren zudem die Vorschriften zum Schutz technischer Maßnahmen und der zur Rechtewahrnehmung erforderlichen Informationen.[11]

Der Verbesserung der Rechtsdurchsetzung wandte sich die Kommission erstmals mit der Enforcement-RL zu. Die Unterschiede im prozessualen Recht der Mitgliedstaaten bezüglich der nationalen Instrumente zur Durchsetzung der Rechte des geistigen Eigentums sollten aufgehoben und ihre Angleichung im Interesse eines funktionierenden Binnenmarktes vorgenommen werden. Wichtig für die Rechtsdurchsetzung im Internet ist Art. 8 Enforcement-RL, der einen Auskunftsanspruch gegen den Rechtsverletzer selbst und auch gegen unbeteiligte Dritte einführte, was für die meisten EG-Mitgliedstaaten neu war.[12] Der zentralen Bedeutung von Beweismitteln für den Erfolg eines Gerichtsverfahrens trägt die Richtlinie durch Art. 6 und 7 Rechnung, die Vorschriften über die Beschaffung und den Schutz von Beweisen enthalten.[13] Einstweilige Maßnahmen und Sicherungsmaßnahmen sind in Art. 9 geregelt. Danach können einstweilige Anordnungen nicht nur gegen den Rechtsverletzer selbst, sondern auch gegen Dritte,[14] deren Dienste für die Rechtsverletzung in Anspruch genommen werden, durchgesetzt werden. Zudem sind Beschlagnahme- und Herausgabeanordnungen möglich, die sich bei Rechtsverletzungen in gewerblichem Ausmaß auch auf die Beschlagnahme beweglichen und unbeweglichen Vermögens einschließlich der Sperrung von Bankkonten und der Beschlagnahme sonstiger Vermögenswerte erstrecken. Letztlich ist hervorzuheben, dass von Mittelspersonen außer der nach Art. 8 zu gewährenden Auskunft auch die Unterbindung von Urheberrechtsverletzungen Dritter durch gerichtliche Anordnungen verlangt werden kann, gemäß Art. 11 a.E.[15] Weitere Abhilfemaßnahmen sind allerdings gegen Mittelspersonen nicht vorgesehen.

---

[11] Ein wichtiges Ziel der Richtlinie war die Umsetzung des Schutzes technischer Maßnahmen, wie auch von Art. 11 WCT und Art. 18 WPPT gefordert wird. Vgl. Erwägungsgründe 1 und 47.

[12] *Kur*, IIC 2004, Vol. 35, S. 826; diese Vorschrift geht über das in Art. 47 TRIPS-Übereinkommen gewährte Auskunftsrecht hinaus, der Auskunftsansprüche lediglich gegen den Verletzer selbst gewährt.

[13] Dies wird auch in Erwägungsgrund 20 der Enforcement-RL betont. Dieser fordert u.a., dass wirksame Mittel zur Vorlage, zur Erlangung und zur Sicherung von Beweismitteln zur Verfügung stehen.

[14] Einstweilige Maßnahmen gegen Mittelspersonen wegen Urheberrechtsverletzungen Dritter sollen gemäß Art. 9 Abs. 1 lit. a Enforcement-RL unter die Harmonisierungs-RL 2001/29/EG fallen. Dies entzieht die Durchsetzung des Urheberrechts gegen Mittelspersonen im Rahmen des einstweiligen Rechtsschutzes dem Anwendungsbereich der Richtlinie.

[15] Zwar müssen gerichtliche Anordnungen gegen Vermittler grundsätzlich gemäß Art. 8 Abs. 3 der Harmonisierungs-RL ergehen. Allerdings nimmt Art. 11 Enforcement-RL ausdrücklich auf die Harmonisierungs-RL Bezug und schreibt vor, dass Anordnungen unbeschadet der dortigen Bestimmungen auch gegen Mittelspersonen ergehen können. Bezüglich der Rechtsdurchsetzung im Internet ist zudem zu beachten, dass Diensteanbietern die Haftungsprivilegierungen der Art. 12–15 Richtlinie 2000/31/EG *über bestimmte rechtliche*

Zu beachten ist, dass die Richtlinie im Gegensatz zum Kommissionsvorschlag aufgrund kompetenzrechtlicher Bedenken letztlich keine Bestimmungen zu strafrechtlichen Sanktionen enthält.[16] Der einzige Bezug zum Strafrecht wird nunmehr in Erwägungsgrund 28 hergestellt. Demnach stellen in geeigneten Fällen, zusätzlich zu den zivil- und verwaltungsrechtlichen Maßnahmen, auch strafrechtliche Sanktionen ein Mittel zur Durchsetzung der Rechte des geistigen Eigentums dar.

## II. Verhältnis zwischen den Schutzmaßnahmen in den verschiedenen Rechtsgebieten

### A. Zivilrechtliche Maßnahmen

In allen drei untersuchten Rechtsordnungen stehen zivilrechtliche Maßnahmen bei der Rechtsverfolgung im Vordergrund. Dies ist hauptsächlich darauf zurückzuführen, dass das Urheberrecht dem Zivilrecht zuzuordnen ist. Zur Durchsetzung dieser privatrechtlichen Rechtspositionen hat sich ein umfangreiches zivilrechtliches Instrumentarium herausgebildet, das zuletzt durch die Umsetzung der Enforcement-RL in den untersuchten Rechtsordnungen zumindest in Bezug auf die Gewährleistung eines Mindestschutzes durch die wichtigste zivilrechtliche Handhabe angeglichen wurde.[17] Damit können die Rechtsinhaber ihre meist vorrangigen Ziele erreichen: die Rechtsverletzung zu unterbinden und Ersatz für den erlittenen Schaden zu erhalten.

Während in Deutschland und Italien im 20. Jahrhundert eine Verlagerung von vorrangig strafrechtlichem zu zivilrechtlichem Schutz stattfand, war das Zivilrecht in England für den Schutz urheberrechtlicher Werke seit den Anfängen des Copyrights von zentraler Bedeutung. Als privates Recht wurde das Copyright grundsätzlich mit zivilrechtlichen Mitteln durchgesetzt und geschützt.

Ein bedeutender Vorteil zivilrechtlicher und zivilprozessualer Maßnahmen besteht gerade im Vergleich zu Strafrecht und Strafprozess in der Möglichkeit, Schadensersatz zu erhalten und auf einstweilige Maßnahmen zurückzugreifen, die eine schnelle Beweissicherung und Beendigung der Rechtsverletzung ermöglichen. Die

---

*Aspekte der Dienste der Informationsgesellschaft, insb. des elektronischen Geschäftsverkehrs*, zugute kommen, die gemäß Art. 3 lit. a Richtlinie 2000/31/EG ausdrücklich nicht berührt werden sollen.

16 Davon unberührt bleibt allerdings die Verpflichtung zur Gewährung hinreichend wirksamer und abschreckender Strafsanktionen, Art. 61 TRIPS.

17 So enthält die Richtlinie u.a. die Verpflichtung zur Gewährleistung eines Schadensersatzanspruchs (Art. 13 Enforcement-RL), einstweiliger Sicherungsmaßnahmen (Art. 9 Enforcement-RL), Beweissicherungsmaßnahmen (Art. 7 Enforcement-RL), Abhilfemaßnahmen (Art. 10 Enforcement-RL) und eines Auskunftsanspruchs (Art. 8 Enforcement-RL).

hier auftretenden Schwierigkeiten der Informationserlangung des Rechtsverletzers in Dreiecksbeziehungen, die die Durchführung eines Zivilprozesses erschweren, wenn nicht gar unmöglich machen, wurden in Deutschland und Italien durch Implementierung der Enforcement-RL entschärft. In beiden Ländern wurde ein Auskunftsanspruch nicht nur gegen den Rechtsverletzer selbst, sondern auch gegen an einer in gewerblichem Ausmaß vorgenommenen Verletzungshandlung unbeteiligte Dritte eingeführt. Während in Deutschland in beiden Konstellationen das Gewerblichkeitserfordernis gewahrt werden muss, ist dies in Italien bei einem Auskunftsanspruch gegen den Rechtsverletzer selbst nicht erforderlich. Auch die Definition der Gewerblichkeit unterscheidet sich in den beiden Rechtsordnungen: In Deutschland können schon private Aktivitäten von dem Begriff erfasst werden, wenn die Verletzungshandlung schwer genug ist; so etwa wenn das Werk einen bedeutenden wirtschaftlichen Wert aufweist. In Italien reicht Handeln in privatem Rahmen für die Erfüllung des Kriteriums nicht aus. Zumindest herrscht Einigkeit darüber, dass die Tätigkeit im Laufe des Handelsbetriebs erfolgen muss; d.h. dass lediglich Hersteller und gewerbsmäßig Handelstreibende das Merkmal erfüllen können.[18]

Darüber hinaus gewähren zivilrechtliche Schadensersatzansprüche in allen drei Rechtsordnungen im Unterschied zum Strafrecht einen Ausgleich für den erlittenen wirtschaftlichen Schaden, ohne an ein besonderes Vorsatzerfordernis geknüpft zu sein. Gerade bei gewerblich handelnden Tätern, die aus den Verletzungshandlungen große Profite gezogen haben, kann dies ein lohnendes Mittel sein. Auch die Möglichkeit der analogen Rechtsanwendung, die das Zivilrecht bietet, kann gegenüber dem strafrechtlichen Analogieverbot von Vorteil sein. Zudem stärkt die Weite des Schutzguts die Bedeutung des zivilrechtlichen Instrumentariums, geschützt sind nämlich in Deutschland, Italien und England urheberrechtliche Verwertungs- und Nutzungsrechte schlechthin, es gibt keine Begrenzung auf einzeln aufgezählte Verletzungshandlungen oder eine Begrenzung des Schutzguts.[19] Schließlich erlauben § 97 Abs. 3 UrhG und Sec. 96 (2) CDPA stets neben der Anwendung der urheberrechtlichen Maßnahmen einen Rückgriff auf andere zivilrechtliche Normen,[20] was die Bedeutung des zivilrechtlichen Instrumentariums zusätzlich betont und stärkt.

In England zeichnen sich die breitgefächerten zivilrechtlichen Maßnahmen durch eine Strenge und Härte aus, die an die Repressivität des Strafrechts erinnern.[21] Man

---

18 Siehe oben Vierter Teil, III.A.1.d)aa).

19 *Schack*, Urheber- und Urhebervertragsrecht, S. 405 Rn. 848; *Mondini/Carabelli*, in: Campbell/Cotter (ed.), Copyright Infringement, S. 211; *Torremans*, Holyoak and Torremans Intellectual Property Law, S. 234.

20 In Italien verweist Art. 158 Abs. 2 LDA auf die Anwendbarkeit allgemeiner schadensersatzrechtlicher Bestimmungen; bei der prozessualen Durchsetzung der Ansprüche findet das italienische Zivilprozessrecht Anwendung, vgl. Art. 156 Abs. 3 LDA, Art. 156-*ter* Abs. 6 LDA, Art. 162 LDA.

21 *Stauder*, GRUR Int. 1982, 226.

denke hier etwa an das *discovery*-Verfahren oder die einschneidende *Anton Piller order*,[22] die dem Rechtsinhaber weitreichende Rechte zur Hausdurchsuchung bei dem mutmaßlichen Verletzer gewährt. Außerdem besteht für das Gericht die Möglichkeit, dem Kläger einen zusätzlichen Schadensersatz *(additional damages)* zuzusprechen, wenn der Beklagte nicht nur einen allgemeinen Haftungstatbestand erfüllt, sondern darüber hinaus ein besonders bösartiges oder rücksichtsloses Verhalten gezeigt hat. Diese Maßnahme scheint verlockend, denn durch die Aussicht auf zusätzliche Entschädigung sehen manche eine zusätzliche Abschreckungswirkung für die Rechtsverletzer und auch eine stärkere Motivation zur Rechtsverfolgung aufseiten der Rechtsinhaber, die durch das hohe Kostenrisiko und den Aufwand zur Auffindung der Rechtsverletzer vom Gang zum Gericht abgehalten werden können. Hier hält das englische Recht eine Möglichkeit bereit, die der deutschen und italienischen Rechtsordnung fremd ist. In den kontinentaleuropäischen Rechtsordnungen, die ein staatliches Bestrafungsmonopol vorsehen, ist die Vermengung von zivil- und strafrechtlichen Komponenten verboten. Im Übrigen ist auch nach gemeinschaftsrechtlichen Vorgaben mit der Enforcement-RL nicht die einheitliche Einführung eines Strafschadensersatzes in der EU bezweckt worden, wie Erwägungsgrund 26, letzter Satz belegt.

## B. Strafrechtliche Maßnahmen

Die in den letzten Jahren erfolgte Stärkung strafrechtlicher Normen zum Schutz von Immaterialgüterrechten auf nationaler Ebene ist auch auf internationale Harmonisierungsbemühungen zurückzuführen. Vorrangig ist dabei an die Verpflichtungen des TRIPS-Abkommens zu denken, das die Vertragsparteien nicht nur zur Schaffung zivilrechtlicher Maßnahmen,[23] sondern in Art. 61 auch zur Gewährleistung abschreckender strafrechtlicher Sanktionen zumindest bei vorsätzlicher unerlaubter *Herstellung* urheberrechtlich geschützter Waren in *gewerbsmäßigem Umfang* anhält.[24] Auf europäischer Ebene gibt es bisher nur zaghafte Vereinheitlichungsbemühungen bezüglich einer strafrechtlichen Erfassung von Urheberrechtsverletzungen. Darüber hinaus wurde bislang aufgrund von kompetenzrechtlichen Problemen gänzlich auf die Harmonisierung der Strafrechtsfolgen bei Immaterialgüterrechtsverletzungen verzichtet, allerdings könnte sich dies aufgrund neuer Kompetenzgrundlagen nach Inkrafttreten des Vertrags von Lissabon bald ändern.[25] Folglich bestehen weiterhin Unterschiede zwischen den nationalen Vor-

---

22 Siehe oben Fünfter Teil, III.A.1.c)hh) und jj).

23 Vgl. Art. 42 TRIPS.

24 An dieser Vorschrift fällt auf, dass nur die Herstellung von Waren erfasst ist, wohingegen keine Verpflichtung zu einer strafrechtlichen Sanktionierung anderer Verwertungshandlungen besteht.

25 Vgl. Art. 2 Abs. 3 lit. c Enforcement-RL; siehe auch Sechster Teil, V.A.1.

schriften, etwa bezüglich des Strafmaßes der Urheberrechtssanktionen. In Deutschland beträgt das Höchstmaß bei einer gewerbsmäßigen unerlaubten Verwertung gemäß § 108a UrhG Freiheitsstrafe von *bis zu fünf Jahren*, während in Italien die Höchstgrenze ebenfalls bei gewerbsmäßigem Handeln Freiheitsstrafe von einem *bis zu vier Jahren* beträgt gemäß Art. 171-*ter* Abs. 2 UrhG.[26] In England können Urheberrechtsstraftatbestände sowohl am *Magistates' Court* wie auch am *Crown Court* verhandelt werden (sog. *offences triable either way*). Nach dem jeweils zuständigen Gericht richtet sich die Obergrenze des Strafmaßes im Einzelnen. Während die Freiheitsstrafe am *Magistrates' Court* höchstens *sechs Monate* betragen darf, kann am *Crown Court* eine Freiheitsstrafe von *bis zu zehn Jahren* verhängt werden.

Ein deutlicher Unterschied fällt außerdem bei Aufbau und äußerer Form der urheberstrafrechtlichen Normen auf: Die sprachlich kurz gefassten Straftatbestände der §§ 106 ff. UrhG, die aufgrund ihrer allgemeinen Formulierung Auslegungsspielraum für Gerichte und Rechtswissenschaft lassen,[27] stehen den langen Aufzählungen der italienischen und englischen Normen gegenüber. Dabei ist hervorzuheben, dass die vom italienischen und englischen Recht angestrebte möglichst vollständige und lückenlose Erfassung der Begehungsformen wegen ihrer Komplexität zu Verständnisschwierigkeiten führt. Insbesondere die italienischen Urheberrechtsstrafnormen weisen aufgrund der vielen Gesetzesänderungen der letzten Jahre Unverständlichkeiten und Unklarheiten auf, die Lektüre und rechtliche Würdigung erschweren.

Rechtsinhaber gehen angesichts des immensen Umfangs der durch digitale Produktpiraterie erstellten gefälschten Güter und des dadurch entstandenen Schadens derzeit vermehrt strafrechtlich vor.[28] Nicht nur sollen die weitgehenden Ermittlungsbefugnisse der Strafjustiz genutzt werden,[29] man erhofft sich von hohen Sanktionen auch eine große Abschreckungswirkung für die Rechtsverletzer, die möglicherweise über zivilrechtliche Ansprüche nur den entstandenen Schaden oder den

---

[26] Hier fällt außerdem auf, dass in Italien bei Freiheitsstrafen im Unterschied zum deutschen und englischen Recht auch Untergrenzen normiert sind.

[27] Insbesondere der Grundtatbestand der unerlaubten Verwertung urheberrechtlich geschützter Werke in § 106 UrhG erscheint aufgrund seiner Kürze beinahe schon generalklauselartig.

[28] Vgl. Produktpiraterieberichte der Bundesregierung, BT-Drucks. 12/4427, 14/2111; polizeiliche Kriminalstatistik der BRD 2002; Schricker-*Haß*, § 106 Rn. 2.

[29] So wurde in Deutschland gerade vor Einführung des Drittauskunftsanspruchs in § 101 UrhG der strafrechtliche Schutz, insbesondere die Akteneinsicht nach § 406 e StPO, zur Durchsetzung zivilrechtlicher Ansprüche funktionalisiert. Angesichts der ungleichen Verfahrensvoraussetzungen und -maximen in Straf- und Zivilprozess und auch der Ultima-Ratio-Funktion des Strafrechts ist eine solche Vorgehensweise nicht unbedenklich; Schricker-*Haß*, § 106 Rn. 4; *Nordemann*, NStZ 1982, 372 ff., *Hildebrandt*, Strafvorschriften, S. 509, 512 f.; *Roxin*, Strafrecht AT, § 2 Rn. 38 ff.; *Sternberg-Lieben*, Musikdiebstahl, S. 125, 140.

erwirtschafteten Verletzergewinn ersetzen und eine Unterlassungsanordnung der Verletzungshandlung fürchten müssten.

Gerade bei der Bekämpfung internationaler Kriminalität ist der Rückgriff auf das Strafrecht von Vorteil. So ermöglicht die Mitteilung bestimmter strafrechtlicher Verurteilungen[30] an die Zollbehörden, anders als bei zivilrechtlichen Verurteilungen, einen besseren Informationsfluss und bessere Kontrollen betroffener Unternehmen.[31] Ferner können sich betroffene Unternehmen einer strafrechtlichen Inanspruchnahme nicht so einfach wie einer zivilrechtlichen durch Umzug in andere europäische Länder entziehen.[32]

Allerdings soll das strafrechtliche Instrumentarium nicht zur Verfolgung von Bagatellfällen, sondern gerade als einschneidendstes Mittel zur Wahrung und Wiederherstellung des Rechtsfriedens in Fällen nachhaltiger Verletzungshandlungen eingesetzt werden. Angesichts eines oft feststellbaren fehlenden Bewusstseins der moralischen Verwerflichkeit von Immaterialgüterrechtsverletzungen in der Gesellschaft könnte eine übermäßige Strafverfolgung der Akzeptanz des Urheberrechts schaden. Nachteilig können sich strafrechtliche Sanktionen auch auf wirtschaftliche Interessen auswirken: Erschöpft die Verurteilung zu einer Geldstrafe die finanziellen Kapazitäten des Verletzers, könnten die vom Rechtsinhaber gestellten zivilrechtlichen Ansprüche leerlaufen. Ebenso würde bei der Verurteilung zu einer Freiheitsstrafe dem Verletzer die Möglichkeit genommen, Einkommen zur Begleichung der Geldansprüche des Verletzten zu verdienen.[33] Auch aus wettbewerbspolitischen Gründen sind Bedenken anzumelden. So hat eine ökonomische Analyse[34] des geistigen Eigentums gezeigt, dass bei überschießenden Sanktionen Freiräume, die an sich rechtmäßig zu nutzen wären, im Zweifel mit Blick auf vermeintlich drohende Sanktionen gemieden werden.[35] Dies würde Innovationen zurückhalten und einen gesunden Wettbewerb behindern.[36] Ungeachtet wirtschaftlicher Interes-

---

30 Vgl. RiStBV Nr. 266.

31 *Hildebrandt*, Strafvorschriften, S. 501.

32 Hierbei ist an die Möglichkeiten internationaler Rechtshilfe zu denken, insbesondere das Schengener Durchführungsübereinkommen vom 19.6.1990, aufgenommen in den EU-Vertrag durch den Amsterdamer Vertrag (in Kraft getreten am 1.5.1999), durch das weitreichende Regelungen zur polizeilichen Zusammenarbeit (Art. 39 ff.) und Rechtshilfe in Strafsachen (Art. 48 ff.) sowie das Schengener Informationssystem geschaffen wurden, zudem sei auf den zwar lediglich einen bestimmten Straftatenkatalog umfassenden europäischen Haftbefehl verwiesen, der als erstes Instrument aus dem Grundsatz der gegenseitigen Anerkennung erwachsen ist.

33 *Hildebrandt*, Strafvorschriften, S. 508 C; *Weber*, FuR 1980, 338 f.

34 Siehe zur ökonomischen Analyse *Lemley*, 82 Texas Law Review 2005, 1032 ff.; *Peukert/Kur*, GRUR Int. 2006, 293.

35 *Peukert*, in: Hilty/Peukert (Hrsg.), Interessenausgleich im Urheberrecht, S. 11 ff.; *Peukert/Kur*, GRUR Int. 2006, 293.

36 So hat der Große Senat des Bundesgerichtshofs die Notwendigkeit der Herstellung eines ausgewogenen Verhältnisses zwischen Schutz des geistigen Eigentums und Wettbewerbs- und Handlungsfreiheit der Marktteilnehmer in seinem Beschluss zur sog. unbe-

sen wäre letztlich auch denkbar, dass das strafrechtliche Instrumentarium aufgrund seiner abschreckenden Wirkung die urheberrechtlich geschützte und geförderte Kreativität der möglicherweise Betroffenen von vornherein erstickt und behindert.[37]

## C. Verwaltungsstrafrechtliche Maßnahmen

Deutsches und italienisches Urheberrechtsgesetz enthalten im Gegensatz zum englischen CDPA ordnungswidrigkeitenrechtliche bzw. verwaltungsstrafrechtliche Maßnahmen zur Sanktionierung von Urheberrechtsverletzungen.[38] In Deutschland wurde in Umsetzung der Harmonisierungs-RL als zusätzliche Absicherung der erste Bußgeldparagraf in das deutsche UrhG eingeführt. Darin werden nicht nur Vorbereitungen zu Umgehungshandlungen als Ordnungswidrigkeit sanktioniert, auch der Rechtsinhaber wird mit einem Bußgeld belegt, wenn er seinen Pflichten nicht nachkommt.[39] In Italien wird im Urheberrecht hingegen mehrfach von verwaltungsrechtlichen Maßnahmen Gebrauch gemacht. Dabei erfüllen sie zwei Funktionen: Einerseits stehen sie komplementär zum strafrechtlichen Instrumentarium und sollen etwaige Schutzlücken schließen, andererseits können sie subsidiär eingreifen, wenn in den Straftatbeständen (meist subjektive) Tatbestandselemente fehlen.[40] Im italienischen Urheberrechtsgesetz gibt es zudem eine Regelung bezüglich der Verwendung der aus den Bußgeldern der Art. 174-*bis* und 174-*ter* LDA fließenden Einnahmen: Diese sollen zur Bekämpfung von Urheberrechtsdelikten verwendet werden.

## D. Zollrechtliche Maßnahmen

Die zollrechtliche Grenzbeschlagnahme ist ein besonders effektives Instrument zur Bekämpfung der Produktpiraterie. Sie ermöglicht es, bereits den Zustrom schutzrechtsverletzender Produkte aus dem Ausland einzudämmen und so wirksam den weiteren Vertrieb der Ware auf dem nationalen Markt zu verhindern. Damit

---

rechtigten Schutzrechtsverwarnung in aller Deutlichkeit festgehalten; siehe BGH, NJW 2005, 3141 f.; BGH, GRUR 2006, 219, 222.

37 *Hildebrandt*, Strafvorschriften, S. 508 C.

38 Daneben hält auch das öffentliche Wirtschaftsrecht beider Länder gewerberechtliche Normen bereit, die bei Begehung einer Verletzungshandlung durch einen Gewerbetreibenden eingreifen.

39 Vgl. § 111a UrhG, danach muss der Rechtsinhaber die notwendigen Mittel zur Umgehung der technischen Maßnahmen zur Verfügung stellen und seinen Kennzeichnungspflichten an Werken, die mit technischen Maßnahmen versehen sind, nachkommen.

40 Vgl. etwa Art. 172, Art. 174-*ter*, Art. 174-*bis*, Art. 171 Abs. 4 und Art. 174-*quinquies* LDA.

erfasst sie zwar nur den grenzüberschreitenden Verkehr körperlicher Gegenstände, aber gerade bei der Eindämmung von Film- und Musikpiraterie ist sie auch hier von Nutzen. Bezüglich der zollrechtlichen Maßnahmen ist zwischen zwei unterschiedlichen Rechtssetzungsebenen, der nationalen und der unmittelbar wirkenden supranationalen,[41] zu unterscheiden.[42] In Deutschland und England verbleibt nationalen Regelungen bezüglich der Grenzbeschlagnahme und anderen zollrechtlichen Handelns ein eigener Anwendungsbereich,[43] während in Italien das nationale Recht durch die Regelung einer Grenzbeschlagnahme auf europäischer Ebene nach Verordnung (EG) Nr. 1383/2003 (Piraterieverordnung) ersetzt wurde.

Die nationalen Regelungen in Deutschland und England sind weiterhin anwendbar, soweit die Piraterieverordnung nicht greift. Der Anwendungsbereich der Verordnung ist bei Einfuhr rechtsverletzender Vervielfältigungsstücke aus Drittländern und deren Ausfuhr in solche Länder eröffnet. Wichtig sind daher insbesondere zwei Anwendungsfälle für die nationalen Vorschriften:[44] zunächst der Fall des Warenverkehrs zwischen den einzelnen Mitgliedstaaten der Europäischen Gemeinschaft. Daneben werden auch Parallelimporte,[45] also Originalwaren, die ohne Zustimmung des Rechtsinhabers und somit unter Umgehung vertraglich festgelegter Vertriebswege aus Drittländern ein- oder ausgeführt werden, von den nationalen Vorschriften erfasst.

Bedeutung erlangt das zollrechtliche Verfahren in Deutschland nicht nur hinsichtlich der Blockierung rechtsverletzender Ware schon an den Staatsgrenzen, sondern auch hinsichtlich eines Auskunftsanspruchs des Antragstellers zu Herkunft, Menge und Lagerort der Vervielfältigungsstücke sowie Name und Anschrift des Verfügungsberechtigten, § 111b Abs. 2 Satz 2 UrhG. In England sind Auskunftsansprüche gegen die Zollbehörde zwar nicht ausdrücklich gesetzlich normiert, wurden aber bereits von Gerichten zugesprochen.[46]

---

41 Verordnungen sind nach Art. 288 Abs. 2 Satz 2 AEUV (Art. 249 Abs. 2 Satz 2 EG a.F.) in allen ihren Teilen verbindlich und gelten unmittelbar in jedem Mitgliedstaat.

42 Die Kodifizierung eines Grenzbeschlagnahmeverfahrens ist auch eine Verpflichtung, die sich aus den Art. 51 ff. TRIPS-Abkommen ergibt, welche jedoch für den Schutzrechtsinhaber kein unmittelbar geltendes Recht darstellen, da lediglich die Abkommensmitglieder verpflichtet werden, ggf. ihr nationales Recht entsprechend zu gestalten.

43 Insgesamt fallen allerdings nur etwa vier Prozent der Fälle der Zollbeschlagnahme in den Anwendungsbereich des rein deutschen Rechts, Gesetzentwurf der Bundesregierung vom 20.4.2007, BT-Drucks. 16/5048, S. 34.

44 Vgl. Gesetzentwurf der Bundesregierung vom 20.4.2007, BT-Drucks. 16/5048, S. 34.

45 Art. 3 Abs. 1 Verordnung Nr. 1383/2003 nimmt Parallelimporte vom Anwendungsbereich der Verordnung aus.

46 *Norwich Pharmacal Co. v Customs and Excise Commissioners* [1974] AC 133. Auch nach Art. 9 Abs. 3 Verordnung Nr. 1383/2003 besteht ein Auskunftsanspruch der Rechtsinhaber. Demnach teilt die Zollstelle zum Zweck der Feststellung, ob ein Recht geistigen Eigentums nach den Rechtsvorschriften des betreffenden Mitgliedstaats verletzt ist, auf Antrag Name und Anschrift des Empfängers sowie des Versenders, des Anmelders oder des Besitzers der Waren, den Ursprung und die Herkunft der Waren, die im Verdacht

## III. Schlussbemerkung und Ausblick

### A. Forschungsergebnis

Darstellung und Vergleich des verfügbaren Instrumentariums rechtlicher Schutz- und Sanktionsmechanismen im deutschen, italienischen und englischen Urheberrecht haben gezeigt, dass trotz einiger Unterschiede im materiellen und prozessualen Recht und auch einer unterschiedlichen Gewichtung der verschiedenen Rechtsgebiete alle untersuchten Rechtsordnungen über ausdifferenzierte Schutz- und Sanktionsmechanismen für die Bekämpfung digitaler Produktpiraterie verfügen und damit einen hohen Schutzstandard für die Rechtsinhaber bieten.

Zivil- und strafrechtliche Schutz- und Sanktionsmechanismen stellen heute die wichtigste Handhabe im Kampf gegen Produktpiraterie dar. Das Verhältnis zivil- und strafrechtlicher Maßnahmen zueinander ist hauptsächlich durch die unterschiedliche Schutzrichtung beider Rechtsgebiete geprägt. Urheberrechtsstreitsachen werden in den untersuchten Rechtsordnungen grundsätzlich dem Zivilrecht zugeordnet. Zur Durchsetzung und zum Schutz der urheberrechtlichen Rechtspositionen hat sich ein weitreichendes zivilrechtliches Instrumentarium entwickelt, mit dem die Rechtsinhaber ihre meist vorrangigen Ziele, die Rechtsverletzung zu unterbinden und Schadensersatz zu erhalten, erreichen können. Zudem hat sich das in Deutschland und Italien bestehende Problem eines Informationsdefizits in Dreieckskonstellationen mit der Einführung eines Auskunftsanspruchs gegen unbeteiligte Dritte zumindest in Fällen der Begehung in gewerblichem Ausmaß entschärft. Durch die Möglichkeit der Informationserlangung auf zivilrechtlichem Weg wurde gleichzeitig die Gefahr einer Funktionalisierung der hoheitlichen Ermittlungsbefugnisse zur Durchsetzung zivilrechtlicher Ansprüche verringert. In Bezug auf die zivilrechtlichen Maßnahmen in England wurde gezeigt, dass diese sich durch eine Strenge und Härte auszeichnen, die durch ihre repressiven Züge schon an strafrechtliches Handeln erinnern. Mit den Verfahren der *discovery* und der *Anton Piller order* hatten Rechtsinhaber schon vor Umsetzung der Enforcement-RL weitreichende Rechte zur Informationserlangung.

Allein die Existenz eines detaillierten zivilrechtlichen Schutzes reicht allerdings nicht aus, um diesem Rechtsgebiet den Vorzug bei der Bekämpfung der Produktpiraterie zu geben. Die Notwendigkeit der Verschärfung strafrechtlicher Maßnahmen hat sich insbesondere aus der stark angewachsenen globalen Produktpiraterie mit digitalen Werken ergeben. So ist der Einsatz strafrechtlicher Sanktionen vor allem bei der Bekämpfung internationaler Kriminalität und von in gewerblichem Umfang begangenen Verletzungshandlungen wichtig.

---

stehen, ein Recht geistigen Eigentums zu verletzen, mit, sofern diese Informationen vorliegen.

Verwaltungs- oder ordnungswidrigkeitenrechtlichen Maßnahmen kommt demgegenüber eine eher untergeordnete Bedeutung als zusätzliche Absicherung oder Auffangtatbestand zu. Die zollrechtliche Grenzbeschlagnahme nach nationalen Vorschriften ist auf eine eng umgrenzte Fallgruppe beschränkt[47] und kann somit etwa gegen die digitale Piraterie im Internet nichts ausrichten.

## B. Rechtsdurchsetzung und Verfahren

Die Rechtsdurchsetzung auf strafrechtlichem Weg wird zum einen dadurch erleichtert, dass urheberstrafrechtliche Delikte durch den hoheitlichen Strafverfolgungsappararat verfolgt werden, während in einem zivilrechtlichen Verfahren die privaten Parteien den Prozess führen. Die Einleitung eines zivilrechtlichen Verfahrens kann in manchen Fällen einschüchternd und sogar abschreckend wirken, wenn die finanziellen Rücklagen und die Erfahrung in gleichgearteten Prozessen des Rechtsverletzers ungleich höher sind als diejenigen des verletzten Rechtsinhabers. So beispielsweise, wenn ein einzelner Urheber eine große Mediengruppe verklagen möchte.[48]

Weitere grundlegende Unterschiede ergeben sich mit Blick auf die ungleichen Verfahrensvoraussetzungen und -maximen in Straf- und Zivilprozess. Der Grundsatz der zivilprozessualen Waffengleichheit und die Geltung einer zivilprozessualen Beweislast stehen strafprozessualen Zwangsmitteln aufseiten des Strafverfolgungsapparats gegenüber. Zudem gilt im Zivilrecht nicht der Grundsatz der Unschuldsvermutung, was die Verurteilung des Beklagten schon bei überwiegender Wahrscheinlichkeit seiner Tatbegehung ermöglicht. Des Weiteren könnte durch einen weitreichenden strafprozessualen Einsichtsanspruch, der über die zivilrechtlichen Auskunftsansprüche hinausgeht,[49] der im Zivilrecht hochgehaltene Schutz von Betriebs- und Geschäftsgeheimnissen unterlaufen werden.[50]

---

47 Dabei handelt es sich um die Einfuhr rechtsverletzender Vervielfältigungsstücke aus Drittländern und deren Ausfuhr in solche Länder oder Parallelimporte aus Nicht-EU-Staaten.

48 *Aliprandi,* Capire il copyright, S. 68.

49 *Hildebrandt*, Strafvorschriften, S. 514 f.; Schricker-*Haß*, § 106 Rn. 4; a.A. ist *Sieber*, FS Spendel, S. 763, der einen Wertungswiderspruch zwischen Zivil- und Strafprozessrecht unter Hinweis auf den unterschiedlichen Regelungsinhalt strafprozessualer und zivilrechtlicher Einsichtsansprüche verneint und in der Wahrnehmung solcher Einsichtsrechte originäre strafprozessuale Teilnahmerechte sieht, die aus der Verfahrensstellung als Nebenkläger erwachsen. In der Rechtsprechung wird das Verhältnis zwischen dem strafprozessualen Akteneinsichtsrecht und der parallelen Anwendung zivilrechtlicher Maßnahmen ebenfalls kontrovers beurteilt, siehe oben Dritter Teil, Fn. 360.

50 In Gesetzentwurf der Bundesregierung vom 15.6.1989, BT-Drucks. 11/4792, S. 33: Die bei Einführung des alten § 101a UrhG durch das Produktpirateriegesetz gegebene Begründung des Gesetzgebers ist auch nach Umsetzung der Enforcement-RL und der damit verbundenen Ausweitung des Auskunftsanspruchs auf Dritte im neuen § 101 UrhG weiter

## C. Bedeutung außerrechtlicher Maßnahmen

Außerrechtlichen Maßnahmen kommt innerhalb der Schutzmechanismen eine Sonderrolle zu. Mit der Übernahme der Gestaltung urheberrechtlichen Schutzes durch Rechtsinhaber und Industrie hat eine gewisse Verlagerung des Rechtsschutzes in den privaten Bereich stattgefunden. Am häufigsten griffen die Betroffenen bisher als Instrument zur Selbsthilfe auf technische Schutzmaßnahmen zurück, meist in Form von DRM-Systemen, die auf einem kombinierten Einsatz verschiedener Schutztechniken und die Heranziehung rechtlicher Schutzmechanismen aufbauen. Da es bisher keine unüberwindbaren technischen Maßnahmen gibt, ist für die Gewährleistung der Effektivität dieser Mechanismen von staatlicher Seite ein unterstützender gesetzlicher Umgehungsschutz erforderlich.[51]

Der Einsatz technischer Maßnahmen ist allerdings nicht unumstritten: Einst aus einer Notsituation geschaffen und als wirksamstes Mittel bei der Nutzungskontrolle sowohl legal als auch illegal erworbener digitaler Werke gepriesen, wurden bald große Schwachstellen entdeckt. So führten Schwierigkeiten, einen gerechten Interessenausgleich zwischen Rechtsinhabern und privaten Nutzern zu erreichen, ein häufig unverhältnismäßiger Einsatz der DRM-Systeme durch die Rechtsinhaber und dadurch bedingte Schadensfälle bei den Nutzern zu Akzeptanzproblemen in der Bevölkerung und einem Ansehensverlust der beteiligten Unternehmen. Dies hat ein Umdenken aufseiten der Rechtsinhaber bewirkt, die zunehmend auf diese Schutzmaßnahmen verzichten.[52] Zusätzlich zu der technischen und gesetzlichen Absicherung digitaler Werke ist demnach auch Akzeptanz und Einhaltung der Nutzungsbedingungen durch die Verbraucher für die Effektivität dieser Maßnahmen erforderlich.

Um die steigende Nachfrage nach Waren und Dienstleistungen im Internet zu stillen, haben Rechtsinhaber neue Geschäftsmodelle entwickelt, die ihnen einen kundenorientierten Absatz ihrer Werke ermöglichen sollen. Ein breitflächiges legales Angebot digitaler Werke über das Internet ist eine wichtige Voraussetzung für eine Verringerung der digitalen Produktpiraterie. Dabei ist für die Entwicklung und Durchsetzung neuer Vertriebsmodelle die Kooperation der verschiedenen Interessengruppen auf diesem Gebiet grundlegend. Wichtig ist hier zunächst der Austausch und Dialog zwischen den diversen Akteuren, bei dem Lösungen gesucht

---

gültig; danach widerspreche ein weitreichender Einsichtsanspruch der deutschen Rechtsordnung und bewirke eine unvertretbare Bevorzugung der Interessen des Schutzrechtsinhabers gegenüber den Interessen des Verletzers an der Wahrung seiner Betriebs- und Geschäftsgeheimnisse und komme in die Nähe der Ausforschung.

[51] Die nationalen Regelungen setzen die Verpflichtungen aus Art. 6 und 7 der Harmonisierungs-RL um, die ihrerseits auf den allgemeiner gehaltenen Verpflichtungen der WIPO-Abkommen, also Art. 11 WCT und Art. 18 WPPT, beruhen.

[52] Vgl. Vierter Teil, Fn. 256 f. So verzichtet der Computer- und Elektronikkonzern *Apple* auf den Kopierschutz bei seinem Online-Musikdienst *iTunes*. Daneben bietet auch der Internethändler *Amazon.com* Musik ohne technischen Kopierschutz an.

werden, die die Interessen aller Beteiligten berücksichtigen. Beispielhaft[53] kann hier die Initiative der Europäischen Kommission angeführt werden, Rechtsinhaber und Internet Service Provider zusammenzubringen, bei der Suche nach gerechten Lösungen zu vermitteln und möglicherweise auch den Abschluss freiwilliger Absichtserklärungen voranzutreiben.[54]

Für das Funktionieren solcher neuer Geschäftsmodelle ist jedoch ein Wandel der Verbrauchererwartungen und -gewohnheiten die Grundbedingung. Denn eine zumindest teilweise Abkehr von der „Kostenlos"-Kultur im Internet ist nur möglich, wenn die Internetnutzer erkennen, dass auch in der digitalen Welt eine wirtschaftliche Basis für qualitativ hochwertige Arbeit erforderlich ist. Ein solches Umdenken aufseiten der Verbraucher fördern beispielsweise Aufklärungskampagnen zur Schärfung des Unrechtsbewusstseins. Solche Kampagnen können sowohl von staatlicher wie privater Seite veranstaltet werden. Zunehmend wirken auch hier Staat und Industrie zusammen, indem etwa gemeinsame Aktionspläne aufgestellt und durchgeführt werden.

# D. Ausblick

> „Wenn es dort eine Sache gibt, die weniger geeignet ist, ausschließliches Eigentum zu sein, dann ist dies das Ergebnis eines Gedankenvorgangs, genannt eine Idee, die einem Individuum so lange gehören kann, wie es sie für sich alleine behält; allerdings zwingt sie sich im Augenblick ihrer Verbreitung in das Eigentum der Allgemeinheit und der Empfänger kann sich dem nicht verweigern. Zu ihren besonderen Eigenschaften zählt auch, dass niemandem ein geringerer Teil davon gehört, denn jedem gehört das Ganze. Derjenige, der von mir eine Idee empfängt, erhält eine eigene Anleitung, ohne die meinige zu verringern; ebenso wie derjenige, der seine Kerze an meiner entzündet, Licht empfängt, ohne mir Licht zu nehmen."[55]

Diese Aussage *Thomas Jeffersons* beschreibt exemplarisch ein dem Schutz von Immaterialgüterrechten anhaftendes Grundproblem. Es gibt zwar viele Arten von Immaterialgütern, etwa Ideen, Erfindungen oder Entdeckungen, die von jedem, der

---

[53] Auch die zwischen der englischen Regierung und der *British Phonographic Industrie* (zu den Mitgliedern zählen mehrere hundert Medien- und Musikunternehmen, darunter auch die vier größten: *Warner Music Group, EMI, Sony BMG* und *Universal Music Group*) sowie den sechs größten nationalen Internet Service Providern geschlossene Absichtserklärung, gemeinsam im Kampf gegen Produkt- und Internetpiraterie vorzugehen, zeigt, dass Politik und Musikindustrie die Schlüsselposition der Netzanbieter und die Chancen durch eine Zusammenarbeit erkannt haben. In Deutschland haben etwa das Bundesjustizministerium oder das Bundesfamilienministerium zu Treffen mit verschiedenen Zugangsanbietern geladen, um ein gemeinsames Vorgehen gegen Raubkopierer zu besprechen.

[54] Communication from the Commission to the Council, the European Parliament and the European Economic and Social Committee, COM(2009) 467 final; zu lesen unter: http://ec.europa.eu/internal_market/iprenforcement/docs/ip-09-1313/communication_en.pdf.

[55] *Thomas Jefferson*, Brief an Isaac McPherson vom 13.8.1813, abgedruckt in: *Washington* (ed.), Writings of Thomas Jefferson 1790–1826, S. 180 f., Übersetzung von der Autorin.

von ihnen Kenntnis erlangt, genutzt werden können. Im Gegensatz dazu hat bei Immaterialgüterrechten bereits eine Zuordnung des Immaterialguts zu einer konkreten Person durch die Rechtsordnung und damit die Klassifizierung als Rechtsobjekt stattgefunden.[56] Das Urheberrecht gewährt also gerade nicht, wie in dem Zitat erwähnt, einen bloßen Ideenschutz, sondern schützt vielmehr das Werk als Ergebnis der persönlichen geistigen Arbeit des Urhebers.

Allerdings haben sich mit der Digitalisierung und der Verbreitung des Internets die Vervielfältigungs- und Nutzungsmodalitäten urheberrechtlicher Werke derart vereinfacht, dass Nutzer ohne großen Zeit- und Kostenaufwand selbst Werke in Originalqualität kopieren und verbreiten können. Gleichzeitig sind heute die Nutzer urheberrechtlich geschützter Werke in wesentlich größerem Maße als früher auf den Zugang zu digital gespeicherten Werken angewiesen: So sind kaum kulturell relevante Handlungen im Internet möglich, die nicht in den Bereich einer urheberrechtlichen Nutzung der Werke fallen würden. Dies führte dazu, dass die hohen Produktpreise der Kulturindustrie und schließlich das Urheberrecht selbst von vielen Internetnutzern infrage gestellt wurden.

Demgegenüber erfüllt das Urheberrecht heute immer noch wichtige Funktionen und ist von grundlegender Bedeutung für die Kultur und die Kulturwirtschaft. Die Auswirkungen der Produkt- und Dienstleistungspiraterie ziehen sich durch verschiedene Bereiche und Interessengruppen: Zunächst sind die Rechtsinhaber, also Urheber und Industrie, durch Rückgang der Verkaufs- und Besucherzahlen, Beschädigung des Firmenansehens und Kostenzuwächse betroffen. Aber auch allgemeine sozioökonomische Folgen sind auf die Piraterie zurückzuführen: So können Innovation und Wachstum und insbesondere die Entwicklung des E-Commerce behindert werden. Zudem geht der Rückgang des Handels in diesem Wirtschaftssektor mit einem Arbeitsplatzabbau einher. Darüber hinaus leiden auch die Verbraucher selbst unter der Verbreitung illegaler Ware, denn durch die Unterbrechung der Wertschöpfungskette und die Unterfinanzierung der kreativen Industrie ist auch das vielfältige und hochwertige Angebot nicht weiter tragbar.

Daher ist es wichtig, dass nationale und internationale Gesetzgeber rechtliche Schutzmechanismen aufrechterhalten und weiterentwickeln. Diese Arbeit hat gezeigt, dass den Rechtsinhabern heute in den verschiedenen Rechtsregimen und auch im außerrechtlichen Bereich zahlreiche Schutz- und Sanktionsmaßnahmen zur Verfügung stehen, mit deren kombiniertem Einsatz ein effektiver Rechtsschutz gewährleistet werden kann. Dabei ist ein gerechter Ausgleich zwischen den berechtigten Interessen der Rechtsinhaber und der Werknutzer wichtig. Andernfalls besteht die Gefahr, dass die Akzeptanz des Urheberrechts und die Wertschätzung urheberrechtlicher Werke in der Bevölkerung sinken, anstatt gefördert zu werden. Denn nur wenn jedem Nutzer vermittelt wird, dass ein Urheber aufgrund seiner

56 *Schönherr*, FS für Troller, S. 62 f.

Werkherrschaft denselben Schutz wie ein Sacheigentümer verdient, kann das Funktionieren urheberrechtlicher Schutz- und Sanktionsmechanismen auch in der Zukunft gewährleistet werden.

# Literaturverzeichnis


*Abel, Stefan*, Der Gegenstand des Auskunftsanspruchs im deutschen Gewerblichen Rechtsschutz und Urheberrecht. In: Dietrich von Beier/Laurence Brüning-Petit/Christopher Heath (Hrsg.), Festschrift für Jochen Pagenberg zum 65. Geburtstag. Köln 2006, S. 221–233.

*Ahrens, Claus,* Die gesetzlichen Grundlagen der Grenzbeschlagnahme von Produktpirateriewaren nach dem deutschen nationalen Recht. BB 1997, 902–904.

– Die europarechtlichen Möglichkeiten der Beschlagnahme von Produktpirateriewaren an der Grenze unter Berücksichtigung des TRIPS-Abkommens. RIW 1996, 727–732.

*Aliprandi, Simone,* Capire il copyright. Percorso guidato nel diritto d'autore. Lodi 2007.

*Amos, Merris,* Human Rights Law. Oxford et al. 2006.

– Can we speak freely now? Freedom of expression under the Human Rights Act. [2002] EHRLR, 750–763.

*Angelopoulos, Christina J.*, Freedom of Expression and Copyright: The Double Balancing Act. [2008] IPQ 3, 328–353.

*Arlt, Christian*, Die Undurchsetzbarkeit digitaler Privatkopien gegenüber technischen Schutzmaßnahmen im Lichte der Verfassung. CR 2005, 646–651.

– Digital Rights Management Systeme. GRUR 2004, 548–554.

*Baumbach, Adolf/Lauterbach, Wolfgang/Albers, Jan/Hartmann, Peter*, Zivilprozessordnung. 68. Aufl., München 2010.

*Bechtold, Stefan*, Vom Urheber- zum Informationsrecht. München 2002.

*Becker, Eberhard/Buhse, Willms/Günnewig, Dirk/Rump, Niels* (ed.), Digital Rights Management. Berlin 2003.

*Bently, Lionel/Sherman, Brad*, Intellectual Property Law. 3rd ed., Oxford 2008.

*Berger, Christian,* Die Neuregelung der Privatkopie in § 53 Abs. 1 UrhG im Spannungsverhältnis von geistigem Eigentum, technischen Schutzmaßnahmen und Informationsfreiheit. ZUM 2004, 257–265.

*Bermond, Jean-Cyril,* The European Community's Fight Against Counterfeiting. Adoption of New Legal Tools. International Business Law Journal 2005, 189–206.

*Beulke, Werner*, Strafprozessrecht. 11. Aufl., Heidelberg 2010.

*Blakeney, Louise/Blakeney, Michael*, Counterfeiting and Piracy – Removing the Incentives through Confiscation. [2008 ] EIPR 348–356.

*Bodewig, Theo*, Praktische Probleme bei der Abwicklung der Rechtsfolgen einer Patentverletzung – Unterlassung, Beseitigung, Auskunft. GRUR 2005, 632–639.

*Bonelli, Giacomo*, La tutela penalistica, in particolare on-line, de diritto d'autore. Dir. Aut. 2004, 481–504.

– Le nuove norme a tutela del diritto d'autore: Un primo commento alla legge L.N. 248/ 2000. Dir. Aut. 2000, 391–398.

*Braun, Johann*, Einführung in die Rechtswissenschaft. 3. Aufl., Tübingen 2007.

*Braun, Thorsten/ Heise, Alexandra*, Die Grenzbeschlagnahme illegaler Tonträger in Fällen des Transits. GRUR Int. 2001, 28–32.

*Bröcker, Klaus Tim/Czychowski, Christian/Schäfer, Dietmar* (Hrsg.), Praxishandbuch geistiges Eigentum im Internet. München 2003.

Bundesministerium der Justiz, Referentenentwurf eines Gesetzes zur Verbesserung der Durchsetzung von Rechten des geistigen Eigentums. Abrufbar unter: http://www.urheberrecht.org/topic/enforce [30.5.2010].

*Canaris, Claus-Wilhelm*, Gewinnabschöpfung bei Verletzung des allgemeinen Persönlichkeitsrechts. In: Hans-Jürgen Ahrens/Christian von Bar/Gerfried Fischer/Andreas Spickhoff/Jochen Taupitz (Hrsg.), Festschrift für Erwin Deutsch zum 70. Geburtstag. Köln et al. 2004, S. 85–105.

*Carretta, P./Di Cicco, V./Succi, Tecla*, Il Diritto d'autore: Tutela Penale e amministrativa. 2nda ed., Forlì 2006.

*Chimienti, Laura*, Lineamenti del nuovo diritto d'autore: aggiornato con la direttiva 2001/29/CEE e con il D. lgs. 68/2003. Milano 2004.

*Cohen, Laurence J.*, United Kingdom. In: Dennis Campbell/Susan Cotter (eds.), Copyright Infringement. Comparative Law Yearbook of International Business. Special Issue, The Hague/London 1997, S. 361–392.

*Colucci, Fiore*, La tutela penale nel diritto d'autore. Torino 1996.

*Cook, Trevor/Brazell, Lorna*, The Copyright Directive. Bristol 2004.

*Cornish, William R..*, Großbritannien. In: Friedrich-Karl Beier/Horst-Peter Götting/ Michael Lehmann/Rainer Moufang (Hrsg.), Urhebervertragsrecht. Festgabe für Gerhard Schricker zum 60. Geburtstag. München 1995, S. 643–684.

– Zum Verständnis des Copyright nach dem Anglo-Amerikanischen System. GRUR Int. 1990, 500–574.

*Cunegatti, Beatrice,* Prime osservazioni alla Direttiva 2004/48/CE del 29 Aprile 2004 "Sul rispetto dei diritti di proprietà intellettuale": Come dovrà cambiare il diritto d'autore in ambito nazionale. Dir. Aut. 2006, 167–194.

*Czychowski, Christian*, Auskunftsansprüche gegenüber Internetzugangsprovidern „vor" dem 2. Korb und „nach" der Enforcement-Richtlinie der EU. MMR 2004, 514–519.

*Czychowski, Christian/Nordemann, Jan Bernd,* Vorratsdatenspeicherung und Urheberrecht – Zulässige Nutzung gespeicherter Daten. NJW 2008, 3095–3099.

*Dähn, Gerd,* Wirtschaftsstrafrechtliche Normen im Handels-, Urheber- und Erfinderrecht, In: Jürgen Baumann/Gerd Dähn (Hrsg.), Studien zum Wirtschaftsstrafrecht. Tübingen 1972, S. 120–137.

*Dannemann, Gerhard,* Die ungewollte Diskriminierung in der internationalen Rechtsanwendung: zur Anwendung, Berücksichtigung und Anpassung von Normen aus unterschiedlichen Rechtsordnungen. Tübingen 2004.

*Davies, Jennifer,* Intellectual Property Law. 3rd ed., Oxford 2008.

*Deutsch, Erwin,* Die Zwecke des Haftungsrechts. JZ 1971, 244–248.

*De Angelis, Deborah,* La tutela giuridica delle opere musicali digitali. Milano 2005.

*De Sanctis, Vittorio M.,* La corte costituzionale e il diritto d'autore. Dir. Aut. 1995, 428–438.

– Stichwort "Autore (diritto di)". In: Enciclopedia Del Diritto. Milano 1959.

*Di Fabio, Paolo,* La nuova disciplina del contrassegno (cd. bollino) SIAE, Dir. Aut. 2000, 22–42.

*Dibenedetto, Marco,* Responsabilità penale, Responsabilità penale in materia di violazione del diritto d'autore. Tesionline, Anno Accademico 2002/03, Torino.

*Dietz, Adolf,* Französischer Dualismus und deutscher Monismus im Urheberrecht – ein Scheingegensatz? In: Hans-Jürgen Ahrens/Joachim Bornkamm/Wolfgang Gloy/Joachim Starck/Joachim von Ungern-Sternberg (Hrsg.), Festschrift für Willi Erdmann. Zum 65. Geburtstag. Köln 2002, S. 63–71.

*Dreier, Thomas/ Schulze, Gernot,* Urheberrechtsgesetz. 3. Aufl., München, 2008.

*Durie, Robin,* Der englische Copyright, Designs and Patent Act von 1988. GRUR Int. 1990, 832–842.

*Dustmann, Andreas,* Die privilegierten Provider. Haftungseinschränkungen im Internet aus urheberrechtlicher Sicht. 2001.

*Ebert, Ina,* Pönale Elemente im deutschen Privatrecht. Tübingen 2004.

*Ellins, Julia,* Copyright Law, Urheberrecht und ihre Harmonisierung in der Europäischen Gemeinschaft. Von den Anfängen bis ins Informationszeitalter. Berlin 1997.

*Enders, Theodor,* Digital Rights Management Systeme (DRMS) als besondere Herausforderung an das Urheberrecht. ZUM 2004, 593–605.

*Ensthaler, Jürgen/Bosch, Wolfgang* (Hrsg.), Handbuch Urheberrecht und Internet, 2. Aufl., Heidelberg 2010.

*Ercolani, Stefania,* Il diritto d'autore: La legge italiana e le linee di evoluzione nella società dell'informazione. Dir. Aut. 2001, 19–33.

*Erdmann, Willi* (Hrsg.), Festschrift für Otto-Friedrich Freiherr von Gamm. Köln et al. 1990.

*Ernst, Stefan,* Kopierschutz nach neuem UrhG. CR 2004, 39–43.

Europäische Kommission (Hrsg.), Communication from the Commission to the Council, the European Parliament and the European Economic and Social Committee. COM(2009) 467 final, abrufbar unter: http://ec.europa.eu/internal_market/ iprenforcement/docs/ip-091313/communication_en.pdf [23.6.2010].

– Berichte der Europäischen Kommission für die Jahre 2005–2009. Abrufbar unter: http://ec.europa.eu/taxation_customs/customs/customs_controls/counterfeit_piracy/statistics/index_de.htm [15.8.2010].

– Section 4, Special Measures Related to Technological Enforcement of Intellectual Property in the Digital Environment, in der vorläufigen Fassung, veröffentlicht im April 2010: http://trade.ec.europa.eu/doclib/docs/2010/april/tradoc_146029.pdf [15.7.2010].

– Anti-Counterfeiting Trade Agreement; Veröffentlichung eines aktuellen Vertragsentwurfs für die Öffentlichkeit im April 2010 unter: http://trade.ec.europa.eu/doclib/docs/ 2010/april/tradoc_146029.pdf [15.7.2010].

*Ewert, Jonas/von Hartz, Nikolaus*, Die Abmahnung im Urheberrecht auf dem Weg in die Bedeutungslosigkeit? ZUM 2007, 450–455.

*Förster, Achim*, Fair Use. Ein Systemvergleich der Schrankengeneralklausel des US-amerikanischen Copyright Act mit dem Schrankenkatalog des deutschen Urheberrechtsgesetzes. Tübingen 2008.

*Frank, Christian/Wiegand, Nicolai*, Der Besichtigungsanspruch im Urheberrecht de lege ferenda. CR 2007, 481–487.

*Frassi, Paola Ada Emanuela,* Considerazioni sul problema del risarcimento del dannoderivante dalla lesione del Diritto d'autore. In: Giuseppe Sena (ed.), Il risarcimento del danno da illecito concorrenziale e da lesione della proprietà intelletuale. Milano 2004, 337–349.

*Fröhlich, Michael*, Zentrale Institutionen des deutschen und des französischen Droit d'auteur auf dem Prüfstand der elektronischen Netzwerke. Frankfurt am Main 2001.

*Fry, Robin*, Copyright Infringement and Collective Enforcement. [2002] EIPR, 516–524.

*Fuchs, Ulrich*, Der Werkbegriff im italienischen und deutschen Urheberrecht. München 2006.

*Ganea, Peter/Heath, Christopher/Schricker, Gerhard* (Hrsg.), Urheberrecht Gestern – Heute – Morgen. Festschrift für Adolf Dietz zum 65. Geburtstag. München 2001.

*Garnett, Kevin QC/Davies, Gillian/ Harbottle, Gwilym,* Copinger and Skone James on Copyright. 15th ed., London 2009.

*Gowers, Andrew*, The Gowers Review of Intellectual Property, London, HM Treasury, December 2006. Abrufbar unter: www.hmtreasury.gov.uk/independent_reviews/gow ers_review_intellectual_property/gowersreview_index.cfm.

*Gravenreuth, Günther Freiherr von*, Unterlassungsanspruch gegen Software-Kopierprogramme. GRUR 1985, 504–506.

– Strafverfahren wegen Verletzung von Patenten, Gebrauchsmustern, Warenzeichen oder Urheberrechten. GRUR 1983, 349–357.

*Grosso, Carlo Federico,* Problemi die responsabilità penale in tema di appropriazione od utilizzazione non plagiaria dell altrui opere dell'ingegno. Riv. it. dir. proc. pen. 1968, 67–106.

*Haedicke, Maximilian,* Die Haftung für mittelbare Urheber- und Wettbewerbsrechtsverletzungen. GRUR 1999, 397–402.

*Haft, Klaus/Donle, Christian/Ehlers, Jochen/ Nack, Ralph,* Strafschadensersatz als strittige Frage des geistigen Eigentums. GRUR Int. 2005, 403–407.

*Harms, L.T.C.,* The Role of the Judiciary in the Enforcement of IP Rights: Intellectual Property Litigation under the Common Law System with Special Emphasis on the Experience in South Africa. [2004] EIPR, 483–492.

*Heghmanns, Michael/Hildebrandt, Ulrich,* Die Strafvorschriften des Urheberrechts. GA 2003, 240–242.

– Musiktauschbörsen im Internet aus strafrechtlicher Sicht. MMR 2004, 14–18.

*Hildebrandt, Ulrich*, Die Strafvorschriften des Urheberrechts. Berlin 2001.

*Hilty, Reto M.*, Intellectual Property and the European Community's Internal Market Legislation. IIC 2004, 760–775.

*Hoeren, Thomas,* Vorratsdatenspeicherung und Urheberrecht – Keine Nutzung gespeicherter Daten. NJW 2008, 3099–3102.

*Hoeren, Thomas/Sieber, Ulrich*, Handbuch Multimedia-Recht. 24. Aufl. München 2010.

*Hubmann, Heinrich*, Der Rechtsschutz der Idee. UFITA, Band 24, 1957, 1–15.

*Hucko, Elmar*, „Zweiter Korb". Das neue Urheberrecht in der Informationsgesellschaft. München 2007.

*Huniar, Kirstin*, The Enforcement Directive – Its Effects on UK Law. [2006] EIPR 92–99.

International Chamber of Commerce, Commercial Crime Services, Counterfeiting Intelligence Bureau. http://www.icc-ccs.org/index.php?option=com_content &view=article &id=29& Itemid=39 [7.8.2010].

*Jarass, Hans D./Pieroth, Bodo* (Hrsg.), Grundgesetz. 10. Aufl., München 2009.

*Jefferson, Thomas,* Brief an Isaac McPherson vom 13. August 1813, abgedruckt in: *H.A. Washington* (Hrsg.), Writings of Thomas Jefferson 1790–1826, vol. 6. Washington D.C. 1854, S. 180–181

*Jeschek, Hans-Heinrich/Weigend, Thomas,* Lehrbuch des Strafrechts. Allgemeiner Teil. 5. Aufl., Berlin 1996.

*Kailitz, Susanne,* Digitale Piraten. Ausdruck aus dem Internetangebot der Zeitschrift „Das Parlament" mit der Beilage „Aus Politik und Zeitgeschichte", Ausgabe 14–15 vom 31.3.2008 [http://www.bundestag.de/dasparlament/2008/14-15/Innenpolitik/19999681.html].

*Kitz, Volker*, Rechtsdurchsetzung im geistigen Eigentum – die neuen Regeln. NJW 2008, 2374–2377.

*Körber, Thomas/Rehaag, Constantin,* Bekämpfung von Produktpiraterie in den Mitgliedstaaten der Europäischen Union: Die strafbare Kennzeichenverletzung in England. GRUR Int. 2006, 658–663.

*Kraayvanger, Jan/Hilgard, Mark*, Urkundenvorlegung im Zivilprozess. NJ 2003, 572–575.

*Kur, Annette*, The Enforcement Directive – Rough Start, Happy Landing? IIC 2004, vol. 35, 821–830.

*Laddie, Hugh/Prescott, Peter/Vitoria, Mary*, The Modern Law of Copyright and Designs, 3rd ed., London 2000.

*Landmann, Robert von/Rohmer, Gustav* (Hrsg.), Gewerbeordnung. Bd. I Kommentar (Loseblatt), Stand Mai 2003.

*Larenz, Karl*, Lehrbuch des Schuldrechts. Band 2: Besonderer Teil. 13. Aufl., München 1994.

*Lehmann, Michael* (Hrsg.), Internet- und Multimediarecht (Cyberlaw). Stuttgart 1997.

*Lemley, Mark E.,* Property, Intellectual Property and Free Riding. Texas Law Review, vol. 83, 2005, 1031–1075.

*Lettl, Tobias*, Urheberrecht. München 2008.

*Liuzzo, Lamberto*, Der neue vorsorgliche Rechtsschutz der gewerblichen Eigentumsrechte in Italien. GRUR Int. 2007, 893–895.

*Loewenheim, Ulrich* (Hrsg.), Urheberrecht im Inforrmationszeitalter. Festschrift für Wilhelm Nordemann zum 70. Geburtstag am 28. Januar 2004. München 2004.

– Handbuch des Urheberrechts. 2. Aufl., München 2010.

*Makeen, Makeen Fouad,* Copyright in a Global Information Society. The Hague et al. 2000.

*Marzano, Paolo,* Diritto d'Autore e Digital Technologies. Milano 2005.

– Sistemi anticopiaggio, tatuaggi elettronici e responsabilità online: il diritto d'autore risponde alle sfide di internet. Dir. Aut. 1998, n. 2, 149–180.

*Masiyakurima, Patrick*, Fair Dealing and Freedom of Expression. In: Paul L.C. Torremans (ed.), Copyright and Human Rights, 2004, S. 87–108

*McGuire, Mary-Rose*, Beweismittelvorlage und Auskunftsanspruch nach der Richtlinie 2004/48/EG zur Durchsetzung der Rechte des Geistigen Eigentums. GRUR Int. 2005, 15–22.

*Meyer-Goßner, Lutz* (Hrsg.), Strafprozessordnung. 53. Aufl., München 2010.

*Möhring, Philipp/Nicolini, Käte/Ahlberg, Hartwig* (Hrsg.), Urheberrechtsgesetz. Kommentar. 2. Aufl., München 2000.

*Möller, Margret,* Urheberrecht oder Copyright? ZUM 1990, 65–70.

*Mondini, Giorgio/Carabelli, Anna*, Italy. In: Dennis Campbell/Susan Cotter (eds.), Copyright Infringement. Comparative Law Yearbook of International Business. Special Issue, The Hague/London 1997, S. 203–224.

*Moritz, Hans-Werner/Dreier, Thomas* (Hrsg.), Rechts-Handbuch zum E-Commerce. 2. Aufl., Köln 2005.

*Mugdan, Benno*, Die gesammten Materialien zum Bürgerlichen Gesetzbuch für das Deutsche Reich. Berlin 1899.

*Musco, Enzo*, Consenso e legislazione penale. Riv. it. dir. proc. pen. 1993, 80–92.

*Musiol, Christian*, Erste Erfahrungen mit der Anwendung des § 101 IX UrhG – wann erreicht die Verletzung ein „gewerbliches Ausmaß"? GRUR-RR 2009, 1–4.

*Nolte, Georg,* Das Urheberrecht in der Informationsgesellschaft. CR 2006, 254–260.

*Nordemann, Jan Bernd/Dustmann, Andreas*, To Peer Or Not To Peer. CR 2004, 380–388.

*Nordemann, Wilhelm*, Umwandlung der Straftaten gegen das Urheberrecht in Offizialdelikte. NStZ 1982, 372–374.

*Nordemann, Wilhelm/Nordemann, Axel/Nordemann, Jan Bernd* (Hrsg.), Fromm, Karl Friedrich (Begr.), Urheberrecht: Kommentar zum Urheberrechtsgesetz, Urheberrechtswahrnehmungsgesetz, Verlagsgesetz. 10. Aufl., Stuttgart 2008.

*Ohly, Ansgar/Bodewig, Theo/Dreier, Thomas/ Götting, Horst-Peter/Haedicke, Maximilian Lehmann, Michael* (Hrsg.), Perspektiven des geistigen Eigentums und des Wettbewerbsrechts: Festschrift für Gerhard Schricker zum 70. Geburtstag. München 2005.

*Olenhusen, Albrecht Götz von/Crone, Andreas*, Der Anspruch auf Auskunft gegenüber Internet-Providern bei Rechtsverletzungen nach Urheber- und Wettbewerbsrecht. WRP 2002, 164–170.

Organisation für wirtschaftliche Zusammenarbeit und Entwicklung (OECD), Economic Impact of Counterfeiting and Piracy, http://www.oecd.org/dataoecd/13/12/38707619 .pdf [7.8.09].

*Paliero, Carlo Enrico*, Consenso sociale e diritto penale. Riv. it. dir. proc. pen. 1992, 849–922.

*Parodi, Cesare/Calice, Andrea*, Responsabilità penali e Internet. Milano 2001.

*Pastore, Salvatore*, La S.I.A.E. e la pirateria fonovideografica e del software. Dir. Aut. 1994, 235–244.

*Pedrazzi, Cesare*, Aspetti penalistici del diritto d'autore in Italia. Riv. it. proc. pen. 1969, 683–693.

*Peukert, Alexander*, Digital Rights Management und Urheberrecht. UFITA, 2002/III, 689–713.

– Der Schutzbereich des Urheberrechts und das Werk als öffentliches Gut. Insbesondere: Die urheberrechtliche Relevanz des privaten Werkgenusses. In: Reto M. Hilty/ Alexander Peukert, Interessenausgleich im Urheberrecht. Baden-Baden 2004, S. 11–46.

*Peukert, Alexander/Kur, Annette,* Stellungnahme des Max-Planck-Instituts für Geistiges Eigentum, Wettbewerbs- und Steuerrecht zur Umsetzung der Richtlinie 2004/48/EG zur Durchsetzung der Rechte des geistigen Eigentums in deutsches Recht. GRUR Int. 2006, 292–303.

*Pfeifer, Karl-Nikolaus*, The Return of the Commons – Copyright History as a Helpful Source. IIC 2008, 679–688.

– Individualität im Zivilrecht: der Schutz persönlicher, gegenständlicher und wettbewerblicher Individualität im Persönlichkeitsrecht, Immaterialgüterrecht und Recht der Unternehmen. Tübingen 2001.

*Phillips, Jeremy J./Durie, Robyn/Karet, Ian*, Whale on Copyright. 5th ed., London 1997.

*Piola-Caselli, Eduardo/Arienzo, Alfredo/Bile, Franco*, Stichwort "Diritti d'Autore". In: Novissimo Digesto Italiano. Torinese 1957.

*Picotti*, Lorenzo, Fondamento e limiti della responsabilità penale dei service-providers in Internet. Dir. Pen. e Proc. 1999, 379–386.

– La responsbilità penale dei Service Providers in Italia. Dir. Pen. e Proc. 1999, 501–506.

*Pleister, Christian C.-W./Ruttig, Markus*, Neues Urheberrecht – neuer Kopierschutz. MMR 2003, 763–767.

*Pfitzmann, Andreas/Federrath, Hannes/Kuhn, Marcus/Sieber, Ulrich*: Anforderungen an die gesetzliche Regulierung zum Schutz digitaler Inhalte unter Berücksichtigung der Effektivität von technischen Schutzmechanismen; Gutachten erstellt im Auftrag von Deutscher Multimedia Verband (dmmv) und Verband Privater Rundfunk und Telekommunikation e.V. (VPRT), Berlin, September 2002. (Das Gutachten ist auch als pdf im Internet verfügbar unter: http://dud.inf.tu-dresden.de/literatur/stud_vprt_datenpiraterie _komplett_120902.pdf)

*Poeppel, Jan*, Die Neuordnung der urheberrechtlichen Schranken im digitalen Umfeld. Göttingen 2005.

*Raabe, Franziska,* Der Auskunftsanspruch nach dem Referentenentwurf zur Verbesserung der Durchsetzung von Rechten des Geistigen Eigentums. ZUM 2006, 439–443.

*Raepple, Martin*, Sicherheitskonzepte für das Internet. 2. Aufl., Heidelberg 2001.

*Ragonesi, Giulia,* Le nuove norme processuali in tema di diritto d'autore introdotte dal decreto legislativo n. 140/2006, di recipimento della direttiva n. 48/2004. Dir. Aut. 2006, 443–483.

*Rehbinder, Manfred*, Urheberrecht. 16. Aufl., München 2010.

*Reinbacher, Tobias,* Strafbarkeit der Privatkopie von offensichtlich rechtswidrig hergestellten oder öffentlich zugänglich gemachten Vorlagen. GRUR 2008, 394–401.

*Reinbothe, Jürgen,* Hat die Europäische Gemeinschaft dem Urheberrecht gutgetan? Eine Bilanz des Europäischen Urheberrechts. In: Ansgar Ohly/Theo Bodewig/Thomas Dreier/ Horst-Peter Götting/Maximilian Haedicke/Michael Lehmann (Hrsg.), Perspektiven des geistigen Eigentums und des Wettbewerbsrechts: Festschrift für Gerhard Schricker zum 70. Geburtstag. München 2005, S. 483–500.

*Rigamonti, Cyrill P.*, Schutz gegen Umgehung technischer Maßnahmen im Urheberrecht aus internationaler und rechtsvergleichender Perspektive. GRUR Int. 2005, 1–18.

– Geistiges Eigentum als Begriff und Theorie des Urheberrechts. Baden-Baden 2001.

*Rochlitz, Burkhard*, Der strafrechtliche Schutz des ausübenden Künstlers, des Tonträger- und Filmherstellers und des Sendeunternehmens. Frankfurt a.M. et al. 1987.

*Roeber, Georg*, Urheberrecht oder geistiges Eigentum. UFITA, Band 21, 1956, 150–196.

*Rosenberg, Leo/Schwab, Karl Heinz/Gottwald,Peter* (Hrsg.), Zivilprozessrecht. 17. Aufl., München 2010.

*Roxin, Claus*, Strafrecht. Allgemeiner Teil, Band I. 4. Aufl., München 2006.

*Ruthig, Josef/Storr, Stefan*, Öffentliches Wirtschaftsrecht. 2. Aufl., Heidelberg 2008.

*Savorani, Giovanna,* Diritto d'autore: rimedi civilistici dopo la direttiva enforcement. Danno e responsabilità 2007, 500–512.

*Schaar, Peter,* Datenschutz im Internet. München, 2002.

*Schack, Haimo,* Internationales Zivilverfahrensrecht. 5. Aufl., München 2010.

– Urheber- und Urhebervertragsrecht. 5. Aufl., Tübringen 2010.

– Kunst und Recht, Bildende Kunst, Architektur, Design und Fotografie im deutschen und internationalen Recht. 2. Aufl., Köln et al. 2009.

– Neue Techniken und Geistiges Eigentum. JZ 1998, 753–763.

– Zur Qualifikation des Anspruchs auf Rechnungslegung im internat. UrhR. IPRax 1991, 347–350.

*Schaefer, Martin*, Welche Rolle spielt das Vervielfältigungsrecht auf der Bühne der Informationsgesellschaft? In: Bernward Zollner/Uwe Fitzner (Hrsg.), Festschrift für Wilhelm Nordemann. Baden-Baden 1999, S. 191–202.

*Schippan, Martin*, Die Harmonisierung des Urheberrechts in Europa im Zeitalter von Internet und digitaler Technologie. Baden-Baden 1999.

*Schönherr, Fritz*, Zur Begriffsbestimmung im Immaterialgüterrecht. In: Paul Brügger (Hrsg.), Homo Creator: Festschrift für Alois Troller. Basel 1976, S. 57–87.

*Schricker, Gerhard* (Hrsg.), Urheberrecht. 4. Aufl., München 2010.

– Urheberrecht auf dem Weg zur Informationsgesellschaft. 1. Aufl., Baden-Baden 1997.

*Schricker, Gerhard,* Multiforme Werke. Urheberrecht in einer sich wandelnden Medienwelt. In: Åke Frändberg (Red.), Festskrift till Stig Strömholm. Upsala 1997, S. 755–767.

*Schulz, Daniela,* Der Bedeutungswandel des Urheberrechts durch Digital Rights Management – Paradigmenwechsel im deutschen Urheberrecht? GRUR 2006, 470–477.

*Seith, Sebastian,* Wie kommt der Urheber zu seinem Recht? Zu den verfassungsrechtlichen Rahmenbedingungen staatlicher Politik zum Schutz des Urheberrechts im digitalen Zeitalter. Heidelberg 2003.

*Seminara, Sergio,* La pirateria su internet e il diritto penale. Riv. Trim. Dir. pen. Econ. 1997, 71–114.

– La responsabilità penale degli operatori su internet. Dir. Inf. 1998, 745–774.

*Sieber, Ulrich,* Compliance-Programme im Unternehmensstrafrecht. In: Ulrich Sieber (Hrsg.), Festschrift für Klaus Tiedemann zum 70. Geburtstag. Köln/München 2008, S. 449–484.

– Urheberstrafrecht der Informationsgesellschaft. MMR 2002, 701–702.

– Strafrechtliche Verantwortlichkeit für den Datenverkehr in internationalen Computernetzen. JZ 1996, 429–442.

– Zivilrechtliche Beweisinteressen im Strafprozess. In: Manfred Seebode (Hrsg.), Festschrift für Günter Spendel. Berlin/New York 1992, S. 757–776.

– Urheberrechtliche und wettbewerbsrechtliche Erfassung der unbefugten Softwarenutzung. BB 1981, 1547–1556.

*Sieber, Ulrich/Höfinger, Frank Michael,* Drittauskunftsansprüche nach § 101a UrhG gegen Internetprovider zur Verfolgung von Urheberrechtsverletzungen. MMR 2004, 575–585.

*Sirotti Gaudenzi, Andrea,* Il nuovo diritto d'autore. Rimini 2004.

*Smith, Joel/Wheeler, Charlotte/Burke, Sarah,* Legislative Comment on new Intellectual Property Enforcement Regulations. [2006] EIPR, N–125–126.

*Spagna Musso, Enrico,* Diritto Costituzionale. Padova 1991.

*Spindler, Gerald/Dorschel, Joachim,* Der Auskunftsanspruch gegen Verletzer und Dritte im Urheberrecht nach neuem Recht. ZUM 2008, 640–649.

– Vereinbarkeit der geplanten Auskunftsansprüche gegen Internet-Provider mit EU-Recht. CR 2006, 341–347.

– Auskunftansprüche gegen Internet-Service-Provider. CR 2005, 38–47.

*Spindler, Gerald/Weber, Marc Philipp,* Die Umsetzung der Enforcement Richtlinie nach dem Regierungsentwurf für ein Gesetz zur Verbesserung der Durchsetzung von Rechten des geistigen Eigentums. ZUM 2007, 257–266.

– Der Geheimnisschutz nach Art. 7 der Enforcement-Richtlinie. MMR 2006, 711–714.

*Stauder, Dieter,* Umfang und Grenzen der Auskunftspflicht im gewerblichen Rechtsschutz und Urheberrecht. GRUR Int. 1982, 226–231.

*Sternberg-Lieben, Detlev,* Musikdiebstahl. Köln 1985.

*Stieper, Malte,* Rechtfertigung, Rechtsnatur und Disponibilität der Schranken des Urheberrechts. Tübingen 2010.

*Stokes, Simon,* Digital Copyright: Law and Practice. 3rd ed., Oxford 2009.

*Stone, Richard*, Textbook on Civil Liberties and Human Rights. 7th ed., Oxford 2008.

*Ströbele, Paul/Hacker, Franz* (Hrsg.), Markengesetz. 9. Aufl., Köln 2009.

*Sugden, Paul*, How Long is a Piece of String? The Meaning of "Commercial Scale" in Copyright Piracy. EIPR 2009, 202–212.

*Terracina, David,* La tutela penale del diritto d'autore e dei diritti connessi. Torino 2006.

– La legge 18 agosto 2000, n° 248 e l'evoluzione della tutela penale del diritto d'autore. Riv. pen. 2000, 1089–1097.

*Theiselmann, Rüdiger*, Geistiges Eigentum in der Informationsgesellschaft. München 2004.

*Tilmann, Winfried*, Beweissicherung nach Art. 7 der Richtlinie zur Durchsetzung der Rechte des geistigen Eigentums. GRUR 2005, 737–740.

*Torr, James D.* (Hrsg.), Internet Piracy. Detroit 2005.

*Torremans, Paul L.C.,* Holyoak and Torremans Intellectual Property Law. 6th ed., Oxford/ New York 2010.

– Copyright as a Human Right. In: ders. (ed.), Copyright and Human Rights. Freedom of Expression, Intellectual Property, Privacy. The Hague 2004, S. 1–20.

*Trabucchi, Alberto A.*, Istituzioni di Diritto civile. Padova 2001.

*Trayer, Martin*, Technische Schutzmaßnahmen und elektronische Rechtewahrnehmungssysteme. Baden-Baden 2003.

UK Intellectual Property Office, Taking Forward the Gowers Review of Intellectual Property. Increasing Penalties for Copyright Infringement, S. 9. Abrufbar unter: http://www.ipo.gov.uk/consult-gowers36.pdf [6.9.2010].

*Ulmer, Eugen*, Urheber- und Verlagsrecht. 3. Aufl., Berlin et al. 1983.

*Ulmer, Eugen/Schricker, Gerhard* (Hrsg.), International Encyclopedia of Comparative Law. Vol. XIV: Copyright. Tübingen/Leiden 2007.

UK Ministry of Justice, The Law on Damages. Response to Consultation, 1 Juli 2009. Abrufbar unter: http://www.justice.gov.uk/consultations/docs/law-damages-response.pdf [9.10.09].

*Wadham, John/Mountfield, Helen/Edmundson, Anna/Gallagher, Caoilfhionn*, Blackstone's guide to the Human Rights Act. 5th ed., Oxford 2009.

*Walter, Michael M.* (Hrsg.), Europäisches Urheberrecht. Wien 2001.

*Wandtke, Artur-Axel/Bullinger, Winfried* (Hrsg.), Praxiskommentar zum Urheberrecht. 3. Aufl., München 2009.

*Weber, Werner*, Urheberrecht und Verfassung. Vortrag, gehalten auf dem Kongreß der Internationalen Gesellschaft für Urheberrecht am 30. April 1960 in Wien. Berlin et al. 1961.

*Weber, Ulrich*, Die Überspannung der staatlichen Bußgeldgewalt. ZStW Bd. 92, 1980, 317–345.

– Der strafrechtliche Schutz des Urhebers. Tübingen 1976.

*Welser, Markus von,* Die neue europäische Produktpiraterieverordnung. EWS 2005, 202–208.

*Würfel, Christine*, Europarechtliche Möglichkeiten einer Gesamtharmonisierung des Urheberrechts. Karlsruhe 2005.

*Ziccardi*, *Giovanni*, Il Diritto d'autore nell'era digitale. Milano 2001.

# Schriftenreihe des Max-Planck-Instituts für ausländisches und internationales Strafrecht

Die zentralen Veröffentlichungen des Max-Planck-Instituts für ausländisches und internationales Strafrecht werden in Zusammenarbeit mit dem Verlag Duncker & Humblot in den folgenden vier Unterreihen der „Schriftenreihe des Max-Planck-Instituts für ausländisches und internationales Strafrecht" vertrieben:

- „Strafrechtliche Forschungsberichte",
- „Kriminologische Forschungsberichte",
- „Interdisziplinäre Forschungen aus Strafrecht und Kriminologie" sowie
- „Sammlung ausländischer Strafgesetzbücher in deutscher Übersetzung".

Diese Publikationen können direkt über das Max-Planck-Institut unter <www.mpicc.de> oder über den Verlag Duncker & Humblot unter <www.duncker-humblot.de> erworben werden.

Darüber hinaus erscheinen im Hausverlag des Max-Planck-Instituts in der Unterreihe „research in brief" zusammenfassende Kurzbeschreibungen von Forschungsergebnissen und in der Unterreihe „Arbeitsberichte" Veröffentlichungen vorläufiger Forschungsergebnisse. Diese Veröffentlichungen können über das Max-Planck-Institut bezogen werden.

Detaillierte Informationen zu den einzelnen Publikationen des Max-Planck-Instituts für ausländisches und internationales Strafrecht sind unter <www.mpicc.de> abrufbar.

The main research activities of the Max Planck Institute for Foreign and International Criminal Law are published in the following four subseries of the "Schriftenreihe des Max-Planck-Instituts für ausländisches und internationales Strafrecht" (Research Series of the Max Planck Institute for Foreign and International Criminal Law), which are distributed in cooperation with the publisher Duncker & Humblot:

- "Strafrechtliche Forschungsberichte" (Reports on Research in Criminal Law),
- "Kriminologische Forschungsberichte" (Reports on Research in Criminology),
- "Interdisziplinäre Forschungen aus Strafrecht und Kriminologie" (Reports on Interdisciplinary Research in Criminal Law and Criminology), and
- "Sammlung ausländischer Strafgesetzbücher in deutscher Übersetzung" (Collection of Foreign Criminal Laws in German Translation).

These publications can be ordered from the Max Planck Institute at <www.mpicc.de> or from Duncker & Humblot at <www.duncker-humblot.de>.

Two additional subseries are published directly by the Max Planck Institute for Foreign and International Criminal Law: "research in brief" contains short reports on results of research activities, and "Arbeitsberichte" (working materials) present preliminary results of research projects. These publications are available at the Max Planck Institute.

Detailed information on all publications of the Max Planck Institute for Foreign and International Criminal Law can be found at <www.mpicc.de>.

Max-Planck-Institut für ausländisches
und internationales Strafrecht

Auswahl aus dem strafrechtlichen Veröffentlichungsprogramm:

S 114.1 *Ulrich Sieber/Karin Cornils* (Hrsg.)
**Nationales Strafrecht in rechtsvergleichender Darstellung**
– Allgemeiner Teil –
Band 1: Grundlagen
2009 • 790 Seiten • ISBN 978-3-86113-849-5 € 55,00

S 114.2 Band 2: Gesetzlichkeitsprinzip – Internationaler Geltungsbereich – Begriff und Systematisierung der Straftat
2008 • 470 Seiten • ISBN 978-3-86113-860-0 € 41,00

S 114.3 Band 3: Objektive Tatseite – Subjektive Tatseite – Strafbares Verhalten vor der Tatvollendung
2008 • 490 Seiten • ISBN 978-3-86113-859-4 € 41,00

S 114.4 Band 4: Tatbeteiligung – Straftaten in Unternehmen, Verbänden und anderen Kollektiven
2010 • 527 Seiten • ISBN 978-3-86113-842-6 € 45,00

S 114.5 Band 5: Gründe für den Ausschluss der Strafbarkeit – Aufhebung der Strafbarkeit – Verjährung
2010 • 718 Seiten • ISBN 978-3-86113-841-9 € 55,00

S 121 *Marc Engelhart*
**Sanktionierung von Unternehmen und Compliance**
Eine rechtsvergleichende Analyse des Straf- und Ordnungswidrigkeitenrechts in Deutschland und den USA
2010 • 889 Seiten • ISBN 978-3-86113-845-7 € 55,00

S 122 *Anna Petrig* (ed.)
**Sea Piracy Law / Droit de la piraterie maritime**
Selected National Legal Frameworks and Regional Legislative Approaches / Cadres juridiques nationaux et approches législatives régionales
2011 • 161 Seiten • ISBN 978-3-86113-843-3 € 31,00

S 123 *Sławomir Morawski*
**Systeme der Ein- und Abstufung der Tatschwere im Strafrecht**
Ein deutsch-polnischer Vergleich
2011 • 231 Seiten • ISBN 978-3-86113-840-2 € 31,00

S 124 *Almir Maljević*
**'Participation in a Criminal Organisation' and 'Conspiracy'**
Different Legal Models Against Criminal Collectives
2011 • 339 Seiten • ISBN 978-3-86113-839-6 € 31,00